Stephan
THOME

Roman

Suhrkamp

Flieh
kräfte

3. Auflage 2012
Erste Auflage 2012
© Suhrkamp Verlag Berlin 2012
Druck: Pustet, Regensburg
Printed in Germany
ISBN 978-3-518-42325-7

Fliehkräfte

Für Helmut

1973

Am späten Nachmittag verwandelt sich die Welt. Flaumig leichte Flocken wirbeln durch die Luft, als wären sie von der Schwerkraft ausgenommen. Lautlos füllen sie den Raum und legen eine weiß-graue Schraffur über den Campus. Seit November hängen dichte Wolken über der Stadt, und wenn die Studenten nach den Seminaren ins Freie traten, legten sie die Köpfe in den Nacken und blickten erwartungsvoll nach oben. Jetzt streicht Schnee über die Fenster der Wilson Library, ohne daran haften zu bleiben. Fahrradfahrer, die von der Brücke kommen, ziehen pulverige Schleier hinter sich her. Vor ihm auf der winzigen Arbeitsfläche liegt *Empiricism and the Philosophy of Mind*, seit einer halben Stunde auf derselben Seite aufgeschlagen. Gebannt schaut Hartmut nach draußen und versucht, den Weg einer einzelnen Flocke zu verfolgen. Am liebsten würde er das Gesicht gegen die Scheibe drücken und den milchigen Niederschlag seines Atems daraufmalen. Er hat sowieso keine Ahnung, was das sein soll: der Mythos des Gegebenen.

Endlich, denkt er. Wochenlang hat die Luft nach Winter gerochen, auch wenn es in Wirklichkeit kein Geruch ist, sondern eine Sehnsucht, die man erst erkennt, wenn sie sich erfüllt. Alle haben ihn gewarnt vor Stromausfällen bei dreißig Grad minus, vor eingeschneiten Häusern und eisglatten Wegen. Jetzt wird die Welt nur still, und er ist glücklich. Das Wort in seinem Kopf überrascht ihn, aber es stimmt. Um ihn herum schauen Kommilitonen von ihren Büchern auf und beginnen, miteinander zu flüstern.

Als er um halb sieben die Bibliothek verlässt, ist es draußen stockdunkel. Leer wie nie um diese Zeit streckt sich die Washington Avenue Bridge über den Fluss. Wenn Hartmut nach oben schaut, wird ihm schwindlig. Unter ihm fließt der Mississippi schwarz und beinahe geräuschlos dahin. Ein fremdes Gewässer, das er zwei Mal täglich überquert, manchmal öfter. Auf der östlichen Campusseite steht Ford Hall stoisch an seinem Platz. Benannt nach dem früheren Uni-Präsidenten und ausgestattet mit einem Vorbau aus viereckigen Säulen, trotzt das Bauwerk den dicht fallenden Flocken. Jeden Morgen steigt er hinauf in den dritten Stock, mit demselben flauen Gefühl im Magen wie vor einer Prüfung. Jetzt geht er am Gebäude vorbei durch den bereits knöcheltiefen Schnee auf der Mall. Immer die University Avenue entlang, hat Professor Hurwitz gesagt. Weil der Text partout nicht in seinen Kopf wollte, hat Hartmut ihn schließlich beiseitegelegt und stattdessen die zwei eng beschriebenen Kladden mit Notizen studiert, die er immer in der Tasche trägt. Konzentrieren konnte er sich auch darauf nicht. Kann man einen Ort vermissen, an den man nicht zurückwill? Die Rodelpartien fallen ihm ein, die Straße neben dem Haus hinab. Weil das Geld knapp war, hat sein Vater den Schlitten selbst gebaut. Hat die Kufen im Betrieb zugeschnitten und sie nach Feierabend unter das Holzgestell geschraubt, mit derselben bedächtigen Sorgfalt, mit der er jede Arbeit erledigt.

Als Dinkytown hinter ihm liegt, stapft er durch unbekanntes Gebiet. Wohnheime sind zu erkennen und vereinzelte Villen. Von den ausschweifenden Partys, die hier gefeiert werden, hört er manchmal in der Mensa, aus Gesprächsfetzen am Nebentisch. Es ist ein weiträumiger Campus mit viel rotem Backstein, knorrigen Ulmen und Gesichtern von überall auf der Welt. Aus einem der Gärten kommt ausgelassenes Gelächter, durchbricht die Stille wie dünnes Eis und bleibt hinter ihm zurück.

Jenseits der Interstate 35 kann er die Kreuzung ausmachen,

hinter der sein Professor wohnt. Noch nie hat Hurwitz ihn zu sich nach Hause bestellt. Will er ihm in Ruhe erklären, warum er ihn nicht als Doktoranden annehmen kann? Dass er sich nicht in der Lage sieht, ihm in der zur Verfügung stehenden Zeit seine europäischen Flausen auszutreiben? Hurwitz' erster Blick auf die Berliner Kursliste wurde begleitet von vernehmlichem Stöhnen. Was, bitte schön, ist ein Autonomes Seminar? Seitdem muss Hartmut alle zwei Wochen Bericht erstatten über seine Lektüre. Jedes Wort, das er nicht kennt, schlägt er nach und schreibt es auf eine kleine Karte. Notiert die Bedeutung und den Satz, in dem es vorkommt, und fühlt sich angezogen vom Klang dieser Texte. Im Seminar stellt er sich vor, die Hand zu heben und zu sagen: This claim is flying in the face of reason. In Wirklichkeit redet er wenig und fühlt sich in Raum 304 wie auf Bewährung geduldet, jeden Dienstag und Donnerstag. Aber hat er sich bewährt, oder wird Hurwitz ihm heute Abend die Tür weisen?

Das Haus ist in dem Stil gebaut, den man hier viktorianisch nennt: holzverkleidet, mit einer erhöhten Vorderterrasse und verspielten Erkern und Winkeln, alles taubenblau und anheimelnd, auch wenn nur die Umrisse auszumachen sind hinter tanzenden Flocken. Licht schimmert durch mehrere Fenster, und Hartmut spürt sein Herz klopfen, als er die Stufen zur Veranda hinaufsteigt. Seine Uhr zeigt genau sieben. Wie lange wird es dauern? Sobald er an die andere Verabredung denkt, weiß er nicht mehr, welcher Termin ihn nervöser macht. Ausdrücklich hat er gesagt, er wisse nicht, wann er sich werde loseisen können, aber bestimmt nicht vor acht. Außerdem ist der Weg länger, als er dachte. Es könnte neun werden, vielleicht halb zehn. Sie hat gemeint, er solle einfach vorbeikommen auf dem Rückweg, notfalls würden sie in die Spätvorstellung gehen. Das war vor vier Tagen. Seitdem hält er am Schreibtisch manchmal inne, als wäre von irgendwo ein Blick auf ihn gerichtet.

Kurz drückt er die Klingel, erschrickt über das laute Geräusch hinter der Tür und hört flinke Schritte, die nicht zu seinem Professor gehören. Die Haustür geht auf, und eine ältere Frau, die er auf Fotos in Hurwitz' Büro gesehen hat, streckt ihm resolut die Hand entgegen. »Sie müssen Hartmut sein. Hallo.«

»Guten Abend, Mrs. Hurwitz.«

Sie ist beinahe einen halben Meter kleiner als ihr Mann. Lächelnd deutet sie auf seine Schuhe, schließt hinter ihm die Tür und fragt, ob er das Haus gleich gefunden habe, alles auf einmal. Seinen Namen spricht sie aus, ohne dass es nach hard mud klingt, was nicht vielen in Amerika gelingt. Sich selbst stellt Mrs. Hurwitz als Marsha vor, nimmt ihm den schneefeuchten Parka ab und führt ihn ins Esszimmer. Die Wärme lässt seine Brille beschlagen. Licht aus mehreren Lampen spiegelt sich in den dunklen Fenstern. Hartmut sieht sich um, und Marsha zeigt mit dem ausgestreckten Finger auf ihn, als komme ihr gerade ein großartiger Einfall. »Heißer Tee«, sagt sie und geht weiter in die Küche, ohne seine Antwort abzuwarten. Durch Walters Haus auf der anderen Flussseite wabert immerzu der Geruch von Motoröl und feuchten Teppichen, hier glaubt er, Zimt zu riechen, frisches Brot und gebackene Äpfel. Auf dem Esstisch und den Fensterbänken liegen weiße Stickdeckchen, stehen Kerzenhalter, gläserne Blumenvasen und gerahmte Fotos. Einige zeigen einen optimistisch dreinblickenden Mann in Uniform, aber auf den meisten sind die Töchter zu sehen, einzeln oder gemeinsam, beim Spielen, Reiten und mit den eigenartigen Hüten, die man hier zum Uni-Abschluss trägt. Außerdem Hurwitz als junger Mann, immer riesig, egal wer neben ihm steht und obwohl er schon damals die leichte Rundung in den Schultern hatte.

Mit einem vollen Tablett kommt Marsha zurück. Sie trägt Rock und Jacke aus demselben dunkelgrünen Stoff, dazu eine silberne Halskette und Ohrringe, als würde sie nicht einen Studenten, sondern den Präsidenten der University of Minnesota bewirten. Vorsichtig stellt sie die Teekanne auf ein Stövchen und mustert ihn wohlwollend.

»Eine ungeschriebene Regel des Hauses besagt, dass zwar

kein Gast einen English Muffin essen muss«, sagt sie, »aber jeder bekommt einen angeboten. So?«

»Ich … Es ist bereits sieben vorbei«, sagt er trotz seines Hungers.

»Oh, keine Sorge. Hurwitz wird sich melden.« Sie blickt zur Decke, die im selben Moment unter schweren Schritten zu knarren beginnt. »Außerdem kennt er die Regel. Sie müssen wissen, Hartmut, das Haus hat zwei Stockwerke, und in diesem hier bestimme ich. Alleine.«

»Dann – okay, ess ich einen.«

»Es ist nur ein Mittel, um meine Quittenmarmelade unters Volk zu bringen. Bitte.« Marsha zeigt auf einen Platz am ovalen Esszimmertisch und beginnt, Geschirr und Besteck aufzulegen. In der nächsten Viertelstunde isst Hartmut den ersten English Muffin seines Lebens, trinkt zwei Tassen Tee mit Rum und erfährt das Wichtigste über Claire, Elaine und Cecilia Hurwitz: dass sie wunderbar sind und hoffentlich bald schwanger werden. Pausenlos springt Marsha zwischen den drei Töchtern, ihren Wohnorten, Ehemännern und Berufen hin und her und legt jedes Mal den Kopf in den Nacken, wenn über ihnen die Dielen knarren. Was oft geschieht. Gleichzeitig beobachtet sie Hartmut genau, registriert sofort, wenn er nicht versteht, was sie sagt, und wiederholt es mit anderen Worten. Erst als sie ihm lächelnd den zweiten Muffin auf den Teller legt, bemerkt er, wie schnell er den ersten verschlungen hat. Dass er seit Monaten von Sandwichs und dem billigsten Gericht in der Mensa lebt, behält er für sich. Das wenige, das zu erzählen er Gelegenheit bekommt, betrifft seine Familie und findet Marshas emphatische Zustimmung: Eltern, die jeden Sonntag in die Kirche gehen, und eine jüngere Schwester, die bald heiraten wird. Schade, dass du nicht dabei sein kannst, stand in Ruths letztem Brief, den er immer noch nicht beantwortet hat. Es ist eine verstörende Vorstellung: die kleine dumme Ruth vor dem Traualtar. Irgendwann reißt das Knarren im Obergeschoss nicht mehr ab, und Marsha schließt seufzend die Augen.

»Wenn man so lange verheiratet ist wie wir, wird man nicht nur füreinander durchsichtig. Die Wände werden es auch. Ich fürchte, Hartmut, Sie müssen bald nach oben.«

»Okay.«

»Wenn er an seinen philosophischen Texten arbeitet, höre ich stundenlang keinen Mucks. Dann sitzt er da.« Schräg zeigt ihr Arm nach oben, auf einen Punkt seitlich des Hauseingangs. »Soll ich ehrlich sein? Ich wünschte, das wäre häufiger der Fall. Früher saß er immer da, Abend für Abend.«

»Ja. Und jetzt?«

»Das wird er Ihnen gleich selbst sagen.« Als sie die Augen wieder öffnet, wirkt ihr Blick müde. »Hartmut, darf ich Ihnen eine persönliche Frage stellen?«

»Ja. Natürlich.«

»Sie sind ein junger Mann und nur für Ihr eigenes Tun verantwortlich. Trotzdem, nehmen Sie es mir bitte nicht übel. Was hat Ihr Vater im Krieg gemacht? Wissen Sie das?« Ihre Stimme wird leise und gibt Hartmut das Gefühl, sie frage nicht aus eigenem Interesse. Hurwitz kommt gelegentlich im Seminar auf den Zweiten Weltkrieg zu sprechen, auf dieselbe abrupte Weise, auf die er das Thema kurz darauf wieder fallenlässt, aber er hat ihn nie nach seinem Vater gefragt.

»Er war nicht im Krieg. Als einziges Kind und Halbwaise wurde er …« Was ›unabkömmlich gestellt‹ auf Englisch heißt, weiß er nicht und behilft sich anders. »Nicht einberufen. Er musste sich um die Landwirtschaft kümmern. Um seine Mutter.«

»Das ist gut, ich meine … Sie wissen schon.«

Im Gespräch entsteht eine Pause. Marsha hält ihre Teetasse in beiden Händen und betrachtet den aufsteigenden Dampf. Im Nebenzimmer knistert und knackt ein Kaminfeuer. Deutlich wie lange nicht mehr steht ihm die Arnauer Küche vor Augen, ein niedriger Raum, an dessen Wänden keine Fotos hängen, nur ein Abreißkalender mit der täglichen Bibellese. Der Geruch von Ruß und Essen. Seine Großmutter sitzt den ganzen

Tag vor dem Fenster, blickt nach draußen und öffnet den Mund nur, um ihr Missfallen zu bekunden. Zahnlos seit zwanzig Jahren, seit sie ihr Gebiss in die Jauchegrube geworfen hat, weil es kniff. Die Unabkömmlichkeit seines Vaters mag auch damit zu tun gehabt haben, dass er als Modellschlosser in einem Betrieb arbeitete, der damals wichtige Rüstungsgüter produzierte. Oder Teile dafür. Spielt keine Rolle, denkt Hartmut. Tausende Kilometer von zu Hause entfernt sitzt er in einem warmen Esszimmer, spürt ungewohnten Alkohol auf den Wangen und hat später am Abend, was man hier ein Date nennt. Den ganzen Tag war er nervös und ist es jetzt nicht mehr. Wollte Hurwitz ihn als Doktoranden ablehnen, würde er ihn nicht erst von seiner Frau bewirten lassen. Was auch immer sein Professor von ihm will, das ist die Hauptsache: Er wird in Amerika bleiben, hart arbeiten und irgendwann Freunde finden, wird sein Englisch verbessern und allmählich einer von denen werden, die er mittags in der Mensa beobachtet. Einer von denen und trotzdem er selbst. Das ist das Ziel. Dafür ist er hergekommen.

Marsha stellt ihre Teetasse ab und räuspert sich. »Sie wissen wahrscheinlich gar nicht, warum er sie eingeladen hat. Richtig?«

»Nicht genau, nein.«

»Hurwitz wird Sie um Hilfe bitten bei einem Projekt, das er sich in den Kopf gesetzt hat. Er kann ja kein Deutsch. Aber bevor er das tut, bitte ich Sie ebenfalls um etwas: Sagen Sie nicht sofort zu. Bitten Sie sich Bedenkzeit aus. Hurwitz ist …« Ihre Augen irren durch den Raum, als hätte sie das richtige Wort eben noch gesehen. »*Intense*. Um nicht zu sagen besessen, was er auch manchmal ist.«

»Was für ein Projekt?«

»Entscheiden Sie nicht sofort, Hartmut, er wird das akzeptieren. Schließlich sind Sie hier, um Philosophie zu studieren, richtig?« Sie macht eine Bewegung mit der Hand, als wollte sie ihm über die Wange streichen und hielte sich im letzten Moment zurück. »Sie haben genug zu tun mit Ihren eigenen Studien.«

»Ja.« Wieder poltern im ersten Stock schwere Schritte, verharren und kommen die schmale Holztreppe herab, die Hartmut beim Eintreten gesehen hat. »Ich werde es mir überlegen.«

Bevor sie aufsteht, legt Marsha beide Hände auf ihre Oberschenkel und nickt.

»Gut. Es hat mich sehr gefreut. Die Tasse nehmen Sie am besten mit. Sie können natürlich jederzeit runterkommen, wenn Sie mehr wollen.«

Als er zwei Stunden später das Haus verlässt, ist der Schneefall so dicht geworden, dass die Sicht kaum zehn Meter weit reicht. Das Wärmegefühl, das der Rum auf seinen Wangen hinterlassen hat, ist verflogen, und trotzdem fühlt es sich gut an, eingepackt in den Parka durch die Straßen zu laufen und kalte Nachtluft zu atmen. Sein Kopf brummt. Zwei Stunden lang hat er angestrengt zugehört, weil Hurwitz so auf seine Erzählung konzentriert war, dass er nicht merkte, wenn er Hartmut überforderte. Jetzt ist es, als löste sich ein Muskel in seinem Kopf und begänne, vor Erschöpfung zu zittern. Im Gehen hascht er nach den Schneeflocken und wischt sie sich über die Stirn. Erst jenseits der Hennepin Avenue steckt er die Hände in die Taschen und bemerkt den in eine Serviette eingepackten Muffin. Wie ein Filmausschnitt steht ihm die mühsam gebändigte Erregung vor Augen, mit der sein Professor auf und ab lief, nach Büchern suchte, Karten auf- und zufaltete und ihn an Marsha denken ließ, die wahrscheinlich im Esszimmer zur Decke starrte und genau wusste, worum es ging.

Wird sie ihm übel nehmen, dass er sich sofort bereit erklärt hat mitzumachen?

Ohne stehen zu bleiben, packt er den Muffin aus und beißt hinein. Beschleunigt den Schritt, obwohl er mit vollem Mund nicht gut atmen kann. Sandrine wartet auf ihn, und er fühlt sich merkwürdig leicht. Bisher sind sie ein paar Mal zusammen in der Mensa gewesen. Haben in der Mall auf dem Rasen gesessen und geredet, als es dafür noch warm genug war, aber viel weiß er nicht von ihr. Sie kommt aus Paris, lebt hauptsächlich von Obst und Salat, hat genug Geld und zu allem eine feste Meinung. Wenn er spricht, schaut sie ihn durch ihre schwarze Hornbrille an, als verdiente jedes Wort ihre ungeteilte Aufmerksamkeit. Obwohl sie meistens anderer Ansicht ist. Als sie wissen wollte, ob er gerne ins Kino gehe, hat er einfach Ja gesagt.

Die Umrisse von Sanford Hall tauchen aus dem Schneetreiben auf. Helle Fenster schweben in der Dunkelheit. Vor dem Eingang wurden die Gehwege frei geschaufelt und sind bereits wieder eingeschneit. Mit einem Nicken schleicht sich Hartmut an der Rezeption vorbei und findet die Treppe hinauf in den dritten Stock. Neonlicht spiegelt sich in feuchten Fußabdrücken auf dem Boden. Hinter nummerierten Türen erklingen Stimmen und gedämpfte Musik, davor stehen gefütterte Winterschuhe in Pfützen aus geschmolzenem Schnee.

Hinter Sandrines Tür hört er nichts. Zwei Mal klopft er vorsichtig, vernimmt keine Antwort und glaubt schon, sie sei ohne ihn ins Varsity Theater gegangen, als sich die Tür langsam öffnet und Sandrine ihr bebrilltes Gesicht in den Spalt schiebt. Mit ihrem Lächeln kommt ihm ein Hauch warmer Luft entgegen.

»Was ist mit den pünktlichen Deutschen los?« Ihr Akzent ist weniger stark als seiner, aber man hört, aus welchem Land sie kommt. Fröstelnd hält sie sich die Arme vor die Brust und blickt den leeren Flur hinauf und hinab.

»Tut mir leid. Hurwitz hat kein Ende gefunden. Soll ich reinkommen oder ...?«

»Du hast Schnee auf dem Kopf.« Auf nackten Füßen huscht sie zurück ins Zimmer. Es ist nicht größer als seine Kammer in Walters Haus, hat aber ein hohes Fenster, in dem die Skyline von Minneapolis steht, schemenhafte Türme mit grünlich schimmernden Lichtern. Fast sieht es aus, als würde ein riesiger Ozeandampfer flussaufwärts ziehen. Hartmut lässt die Schuhe im Flur stehen und tritt ein. Während er die Brille über das Innenfutter seines Parkas reibt, stehen sie einander gegenüber zwischen Sandrines wenigen Möbeln: einem Schrank, zwei überfüllten Bücherregalen und einem kleinen Schreibtisch. Sie wohnt alleine und nutzt das obere Etagenbett als Stauraum.

»Ich hab Wein gekauft«, sagt sie, »den besten schlechten Wein, den ich kriegen konnte. Eigentlich wollte ich auf dich warten, aber dann – hab ich doch nicht gewartet.« Nickend sieht sie sich um, als fiele ihr das Chaos im Zimmer erst in diesem Moment auf. Nicht nur auf dem Bett, überall liegen Sachen herum, Bücher, Zeitschriften und stapelweise Schallplatten. »Lass mich raten. Bei dir ist es ordentlicher?«

»Ich hab weniger Sachen.« Vorsichtig, damit keine Tropfen auf die vielen Papiere fallen, zieht er seinen Parka aus und legt ihn aufs obere Bett.

»Weißt du, was mir aufgefallen ist? Wenn du ein Sandwich auspackst, faltest du hinterher das Papier zusammen.« In Erwartung seines Protestes streckt sie ihm den Zeigefinger entgegen. »Doch. Ich hab mir aber schon gedacht, dass du es nicht bewusst tust. Es ist deine zweite Natur.«

»Wann ist dir das aufgefallen?«

»Bei jeder Mahlzeit. Kante auf Kante, immer drei Mal.« Lächelnd sieht sie ihn an, und er braucht einen Moment, um zu realisieren, dass er sich nicht verspottet fühlt. Ihre hellbraunen Haare werden von Spangen zurückgehalten, das Gesicht wirkt offen und ein wenig verträumt. Im Seminar sitzt sie im Schneidersitz auf ihrem Stuhl, hat den Rücken durchgedrückt und die Haare zum Pferdeschwanz gebunden. Starr vor Aufmerksamkeit. So saß sie eines Morgens neben ihm im Wahlpflichtkurs zur amerikanischen Verfassung. Sie musste sich verspätet haben, jedenfalls hat er sie erst bemerkt, als der zu patriotischen Floskeln neigende Dozent Amerika das Mutterland der Demokratie nannte und rechts von ihm jemand ein ploppendes Geräusch mit den Lippen machte und sagte, you wish, Nixon.

»Doch kein Kino?«, fragt er.

»Ich hab mir überlegt, dass es zu kalt ist. Außerdem bin ich schon ein bisschen tipsy.« Sie wendet sich zum Schreibtisch und hantiert mit der Weinflasche und einem zweiten Glas. Ihre weite, aus verschiedenen Stoffstücken zusammengenähte Hose lässt die Form eines schmalen Hinterns erahnen. »Was hat dich aufgehalten? Sind Hurwitz noch fünfhundert Bücher eingefallen, die du bis zum Sommer lesen musst?«

»Ich soll ihm helfen, den Tod seines Bruders zu recherchieren.«

»Oh.« Sie hält in der Bewegung inne, mit der sie ihm das Glas reichen wollte, ihre grau-blauen Augen direkt auf seine gerichtet. »Erzähl, wie ist er gestorben?«

»Im Krieg. Ich soll mit niemandem darüber reden.«

»Erzähl!«

Um den Blickkontakt zu verlängern, zögert er. Nimmt zuerst das Glas und trinkt einen Schluck. Der Wein schmeckt nicht, tut aber gut. Sandrines blasse Sommersprossen werden nur sichtbar, wenn Licht auf die Haut fällt.

»Das ist ein Befehl«, sagt sie.

Beim Reden wird ihm so warm, dass er Pullover und Hemd auszieht und Sandrine schließlich im T-Shirt gegenübersitzt. Die meisten Wörter hat er vor einer Stunde von Hurwitz gelernt und benutzt sie zum ersten Mal. Es fühlt sich merkwürdig an, von Deutschland wie von einer unbekannten Hölle zu sprechen, aber tatsächlich hat er vor heute Abend noch nie von diesem Landstrich in der Nordeifel gehört, wo im Winter 1944/45 zerfetzte Leichen in den Bäumen hingen. Sandrine hört zu in ihrer Yogi-Haltung, mit geradem Rücken und so reglos, als wäre sie in Meditation versunken. Draußen auf der Fensterbank wächst eine weiße Düne, die sie langsam von der Außenwelt abschneidet.

»Einmal in der Woche soll ich bei ihm vorbeikommen.« Nach einem halben Glas spürt er wieder Hitze auf den Wangen. »Es gibt ein ganzes Zimmer voller Material, aber natürlich liest er nur Englisch.«

»Ist es ein altes Haus?«

»Ja. Seine Frau hat mich vor seiner Besessenheit gewarnt. Früher im College war er ein berühmter Footballspieler. Hier an der U of M. Wenn er in Fahrt kommt, ist er nicht zu halten. Er hat darüber gesprochen, als wäre alles gestern passiert.«

»Wie hieß der Bruder?«

»Joey. Jedenfalls hat Hurwitz ihn so genannt.«

Das obere Stockwerk in Hurwitz' Haus besteht aus zwei niedrigen Zimmern, deren größeres als Arbeitsraum dient. Das andere zeigt zum Garten und beherbergt die Materialsammlung; noch ungesichtet und nur provisorisch geordnet auf langen Regalböden. Memoiren, Briefe, historische Studien. Zwei alte Landkarten hängen an den ansonsten kahlen Wänden, auf der größeren zeigen Pfeile die Truppenbewegungen an. Hurwitz nannte den Raum seine Zelle und diese Schlacht den größten Fehler des Zweiten Weltkriegs. Ein Feldzug im schlimmsten Winter seit fünfzig Jahren, ohne entsprechende Ausrüstung! Ein völlig überflüssiges Gemetzel. Je länger er sprach, desto größer wurde seine Empörung, erst beim Abschied vor der Haustür fand er zurück zu seinem distanzierten Selbst. Ein wenig müde, mit immer noch unruhigen Augen. Für seinen Händedruck ist er unter Studenten gefürchtet; vorsichtshalber spannte Hartmut den Oberkörper an, bevor er einschlug. Marsha sah er nicht mehr.

»Ich konnte ihn nicht unterbrechen«, sagt er. »Ihm sagen, dass ich noch eine andere Verabredung habe.«

Sandrine winkt ab und schenkt Wein nach. Als er sich umschaut, kommt ihm das Zimmer nicht mehr chaotisch vor, sondern wohnlich auf ähnliche Weise wie Sandrine herzlich ist, ohne offensichtliches Bemühen. Sie sitzen auf einem Lager aus Kissen und so nah beieinander, dass seine ausgestreckten Beine ihre Knie berühren. Einmal steht sie auf, macht sich am Plattenspieler zu schaffen und setzt sich genauso dicht zu ihm wie zuvor. Hält ihm das bunte Cover der Platte entgegen.

»Mein Vater schickt mir so was. Magst du europäischen Jazz?«

»Keine Ahnung.«

»Was ist das für eine Antwort?«

»Ich müsste es erst hören.«

»Tust du gerade.« Sie schaut ihn an, und er spürt die Stelle an seiner Wade, die ihr Knie berührt. »Mein Vater versorgt mich regelmäßig mit Büchern und Platten, damit ich ihm verzeihe, dass er meine Mutter betrügt. Eigentlich müsste ich ihm alles zurückschicken, aber er ist ein gewiefter Hund. Er weiß genau, was ich mag. Also bin ich seine Komplizin.« Sie legt sich das leere Cover auf den Kopf, wo es ein paar Sekunden in der Balance bleibt. Dann rutscht es über ihren Rücken zu Boden. »Das ist meine Familie: ein Casanova, der aussieht wie Fernandel, und eine gebildete kluge Frau, die zu allem, was sie im Lauf des Tages schluckt, Aspirin sagt. Und ich. Von deiner Familie erzählst du nie.«

»Warum trennen sie sich nicht?«

»Feigheit. Komplizierte Vermögensverhältnisse. Tradition. Sie haben geheiratet, weil meine Mutter schwanger war, und an manchen Tagen bringe ich es fertig, mich deswegen schuldig zu fühlen. Komisch, oder? Wir sind alle sehr bourgeois.« Mit einem Schulterzucken greift sie nach seiner Hand.

Einen Moment lang fühlt er sich überrumpelt und weiß nicht, wie er reagieren soll. Dann reden sie einfach weiter. Im Hintergrund spielt eine Trompete, wie er sie noch nie gehört hat: unruhig, flatterhaft, ein Haken schlagendes Tier. Er selbst wird immer ruhiger. Spürt Sandrines Fingerspitzen über seinen Handteller fahren und hört zu, wie sie von einer geplanten Reise erzählt. »The Great River Road«, sagt sie, als wäre es eine Zauberformel. Der Verlauf scheint auf seinen Unterarm geschrieben zu sein, jedenfalls tippt sie auf eine Reihe von Punkten und flüstert unbekannte Namen dazu. Hartmut denkt an die Mark-Twain-Geschichten von früher, an seine Phantasien von Schaufelraddampfern und selbst gebauten Flößen. Dunst über dem weiten Wasser, einen Grashalm im Mund. Kann man sich nach einem Ort sehnen, an dem man nie gewesen ist? In Sandrines Erzählung kann man ihn sogar erreichen. Man muss nur dem Fluss folgen, der draußen durch den verschneiten Campus fließt. Immer weiter, bis tief in den Süden.

»Du hast eine Gänsehaut«, sagt sie. »Bin ich das?«

»Wie willst du fahren? Mit dem Zug?«

»Ich kauf mir ein Auto.«

Inzwischen liegt er auf dem Rücken. Sandrine lässt seine Hand los, dreht die Platte um und stellt die leeren Gläser auf den Schreibtisch, bevor sie sich zu ihm legt. Wie selbstverständlich nimmt sie ihre Brille ab, bettet den Kopf auf seinen Oberarm und sagt: »Einen offenen Thunderbird. Mr. Casanova bezahlt.«

»Du hast schon alles geplant.«

»Fast alles.« Sie streckt den Hals und küsst ihn sanft auf die Wange. Die Berührung erinnert ihn an die Schneeflocken vor den Fenstern der Wilson Library. »Der Beifahrersitz ist noch frei.«

Langsam dreht er ihr das Gesicht zu. Normalerweise geschehen Dinge nicht auf diese Weise, und trotzdem ist er nicht überrascht. Den gesamten Sommer und den Herbst hindurch hat er mit der Erwartung gelebt. Seit er in New York gelandet und zwei Tage lang durch die Stadt gelaufen ist. Müde und durstig, unaufhörlich staunend. Seitdem weiß er von der Unumkehrbarkeit seines Weges.

»Heute Nachmittag hatte ich so ein Gefühl«, sagt er, »in der Bibliothek. Als es auf einmal begonnen hat zu schneien.«

»Was für ein Gefühl?«

»Weiß nicht. Ein gutes.« Obwohl er sich schämt für seinen Maulwurfsblick, wehrt er sich nicht, als Sandrine ihm die Brille abnimmt. Ihr Gesicht verschwimmt, eine Hand legt sich auf seine Wange.

»War es bisher nicht gut?«

Er kann ihren Atem riechen, den Wein und die Wärme.

»Das erzähle ich dir ein andermal.«

»Es ist unsere Zeit, weißt du. Die Nixons sind bald alle weg.«

»Oh ja«, sagt er. »Auf jeden Fall. Keine Frage.«

Die Trompete hält den Ton und lässt ihn langsam lauter werden. Seine Gedanken gehen darin unter. Sandrines Gesicht kommt näher, und draußen fällt Schnee, als würde der Winter ewig dauern.

1 »Was ist das für eine Frage?« Mit einem Ruck steht Peter Karow auf, und zum ersten Mal liegt Ungeduld in seiner Stimme. Ein Anflug von Gereiztheit, den er lächelnd zu kaschieren versucht. Er kommt um den Schreibtisch herum, dann stehen sie einander gegenüber in jenem wechselseitigen Unverständnis, das seit einer Stunde von Peters wortreicher Jovialität überdeckt wird. Zwei nicht mehr junge Männer, die unterschiedlicher kaum sein könnten und deren guter Wille wenig findet, woran er sich bewähren kann. Was tun wir hier, denkt Hartmut und weiß, dass auch ihm die Anspannung anzumerken ist. Den vor zwanzig Minuten angebotenen Kaffee hat er immer noch nicht bekommen. Schon den ganzen Morgen sitzt ihm ein nervöser Reizhusten in der Kehle und zwingt ihn häufiger als sonst, sich zu räuspern.

»Ich meine nicht, ob es Regeln *gibt*«, sagt er. »Ich versuche mir vorzustellen, wie es sein würde. Das ist alles.« Sein hartnäckig beibehaltener Konjunktiv, mit dem er zu Peters wachsendem Verdruss ihre Unterhaltung gängelt.

»Verstehe. Okay.« Peter legt ihm eine Hand auf die Schulter, öffnet mit der anderen seine Bürotür und deutet den Flur hinab. »Soll ich dir was zeigen, das dir helfen kann, eine genauere Vorstellung zu entwickeln?«

Ein paar Mitarbeiter sehen durch Glaswände in ihre Richtung. Die nächste Tür steht halb offen, und Peter schiebt Hart-

mut in einen weiß getünchten leeren Raum, aus dessen groß-
flächigen Fenstern der Blick über die Dächer des Viertels geht.
Helle Wolkentupfer stehen über Berlin wie eine Armada wartender Luftschiffe. Das schwarze Kuppeldach muss zu einem
Bau auf der Museumsinsel gehören, aber es ist lange her, dass
er sich hier ausgekannt hat. Im Ostteil der Stadt eigentlich nie.

»Bitte sehr. Größer als meins.«

»Hier würde ich arbeiten?« Um sich von der Hand auf seiner
Schulter zu befreien, macht Hartmut einen Schritt in das Zimmer hinein. Wie in allen Räumen von Karow & Krieger riecht
es nach frischer Tapetenfarbe, Laminat und neuen Büromöbeln.
Ein synthetischer, angenehm kühler Geruch, der die gesamte
Etage durchweht und zur Stimmung unter den jungen Mitar-
beitern passt: professionell und klar. In diesen Räumen herrscht
ein ruhiger Elan, der nicht Bedenken wälzen, sondern etwas auf
die Beine stellen will.

»Wenn du Wünsche hast«, sagt Peter hinter ihm, »das Mo-
biliar oder andere Dinge betreffend, nur raus damit. Du sollst
dich wohl fühlen bei uns.«

Bisher besteht die Einrichtung nur aus einem großen Schreibtisch samt Drehstuhl. Beide Seitenwände werden von Regalen
eingenommen, auf denen die elegant hochformatigen Publika-
tionen des Verlags ausliegen. Ein von Lamellen verdecktes Fenster zeigt zum Flur, daneben lehnt Peter Karow und beobachtet
ihn mit verschränkten Armen. Zur dunkelblauen Jeans trägt er
ein weißes Seidenhemd und sieht jünger aus als fünfundfünfzig.
Immer noch blonde Haare, blaue Augen und um die schmalen Lippen eine Andeutung von Überheblichkeit, die zum Typ
passt und daher nicht unsympathisch wirkt. Hartmut lässt sich
auf dem Schreibtischstuhl nieder, dessen Hydraulik ein leises
Seufzen von sich gibt. Er weiß, dass er jetzt etwas sagen muss,
und ist froh, als Peters Assistentin Nora Velasquez hereinkommt
und ihm endlich den Espresso und ein Glas Wasser bringt. Seine Kehle ist so trocken, dass er glaubt, einen Hustenanfall zu
bekommen, wenn er nur den Mund öffnet.

»Lieber Herr Hainbach, tut mir leid, dass es so lange gedauert hat. Wir brauchen dringend eine neue Maschine.« Sie ist groß gewachsen und schlank, die leicht geknickte Nase verleiht ihrer Schönheit einen dominanten Zug. Im Ausschnitt der engen Bluse sieht Hartmut ein Kreuz baumeln, als sie das kleine Tablett vor ihm abstellt.

»Ich bekomme keinen?«, fragt Peter.

»Du bekommst alles, was du willst. Aber wenn ich dir noch einen bringe, ruft Erwin mich heute Abend an und sagt: Norchen, wir hatten doch eine Abmachung.« Dank hoher Absätze überragt Nora ihren Chef um ein paar Zentimeter und scheint das zu genießen.

»Ich weiß deine Besorgnis zu schätzen, Liebling. Machst du mir bitte einen.«

»Wie du meinst.«

Aus den Augenwinkeln sieht Hartmut, wie die beiden einen Blick tauschen. Er trinkt sein Wasser, versucht Boden unter die Füße zu bekommen und wäre am liebsten für einen Moment allein. Der Zwischenfall mit der aufdringlichen Spendensammlerin sitzt ihm immer noch in den Knochen. Er kann seinen eigenen Schweiß riechen und hat darauf geachtet, Abstand zu wahren zu den jungen Leuten, die ihm in der letzten Stunde vorgestellt wurden. Einige sind kaum älter als Philippa. Der Umgangston ist frei von akademischer Selbstgefälligkeit und verkrampfter Bildungshuberei, stattdessen ironisch, flott und – lieb, hat er gedacht und nicht gewusst, warum das zu seinem Unbehagen beitrug. Insgeheim hofft er darauf, dass jemand den Arm hebt und die Inszenierung beendet. Seit er die Verlagsräume betreten hat, kommt er nicht heraus aus der Rolle des zögerlichen Griesgrams, der hinter jeder Freundlichkeit Kalkül vermutet und selbst für dieses sonnige Büro keine Worte der Anerkennung findet. Der Geruch von Menthol-Zigaretten und einem herben Parfüm bleibt zurück, als Nora Velasquez den Raum verlässt.

»Übrigens weiß Maria nicht, dass ich heute hier bin«, sagt

Hartmut. »Und solange ich mich nicht entschieden habe, muss sie das auch nicht.« Der Espresso ist stark und bitter und schmeckt genau richtig. Hier sitzt er und redet von Entscheidung, als würde er tatsächlich daran denken, den Schritt zu tun.

»Verstehe.«

»Bin ich ihretwegen hier?«

»Fragst du mich das?« Die Angewohnheit, seine Augenbrauen beim Sprechen nach oben zu ziehen, gibt Peters Rede einen affektierten Einschlag, und jedes Mal denkt Hartmut, dass er gerne mit der Assistentin unter vier Augen sprechen und sie fragen würde, wie Peter Karow so ist. Als Mensch. Was er natürlich auch Maria fragen könnte, aber die würde sofort wissen, was er meint, und missbilligend den Kopf schütteln.

»Ich meinte von deiner Seite. Machst du mir dieses Angebot ihr zuliebe?«

»Ich bin Geschäftsmann, Hartmut. Du weißt, wie sehr ich deine Frau mag, aber das sind zwei Dinge, die ich trenne. Trennen muss.«

»Wie kommst du dann auf mich? Ich hab keine Erfahrung im Verlagsgeschäft.«

»Erfahrung haben wir selbst, wir brauchen dich für die Inhalte.« Peter sieht auf die Uhr und atmet kurz durch, als stemme er sich gegen seine wachsende Resignation. »Also noch mal von vorne. Wir sind ein Fachverlag mit hervorragendem Ruf in einem bestimmten Marktsegment. Kulturwissenschaften, Gender Studies, Medientheorie, Design und so weiter. Wir sind preisgünstig, zuverlässig, ein bisschen schick, ein bisschen anders. Autoren kommen von sich aus zu uns, in immer größerer Zahl. Mit einem Wort: Wir sind im deutschen Verlagswesen eine der Erfolgsgeschichten der letzten Jahre. Okay?« Peter hat sich vom Türrahmen gelöst und tritt vor die linke Bücherwand, als wären dort die neuesten Umsatzzahlen von Karow & Krieger zu sehen, hübsch aufgeteilt in die Segmente des akademischen Dernier Cri. »Jetzt wollen wir unser Profil erweitern. Rein in die klassischen Geisteswissenschaften, wo wir noch keinen Ruf haben. Also suchen wir nach Verstärkung, deine Expertise, deine Kontakte, dich. Wir wollen nicht die tausendste Platon-Exegese, sondern neue Ansätze. Was in der Philosophie spannend ist, soll bei uns passieren. Reicht dir das? Ich kann endlos weiterreden, Hartmut, das ist mein Job. Ich kann aber auch sagen, dass ich dich mag und keine Lust mehr habe, der älteste Mitarbeiter meines Verlags zu sein. Such dir was aus.« Mit den Augen fügt er hinzu: Aber tu es bald.

»Ich hab ein bisschen Angst um meine Freiheiten.«

»Was soll ich dir sagen? Wir haben ein Programm und ein Verlagsprofil, zu uns passt nicht alles. Die inhaltliche Ausrichtung wird abgesprochen, ansonsten bist du frei. Mit Sicherheit freier als an der Uni.«

»Die letzte Entscheidung liegt bei dir, nehme ich an.«

»Du wirst sehen, dass ich kein Problem damit habe, der fachlichen Kompetenz meiner Mitarbeiter zu vertrauen. Ich weiß, was du aufgibst.«

Woher denn, denkt Hartmut und hört im Nachbarzimmer das Telefon klingeln. Die Wände scheinen ziemlich dünn zu sein. Sein Blick fällt auf ein neongelbes Buchcover mit dem Titel *Sieh! Mich! An!*

»Und wenn das Experiment scheitert?«, fragt er.

Peter ist zurückgekehrt zu seinem Platz neben der Tür und sagt ohne eine Spur von Koketterie: »Scheitern ist nicht mein Stil. Nicht mehr.«

»Nicht dein Stil, hm.« Das Bild ihres ersten Zusammentreffens steht ihm vor Augen: der Abschied auf einem schlecht beleuchteten Bahnsteig, Mitte der Achtzigerjahre, irgendwo in Ost-Berlin. Peters Tränen. Damals wie heute strahlt er eine Verwundbarkeit aus, die zu tief sitzt, als dass markige Sprüche oder Designerhemden sie überdecken könnten. Maria zufolge ist er oft gescheitert in seinem Leben, als experimenteller Dramatiker ebenso wie später als Wissenschaftler, Café-Betreiber und zuletzt als Herausgeber einer avantgardistischen Kunstzeitschrift namens *neo*. Ohne das Kapital seines Partners Erwin Krieger hätte er wahrscheinlich auch mit der Verlagsgründung keinen Erfolg gehabt. Inzwischen beschäftigt er fast zwanzig Mitarbeiter.

»Hartmut, ich hab das Gefühl, du glaubst gar nicht an dieses Projekt. Warum?«

»Ich brauche mehr Zeit.« Es ist bereits kurz vor zwölf. Er muss raus hier, Maria anrufen und in Ruhe nachdenken.

»Zehn Tage. Weil du es bist und nur, wenn du am Ende Ja sagst. Wir sitzen hier in den Startlöchern.«

»Okay.« Hartmut stellt die Tasse ab und steht auf. »Zehn Tage.«

Die Büros liegen rechtwinklig um einen dank heller Außenkacheln freundlichen Innenhof. Auch im Flur stehen Regale mit den typischen knalligen Umschlägen des Verlags, Werbeposter schmücken frisch gestrichene Wände, überall stapeln sich Kartons. Ein paar Mitarbeiter winken, und Nora Velasquez eilt aus ihrem Büro, um ihm die Hand zu schütteln.

»Bis bald, Herr Hainbach. Wir freuen uns auf Sie.« Ihre zahlreichen Armbänder machen ein raschelndes Geräusch.

»Wir werden sehen.«

»Wir sind wirklich nett hier, oder?«

»Das stimmt. Vielen Dank schon mal.«

Das Treppenhaus ist grau und leer wie in einem Rohbau. Durch die Glasfassade kann Hartmut ins Innere des hinteren Gebäudeflügels sehen. Es beginnt das vorletzte Wochenende im August, die Sonne steht hoch und bringt metallene Fensterrahmen zum Glänzen. Dahinter sitzen junge Hauptstadtbewohner vor ihren MacBooks oder stehen um große Arbeitstische herum und diskutieren.

»Es gibt so was wie den Sog des Unvorstellbaren, oder?«, hört Hartmut sich sagen. Ist es das, was er sich einzureden versucht, seit er den Verlag betreten hat: dass ein Risiko einzugehen zum Leben dazugehört und sich auch dann lohnt, wenn es schiefgeht? Weil *kein* Risiko einzugehen bloß die Niederlage vorwegnimmt, vor der man sich fürchtet? Auf den Gedanken ist er kürzlich im Bonner Sommerkino gekommen. Als einziger Professor saß er im Arkadenhof der Universität und hat sich gefragt, was es über seinen Zustand aussagt, dass er sich vom Geschehen auf der Leinwand so persönlich angesprochen fühlte.

Peter zuckt mit den Schultern.

»Ich seh dich hier«, antwortet er schlicht. »Wir haben ein gutes Team, ein paar ältere Leute mit viel Erfahrung, dazu junge Mitarbeiter mit frischem Schwung. Bei uns passiert was. Sei dabei.«

»Ich muss noch mal um Diskretion bitten, falls du Maria in der Zwischenzeit siehst.«

»Bestell ihr schöne Grüße. Wie kann ich dich erreichen, falls du zwischendurch einen Tritt brauchst?«

»Am besten per E-Mail. Die Adresse hast du.«

Sie schütteln einander die Hand, dann geht Hartmut die Treppe hinunter und ist überrascht, wie eilig er es hat. Erst draußen auf dem Bürgersteig bleibt er stehen und atmet tief durch. Blickt auf Altbaufassaden und die balkonlose Tristesse sanierter Plattenbauten. An den Laternenpfählen protestieren Aufkleber gegen steigende Mieten. Natürlich hätte er Peter seine Handynummer geben müssen, statt ihn wie einen Studenten mit der E-Mail-Adresse abzuspeisen. Ein paar Worte des Dankes wären angebracht gewesen, außerdem die Versicherung, dass er in dem Wechsel mehr sieht als nur einen Beitrag zur Rettung seiner Ehe. Niedergeschlagen und dennoch erleichtert durchquert Hartmut die Grünanlage am Koppenplatz. Überquellende Mülleimer und Bänke mit chaotischen Graffiti. Ein Holztisch und zwei alte Stühle auf der Wiese könnten Kunst oder Sperrmüll sein. Was er jetzt braucht, ist ein Café, wo Maria ihm bald Gesellschaft leisten kann. Am besten in der Nähe des Theaters. Sie hat mittags nicht viel Zeit.

Gläserne Fassaden reflektieren das Sonnenlicht und werfen es auf die Gehsteige. Als Hartmut aus dem Durchgang der Hackeschen Höfe tritt, muss er die Augen zusammenkneifen und den Schritt verlangsamen. Vor dem British Council bietet sich dasselbe Bild wie am Morgen: Vier junge Menschen versuchen Mitglieder für eine Organisation namens Oxfam zu gewinnen. Eifrig wedeln sie mit ihren Broschüren, mustern die entgegenkommenden Passanten und warten auf ein Gesicht, das nach wenig Widerstand aussieht. Am Morgen war Hartmut spät dran, weil Maria überraschend erklärt hatte, erst um halb elf im Theater sein zu müssen. Hinter ihnen lag einer der besseren Kurzbesuche, auf die sich ihre Ehe seit zwei Jahren reduziert. Im Deutschen Theater hatten sie *Hedda Gabler* in einer Inszenierung gesehen, die seinen Geschmack eher traf als Marias, und waren sich hinterher trotzdem einig in ihrem Urteil. Wie immer in der Wohnung seiner Frau hat er schlecht geschlafen, morgens lange geduscht und beim Frühstück versucht, sich nichts anmerken zu lassen. Draußen strahlte ein verheißungsvoll sonniger Himmel. Nach zwanzig Jahren Ehe frühstücken sie an einem Tisch, auf den keine ausgebreitete Zeitung passen würde. Marias stilles Lächeln verriet, dass seine Angespanntheit ihr nicht entging. Um kurz vor elf kam Hartmut am Hackeschen Markt an, lief bei Rot über die Straße und der jungen Frau direkt in die Arme. Sie hielt ein Clipboard mit Beitrittsformularen in der einen Hand, einen Flyer in der anderen und trug im Gesicht den Zweckoptimismus der nebenberuflichen Samariterin. Rötliche Allergieflecken umrahmten die Augen. Hartmut wollte ihrem Blick ausweichen, aber es war zu spät, sie hatte ihn auserkoren. Er wusste sofort, dass das schiefgeht.

»Sie möchten das Richtige tun, das sehe ich.«

»Ich möchte zu einem Termin«, sagte er und spürte sein Lächeln einfrieren, als er den Schritt verlangsamte, ohne anzuhalten. Warum pickte sie aus dem breiten Strom von Passanten ausgerechnet ihn heraus? Sah er aus wie jemand, der sich schnell überreden ließ? Beinahe hätte er sie danach gefragt, aber er wollte in der Vorwärtsbewegung bleiben, sich nicht einfangen lassen von dieser Wegelagerei des guten Zwecks. Ein wichtiges Gespräch stand ihm bevor, er musste sich konzentrieren.

»Das hier könnte sehr schnell gehen.« Links und rechts

drängten Leute vorbei, machten unwirsche Handbewegungen, als ließe das Elend der Dritten Welt sich wie ein Insekt verscheuchen, und Hartmut saß in der Falle. Gefangen zwischen der jungen Frau und einem mit Aufklebern zugekleisterten Stromkasten. Nach vorne versperrten Fahrradständer den Weg, idiotisch postiert auf dem ohnehin engen Trottoir. ›Für eine gerechte Welt. Ohne Armut.‹ So stand es grün auf weiß auf ihrem T-Shirt.

»Ich nehm so ein Formular mit, okay?«

»Oxfam ist eine unabhängige Entwicklungs- und Hilfsorganisation, die sich für eine gerechte Welt ohne Armut einsetzt. Wir betreiben Nothilfe in Krisenregionen und decken die der Armut zugrundeliegenden Strukturen auf.« Sie hatte weiße Speichelrückstände in den Mundwinkeln und einen manischen Sprachduktus, der Hartmuts Widerwillen verstärkte. »Es geht um nachhaltige Erwerbsgrundlagen, Gesundheit, Umweltschutz und Bildung. Dafür kooperieren wir mit über dreitausend Partnern in derzeit neunundneunzig Ländern.«

Sobald er einen Schritt nach vorne machte, bewegte sie sich rückwärts, immer direkt vor ihm, so dass er sie hätte umrennen müssen, um zu entkommen. Oder über vier angekettete Fahrräder springen.

»Wollen Sie Mitglied werden?« Offenbar dachte sie, sie hätte ihn schon so weit.

»Jetzt nicht. Jetzt will ich zu meinem Termin.«

»Armut und Rückständigkeit sind vermeidbar. Es geht nicht um Almosen, sondern um die nachhaltige Veränderung ungerechter Strukturen. Sie können Ihren Beitrag leisten. Drei Viertel unseres Budgets gehen direkt in Projekte und Kampagnen.«

Er nickte ergeben und griff nach seinem Portemonnaie. Ihr Lächeln war ihm nicht unsympathisch, nur diese Allergieflecken zogen seinen Blick gleichzeitig an und stießen ihn ab. Wir stehen auf derselben Seite, wollte er sagen. Irgendwas in der Art und dann weg.

»Wir dürfen kein Geld nehmen. Ich hab hier dieses Formular, und Sie können selbst entscheiden, welche Form der Mitgliedschaft ...«

»Hören Sie ...« Ich finde das wirklich gut, was Sie machen. Was fällt Ihnen ein, mich so zu überfallen? Er konnte sich nicht für einen Satz entscheiden, drehte sein Gesicht aus ihrem erwartungsvollen Blick und suchte im Strom der Passanten nach einer Lücke. Ihm stand ein wichtiges Gespräch bevor, und er war spät dran! Mit einem genervten »Ja, ja, ja« rauschte ein junger Mann an ihnen vorbei, und in seinem Windschatten machte Hartmut zwei Schritte nach rechts. Wäre beinahe über eine Hundeleine gestolpert, stieß gegen jemandes Schulter und glaubte, es geschafft zu haben, als er die Frau hinter sich sagen hörte: »Dann vielen Dank. Und einen schönen Tag noch.«

Rückblickend kann er nicht mehr entscheiden, ob ihre Stimme sarkastisch oder resigniert geklungen hat. Vielleicht beides. Sie musste an Abfuhren gewöhnt sein, und wahrscheinlich sagte sie ihm dasselbe wie allen, die ihr Engagement nicht auf der Stelle unterstützten. Am Morgen allerdings hat er ihre Bemerkung wie einen Tritt in den Hintern empfunden. Erst zwang sie ihn zu dieser schmählichen Flucht, dann verhöhnte sie ihn dafür. Noch zwei Meter ging er weiter, bevor er sich umdrehte und die Worte in ihm hochkamen wie Übelkeit. Tu's nicht, dachte er, aber es war zu spät: »Verschonen Sie mich mit Ihrem verdammten Gutmenschentum! Ja, geht das?« Er machte sogar einen drohenden Schritt zurück in ihre Richtung. »Warum stecken Sie sich Ihre gerechten Strukturen nicht einfach in den Arsch!«

Neben ihm zog eine Frau ihr Kind dichter zu sich heran. Zwei Kerle in weiten Hosen lupften grinsend ihre Kopfhörer und zeigten auf den älteren Herrn mit Armani-Brille, der in aller Öffentlichkeit herumbrüllte. Wie ein schlecht gerührter Drink bestand die Luft aus Kälte und Wärme zugleich. Hartmut hörte das Echo seiner Worte, die schrille rohe Wut darin. Sie kam ihm größer vor als das, was er empfand. Dann war die Sekunde vorbei, und alle gehorchten ihrer großstädtischen

Konditionierung. Stellten fest, dass niemand verletzt worden war und sahen wieder weg. Alle, bis auf die Oxfam-Frau. Mit hängenden Armen stand sie drei Meter entfernt und starrte ihn an. Strähnige blonde Haare fielen ihr auf die Schulter. War ich das?, fragte ihr Blick. Ohne Groll, nur erschrocken und beinahe mitleidig. Das hat mit Ihnen nichts zu tun, dachte Hartmut, aber anstatt es zu sagen, schüttelte er den Kopf und entkam auf die andere Straßenseite. Durch den Eingang der Höfe, zu seinem Termin bei Karow & Krieger.

Warum stecken Sie sich Ihre gerechten Strukturen nicht einfach in den Arsch! Seine eigenen Worte. Zu einer Frau!

Was ihn in die Gegenwart zurückholt, ist das Geräusch seines Atems. Seit dem Espresso im Verlag klopft sein Herz schnell und hart, und die peinigende Erinnerung tut ein Übriges. In der vierköpfigen Gruppe auf der anderen Straßenseite erkennt er die junge Frau wieder. Stoisch stellt sie sich einem Passanten nach dem anderen in den Weg, ein robustes Lächeln im Gesicht und ihren Spruch auf den Lippen. Soll er zu ihr gehen und sich entschuldigen? Sobald er den Gedanken erwägt, fühlt er sich aufs Neue bedrängt vom Betrieb auf der Straße. Trams klingeln sich den Weg frei. Das Licht kommt aus allen Richtungen, so wie die vielen Fußgänger, und ihn übermannt das Bedürfnis nach Schatten und Stille. Was er ihr an den Kopf geworfen hat, klingt derart absonderlich, dass er sich nur halbherzig dafür schämt. Eher erstaunt es ihn, dass er das tatsächlich gesagt haben soll. Heute Vormittag, auf dem Weg zu einem Vorstellungsgespräch?

Schnellen Schrittes überquert er die Straße. Vor den Restaurants beim S-Bahnhof mokieren sich Gäste über den Kerl mit der Gitarre, der nicht singen kann und sie trotzdem gleich anbetteln wird. Hartmut zwängt sich zwischen Tischgruppen hindurch und betritt den riesigen, fast leeren Raum unter der Bahntrasse. Angenehmes Dämmerlicht empfängt ihn. Rechts eine opulente Bar, links der Durchgang zu den Tischen, von denen nur zwei besetzt sind. Ein Barkeeper mit breiten Schultern und rasiertem Schädel nickt ihm zu. Auf den letzten Schritten beginnt sich sein Puls zu beruhigen, dann sitzt er an einem schweren Holztisch, zieht das Sakko aus und fühlt sich augenblicklich besser. Leise Radiomusik hält die Geräusche von draußen auf Abstand.

Als der Barkeeper an seinen Tisch kommt, bestellt Hartmut ein Wasser ohne Eis und ein Glas Riesling. Bis er auf die Autobahn muss, bleiben ihm drei Stunden.

»Kommt sofort.« Der Hüne legt eine Speisekarte auf den Tisch und will wieder verschwinden, dreht sich aber noch einmal um. »Alles in Ordnung bei Ihnen?« In seinen Ohrläppchen stecken schwarze Ringe, die wie Unterlegscheiben aussehen.

»Alles okay. Ziemlich warm draußen.«

»Sommer, wa.« Er nickt noch einmal und geht.

Zurücklehnen. Kurz die Augen schließen. Durchatmen. Beim Abschied am Morgen hat Maria darauf bestanden, dass sie gemeinsam zu Mittag essen, bevor er wieder fährt. Das Handy teilt ihm mit, dass vor einer Viertelstunde ein Anruf von ihr eingegangen ist. Hoffentlich keine Absage, denkt Hartmut und wählt ihre Nummer. Wann sie das Theater verlassen kann, hängt von vielen Dingen ab: dem Verlauf der Proben, Falk Merlingers aktueller Stimmung und der Anzahl unbeantworteter E-Mails in ihrem Computer. Nach dem zweiten Läuten hebt sie ab, klingt gut gelaunt und fragt, wo er abgeblieben sei.

»Hackescher Markt. Unter den S-Bahn-Bögen.«

»Bleib, wo du bist«, sagt sie. »Ich hab eine Stunde.«

Der Kellner bringt die Getränke. Säuerlich und erfrischend kühl rinnt der Wein seine Kehle hinunter. Draußen fällt Sonnenlicht durch die Blätter der Bäume. Der Gitarrenspieler geht mit seinem Hut in der Hand durch die Tischreihen, weiter hinten hocken Punks zwischen ihren Hunden. So könnte es sein, denkt er. Hier sitzen und nach einem ausgefüllten Vormittag im Verlag auf Maria warten. Ein leichter Lunch und entspannte Gespräche, die unspektakuläre Schnittmenge von ihrem und seinem Alltag. Maria würde sich über Merlingers Launen beklagen, er hätte einen Autor von seinem Titelvorschlag überzeugt. Gemeinsam könnten sie darüber lachen, was für Manuskripte sie auf ihrem Schreibtisch vorfinden. Was die Leute sich denken! Nach einer Stunde müsste lediglich noch geklärt werden, ob sie am Abend zu Hause oder auswärts essen.

Eines hat er damals sofort gewusst: Dass Peter Karows Angebot ihn in einen Konflikt stürzte, aus dem es kein schnelles Entrinnen gab. Knapp zwei Monate liegt die Verabredung am Planufer zurück. Es war ein Sommerabend, an dem die Hitze des Tages in den Straßen liegen blieb wie ein träges Tier und alle Menschen ins Freie lockte. Maria hatte im Theater zu tun und wollte ihnen später Gesellschaft leisten. Bis dahin saßen Peter und er zu zweit unter den Kastanien der *Casa del Popolo*, aßen Caprese, tranken Chianti, und Hartmut fragte sich, ob der ausführliche Bericht über die Expansion des Verlags eher dem Wein oder Peters Verlegenheit zuzuschreiben war. Sie kannten einander kaum. Auf der Premierenfeier im vorletzten Herbst wären sie grußlos aneinander vorbeigelaufen ohne Marias Intervention. Die erste Begegnung seit zwanzig Jahren. Als Peter ihn beim Hauptgang fragte, ob er bei Karow & Krieger als Programmleiter einsteigen wolle, glaubte Hartmut an einen Witz. Sein Gegenüber blieb ernst. Maria habe ihm erzählt, dass er seit Ausbruch des universitären Reformchaos die Lust an seiner Arbeit zusehends verliere. Reif für eine neue Herausforderung, lautete die Formulierung. Hartmut erinnert sich genau an den Moment. Es war spät, aber immer noch hell. Pärchen und türkische Familien gingen über die Brücke zum Fraenkelufer, und ihm saß plötzlich ein Kloß im Hals. Nach Westen öffnete sich der Blick auf seine alte Heimat. Schwäne zogen über das Wasser und sammelten sich vor den grünen Wiesen am Urbanhafen. Darüber der Großstadthimmel in seiner wohltuenden Gleichgültigkeit. Er kannte das Gefühl, obwohl er es lange nicht empfunden hatte: zu Hause sein wollen und nicht zu wissen wo. Bloß zu spüren, wie es wäre. Zwei Mal musste er sich räuspern, bevor er antworten konnte: »Wenn ich das nächste Mal in der

Stadt bin, schau ich vorbei.« Seitdem sitzt in der Fracht seiner Gedanken ein blinder Passagier und verrät sich durch vorlaute Fragen. Warum nicht? Was ist so großartig an seiner Bonner Einsamkeit, dass er sie nicht aufgeben kann?

Um halb eins sieht er seine Frau über den Hackeschen Markt kommen. Mit beiden Händen schiebt sie ihr Fahrrad durch die Menge, und er genießt es für einen Moment, sie unbemerkt zu beobachten. Noch immer mag er den eleganten Gang und den sanften Stolz ihrer Augen. Ist seinerseits stolz, wenn er sie jemandem vorstellt mit ihrem klangvollen portugiesischen Namen. Sie stellt ihr Rad ab, schaut sich suchend um und will gerade aus seinem Blickfeld verschwinden, als er sie auf dem Handy anruft.

»Ich sitze drinnen«, sagt er. »Erstes Restaurant neben der Straße. Rocco oder Rocky oder so ähnlich.«

»Drinnen?« Kopfschüttelnd klappt sie ihr Handy zu und kommt ihm durch das leere Restaurant entgegen. Sie trägt eine beige Bluse über der schwarzen Leinenhose und im Gesicht den Widerschein von etwas, das sie erlebt oder gedacht hat und hoffentlich gleich mit ihm teilen wird. »Warum sitzt du drinnen? Der Sommer ist draußen.«

»Da war kein Tisch frei, und ich wollte nicht neben schwitzenden Touristen sitzen.«

»Sondern lieber alleine.« Sie küsst ihn nicht flüchtig, aber kurz. Schaut auf den Tisch und in sein Gesicht. Eine Wochenendehe führen heißt im Diskontinuum leben und verlangt nach schneller Auffassung und Anpassung. Maria ist darin besser als er.

»Wein zum Mittagessen«, sagt sie zufrieden. »Dann darf ich rauchen.«

Gemeinsam nehmen sie Platz, und Hartmut schiebt den gläsernen Aschenbecher in ihre Richtung. Wie so oft wundert er sich, dass er zwar nicht mag, wenn sie raucht, ihr aber nicht ungern dabei zusieht. Bevor sie anfangen können zu reden, kommt der Hüne zurück, und Maria bestellt eine große Apfelsaftschorle. Die vor ihr abgelegte Speisekarte ignoriert sie vorerst. Stattdessen sieht sie ihn an und passt auf, dass der Rauch nicht in seine Richtung treibt.

»Du siehst müde aus, kann das sein?« Nach Philippas Geburt hat seine Frau viele Jahre lang auf Zigaretten verzichtet, und rückblickend glaubt Hartmut an eine Verbindung zwischen dem Rückfall in ihre Nikotinsucht und dem langsam reifenden Entschluss, notfalls alleine aus Bonn wegzuziehen. »Oder nicht müde, sondern ...« Fragend nach oben gezogene Augenbrauen beenden den Satz.

»Schlecht geschlafen hab ich.«

»In meinem engen Bett.«

»Außerdem hatte ich ein unangenehmes Erlebnis auf der Straße.« Er greift nach seinem Glas, aber den Wein hat er schon ausgetrunken. In wenigen Sätzen schildert er den Vorfall und kann nichts dagegen tun, dass sein Bericht nach Rechtfertigung klingt. Maria sitzt zurückgelehnt auf ihrem Stuhl und ist, über einen Graben hinweg, den man nur von seiner Seite aus sehen kann, die Aufmerksamkeit selbst.

»Was heißt ›angebrüllt‹?«, fragt sie.

»Ziemlich laut.«

»Ärgerlich laut oder außer Kontrolle laut?« Sie will wissen, aber nicht direkt fragen, ob er sich noch einmal hat gehen lassen wie bei ihrem großen Streit vor einem Jahr. Diesmal einer Fremden gegenüber und auf offener Straße. Also erwähnt er ein anderes Beispiel.

»Ich hab mich gefühlt wie damals mit Herwegh. Als er mich aus seinem Büro schicken wollte wie einen aufdringlichen Studenten. Als ich ihn zusammengestaucht habe und plötzlich hören konnte, dass nebenan niemand mehr tippt oder telefoniert, weil alle die Ohren spitzen und denken: Was ist denn in den Hainbach gefahren?«

»Herwegh hatte dich beleidigt.«

»Ich weiß. Ich wollte das Gefühl beschreiben.«

»Okay.« Sie zieht an ihrer Zigarette und streicht sich eine Haarsträhne hinters Ohr. »Du kamst dir gemaßregelt vor.«

Er nickt und trinkt einen Schluck Wasser. Gemaßregelt ist beinahe das richtige Wort, und trotzdem ärgert er sich, dass er Maria den Vorfall mit der Spendensammlerin erzählt hat. Seine Schilderung ergibt keinen Sinn, solange er auslässt, dass er wegen des Termins im Verlag angespannter war, als er sich eingestehen wollte.

Der Barkeeper bringt Marias Getränk und fragt, ob sie essen möchten. Hartmut bestellt Chili con carne, seine Frau den üblichen Salat. Als wollte die Stadt einen eigenen Kommentar zu dem Vorfall abgeben, erklingen draußen wütende Stimmen, und sofort drehen die Gäste unter den Sonnenschirmen die Köpfe. Ein Schimpfwort folgt auf einen vulgären Fluch, jemand ist blind und ein anderer bescheuert, dann müssen die Streithähne weiter, und die Anspannung löst sich auf. Nichts passiert.

»Jetzt fühlst du dich schlecht?«, fragt Maria.

»Stolz bin ich nicht. Sie engagiert sich für einen guten Zweck, und ich – hab ihre Bemerkung in den falschen Hals bekommen.« Den Wortlaut seines Ausbruchs hat er leicht zensiert und ›Arsch‹ durch ›sonst wohin‹ ersetzt. So klingt es eher nach einer Lappalie als nach abermaligem Kontrollverlust.

Maria wischt das Thema wie eine Rauchwolke beiseite und lächelt.

»Würde ein Witz unserer Tochter dich aufmuntern? Hat sie mir heute Morgen geschickt.« Das war es, was er beim Reinkommen auf ihrem Gesicht gesehen hat, die Erinnerung an einen Witz von Philippa, den sie ihm erzählen will.

»Ist er lustig?«

»Gut bis sehr gut.«

»Okay. Lass hören.«

Seine Frau ist in der Familie als mäßige Witze-Erzählerin bekannt. Meistens ohne das richtige Timing, zu schnell mit der Pointe, als wollte sie alles möglichst rasch hinter sich bringen. Ihre Begeisterung fürs Theater ist von jeher frei gewesen von dem Wunsch, selbst auf der Bühne zu stehen. Stattdessen spielt sie in Merlingers Ensemble das Mädchen für alles, pflegt die

Kontakte zum Feuilleton, tröstet sensible Schauspieler und fungiert notfalls als Blitzableiter für die Launen des großen Maestro.

»Ich weiß, dass du nicht lachen wirst«, sagt sie, »aber versuch zu lächeln, okay? Sie hat mir eine Mail geschrieben, ohne Hallo, ohne Tschüss, nur den Witz. Mit der entsprechenden Betreffzeile: Ein Witz.«

»Ich bin ganz Ohr.« Die Ankündigung klingt nach Philippas trockenem Humor, den sie von keinem ihrer Elternteile geerbt hat. Seit drei Semestern studiert seine Tochter in Hamburg und verbringt diesen Sommer damit, in Santiago de Compostela Spanisch zu lernen. Ihre letzte Mail an ihn ist vor drei Wochen eingetroffen und bestand aus den üblichen Versicherungen: Alles in Ordnung, mach dir keine Sorgen, bis bald.

»Also.« Die Spur von Verlegenheit in ihrem Blick steht seiner Frau ausgesprochen gut. »Ein katholischer Priester, ein protestantischer Pfarrer und ein jüdischer Rabbi diskutieren die Frage, wann menschliches Leben beginnt. Der katholische Priester zögert keine Sekunde und sagt: Mit der Zeugung. Menschliches Leben beginnt mit der Zeugung. Der Protestant überlegt einen Augenblick, dann kommt er zu dem Schluss: Nein, menschliches Leben beginnt erst mit der Geburt. Schließlich schauen beide den Rabbi an, der ziemlich lange überlegt und den Kopf hin und her bewegt, bevor er antwortet …« Sie zwingt sich zu einer kurzen Spannungspause, muss ein Lachen unterdrücken und schüttelt den Kopf über sich selbst. »Menschliches Leben beginnt, wenn die Kinder aus dem Haus sind.«

Lachen, denkt er und produziert ein halbwegs amüsiertes Schnauben durch die Nase. Über den Tisch hinweg will er nach Marias Hand greifen, aber seine Frau winkt ab. »Ich wusste es.«

»Es ist ein guter Witz. Und du hast ihn sehr gut erzählt.« Bitte sehr, er ist überhaupt nicht so negativ, wie Maria oft behauptet. Der Witz gefällt ihm wirklich. Sehr pfiffig. Wenn die Kinder aus dem Haus sind, haha! Richtig super wird es natürlich erst, wenn die Frau auch noch geht. Da sitzt man abends im Wohnzimmer und kann sich kaum halten vor guter Laune. Zum Glück gibt es Telefon, E-Mail, Skype, die Technik fürs virtuelle Familienleben. Immerhin hat Philippa in Aussicht gestellt, ihn auf dem Rückweg nach Hamburg zu besuchen, und Maria will nach dem Kopenhagener Gastspiel für eine Weile in Bonn bleiben. Wer weiß, vielleicht wird sich ihm die Gelegenheit bieten, bei einem gemeinsamen Abendessen an sein Glas zu klopfen und zu sagen: Übrigens habe ich eine Entscheidung getroffen, die euch vielleicht überraschen wird. Für einen kurzen Moment glaubt er fest an die Möglichkeit, gegen alle Vernunft und Wahrscheinlichkeit. Peter Karows Angebot gilt, die Option besteht. Jetzt muss er sich seiner Skepsis stellen wie einem trickreichen Gegner.

»Was ist so lustig?«, fragt Maria. »Außer meinem deplatzierten Witz.«

»Ich hab an was anderes gedacht, aber vielleicht ist sogar was dran an der Pointe. Nicht, dass es jetzt erst anfängt. Es könnte bloß sein, dass menschliches Leben nicht nur ein Mal beginnt. Weil es aus Phasen besteht, die alle ihren eigenen Beginn haben. Immer wieder.« Demnach auch ein Ende, aber das denkt er nur.

»Aus deinem Mund ein bemerkenswerter Satz.«

»Man ist nie zu alt, um sich zu ändern, oder? Ich meine echte, grundsätzliche Veränderung.«

»Nein. Theoretisch nicht.«

»Das war gemein!« Er spricht es aus, als wäre es ein Spaß. Vielleicht ist es einer. Seit dem Streit vor einem Jahr weiß er manchmal nicht, was sie beide meinen mit dem, was sie sagen. Ob sie ehrlich miteinander sind und inwiefern sie mehr von ihren Zusammenkünften erwarten, als dass sie gut gehen. Was erstaunlich häufig geschieht. Er müsste lügen, wollte er behaupten, dass die regelmäßigen Fahrten nach Berlin keine Bereicherung darstellten, und trotzdem: Streitvermeidung als oberstes Prinzip einer Ehe garantiert nicht Harmonie, sondern Stagnation. Wahrscheinlich muss man große Angst vor etwas anderem haben, um darin das kleinere Übel zu sehen.

Noch einmal greift Hartmut nach ihrer Hand und küsst sie. Weiß nicht, ob er sich freuen oder was er sonst empfinden soll. Würde ein neutraler Beobachter am Nebentisch ihnen ansehen, auf welch driftendem Grund sie stehen? Ihn haben die vergangenen zwei Jahre gelehrt, dass Liebe ein schwaches Argument sein kann. Schwächer als einsame Nächte, die Frustration über ihr abgeschaltetes Handy oder das merkwürdige Gefühl beim Betreten von Marias Wohnung. Dieses demonstrative Provisorium in der Schulzestraße, halb leere Regale und kahle Wände, so als handelte es sich bei einem Teakholztisch und einem Viertausend-Euro-Sofa um Dinge, die er ihr früher aufgedrängt hatte. Dabei hat *sie* sich einmal in einen alten Regency-Sekretär verguckt und ein auf Antiquitäten spezialisiertes Umzugsunternehmen aufgetrieben, das den Schatz von Portugal nach Bonn schaffte. Billig war das nicht. Jetzt steht er als Schminktisch in einem Schlafzimmer, in dem Maria nur noch besuchsweise übernachtet und sich folglich selten schminkt. Als sie an jenem Abend am Planufer zu ihnen stieß und sich von Peters Idee unterrichten ließ, lautete ihr erster Kommentar: »Wusste ich doch, dass man euch zwei gut alleine lassen kann.« Die Gegengründe, die Hartmut ihr später aufgezählt hat, überzeugten sie nicht. Sein beruflicher Aufstieg habe stets vollen Einsatz verlangt, meinte sie, weshalb er jetzt nicht an eine Chance glaube, die ihm wie auf dem Silbertablett präsentiert werde. Das war gut beobachtet und wahrscheinlich zutreffend, aber was genau hat sie gemeint? Von sich aus ist sie nicht mehr auf das Thema zurückgekommen. Er auch nicht.

»Sehe ich dich heute Abend noch?«, fragt Maria. Sie haben ihr Essen bekommen und die Unterhaltung eine Weile ruhen lassen.

»Ich hab Ruth gesagt, es wird nicht zu spät. Zwischen drei und vier will ich los.«

»Wann bist du wieder in Bonn?«

»Spätestens am Montag. Eher Sonntagabend.«

»Also sehen wir uns erst nach Kopenhagen.«

Er nickt, Maria sieht auf die Uhr. Eine Viertelstunde später stehen sie draußen auf dem Platz, und Hartmut versucht, seine nächsten Schritte zu planen. Als Erstes wird er kommende Woche die Rechtsabteilung anrufen und sich unter Verwendung vieler Konjunktive erkundigen, was ein Professor beachten müsste, wenn er sich mit dem Gedanken beruflicher Umorientierung trüge und daher daran dächte, seine Anstellung an der Universität aufzugeben. Falls das überhaupt geht als Beamter.

»Bis dann also«, sagt er. »Im schönen Bonn.«

»Kannst du nicht noch einen Tag länger bleiben? Du könntest morgen zu Ruth und Heiner fahren.«

»Ich hab mich zum Abendessen angekündigt. Weil du gesagt hast, du weißt nicht, wie lange du heute arbeiten musst.« Jedes Mal wird seine Frau beim Abschied auf eine Weise anhänglich, die ihm ebenso wohl tut, wie er sie ärgerlich findet. Das alles sind die Konsequenzen ihres Umzugs! Außerdem erinnern ihn ihre Worte daran, dass Maria seit einem Jahr nicht mehr in seiner Heimat war und es immer weniger zu mögen scheint, wenn er dorthin fährt. Dass ihr großer Streit auf den Tag der Hochzeit seines Neffen gefallen ist, mag dafür ein Grund sein. Jetzt nimmt er sie in den Arm, und weil man heutzutage ständig mit neuen Erkenntnissen über die menschliche Seele konfrontiert wird, fällt ihm ungerufen eine besonders neue ein: Die Fähigkeit, ohne großen emotionalen Aufwand zu lieben, sei das Geheimnis einer langen (im mutmaßlichen Gegensatz zur bloß glücklichen) Ehe. Wo er den Schrott gelesen hat, weiß er nicht mehr, vielleicht im Bordmagazin der Lufthansa. Vorgestern allerdings ist er mit dem Auto gekommen, weil Maria ein paar Sachen brauchte und er auf dem Rückweg seine Schwester besuchen will.

In zärtlicher Resignation umfassen ihre Arme seine Taille. Um sie herum streben Menschen in alle Richtungen. Vor dem British Council sieht er die unermüdlichen Oxfam-Leute ihren wohltätigen Zweck verfolgen. Der Tag ist zu schön, um ihn auf der A2 zu verbringen, aber es gibt genug Fragen, über die er unterwegs nachdenken kann. Wenn es stimmt, dass ein Mensch nie zu alt ist, sich zu ändern, müsste für zwei Menschen ipso facto dasselbe gelten. Was freilich nichts darüber aussagt, wie die beiderseitigen Veränderungen sich zueinander verhalten.

»Das Kind ist aus dem Haus, das Leben könnte beginnen«, sagt er leise in ihr Haar. Manchmal hat man eben nur Worte.

»Warum sagst du nicht einfach: Schade, dass wir uns jetzt trennen müssen. Oder: Du wirst mir fehlen, Maria.« Sie legt den Kopf auf seine Brust und riecht vertraut und wunderbar.

»Du fehlst mir seit zwei Jahren. Ich mag's nicht dauernd wiederholen.«

Normalerweise reagiert sie empfindlich auf solche Andeutungen, aber jetzt lässt sie ihren Kopf, wo er ist, ihre Hände, wo sie sind, und ihn sagen, was er will. Der erste perfekte Augenblick des Tages und ein weiterer Grund dafür, dass er sich nicht vorstellen kann, was er streng genommen längst führt: ein Leben ohne Maria. Sollte sein Durchhaltevermögen bloßem Mangel an Phantasie entspringen?

»Sag mir was, worauf ich mich freuen kann«, sagt sie.

»Worauf oder worüber?«

»Egal.«

»Ich hab mir überlegt, wir könnten nach Spanien fliegen. Nach deinem Gastspiel. Wir erschrecken unsere Tochter und machen alle zusammen einen Abstecher nach Portugal. Deine Eltern würden sich freuen und wir unsere Serie halten.«

»Hm?«

»Wir waren bisher jeden Sommer dort.«

»Such nach Flügen.« Wenn sie in der richtigen Stimmung ist, kann Maria herrlich unkompliziert sein. Leider sind es die Abschiede von ihm, die sie in die richtige Stimmung versetzen.

Sie küssen sich, wie man es in ihrem Alter selten tut in der Öffentlichkeit, dann kann Hartmut seiner Frau nur noch hinterhersehen. Die Bewegungen wirken rund und leicht, obwohl sie in Bonn nie Fahrrad gefahren ist. Führen sie wirklich eine Ehe auf Bewährung? Als Kind hat er kleine Mutproben durchgeführt, nur für sich und in Gedanken. Hat den Kopf in den Nacken gelegt und gedacht: Es gibt keinen Gott. Danach wartete er jedes Mal mit angehaltenem Atem darauf, dass ein Gewitter ausbrach oder die Erde sich unter ihm auftat, und verstand nicht, warum nichts dergleichen geschah. Gab es wirklich keinen Gott, oder saß der ungerührt im Himmel und schüttelte den Kopf über diesen frechen Bengel? Jetzt sieht er Maria hinterher und denkt: Ich ziehe nicht nach Berlin. Ich verlasse dich.

Passanten strömen über den Hackeschen Markt. Touristen fotografieren alles, was ihnen vor die Linse kommt. Ein dunkles Rauschen hebt an und kommt schnell näher, dann bringt die einfahrende S-Bahn den Boden zum Vibrieren.

2   Der große Streit war der Kulminationspunkt eines aufrei-
benden Jahres. In ihm gipfelte alles, was in den Monaten zuvor
ihre Ehe belastet hatte: Stress, Einsamkeit und ungelöste Kon-
flikte. An Hartmuts Institut herrschten Hektik und Konfusion,
weil die Einführung der neuen Studiengänge zwar seit langem
feststand, aber niemand wusste, wie sie aussehen sollten. Die
Studienordnung war Gegenstand zermürbender Auseinandersetzungen. Das ganze verregnete Frühjahr hindurch musste
jede Neufassung noch einmal neu gefasst und jede Änderung
sofort wieder geändert werden. Kleinigkeiten hielten den Prozess auf. Benedikt Herwegh duldete keine Anglizismen und
wehrte sich vehement gegen den Ausdruck ›workload‹ im Mo-
dulplan Philosophie der Antike. Durch seinen mehrstündigen
Filibuster brachte er schließlich die Formulierung ›kalkulierter
studentischer Arbeitszeitaufwand‹ in der Studienordnung unter. So suchte im Niedergang des Ganzen jeder seinen kleinen
Pyrrhussieg.

   In einem Moment der Schwäche hatte Hartmut sich bereit
erklärt, den Wortlaut des Entwurfs auszuarbeiten. Nun wurde
er zum Opfer sprachlicher Obsessionen und des allgemeinen
Bestrebens, zuerst die eigenen Schäfchen ins Trockene zu bringen. Wie alle Kollegen zweifelte er am Sinn des Projekts, aber
ihm blieb keine Zeit, sich in die Materie einzuarbeiten, mit deren Ausarbeitung er betraut war. Wenn er in den *Tagesthemen*

von der ›Reform des Hochschulstudiums‹ hörte, fragte er sich, ob die Leute wussten, welcher Dilettantismus hier am Werk war. Trotzdem machte er mit. Ärgerte sich über sein Mitmachen ebenso wie über das seiner Kollegen und ärgerte sich am meisten, wenn die Arbeit stockte, weil jemand nicht mitmachte. Die Sitzung des Institutsrats, auf der die neue Studienordnung verabschiedet werden sollte, war bereits anberaumt, und Hartmut kommunizierte täglich mit der Rechtsabteilung, um letzte Details zu klären. Frau Müller-Grafs Charme war der einzige Lichtblick in diesen langen, trüben Tagen, nach welchen ihn Modultitel, Leistungspunkte und die komplizierte Arithmetik des ECTS bis in den Schlaf verfolgten. Selbst einem in der Wolle gefärbten Europäer wie ihm stellten sich die Nackenhaare auf, wenn sein Blick auf das peppige Logo des Bologna-Prozesses fiel.

An einem späten Abend im Mai saß Hartmut vor dem Computer und hörte im linken Ohr einen Ton. Ein metallisches Sirren, das tief aus seinem Kopf und gleichzeitig von weit weg zu kommen schien. Kurze zitternde Frequenzen, wie eine mechanische Nachahmung der Grillen von Rapa. Vor sich auf dem Bildschirm hatte er die Beschreibung des Wahlpflichtmoduls Logik und Grundlagen. Unter der Rubrik Prüfungsgegenstand/ Lernziele fiel sein Blick auf die Zeile ›Einsicht in die Reichweite wie Begrenztheit formaler Methoden‹, und für einen Moment verstand er kein Wort von dem, was er las. Ein plötzliches Kappen der Leinen. Vorsichtig stand er auf und lief ein paar Schritte durchs Zimmer. Las Titel von den Buchrücken ab und murmelte sie halblaut vor sich hin, bevor er in die Küche ging, um vor dem offenen Kühlschrank einen Schluck Wein zu trinken. Halb zwölf zeigte die Uhr am Herd, Maria schlief sicherlich schon. Noch einmal drückte er den Zeigefinger gegen sein Ohr und erinnerte sich an Geschichten von Kollegen, die stressbedingt an einem Tinnitus litten, vorübergehend oder auf Dauer, in zwei Fällen bis zum Verlust der Konzentrations- und damit der Berufsfähigkeit.

Scheiße, dachte er. Das hatte gerade noch gefehlt.

In den nächsten Wochen trat das Geräusch gelegentlich auf und störte ihn beim Einschlafen, aber so schlecht wie er seit Monaten schlief, fiel das kaum ins Gewicht. Der Auszug von Maria und Philippa hatte ihn des Ausgleichs beraubt, mit dem er durch frühere Stressphasen gekommen war. Abend für Abend betrat er ein leeres, dunkles Haus. Philippa ging es gut in Hamburg, das war ein Trost. Am Telefon klang Maria aufgeräumt und voller Schwung, er selbst versuchte, in möglichst kleinen Zeiträumen zu denken: bis zum nächsten Telefonat, dem geplanten Besuch in Berlin, maximal bis zu den kommenden Ferien. Früher hatte er am Schreibtisch weder Musik gehört noch Alkohol getrunken, nun kramte er alte Jazzplatten hervor und fand, dass ein Glas Wein ihm half, eine Stunde mehr aus sich herauszuholen. Am letzten Juli-Wochenende sollte die Hochzeit seines Neffen Florian stattfinden, zu der auch Maria und Philippa anreisen wollten. Danach ein paar ruhige Tage in Bonn, bevor Maria und er nach Portugal fliegen würden. Philippa war neuerdings ein Fan des Nordens und wollte mit Kommilitonen durch Schweden reisen. In einer Mail an seine Tochter erwähnte Hartmut scherzhaft den kleinen Mann im Ohr, der ihn bereits jetzt nach Rapa rufe, aber Maria gegenüber sagte er nichts. Seit dem Umzug kam sie ihm immer jünger vor, also wollte er nicht wegen solcher Wehwehchen älter erscheinen, als er war. Stattdessen biss er die Zähne zusammen, erfüllte seine administrativen Pflichten und arbeitete jede Nacht von elf bis eins am Vortrag für die Summer School, deren Ende auf denselben Freitag fiel wie Florians Polterabend. Er würde morgens packen und gleich nach der letzten Sitzung losfahren.

Das letzte nennenswerte Ereignis vor der Hochzeit war sein Zusammenstoß mit Benedikt Herwegh. Der Kollege gab ein gutes Beispiel ab für das, was Amerikaner ›a pain in the ass‹ nennen. Studenten, die bei ihm einen Schein zu erwerben wünschten, bekamen eine Liste ausgehändigt mit Anweisungen wie ›Siebtens: Bei der Titelgebung sind Formulierungen mit *und* zu vermeiden.‹ Professor Herwegh war stolz und verschroben, trug Tweed und Fliege, sah Gesprächspartnern nicht in die Augen und litt darunter, bei aller Brillanz seiner Schriften ein ausgesprochen schlechter Redner zu sein. Auf Podien wirkte er wie ein nervöser Prüfling, der sich dauernd verhaspelt.

Weil Herwegh seine Bürotür stets von innen absperrte, musste Hartmut an jenem Donnerstag mehrmals klopfen, bevor ihm zögerlich geöffnet wurde. Trotzdem betrat er den Raum voller Zuversicht und guten Willens. Nur noch diese Unterredung und seine Vorlesung auf der Summer School trennten ihn vom ersehnten Ferienbeginn. Das verregnete Frühjahr war einem strahlenden Sommer gewichen, aber im Zimmer roch es muffig.

»Sie wünschen?« Herweghs näselnder Tonfall erinnerte an einen soignierten englischen Butler.

»Ein Gespräch, wenn Sie ein paar Minuten haben.«

»Ein Gespräch worüber?«

»Vielleicht setzen wir uns kurz«, sagte Hartmut und machte einen Schritt auf die Sitzecke zu. Zwei schöne alte Ledersessel, deren einer dunkel eingefärbt war vom Schweiß, den Studenten darauf vergossen hatten, während Herwegh die Fehler in ihren griechischen Zitaten aufzählte. Draußen vor dem Fenster wogte ein grünes Blättermeer und versperrte die Sicht auf die Schlosskirche. Warum Herwegh keine frische Luft hereinließ, blieb wie so vieles sein Geheimnis. Einstweilen stand er bewegungslos vor der Tür und wiederholte seine Frage: »Ein Gespräch worüber?«

Mit Mühe unterdrückte Hartmut einen Seufzer.

»Leider muss ich noch einmal auf die Sitzung von heute Morgen zurückkommen.«

»Die Entscheidung wurde vertagt.«

»Genau genommen wurde sie nicht vertagt, sondern die Zeit lief ab, und Kollegen hatten ihren Verpflichtungen nachzukommen. Aber der einzige Widerstand gegen den Beschluss kam von Ihnen, und …«

»Wir werden in der nächsten Sitzung darauf zurückkommen.«

»Die nächste Sitzung findet im kommenden Semester statt. So viel Zeit bleibt uns definitiv nicht.« Er hörte seiner eigenen Stimme das steife Rückgrat an, mit dem er im Zimmer stand und dem Kollegen zu signalisieren versuchte, dass sein Widerstand zwecklos war. Nachdem Herwegh das Sitzungszimmer verlassen hatte, waren die verbleibenden Kollegen übereingekommen, dass ihnen leider keine Wahl blieb. Der Beschluss musste ins Protokoll gesetzt und Herweghs Zustimmung nachträglich eingeholt werden. Es ging um eine den gesamten Fachbereich betreffende und von anderen Instituten längst vollzogene Entscheidung. Sie konnten nicht ausscheren, weil ein Ordinarius querschoss, der nach dem kommenden Semester ohnehin emeritiert werden würde. »Diese Farce muss ein Ende haben«, hatte selbst Breugmann gesagt, der andere große Alteuropäer am Institut und Herweghs natürlicher Verbündeter.

Weil sein Kollege keine Anstalten machte, sich hinzusetzen, tat Hartmut es ihm vor. »Sehen Sie«, sagte er konziliant und lächelte die Bücherwand an, »keiner von uns mag dieses Korsett der Module, aber der ganze Sinn der Reformen liegt offenbar in dem Bemühen, Vergleichbarkeit herzustellen, und das wiederum erfordert eine gewisse Vereinheitlichung der …« Inhalte, wollte er sagen, aber ein Geräusch in seinem Rücken ließ ihn innehalten und den Kopf wenden. Was er sah, verschlug ihm für einen Moment die Sprache.

Ohne ein Wort hatte Herwegh die Tür wieder geöffnet. Mit der rechten Hand hielt er den Knauf und machte mit der linken eine Bewegung, die Hartmut bedeutete, er möge sich aus dem Zimmer entfernen. Den Blick hielt er stier auf den Boden gerichtet. Drei Stunden später, als Hartmut seiner Frau den Vorfall schilderte, sagte er an der entsprechenden Stelle: Und da bin ich ausgerastet.

»Sie schließen jetzt sofort diese Tür!« Seine Lautstärke überraschte ihn selbst. Die donnernde Mischung aus Drohung und Befehl klang nicht nach ihm. Als Herwegh sich nicht rührte, sprang Hartmut auf, streckte die Hand aus und warf die Tür mit voller Wucht ins Schloss. Der Knall zitterte nach im alten Gemäuer, und er glaubte zu sehen, wie in den angrenzenden Büros die Mitarbeiter erschrocken auffuhren. Mit derselben Hand zeigte Hartmut auf die beiden Sitzmöbel.

»Dann setzen Sie sich da hin und hören mir zu!«

Während der nächsten drei Minuten machte er Herwegh zur Schnecke, wie er es mit Studenten nie getan hatte. Geschweige denn mit Kollegen. Ein für alle Mal verbat er sich derartige Unverschämtheiten, nannte Herweghs Verhalten eine Zumutung, forderte ihn ultimativ zur Entschuldigung auf und verließ das Büro mit einem Gefühl, für das er auch am Abend nicht die richtigen Worte fand.

»Zu sagen, dass es mir leidtut, wäre genauso richtig, wie zu behaupten, dass ich es genossen habe.« So viel war er bereit zuzugeben nach dem zweiten Glas Wein. Er hielt den Hörer am rechten Ohr und horchte angestrengt, aber im linken konnte er keinen Ton vernehmen. Außer Mitleid mit dem Kollegen empfand er Stolz auf sich selbst. Es mochte kindisch klingen, aber er hatte das Duell gewonnen. Mann gegen Mann, und er war als Sieger vom Platz gegangen.

»Und wie geht's jetzt weiter?«, fragte Maria.

»Erst mal sind Semesterferien. Im schlimmsten Fall bleiben wir Feinde, aber nächstes Frühjahr wird er sowieso emeritiert. Außerdem ist Herwegh nicht intrigant oder nachtragend, sondern nur ein komischer Typ.«

»Okay.« Maria schien nicht abgeneigt, das Thema fallenzulassen. Dass die Interna seiner Arbeit bei ihr auf geringes Interesse stießen, war seiner Frau schwer zu verdenken. Er hatte selbst keine Ahnung, welches Projekt er als Nächstes beginnen sollte. Das jüngste Buch befand sich im Druck, und sein Gefühl sagte ihm, dass die Zunft es nicht gut aufnehmen würde. Zu unpräzise und nicht technisch genug für Kollegen, die lieber in die delikaten Verästelungen der Irrelevanz flüchteten, statt Probleme aus der Mitte des Lebens anzugehen.

»Was Neues in Berlin?«, fragte er und lief im Wohnzimmer auf und ab. Das Bild von Herwegh ging ihm nicht aus dem Kopf. Wie ein reuiger Schüler hatte er vor ihm gesessen und kein Wort über die zusammengepressten Lippen gebracht. Maria erzählte, dass ein Schauspieler das Ensemble verlassen wollte, den Merlinger für die kommende Spielzeit fest eingeplant hatte. Worauf der Chef wie auf alle unvorhergesehenen Veränderungen mit Wut und Panik reagierte – das sagte Maria nicht, aber Hartmut konnte es aus ihren Worten heraushören.

»Schlechte Stimmung allenthalben.« Er leerte sein Glas und spürte augenblicklich das Verlangen nach dem nächsten.

»Für mich heißt es wahrscheinlich, dass ich nicht zum Polterabend kommen kann«, sagte Maria.

»Das ist nicht dein Ernst.«

»Falk hat für denselben Freitag einen Kreis angesetzt.« Weniger exzentrische Naturen als Merlinger würden einfach eine Sitzung einberufen. »Ich komme zur Hochzeit, aber am Freitag geht es nicht. Tut mir leid.«

Weil ihm keine Erwiderung einfiel, stellte Hartmut sein Glas ab und hielt den Hörer ans andere Ohr. Draußen setzte die Dämmerung ein. Es überraschte ihn, wie sehr die Nachricht ihn enttäuschte. Daraus folgte eine Verschiebung ihres Wiedersehens um einen Tag. Schlimm? Ruth würde das Fehlen ihrer Schwägerin beim Polterabend bedauern und sich ansonsten nichts anmerken lassen. Eine winzige atmosphärische Störung, leicht auszubügeln auf der Hochzeitsfeier am Samstag. Hartmut ging zum Kühlschrank und nahm die nächste Flasche Alvarinho heraus.

»Nichts zu machen, nehm ich an«, sagte er und versprach, Maria am besagten Samstag in Marburg abzuholen.

»Ich freu mich drauf«, versicherte sie vor dem Auflegen. Als würden sie einander vorher nicht mehr sprechen.

Danach stand er in der offenen Terrassentür und sah hinaus in den Abend. Zwei Jogger trabten gemächlich Richtung Casselsruhe. Der Wein schmeckte gut und verstärkte die Drift. Seit Bernhard Tauschner das Institut verlassen hatte, gab es niemanden mehr, mit dem er sich spontan verabreden konnte. Abend für Abend saß er alleine am Schreibtisch oder in der dröhnenden Stille des Wohnzimmers. Hing seinen Gedanken nach. Trank. Dem Weniger an ehelicher ›quality time‹ entsprach ein Mehr an Dingen, die er sich bei einer Flasche Wein zumindest vorstellen konnte. Ohne aktiv nach Gelegenheiten zu suchen, bemerkte er seit einiger Zeit eine erhöhte Sensibilität für Situationen, in denen die zarten Vorstufen von Gelegenheiten sichtbar wurden. Ein etwas mehr als freundliches Lächeln in der Sprechstunde. Neulich am Telefon der Satz ›Gerade habe ich an Sie gedacht‹, mit dem die attraktive Frau Müller-Graf ihn schon zum zweiten Mal begrüßte. Es ging immer noch um die Einpassung der vermaledeiten Module. Ob sie ihm die neuesten Richtlinien schicken solle, oder – »Nein, wissen Sie was? Ich muss sowieso in Ihren Schlossflügel. Haben Sie kurz Zeit?« Bald darauf trat sie in ihrem eleganten Hosenanzug in sein Büro, hatte einen Computerausdruck in der Hand und die rötlichen Haare hochgesteckt. Ihr unternehmungslustiger Blick schien zu sagen: Da bin ich. Was machen wir jetzt?

Mit dem Telefon in der Hand stand Hartmut vor der Terrassentür. Wie von alleine tippten seine Finger auf der Tastatur herum. Gespeicherte Nummern zogen über das Display. Unter ›Tauschner‹ stand immer noch Bernhards seit Jahren toter Anschluss. Als Nächstes ›Taxi‹ und die Frage, warum er nicht mal alleine runter an den Rhein fahren sollte? Einfach ein bisschen schlendern und schauen. Weil es ein schöner Abend war.

Der Regionalexpress von Kassel nach Frankfurt hatte zwölf Minuten Verspätung. Als seine Einfahrt schließlich angekündigt wurde, stand Hartmut seit einer halben Stunde auf dem Bahnsteig und beobachtete das Geschehen. Die missmutigen Blicke wartender Fahrgäste und die Erleichterung in den Gesichtern derer, die schwer atmend die Treppen hinaufgehastet kamen. Junge Paare verharrten in inniger Umarmung. Dann kam Bewegung in die Menge, Gepäckstücke wurden auf- und Kinder an die Hand genommen, bevor die doppelstöckigen Waggons die Gleise entlangrollten und quietschend zum Stehen kamen. Hartmut hielt sich die Ohren zu. Die Uhr unter dem Vordach zeigte Viertel vor zwei.

Er entdeckte seine Frau in der offenen Tür, hob die Hand und arbeitete sich in ihre Richtung vor. Maria trug ein Kleid, das er noch nie an ihr gesehen hatte. Eine kurze Begrüßung mit den Augen, dann schlossen sie einander in die Arme. Fast ein Monat war seit dem letzten Mal vergangen. Eingekeilt zwischen Gepäckstücken und drängelnden Fahrgästen waren sie einen Augenblick miteinander alleine.

»Ich hab so viel Gepäck dabei, als würde ich umziehen«, sagte Maria lachend.

»Lange nicht gesehen.«

»Oh. Ja. Hallo.«

Noch einmal drückte er sie an sich, bevor ihr nächster Kuss sagte: später mehr. Er nahm den Koffer und die größere der beiden Reisetaschen, und sie folgten dem Strom der anderen Fahrgäste zum Ausgang. Überall Stimmengewirr, Lachen und aufgeregt plappernde Kinder. Draußen empfing sie die Hitze eines wolkenlosen Sommertages. Auf dem Parkplatz verstaute er ihre Sachen im Kofferraum und setzte sich hinters Steuer. Er schwitzte, zog das Jackett aus und lächelte seine Frau an. Wie immer, wenn sie einander längere Zeit nicht gesehen hatten, gab es so viel zu sagen, dass sie zunächst in Schweigen verfielen. Dreißig Minuten würde die Fahrt dauern, lange genug, um von der Summer School und dem gestrigen Polterabend zu erzählen, Grüße von Hans-Peter und Lori auszurichten und Maria mitzuteilen, dass er ein Upgrade ihrer Tickets nach Lissabon vorgenommen hatte. Ein spontaner Gedanke vorgestern Abend: Warum nicht mal Business Class fliegen nach all dem Stress?

»Gute Reise gehabt?«, fragte er schließlich. Er wartete auf eine Lücke im Verkehr, der am Bahnhof vorbei aus der Stadt floss. Wie immer erinnerte Marburg ihn an früher. Der Bahnhof hatte sich kaum verändert.

»Ziemlich voll im Zug. Eine ganze Schule auf Klassenfahrt.« Müde wirkte sie, als er ihr von der Seite einen Blick zuwarf. Ihr ICE war um halb neun abgefahren, und vermutlich hatte die gestrige Besprechung bis spät in die Nacht gedauert. Das Kleid stand ihr ausgezeichnet, figurbetont und vage asiatisch mit dem verspielten Blumenmuster.

Statt die Stadtautobahn zu nehmen, entschied er sich für die Strecke durchs Zentrum. Um die Elisabethkirche herum waren die Bürgersteige voll. In den Cafés entlang der Ketzerbach genossen Studenten ein spätes Frühstück, und Hartmut spürte die Kopfschmerzen, die sich in seiner rechten Schläfe eingenistet hatten. Wahrscheinlich würde er erst nächste Woche in Rapa wieder gut schlafen. Den Ton im Ohr hatte er seit einigen Tagen nicht gehört und glaubte trotzdem, dass er noch da war. Ein Kobold, der seine Spielchen mit ihm trieb. Sich versteckte, wieder auftauchte, ihn warten ließ.

»Ist dir heiß?«, fragte er an der nächsten Ampel. »Soll ich die Klimaanlage einschalten?«

Maria schüttelte den Kopf. »Erzähl mir von gestern Abend.«

»Interessante Veranstaltung.« Mit den Augen folgte er einer blinden Frau, die vor ihnen die Straße überquerte. Kurz hörte er das rhythmische Klicken ihres Stockes auf dem Asphalt. Es war eine bunt gemischte Gesellschaft, die sich anlässlich der Hochzeit eines einheimischen Juniorprofessors für Physik mit einer koreanischen Theologiestudentin auf der lauschigen Waldhütte versammelt hatte. Dass Hartmut sich den Namen der Braut nicht merken konnte, obwohl er ihn alleine gestern ein Dutzend Mal gehört haben musste, ließ er unerwähnt. Irgendwas mit K. Sie und Florian hatten einander während eines Studienaufenthalts in Cambridge kennengelernt, lebten in Heidelberg und wollten in einer Woche nach Seoul fliegen, um dort noch einmal koreanisch zu heiraten. »Nach der letzten Woche war ich ein bisschen zu müde, um zu feiern«, schloss er. »Bin schon um halb zwölf ins Bett gegangen.«

»Hat Ruth was gesagt?«, fragte Maria.

»Gesagt?«

»Dass ich nicht da war.«

»Ich glaube, ich hab meine Schwester noch nie so glücklich gesehen. Bei ihrer eigenen Hochzeit war ich ja nicht in Deutschland. Sie sah richtig selig aus. Hat später sogar getanzt, auf Abba.« Kurz lachte er vor sich hin. »Glaubst du, wir erleben das noch, Philippa unter der Haube?«

»Hartmut – hat sie was gesagt?«

Er spürte Marias Blick von der Seite und wusste, dass er einem Loyalitätstest unterzogen wurde. Nicht dem ersten dieser Art. Mit einem Lächeln versuchte er, ihre Bedenken zu zerstreuen.

»Dass es schade ist. Aber Hauptsache, du bist heute dabei. Ich hatte es ihr letzte Woche nicht gesagt, und gestern war sie zu aufgeregt, um sich lange damit aufzuhalten.«

Hinter den Behringwerken passierten sie das Ortsschild, und die Straße führte bergan. Rot-weiße Schilder warnten vor Wildwechsel. Seine Auskunft entsprach annähernd der Wahrheit. Ruth hatte die Nachricht mit einem bedauernden Nicken quittiert und ihm dabei über den Arm gestrichen, als gelte das Bedauern ihm. Vielleicht interpretierte er die Geste auch falsch. Alles in allem hatte er einen schönen Abend verlebt und sich trotzdem abgekoppelt gefühlt von dem Treiben um ihn herum. Florians Kollegen und Freunde flirteten mit jungen Koreanerinnen und wurden beobachtet von den Mitgliedern einer einheimischen Burschenschaft, die alle das gleiche T-Shirt trugen und auch sonst Homogenität ausstrahlten. Natürlich hatte er mehrfach erklären müssen, wo seine Frau war und was sie neuerdings machte in Berlin. Übrigens glaubte er, dass Ruth seit dem Umzug seltener ›Maria‹ und häufiger ›deine Frau‹ sagte, aber auch das könnte er sich einbilden.

»Wie war euer Treffen gestern?«, fragte er, um das Thema zu wechseln. »Konntet ihr das Problem lösen?«

»Nicht wirklich.«

»Woran hapert's?«

»Fragst du oder …?«

»Ich frage.«

Sie zögerte und sah aus dem Seitenfenster.

»In diesem Ton.«

Kurz nahm er die Hände vom Lenkrad und machte eine ratlose Geste. Lass uns reden, dachte er, obwohl er selbst spürte, was ihr an seinem Tonfall missfiel. Ein bisschen zu beschwingt und jovial, wie so oft, wenn es um ihr Engagement in Berlin ging. Maria wusste, dass seine Fragen unter eine vor dem Umzug getroffene Abmachung fielen: Bezüglich Falk Merlingers durfte er alles fragen. Der arglose Ton, in dem er es zu tun versuchte, war zwar nicht Teil der Abmachung, setzte sie aber auch nicht außer Kraft.

»Die Besprechung war unerquicklich«, sagte sie schließlich. »Falk kann nicht kritisieren, ohne zu verletzen. Auch wenn es um Kleinigkeiten geht, da ist immer dieser … diese Gereiztheit. Sogar wenn er sich Mühe gibt, was nicht oft vorkommt. Er kann nicht anders.«

»Wen kritisiert er, dich?«

»Oder er braucht es als Ventil. Als ginge es nicht um den Inhalt der Kritik, sondern ums Kritisieren an sich. Darum, dass er es besser weiß. Am meisten nervt es die Schauspieler, und dass jetzt einer abgesprungen ist, hat wahrscheinlich damit zu tun.«

»Dich nervt es nicht?«

»Ich kenne ihn, ich kann damit umgehen.«

»Warum ist er eigentlich so bitter?«

Statt zu antworten, seufzte sie und zuckte mit den Schultern. Hartmut legte eine Hand auf ihren Oberschenkel. Das Gefühl von Haut unter dem dünnen Stoff weckte sein Verlangen nach Zärtlichkeiten. Der Zug hatte Verspätung gehabt, aber wenn sonst nichts Unvorhergesehenes passierte, blieb ihnen in Bergenstadt eine Stunde, bevor um halb vier die Trauung begann.

»Trotzdem, es nervt mich«, sagte Maria leise, »dass ich immer mehr zum Medium zwischen Regisseur und Ensemble werde.

Zum Puffer beinahe. Wahrscheinlich hat er mich von Anfang an für diese Funktion vorgesehen. Er braucht jemanden, der für ihn kommuniziert.«

Sie hatten den Kamm der Anhöhe erreicht, und die Straße lud ein zum schnellen Fahren. Sonnenlicht fiel durch eine Fichtenschonung und warf längliche Schatten über den Asphalt.

»Du hast nicht beantwortet, warum er so ...«

»Weil ich es nicht weiß. Warum sind Leute, wie sie sind? Damals wollte niemand seine Stücke, keiner hat ihn ernst genommen. Nach der Wende kam der Erfolg, hat eine Weile angehalten, und jetzt schreiben alle, dass er seinen Biss verloren hat. Vielleicht liegt es daran.«

»War er während des großen Erfolgs auch bitter?«

»Keine Ahnung. Damals hatten wir nicht viel Kontakt.« *Du weißt das alles. Warum fragst du?* Dabei sprach sie ruhig und ohne Widerwillen, beinahe so, wie sie abends im Wohnzimmer geredet hatten, als Maria noch in Bonn wohnte.

»Also, es ist alles ziemlich anstrengend. Ja? Die Arbeit in Berlin.«

Kurz sah sie ihn an und lächelte, als wüsste sie genau, worauf er hinauswollte. Das flirrende Licht, dieser schnelle Wechsel von Schatten und Sonne, erzeugte ein Schwindelgefühl, das sein Verlangen noch verstärkte. Einen Moment lang fragte er sich allen Ernstes, ob er in einen der kleinen Waldwege abbiegen sollte und ... Dann nahm er die Hand von ihrem Bein und musste lachen.

Maria drehte den Kopf.

»Was?«

»Nichts. Manchmal komme ich mir selbst komisch vor, das ist alles. Schönen Gruß von Hans-Peter und Lori übrigens. Sie fanden's schade, dass du nicht in Bonn warst.« Hans-Peter war ein Kommilitone aus Berliner Zeiten, der seit über dreißig Jahren in den USA lebte. Inzwischen war er Professor in Berkeley und hatte auf der Summer School den Hauptvortrag gehalten. Seine Frau Lori begleitete ihn auf allen Konferenzreisen, sofern sie an Orte führten, die ihrem unstillbaren Kulturhunger Nahrung boten.

»Danke«, sagte Maria. »Wie viele Museen hat Lori geschafft?«

»Sie hat wie immer alles gegeben. Wallraf-Richartz, Ostasiatische Kunst, Museum Ludwig. Das war wieder mal einen wirklich großartigen Tag in Köln«, sagte er in Loris amerikanischem Akzent, der Maria bei früheren Gelegenheiten zum Lachen gebracht hatte. »Was sie in Bonn gesehen hat, weiß ich nicht. Wir waren nur einmal essen.«

»Geht's ihnen gut?«

»Die beiden ändern sich nie. Lori schwärmt und Hans-Peter analysiert wie mit dem Seziermesser. Sie kann über alles sprechen, er nur über Philosophie. Im Grunde reden sie ständig aneinander vorbei, aber sie scheinen nie zu streiten. Bemerkenswert.«

»Hm.«

»Jedes Mal, wenn ich Hans-Peter sehe, denke ich daran, wie er mich zum ersten Mal eingeladen hat. Einundsiebzig oder zweiundsiebzig, um auf sein erstes Stipendium anzustoßen. Er hatte ein Zimmer in der Nähe vom Mehringdamm, und irgendwann, als ich ihn drauf angesprochen habe, meinte er ...«

»Frauen, ja. Frauen sind ein Problem.« Maria sah ihn nicht an, sondern zitierte mit Blick aus dem Seitenfenster.

»Okay. Vielleicht hab ich das schon mal erwähnt.«

»Hat er dich wieder geärgert?«

»Nein. Ich werde alt, Pardon. Kommt nicht wieder vor.« Obwohl sie auf eine Kurve zufuhren, ließ er erneut das Lenkrad los, diesmal in einer Geste, die sowohl Unschuldsbekundung als auch Gelöbnis zur Besserung bedeuten konnte. Dass sie ihn bei ihrem Wiedersehen so bloßstellte, fand er unnötig – obwohl er selbst darum gebeten hatte, auf gewisse Alterserscheinungen hingewiesen zu werden.

Sie verließen das kleine Waldstück. Offenbar war die Straße kürzlich ausgebaut worden, jedenfalls verlief sie breiter und gerader als in seiner Erinnerung. Weit weg standen weiße Wolken über der Landschaft. Dörfer nestelten sich in die Vertiefungen zwischen bewachsenen Hügeln. Seine Heimat, wenn man das Wort auf seinen sachlichen Gehalt beschränkte.

»Noch mal zurück zum vorigen Thema«, sagte er gegen die einsetzende Stille. »Was ist die Quintessenz? Was heißt das alles für die Zukunft?«

»Was heißt was?«

»Haben sich deine Erwartungen erfüllt oder eher nicht? Du klingst nicht besonders zufrieden, wenn du von deiner Arbeit sprichst.«

»Arbeit«, sagte sie lakonisch. »Du kommst auch nicht jeden Abend freudestrahlend nach Hause.«

Woher willst du das wissen, dachte er, aber anstatt es zu sagen, nickte er nur und schaltete einen Gang nach oben.

»Ich erinnere mich an deine Ankündigung, du würdest das erst mal ein Jahr auf Probe machen.«

»Die Verträge von solchen Billigjobs gelten immer nur für ein Jahr.«

»Maria, verdammt noch mal, antworte mir!«

Seine Lautstärke ließ sie erschrocken auffahren.

»Was? Ich antworte dir, Hartmut, sobald du eine präzise Frage stellst. Was soll die Quintessenz sein von … was? Ich wusste, es würde schwierig werden in Berlin, und diese Einschätzung hat sich bestätigt. Meinst du das?« Mit einer Handbewegung bat sie ihn um Mäßigung und erinnerte an bewährte Umgangsformen: diskutieren gerne, streiten, wenn es sein muss, brüllen bitte nicht! Tatsächlich erschrak er selbst über seinen Tonfall; nicht über die Lautstärke, sondern die Plötzlichkeit des Ausbruchs. Er war froh über ihre Gegenwart und freute sich darauf, am Abend mit ihr zu feiern. Wann hatten sie zuletzt getanzt? Beinahe war es, als würde tatsächlich ein Kobold in ihm sitzen, der nicht länger flirrende Sphärenklänge produzierte, sondern die Kontrolle über seine Stimmbänder übernommen hatte.

»Tut mir leid«, sagte er. »Ich bin noch nicht in den Ferien angekommen.«

Philippa müsste inzwischen wach sein – er wusste nicht, warum ihm das jetzt einfiel. Bei seiner Abfahrt hatte sie noch im Bett gelegen, offenbar war sie gestern spät von der Hütte zurückgekommen. Beide hatten sie die letzte Nacht bei Ruth und Heiner geschlafen, die kommende wollte er mit Maria im Hotel verbringen. »Ich hatte gehofft, du könntest mir klipp und klar sagen, dass du deine Arbeit um ein weiteres Jahr verlängern wirst. Nicht dass ich nicht wüsste, dass du das vorhast. Einfach, um es offenzulegen. Aus Respekt.« Das falsche Wort, er wusste es schon, bevor Maria missbilligend den Kopf schüttelte.

»Oh. Das ist jetzt ein bisschen ...«

»Ein bisschen was?«

»Als hätten wir darüber nie gesprochen. Empfindest du die Tatsache, dass ich arbeite, als Respektlosigkeit dir gegenüber?«

Seine rechte Fußspitze senkte sich, und die Tachonadel reagierte. Er spürte die Vibration der Geschwindigkeit, beherrscht von seinem festen Griff ums Lenkrad. Der raue Straßenbelag verursachte ein dumpfes Summen. Es war ein merkwürdiger Moment: die Welt mit Marias Augen zu sehen, sich selbst vor allem – er bemühte sich, keine trotzige Miene zu machen –, ohne ihr dadurch näher zu sein. Neben der Straße lagen runde Heuballen auf den Feldern und erinnerten ihn an früher. ›Kejen‹ hatte es geheißen, wenn das Heu zu kegelförmigen Haufen zusammengerecht werden musste, damit es nicht feucht wurde auf dem Feld. Bevor es schließlich in die Scheune kam. Allerdings war er nicht sicher, ob es sich bei dem Wort um ein Verb oder ein Nomen handelte. Wurde Heu gekejet oder zu Kejen aufgehäuft? Er wusste nur noch, wie sehr er die Arbeit gehasst hatte. Manchmal war alles nur für eine Nacht zusammengerecht und am nächsten Tag wieder ausgebreitet worden, angeblich weil das Heu dadurch weicher wurde und den Kühen besser schmeckte. Einer dieser bäuerlichen Mythen, die ...

»Hartmut!«

Erschrocken fuhr er auf. Ein paar Sekunden zu lange hatte er seinen Erinnerungen nachgehangen und nicht gemerkt, dass vor ihnen ein Kreisverkehr auftauchte. Sie flogen darauf zu, Maria zog Luft durch die Zähne, und Hartmut stieg mit aller Kraft auf die Bremse. Dank ABS blieb der Wagen stabil, aber sie wurden hart in die Gurte gepresst. Einen Moment lang erwartete er, die beiden Airbags vor sich aufploppen zu sehen. Wenige Zentimeter vor der weißen Linie kam das Auto zum Stehen. Synchron fielen sie zurück in die Sitze. Aus dem ihren Weg kreuzenden Pkw begegneten ihm vorwurfsvolle Blicke. Der Geruch von heißem Gummi wehte durch die Lüftung herein.

»Tut mir leid«, sagte er und spürte ein Kribbeln in den Fingerspitzen. »Hier gab es früher keinen Kreisverkehr.« Auf dem Hinweg war er eine andere Strecke gefahren.

Für einige Sekunden saßen sie reglos nebeneinander und atmeten tief durch. Soll ich im nächsten Dorf kurz halten?, wollte er fragen. Brauchst du was aus deiner Tasche? Betont langsam fuhr er wieder an, fühlte das Echo seines Herzschlags in der Kehle und wusste nicht mehr, worüber sie zuletzt gesprochen hatten. Maria drückte sich Zeige- und Mittelfinger gegen die Schläfen.

»Sind wir bald da?«, fragte sie.

»Viertelstunde.«

Am Ausgang des nächsten Dorfes überquerten sie die Lahn und bogen ab auf die B 62. Hartmut suchte nach einer Bemerkung, um die Stimmung aufzuheitern. Dass Maria sich nicht nach ihrer Tochter erkundigte, nahm er als Hinweis darauf, dass die beiden heute schon telefoniert hatten. Bei der Ankunft gestern Nachmittag hatte Philippa ihn mit einem Geschenk überrascht, einem kleinen Kissen mit in die Polsterung integrierten Lautsprechern, zum Anschließen an einen CD-Spieler. Gegen seine Einschlafschwierigkeiten wegen des Tons, erklärte sie. Dass sie das Produkt im Online-Shop der Deutschen Tinnitus-Liga erstanden hatte, dämpfte seine Freude ein wenig. Sollte er erzählen, wie er probeweise einen Ausschnitt aus der *Matthäus-Passion* hatte anhören müssen, in Ruths und Heiners Wohnzimmer auf dem Boden liegend, während der Rest der Familie sich im Halbkreis über ihn beugte. Ob es angenehm sei? Ob er sich schläfrig fühle? Könne er den Ton näher beschreiben? Sein Neffe Felix hatte von einer Hotline gehört, unter der man sämtliche bekannten Ohrgeräusche abhören konnte. Er schlug vor, Hartmut solle seinen Ton identifizieren, auf CD brennen und im Bett anhören. Wenn er von außen in sein Ohr gelange, sei es kein Tinnitus mehr, oder?

Neben ihm machte Maria ein merkwürdiges Geräusch. Zuerst hielt Hartmut es für Schluckauf, aber als er den Kopf wendete, hatte sie sich nach vorne gebeugt, saß über ihre Knie gekrümmt und weinte mit bebenden Schultern. Einige Sekunden lang war er so überrumpelt, dass er nicht einmal fragen konnte, was sie hatte. Vergebens hielt er Ausschau nach einer Abzweigung oder Haltebucht, er konnte nur den Fuß vom Gas nehmen und seine rechte Hand auf ihre Schulter legen.

»Schatz, was ist los?«

Maria schüttelte den Kopf, ihr Schluchzen füllte den Wagen. Die Haare waren nach vorne gefallen und enthüllten ihren schlanken hellen Nacken.

»Maria?« Seine Blicke hasteten zwischen ihr und der Straße hin und her, aber innerlich fühlte er sich merkwürdig ruhig. Es dauerte eine Weile, bevor sie den Oberkörper aufrichtete und nach einem Taschentuch suchte. Solche Zusammenbrüche waren selten, und er hätte Grund gehabt, mehr als nur gespannt zu sein auf ihre nächsten Worte.

Maria schnäuzte sich und steckte das Taschentuch weg. Sah starr geradeaus auf die Straße.

»Was geschieht mit uns?« Ihre Stimme klang fester als erwartet.

»Was meinst du?«

»Was geschieht mit uns? Warum können wir nicht mehr reden?«

»Wir reden schon eine ganze Weile.«

»An einander vorbei. Um einander herum. Was auch immer.« Die Bewegung, mit der sie ihre Tränen wegwischte, war energisch, so als würde sie sich den kurzen Zusammenbruch übelnehmen und den entstandenen Eindruck korrigieren wollen. »Du tust so, als würdest du dich für meine Arbeit interessieren, aber in Wirklichkeit gilt dein Interesse ausschließlich der Frage, wann ich sie an den Nagel hänge.«

»Es geht nicht um die Tatsache, dass du arbeiten willst. Ich hab dich immer …«

»Zu Portugiesisch-Kursen an der Volkshochschule, ja.« In einer ruckartigen, für sie untypischen Geste hielt sie ihm die ausgestreckte Hand entgegen. »Ich habe fünf solcher Kurse gegeben. Fünf.«

»Was hättest du gerne von mir gehört? Geh doch nach Berlin, Schatz. Ruf Falk Merlinger an und frag, ob er Verwendung für dich hat. Hier in Bonn störst du mich sowieso nur. Das?« Sie war es gewesen, die beim Abschied behauptet hatte, ihr Umzug werde ihnen beiden guttun. Er hatte das nie geglaubt.

»Neulich hab ich gedacht, es gibt so viele Dinge, die ich gerne mit dir teilen würde. Von denen ich gerne erzählen würde, aber jedes Mal sehe ich schon vor dem ersten Satz den Verlauf des Gesprächs vor mir. Ich weiß genau, wo du einhaken wirst. Sobald ich von Schwierigkeiten spreche, machst du dir Hoffnungen. Wenn ich von Problemen berichte, ernte ich kein Verständnis, sondern bestätige deine Meinung, den falschen Schritt getan zu haben. Außerdem fühle ich mich augenblicklich schlecht, weil ich dir Hoffnungen mache, die ich dann wieder enttäuschen muss. Das ist das Zweite: Permanent zwingst du mich in die Rolle derjenigen, die unsere Ehe gefährdet, indem sie ihre eigenen egoistischen Pläne verfolgt.«

»Ich wusste nicht, dass unsere Ehe in Gefahr ist.«

»Doch, das weißt du.«

Mit der rechten Hand schaltete Hartmut die Klimaanlage ein. Das war neu. Von einer Gefahr für ihre Ehe war nie die Rede gewesen, und Maria neigte nicht zu rhetorischer Leichtfertigkeit. Aufreizend gelassen hatte sie die Worte ausgesprochen. Hartmut legte die Hand zurück aufs Lenkrad und versuchte vorauszusehen, welchen Verlauf das Gespräch nehmen würde. Mit wenigen Sätzen hatten sie die Präliminarien abgehakt und begonnen, Tacheles zu reden. Schneller als Marias Tränen trocknen konnten.

»Aber du scheinst nicht zu wissen«, fuhr sie fort, »inwiefern diese Gefahr von deinem Verhalten ausgeht.«

»Informier mich.«

»Seit einem Jahr treten wir auf der Stelle …«

»Zwei Stellen.« Sein rechter Fuß zuckte schon wieder. Alles in ihm schien plötzlich zu zucken. »Kann ja nicht schaden, es genau zu nehmen.«

»… kommen keinen Schritt vorwärts und verschwenden die kostbare Zeit unseres Zusammenseins damit, immer wieder dieselben ergebnislosen Gespräche zu führen.«

Damit schien sie sich auf seine Fragen nach ihrer Arbeit zu beziehen, auf die er meist ausweichende Antworten erhielt. Ergebnislos, in der Tat. Wieso war das seine Schuld? Offensichtlich musste er hier ein paar Dinge geraderücken. Wusste Maria, wie die letzten Monate aus seiner Sicht verlaufen waren? Wieso saß er plötzlich auf der Anklagebank?

Seine Frau war noch nicht fertig.

»Dabei könnte das alles eine Bereicherung sein – was ich erlebe und was du erlebst. Wir *haben* Dinge, über die wir reden können. Wir könnten das teilen. Es könnte schön sein, wenn …«

»Wenn ich endlich diese dämliche Idee aus meinem Kopf bekäme, dass wir am besten in einer Stadt leben sollten. Richtig? Würde ich endlich einsehen, dass fünfhundert Kilometer die perfekte Distanz zwischen zwei Ehepartnern sind, wäre unser Leben wie Marzipan. Gott, was wir außer Tisch und Bett alles teilen könnten!«

»Hör dir zu, Hartmut! Du klingst – beleidigt.«

Und er hasste es! Seine Frau warf ihm vor, beleidigt zu sein, weil er darunter litt, sie nicht häufiger zu sehen. Was als Nächstes? Würde sie ihn eine Memme nennen, weil er sie liebte?

»Moment!«, sagte er und musste gegen den Impuls ankämpfen, mit den Händen vor ihrem Gesicht zu gestikulieren. »Du beklagst dich, ich würde dir eine Rolle aufzwingen, die der eigensüchtigen Selbstverwirklicherin. Darf ich dazu anmerken: Erstens hast du dir diese Rolle selbst ausgesucht, und du spielst sie auch ziemlich gut …« Das Zusammenkrampfen ihrer Hände verriet ihm, dass er getroffen hatte. Ein Tiefschlag zwar, aber bemühte sie sich etwa um Fair Play? »Zweitens verhält es sich umgekehrt: Du zwingst mir eine Rolle auf. Ach was, mehrere! Die des zurückgelassenen Ehemanns, des Bettlers um Zuwendung, der abends auf einen Anruf wartet. Eine schlimmer als die andere. Lauter Scheißrollen!«

»Das ist unser Problem: In deiner Wahrnehmung tue ich alles, was ich tue, dir an.«

»Unser Problem ist, dass dich nicht sonderlich kümmert, was du mir antust.«

»Der Name dafür lautet Egozentrik.«

»Fast richtig. Er lautet Egoismus.«

Sie rollten ins nächste Dorf und hielten vorübergehend inne. Vor einem Eiscafé namens *Rialto* saßen junge Familien in der Sonne. Das vergangene Semester war ein einziger Krampf gewesen, das gesamte letzte Jahr eine Reihe von Enttäuschungen, und Hartmut spürte die grimmige Entschlossenheit, ein Ausrufungszeichen zu setzen. Das hat jetzt lange genug gedauert, sagte er sich. Am Morgen nach dem Streit mit Herwegh hatte seine Sekretärin ihm einen versiegelten Brief überreicht, in dem der Kollege sich in aller Form für sein Benehmen entschuldigte. Manchmal war es notwendig, seinen Standpunkt mit Entschiedenheit zu vertreten. Wahrscheinlich hatte er darauf zu lange verzichtet, um des lieben Friedens willen.

Maria seufzte und wechselte die Tonlage.

»Können wir noch mal von vorne anfangen?«

»Der Traum eines jeden älteren Paares, der leider …«

»Können wir!? Kannst du aufhören mit dieser albernen Stichelei. Bitte! Ja?«

»Okay, ich hör dir zu.« Mit einem Seitenblick erfasste er das leichte Zittern ihrer Lippen. Zorn und Frustration. Trotzdem war sie entschlossen weiterzumachen, und zum ersten Mal verstand er, dass sie in Wirklichkeit den Streit vermeiden wollte. Eine Einsicht, die an ihm vorübertrieb wie draußen die Landschaft.

»Das Allerwichtigste für mich ist, dass du verstehst, warum ich nicht anders handeln konnte. Damals. Weshalb es nicht um Egoismus geht. Dass ich …« Sie sprach schnell jetzt, um ihm keine Möglichkeit zum Einhaken zu geben, aber dadurch kam sie ins Stolpern. »… als das Angebot kam, nur entweder annehmen konnte oder mir für den Rest meines Lebens vorwerfen, es abgelehnt zu haben. Mir vorwerfen und dir. Und das lag daran, weil das Leben in Bonn …«

»In ›deinem Bonn‹ hast du immer gesagt, aber eigentlich gemeint: das Leben mit mir. Richtig?«

»Es würde uns ein großes Stück weiterhelfen, wenn du nicht hinter jedem Satz einen Vorwurf vermuten würdest.«

»In der Tat, warum sollte ich das tun? Jahrelang habe ich meine Familie zugunsten der Arbeit vernachlässigt und dich nicht bei der Suche nach einer Beschäftigung unterstützt. Das ist kein Vorwurf, sondern eine Tatsache. Richtig?« Gelang es ihm nicht mal mehr, sie wütend zu machen? Und wusste sie, dass sie sich ihre Arbeit nur leisten konnte, weil er für die Berliner Wohnung aufkam? Dass seine Arbeit ihre finanzierte? Er bezahlte für den Umzug, dessen Hauptleidtragender er war, und musste sich obendrein Vorwürfe anhören.

»Seit wann bist du ein solcher Zyniker, Hartmut?« Sie fragte ganz ruhig. Jetzt und hier wäre sie bereit, ihm zu sagen, dass sie ihn liebte. Er kannte diese unerschütterliche Aufrichtigkeit im Kern ihres Wesens. Den katholischen Ernst der Serra da Estrela, wo ihre Eltern herstammten und die Frauen jeden Abend den Rosenkranz beteten. Würde er sie lassen, würde sie ihm versichern, dass sie wisse und anerkenne, wie hart er in den vergangenen zwanzig Jahren für seine Familie gearbeitet hatte – aber nur, damit er sich endlich abfand mit ihrem Umzug. Der genau genommen ein Auszug gewesen war.

»Tja, seit wann bloß«, sagte er.

»Verstehe. Das ist also auch meine Schuld.«

»Wieso auch? Bisher war nur von meinen Fehlern die Rede.«

»Das ist es, was ich meine. Wir können nicht mehr reden. Wir können nicht einmal mehr reden über uns.« An ihrer heiseren Stimme hörte er, dass sie gleich wieder in Tränen ausbrechen würde. Erneut holte sie ihr Taschentuch hervor und hielt es sich vors Gesicht. Nun war es an ihm, in die Offensive zu gehen.

»Die schier endlose Reihe meiner Fehler. Wo beginnen? Ich unterstütze dich nicht bei deiner Arbeit, denn finanzielle Unterstützung ist ja keine Unterstützung, sondern eine subtile Form von Herablassung. Ich verkenne die aus deinem Job hervorgehende Bereicherung für unsere Ehe, die in den unzähligen E-Mails besteht, in denen wir einander mitteilen, wann wir vielleicht telefonieren können. Außerdem wiederhole ich mich ständig, vor allem die Frage, wie es dir geht. Schlimm! Zynisch bin ich sowieso, das liegt mir im Blut, und als wäre das alles noch nicht genug …«

»Hör auf«, flüsterte sie. »Hör bitte auf.«

Hätte er gerne getan, aber er konnte nicht. Es wurde ihm bewusst, noch während er sprach und den Wagen beschleunigte. Die Landschaft verschwamm, er sah nur die Straße. Heute war der Tag, auf den er seit Monaten hingelebt hatte, ohne es zu wissen. Er gefährdete ihre Ehe? Ihm platzte der Schädel, so groß war seine Empörung.

»Als wäre das alles noch nicht genug, stehe ich natürlich auch den Inhalten deiner Arbeit völlig verständnislos gegenüber.«

»Bitte nicht. Das …«

»Seien wir ehrlich: Ich habe hoffnungslos provinzielle Vorstellungen von der modernen Bühnenkunst.«

Mit angezogenen Knien hockte Maria auf dem Beifahrersitz, und er hätte nur den Mund halten müssen, aber es ging nicht. Auf der letzten Premierenfeier hatte er nicht gesagt, was er wirklich von *Schlachthaus Europa* hielt, und das war nur ein weiterer Fall von Selbstverleugnung, um die Stimmung zu Hause nicht zu gefährden. Oh, er hatte genau gespürt, wie Peter Karow ihn von der Seite ansah, weil er nicht mehr von pubertärem Unfug, sondern von kraftvoller Provokation sprach, sobald Maria ihnen an der Bar Gesellschaft leistete. Und was hatte er mit seiner Leisetreterei erreicht? Er gefährdete ihre Ehe!

»Masturbation vor Publikum ist progressiv!« Seine Stimme klang höher als normal, um einen Halbton ins Irre verschoben. Die Straße machte eine langgezogene Kurve und mündete in eine noch längere Gerade. In der Ferne erkannte Hartmut das Bergenstädter Schloss, ansonsten gab es nur die unwiderstehliche Sogwirkung einer von Randstreifen eingefassten Schneise. Er schaltete in den fünften Gang, umklammerte das Lenkrad und dozierte wie ein durchgeknallter Professor.

»Sie befreit nämlich, und das ist es, was wir brauchen: Befreiung! Von den Lügen und den Fesseln. Weg mit den bürgerlichen Konventionen! Die Verstellung hat viel zu lange gedauert. Wir alle machen uns was vor. Dankbar sollten wir ihm sein, dem großen Meister, dass er …«

»HÖR AUF!« Marias Stimme füllte den Innenraum des Wagens, als wollte sie ihn zum Platzen bringen wie Glas. So hatte er sie noch nie gehört. Sich auch nicht. Das wurde jetzt richtig gut hier.

»Ist doch so!«, rief er. »Wir ärmlichen Gestalten wissen oft genug selbst nicht, wie unfrei wir sind, und können von Glück sagen, dass der Berliner Kultursenator ein paar einschlägige Experten finanziert, die uns den Spiegel vorhalten. Deren Worte diese Schärfe besitzen, die durch alle Lügen hindurchgeht. Denn was wollen wir wirklich? Hat schon Gottfried Benn gesagt: Enthemmungen der Löcher und der Lüste! Oder mit dem ersten Gebot aus des Meisters großer Abendland-Revue: Du sollst ficken!«

Daraufhin knallte es.

Die Reifen quietschten, und der Mittelstreifen wich nach rechts aus. Der einsame, sturmumtoste Leuchtturm der Vernunft in seinem Kopf sagte ihm, dass seine Frau aus Notwehr handelte. Dass sie kein weiteres Wort von ihm ertrug. Sollte er das Auto gegen den nächsten Baumstamm setzen? Seine Wange brannte, aber er hatte Lust auf einen noch größeren Knall.

»Mehr davon!«, rief er. Er bekam den Wagen unter Kontrolle, blieb aber auf der linken Fahrspur. Was als Nächstes? Bellen? Gackern? Krähen?

»Was mache ich in diesem Irrenhaus von einer Ehe?« Marias Stimme war eine Mischung aus Weinen und Schreien, hysterisch und heiser. Endlich hatten sie alle Grenzen hinter sich gelassen. Er beschleunigte weiter.

»Nichts machst du. Gar nichts. Du bist zu einhundert Prozent mein Opfer.«

»Warum willst du jetzt alles kaputt machen, Hartmut? Sag mir warum.«

»Macht kaputt, was euch kaputt macht, haben wir früher gesagt. Oder nicht ›wir‹, die anderen. Ich saß am Schreibtisch.«

»Lass mich aussteigen. FAHR VERDAMMT NOCH MAL ZURÜCK AUF DIE ANDERE SEITE!«

Aus der Abzweigung dreihundert Meter vor ihnen bog ein Wagen in die Bundesstraße ein und kam ihnen entgegen. In Filmen hatte er dergleichen gesehen, aber noch nie erlebt. War er es, der das tat? Das streitende Ehepaar aus *Wilde Erdbeeren*: seine eloquente Gehässigkeit und ihre stumme Verzweiflung. Geschah das alles wirklich?

Das Fahrzeug blendete auf.

»FAHR NACH RECHTS! FAHR NACH RECHTS!«

»Alles, was du willst.« Abrupt schwenkte er zurück auf die rechte Spur. Hörte wieder das Quietschen der Reifen, ein langes Hupen, und sah die Blicke aus dem vorbeischießenden Wagen. Der Beifahrer wischte mit der Rechten vor seinem Gesicht hin und her.

Aus Marias Kehle kam ein gequälter Schrei. Hartmut nahm den Fuß vom Gas und sah im Tunnel seiner Wahrnehmung ein gelbes Ortsschild auftauchen. Erst links das Mercedes-Autohaus, dann rechts eine geschlossene Tankstelle. Als würde sie den Druckabfall in ihrer Kabine anzeigen, senkte sich die Tachonadel nach links.

Maria weinte still, ein bloßes Wimmern.

Um diese Zeit war niemand unterwegs auf den breiten Bürgersteigen. In einer Hofeinfahrt wusch jemand mit energischen Bewegungen sein Auto. Noch einmal mussten sie raus auf die offene Bundesstraße, aber diesmal blieb Hartmut im vierten Gang. Eine Gruppe Motorräder zog knatternd vorbei. Zwei Minuten später rollten sie hinein nach Bergenstadt, und er wusste nicht wohin. Es war fünf vor halb drei. Ohne zu blinken, passierte er die Abzweigung zu ihrem Hotel und überquerte den Marktplatz. Ein paar triste Gestalten saßen vor dem Kriegerdenkmal und tranken Dosenbier. Es war der einzige Weg, der ihm einfiel, aber Maria schnäuzte sich und schüttelte den Kopf.

»Komm bloß nicht auf die Idee, jetzt zu deiner Schwester zu fahren.«

Er nickte, als hätte er nichts dergleichen vorgehabt. Im Schatten des Schlossbergs führte die Straße bergan, und statt nach links abzubiegen zu Ruth und Heiner, fuhr Hartmut weiter geradeaus. Es war der Weg hinauf zur Waldhütte, in der sie gestern gefeiert hatten. Eine Ewigkeit her und ein Ziel so gut wie jedes andere. Seine einzige klare Empfindung in diesem Moment war Durst, aber die Wasserflasche lag unerreichbar zu Marias Füßen.

Aus der Straße wurde ein asphaltierter, von Brombeerhecken gesäumter Weg. Nach links öffnete sich der Blick über das Bergenstädter Tal, eine riesige grüne Schüssel voller Sonnenlicht. Maria griff nach ihrer Handtasche auf der Rückbank, den Zigaretten. Von einer Sekunde auf die andere musste er dringend aufs Klo.

Lediglich zwei Autos parkten im Schatten der Bäume, Menschen waren keine zu sehen. Sobald Maria ihren Gurt löste, begann es am Armaturenbrett zu blinken. Das Gouvernantengehabe moderner Technik, das erst aufhörte, als Hartmut den Motor abstellte. Mit bedächtigen Bewegungen wollte er die einsetzende Stille bewahren, aber Maria öffnete sofort die Tür und schlug sie wortlos hinter sich zu. Ein Schwall warmer Waldluft nahm ihren Platz ein.

So kann es kommen, ging ihm durch den Kopf.

Beide Hände lagen auf dem Lenkrad. Seine Frau folgte dem Weg hinauf zur Hütte, und er konnte nichts weiter tun, als sitzen zu bleiben und ihr hinterherzusehen. Auf ihn warteten endlose Stunden inmitten einer fröhlichen Hochzeitsgesellschaft. Die Trauung, das gemeinsame Essen, Musik und Tanz bis spät in die Nacht. Ruth hatte ihm gestern die Gänge des Menüs aufgezählt und von einer fünfköpfigen Band gesprochen. Maria verschwand hinter der nächsten Biegung. Durch die Bäume sah Hartmut die flimmernde Luft über dem Tal und das Schloss auf seinem Berg.

Vor ihm lag das längste Wochenende seines Lebens, und er war hundert Jahre alt.

3 Feierabend. Um kurz nach sechs verlässt Hartmut das Hauptgebäude der Universität und überblickt das entspannte Treiben im Hofgarten. Hier und da sitzen Studenten auf der Wiese, alleine, zu zweit oder in kleinen Gruppen, in Bücher vertieft, mit bunten Jonglierbällen beschäftigt, Bier trinkend. Es ist ein sonniger Montagabend in der vorlesungsfreien Zeit. Junge Mütter nehmen ihre Kinder an der Hand und machen sich auf den Heimweg. Hinter Hartmut liegen die Begutachtung eines langweiligen Aufsatzes – die Art von gut informierter, spitzfindiger Inhaltslosigkeit, die er früher eingehend kritisiert hätte – und diverse Telefonate, unterbrochen von Phasen angestrengten Müßiggangs. Am Fenster hat er gestanden und nachgedacht, jetzt verharrt er beim Abgang zur Tiefgarage. Vor dem Kunstmuseum spielen zwei junge Männer Frisbee und begleiten mit langgezogenen Rufen die Flugbahn der Scheibe.

Es gibt Tage, an denen die Zeit wie gegen atmosphärische Widerstände vergeht. Frau Hedwig zufolge liegt es am anhaltenden Hochdruck. Der mache sie inzwischen auch ganz wuschig. Für die besonders schlimmen Tage hat sie in der Institutsküche einige Pikkofläschchen deponiert und ihm am Nachmittag eins angeboten. Danach ging es mit der Arbeit noch langsamer, und gegen die Nervosität half es nur vorübergehend. Geblieben ist ein Anflug von Sodbrennen.

Noch knapp zwei Stunden, sagt seine Uhr. Hartmut gibt sich einen Ruck und will die Treppe zur Tiefgarage hinabsteigen, als er hinter sich Schritte hört. Dann ein verlegenes Hüsteln und schließlich die bekannte Stimme, die ihm im Ohr klingt, seit er am Morgen die drei rot gebundenen Exemplare der Doktorarbeit vorgefunden hat. Backsteindick lagen sie auf dem Schreibtisch. Eins der drei Exemplare ist der Grund, weshalb Hartmut seine Tasche abstellt, nachdem sie einander die Hand gegeben haben.

»Guten Tag, Professor Hainbach.« Auch nach sechs Jahren in Deutschland sieht Charles Lin jedes Mal erleichtert aus, wenn er eine Begrüßung per Handschlag hinter sich gebracht hat.

»Tag, Herr Lin.«

In brauner Cordhose und hellem Hemd steht sein Doktorand vor ihm. Prinz Charles, nennt Frau Hedwig ihn trotz fehlender Ähnlichkeit. Er ist einen Kopf kleiner als Hartmut und lächelt schräg nach oben, in einer Haltung, als würde er strammstehen. In der linken Hand hält er seine eigene abgenutzte Ledertasche und sagt: »War ich heute Morgen schon in Ihrem Büro.«

»Ich hab's gesehen, Sie haben mir eine Nachricht hinterlassen.«

»Ja. Eine ausspruchlich lange Nachricht, nicht wahr.«

»Herzlichen Glückwunsch. Ich wusste nicht, dass Sie so bald fertig werden würden mit der Arbeit.«

Herr Lin nickt gewichtig und scheint keinen Anstoß daran zu nehmen, dass sein Doktorvater den Fortgang der Arbeit offenbar mit weniger als brennendem Interesse verfolgt hat. Stattdessen äußert er einen seiner typischen Halbsätze, der zwar wörtlich genommen wenig Sinn ergibt, aber dennoch erkennen lässt, was er meint.

»Stetige Bemühung zur Veräußerung des Geistes.« In seiner Doktorarbeit geht es um die Hegel-Exegese einiger obskurer chinesischer Denker, und vielleicht klingen deshalb manche seiner Ausführungen, als hätten Konfuzius und Hegel zusammen einen draufgemacht. Beim letzten Kolloquiumsvortrag hat das zu vereinzelten Lachern im Auditorium geführt.

»Stetige Bemühung auch heute?«, fragt Hartmut. »Feiern Sie den Abschluss Ihrer Dissertation nicht?«

»Nein. War ich in der Bibliothek.«

»Verstehe. Aber heute Abend feiern Sie vielleicht.«

Worauf ihm ein Lächeln antwortet, das sowohl Ja als auch Nein und außerdem alles dazwischen bedeuten könnte. Maria ist seinem Doktoranden einmal über den Weg gelaufen und meinte hinterher, Herr Lin habe traurige Augen. Das sagt sie gelegentlich über Leute und meint damit, dass sie ihnen gegenüber eine nicht näher ergründbare Sympathie empfindet. In Hartmuts Fall handelt es sich um eine milde Form von Antipathie, die in Vergessen übergeht, wenn sie einander zwei Wochen nicht sehen. Anstatt über die Gründe nachzudenken, überspielt er sie mit Freundlichkeit, oder versucht es zumindest. Einen Moment lang blicken sie schweigend auf den sonnigen Hofgarten, dann fragt Herr Lin unvermittelt: »Lieben Sie auch Rilke?« Offenbar hat der Abschluss seiner Dissertation ihn zwar nicht in Feierstimmung, aber in die Laune zu einem kleinen Plausch versetzt.

»Rilke. Ich war mehr für die Expressionisten, damals. Als ich noch Zeit hatte, Gedichte zu lesen. Allerdings wusste ich nicht, dass Sie sich für Poesie interessieren.«

»Das Herz und die Sinnlichkeit müssen nicht leer ausgehen. So hat Hegel korrekt festgestellt.«

»In der Tat.« Das Herz und die Sinnlichkeit. In den vergangenen sechs Jahren hat Hartmut unzählige Ausschnitte von Herrn Lins Dissertation über *Die Rückkehr des Weltgeistes nach China* gelesen und könnte dennoch nicht sagen, ob der Text etwas taugt. Die regelmäßigen Gespräche in seiner Sprechstunde sind ebenfalls ergebnislos verlaufen. Demütig nimmt Herr Lin alle Anregungen entgegen und behandelt seinen Doktorvater gleichzeitig wie eine begriffsstutzige Respektsperson, der es mit höflicher Nachsicht zu begegnen gilt. Nicht ausgeschlossen, dass Hartmuts Abneigung auf sorgsam verschleierter Gegenseitigkeit beruht. Trotzdem, der Anlass verlangt wenigstens nach vorgetäuschtem Interesse.

»Wenn ich fragen darf, Herr Lin, was sind eigentlich Ihre Pläne für die Zeit nach der Promotion?«

»Zurück. Zu meiner Frau und Tochter. Schließlich der Aufstieg auf die Professur.«

»Die ganze Zeit über, die Sie in Bonn waren, haben Ihre Frau und Ihre Tochter in China gelebt?«

»Die ersten drei Jahre waren sie mit mir. Dann mussten sie zurück nach China, genau wie Weltgeist. Entschuldigung, hab ich einen Witz gemacht.« Und was für einen! Ob Herr Lin den pompösen Titel seiner Arbeit beibehalten oder ihn dem Rat seines Betreuers folgend geändert hat, weiß Hartmut nicht. Leise fluchend hat er den Backstein am Morgen eingepackt, ohne das Titelblatt anzusehen. Vor der Lektüre graut ihm jetzt schon. Weit außerhalb seines Kompetenzbereichs angesiedelt und stilistisch vermutlich ebenso unorthodox wie die wörtliche Rede des Autors. Ein echter Hauptgewinn.

Da ihm kein ungezwungenes Lachen gelingen will, fällt Hartmut nichts Besseres ein, als seinerseits mit einem Witz aufzuwarten: dem mit den drei Geistlichen und der Frage nach dem Beginn menschlichen Lebens. Sein Doktorand hört aufmerksam zu, zeigt keinerlei Regung bei der Pointe und scheint gespannt auf die Fortsetzung zu warten. Erst nach ein paar Sekunden nickt er und sagt: »Das ist wirklich voll komisch.«

»Ein Witz meiner Tochter. Zwanzig Jahre alt.«

»Offenbar hat sie schon eine sehr erfahrene geistige Stufe.«

»Das kann man sagen, ja. Obwohl sie Ernährungswissenschaften studiert. Wissen Sie, was Ernährungswissenschaften sind?«

»Ich bange nicht.«

»Ich auch nicht. Aber es interessiert sie, da ist man als Vater machtlos, nicht wahr.« Hartmut zuckt mit den Schultern. Obwohl er keine Lust dazu hat, erwägt er die Möglichkeit, Charles Lin auf ein Bier am Alten Zoll einzuladen und danach direkt rüber nach Beuel zu fahren. Er hat starken Durst und könnte die Ablenkung gebrauchen, außerdem überkommt ihn ein

Anflug von Mitleid mit dem armen Kerl. Vermutlich haust er in einem kahlen Wohnheimzimmer in Tannenbusch, wo er am Abend Rilke oder Hegel lesen wird, statt mit jemandem auf den Abschluss seiner Dissertation anzustoßen. Nach sechs Jahren einsamer Arbeit. Ihn hat Sandrine damals zu seinem ersten Hummeressen eingeladen.

»Yeaaah!«, ruft hinten einer der Frisbeespieler.

Doktoranden wie Charles Lin gehören seit langer Zeit zu seinem akademischen Schicksal. Als Absolvent einer amerikanischen Universität hat er nach dem Amtsantritt am Rhein eine Ein-Mann-Perestroika gestartet, mit immer offen stehender Bürotür und allerlei weiteren Reformansätzen, die ihm am Institut den zweischneidigen Ruf eines studentenfreundlichen Dozenten eingetragen haben. Folglich sind ihm in den ersten Jahren scharenweise Dreißigjährige zugelaufen, die noch keinen Schein erworben hatten und mühsam zur Reorganisation ihrer geistigen Produktionsverhältnisse erzogen werden mussten. Heute gibt es solche Fälle zwar nicht mehr, aber Hartmuts Ruf hat sich erhalten und lockt von den Studierenden aller Länder diejenigen an, die wegen Sprachbarrieren, Geldmangel oder Heimweh keine Spitzenleistungen erbringen können. Vermutlich kümmert er sich um sie, weil sie ihn daran erinnern, wie er in Stan Hurwitz' Sprechstunde alle Fragen mit einem Nicken beantwortete und heilfroh war, wenn der Riese hinter dem Schreibtisch ihn mit den Worten entließ: Don't you worry, son. We'll get you through this. Leider hat die Bemühung um eine Universität mit menschlichem Antlitz ihren Preis. Bei der Nomenklatur gilt Kollege Hainbach als Schleusentor für Elemente, die es gar nicht verdient hätten, die rheinische Kaderschmiede mit einem Zeugnis in der Hand zu verlassen. In Charles Lins Fall hegt Hartmut selbst entsprechende Zweifel, aber um die zu erhärten, müsste er verstehen, was der Mann eigentlich macht. Genau dieser Versuch, und nicht etwa ruhiges Nachdenken über die Zukunft, scheint ihm in den kommenden Tagen bevorzustehen. Vor sich hergeschoben hat er die Aufgabe lange genug.

Für heute beschließt er, auf ein Feierabendbier mit Doktorand zu verzichten. Der Tisch ist für acht Uhr reserviert, und er muss vorher noch einkaufen, duschen und sich einen plausiblen Text zurechtlegen. Frau Müller-Graf hat seine Einladung ohne zu zögern angenommen, aber er wird vorsichtig sein müssen bei der Formulierung seines Anliegens. Auf Uni-Fluren wird viel getratscht. Mit einem Nicken nimmt Hartmut die Hände vom Geländer und greift nach seiner Tasche.

»Herr Lin, ich muss los. Für den Rest der Woche werde ich nicht in meinem Büro sein, aber nächste Woche kommen Sie bitte bei mir vorbei. Am Donnerstag. Wir müssen ein paar Dinge besprechen. Vor allem brauchen wir einen Zweitgutachter für Ihre Arbeit, falls Sie noch keinen haben. Am besten jemanden, der sich mit China auskennt. Wie Sie wissen, gilt das für mich nicht, und Herr Tauschner ist nicht mehr am Institut. Kennen Sie Herrn Neuhaus von der Sinologie?«

»Professor Neuhaus, ja. Kennt sich mit China nicht gut aus.«

»Nicht. Nun, wir brauchen jemanden, Herr Lin. Überlegen Sie bitte, wer in Frage kommt. Nächste Woche sehen wir uns in meinem Büro.«

»Das wird mein herzliches Vergnügen sein«, versichert sein Doktorand gewohnt zuversichtlich. Dann wartet er neben dem Treppenabsatz, bis Hartmut in die Tiefgarage hinabgestiegen ist und sich noch einmal grüßend umgeblickt hat.

Auf dem Weg durch die Innenstadt überlegt Hartmut, wie er es angehen soll, die Arbeit in seiner Tasche durch einen Bonner Prüfungsausschuss zu bekommen. Falls der Inhalt seinen Erwartungen entspricht, dürfte das schwer werden. Am Wochenende hat er Ruth von den schiefen Blicken erzählt, die ihm jedes Mal begegnen, wenn er einen Ausschuss zusammenstellen muss. Du übertreibst, meinte sie, als er behauptete, dass seine Kandidaten mittlerweile schon deshalb im Nachteil seien, weil sie als *seine* Kandidaten anträten. Über sein letztes Buch hieß es im *Philosophischen Journal*, so klingt es, wenn Professoren sich für Originalgenies halten. Vielleicht übertreibt er, aber nach dem Debakel mit seiner iranischen Doktorandin hat Breugmann ihn tatsächlich unter vier Augen gebeten, künftig keine Mildtätigkeiten mehr zu üben an zwar sympathischen, aber unzureichend qualifizierten Ausländern – und Charles Lin ist außer Maria wenigen Leuten sympathisch. Seine bisweilen durchscheinende Bockigkeit hat vor Hartmut schon andere verprellt.

Als er in die Robert-Koch-Straße abbiegt und den Venusberg hinauffährt, stellt Hartmut das Problem zurück und legt den Ellbogen ins offene Seitenfenster. Der WDR-Sendemast reckt sich in den strahlend blauen Abendhimmel. Das ist der Moment, in dem er früher dem angenehmsten Teil des Tages entgegengeblickt hat. Seit zwei Jahren reduziert sich seine Vorfreude auf das Bild einer grünen Flasche Alvarinho in der Kühlschranktür. Außerdem hat er im Keller eine Kiste voller DVDs entdeckt; fast hundert Stück, die ihm bei der Suche nach dem Auffangbeutel des elektrischen Rasenmähers in die Hände gefallen sind. Größtenteils amerikanische Serien und Filme, die den Geschmack eines Teenagers widerspiegeln. Vor dem Umzug nach Hamburg muss Philippa diese Zeugnisse einer überwundenen Lebensphase im Keller deponiert haben. Dass ihr Vater an manchen Abenden einsam genug ist, sich solchen Schund zuzumuten, weiß sie bis heute nicht. Um die Schmach zu mildern, stellt er auf Originalfassung und sagt sich, er frische sein Englisch auf. Portugiesische Telenovelas sind auch darunter.

In der Sertürner Straße haben die Geschäfte bereits geschlossen; ohnehin eine kümmerliche Ladenzeile, die aus wenig mehr als Bäckerei, Zeitschriftenladen und Apotheke besteht. Als Willy Brandt noch um die Ecke gewohnt hat, ging es dem Einzelhandel besser, weiß Hartmut aus aufgeschnappten Bemerkungen an der Kasse. Er fährt weiter bis zum Kaiser's Markt, kauft Wurst, Käse und eine Kiste Wasser, dann sitzt er wieder in seinem Passat, öffnet eine der Flaschen und trinkt in gierigen Schlucken. Um ihn herum werden Autotüren zugeschlagen, starten Motoren und bringen zwei Jungs im Grundschulalter den Einkaufswagen zurück, mit vollem Karacho und haarscharf vorbei an den Obstauslagen vor dem Eingang. Ihr Lachen erreicht ihn gedämpft und unwirklich.

Langsam rollt er vom Parkplatz, biegt nach dreihundert Metern in den Kiefernweg ein und betrachtet eine Weile das spitzgieblige Eckhaus, das sie damals auch hätten kaufen können. Heute gehört es einem jungen Kollegen von der naturwissenschaftlichen Fakultät. Eins der beiden Kinder kann Hartmut als bunten Fleck hinter der Hecke ausmachen. Auch die Mutter in einer grünen Gartenschürze glaubt er zu erkennen, dort wo eine Natursteintreppe hinauf zur hinteren Veranda führt. Als er eine Bewegung wahrnimmt und auf sich bezieht, wendet er den Wagen, fährt weiter und hat nach drei Minuten sein Haus erreicht.

Statt in der Einfahrt zu parken, bleibt er am Straßenrand stehen und legt die Hände aufs Lenkrad. Ringsum sind die meisten Nachbarn in den Ferien, schlummern Häuser mit heruntergelassenen Jalousien der Rückkehr ihrer Bewohner entgegen. In seinem Haus sind die Rollläden hochgezogen, und trotzdem sieht es verlassen aus. Das Gras steht kniehoch. Auf der Terrasse liegen zwei gelbe Torfsäcke aus dem Godesberger OBI-Markt, von denen einer im Frühjahr von Mardern aufgebissen wurde. Dunkle Masse quillt aus dem Loch. Maria findet bei ihren Besuchen keine Zeit, sich um die wenigen Topfpflanzen zu kümmern, die seine mangelnde Zuwendung überlebt haben.

Reglos sitzt Hartmut inmitten von Feierabendstille und Vogelgezwitscher. Wie von selbst krallen sich seine Hände um das Steuer. Es war ein unscheinbarer Montag Anfang September. Der Sommer wollte gerade in den Herbst kippen, am Venusberg fielen die ersten Blätter, und wo er jetzt im Auto sitzt und die Straße beobachtet, parkte ein Europcar-Transporter mit Marias wenigen Habseligkeiten. Morgens um halb zehn, und natürlich hat er ihr beim Einladen geholfen. Danach standen sie einander auf dem Gehsteig gegenüber, und er erinnert sich an seinen Gedanken, klar wie ein gedruckter Satz: Ich weiß immer noch nicht, warum du gehst. Die gesamte Robert-Koch-Straße entlang parkten Autos, wie immer während der Besuchszeiten des Klinikums. Birken und schlanke Pappeln wiegten sich in der Morgenbrise.

Marias Gedanken waren nach vorne gerichtet: »Wir sind stark genug. Wir schaffen das.« Ihre Hände suchten nach seinen, und ihr Blick kam ihm aufdringlich zuversichtlich vor. Als wollte sie ihm bedeuten, dass er gerade einen gewichtigen Grund übersah, sich von Herzen zu freuen. Sie trug Jeans, ein trikotartiges Oberteil und dazu Turnschuhe. Maria Antonia Pereira aus Lissabon. Es war ihm neu, dass sie Turnschuhe besaß. Immer schon hatte sie jünger ausgesehen, als sie war, aber jetzt wirkte sie noch jugendlicher als sonst, hatte die halblangen Haaren zu einem Zopf gebunden, aus dem sich kleine Strähnen lösten und im Wind spielten. Sie sah genau so aus wie die Frau, von der er keine fünfhundert Kilometer getrennt sein wollte.

Wir sind stark genug, um deine Flausen auszuhalten, dachte er. Jedenfalls glaubst du das. Philippa war früh zu einer Freundin gegangen; ein lakonisches ›Bis dann‹ der einzige Gruß an ihre heimflüchtige Mutter. In Kürze würde sie selbst ausziehen.

In den Tagen zuvor hatte Maria Besteck, Teller und Gläser eingepackt, sorgfältig darauf achtend, keine sichtbaren Lücken in die Bestände zu reißen. Im Keller fand sich ein ausgedienter Lattenrost, der ihr gut genug schien für ihre bescheidenen Ansprüche – sie wollte der Familie ja nicht zur Last fallen, sondern sie bloß verlassen. Klamotten kamen in den Koffer, ein paar Bücher in die Kiste. Musste sie sich bemühen, in seiner Gegenwart nicht vor sich hin zu summen?

»Es wird anders sein und manchmal schwierig«, sagte sie. »Aber oft auch schön. Wir werden uns seltener sehen, aber dann mit Zeit füreinander und Lust aufeinander. Es war schön, als du in Dortmund gewohnt hast und ich in Berlin. Oder nicht?«

»Als du Ende zwanzig warst und ich Ende dreißig.«

»Und?«

»Als es neu war und ein Provisorium. Als wir noch gar nicht wussten, ob wir zusammenbleiben würden.«

»Hartmut, soll ich jetzt Sätze sagen wie: Das ganze Leben ist ein Provisorium? Wir schaffen das, glaub mir. Es wird uns sogar guttun.« Sie küsste ihn lange. Beinahe musste er sich gewaltsam aus der Umarmung befreien.

»Hast du alles?«

»Außer deiner Zustimmung, ja.«

»Da du diesen Zettel auf die Anrichte gelegt hast, weiß ich ja, wohin ich sie schicken kann.«

»Wirst du's tun?« Ohne Groll sah sie ihn an. Bittend, wartend. In sich spürte er den festen Willen, den Abschied nicht bitter zu machen – das und Bitterkeit. Er hatte Philippas bevorstehenden Auszug zum Anlass nehmen wollen, seinen eigenen Alltag umzugestalten: weniger arbeiten, sich die Wochenenden freihalten, mit Maria kleinere Ausflüge unternehmen. In fünfzehn Bonner Jahren sind sie nie zusammen in der Eifel gewesen. Oder in Amsterdam. Er wollte häufiger ins Kino gehen und mehr Romane lesen. Außerdem hatte er daran gedacht, Maria das seit langem bestehende Angebot von Hans-Peter schmackhaft zu machen, eine einjährige Gastdozentur in Berkeley. Er würde ein Seminar geben und ein bisschen schreiben müssen, sie könnte ihr Englisch aufpolieren, und es bliebe genug Zeit übrig, um zusammen die Weingüter des Napa Valley zu erkunden. Ist das nicht besser, hatte er fragen wollen, als sich in Bonn komisch zu fühlen, weil oben niemand zu laut Musik hört?

»Ich bin ein verwirrter alter Mann und weiß nicht, was ich tun werde«, lauteten die Worte, mit denen er den Abschied schließlich ruinierte.

»Vielleicht kannst du mit dem Altwerden noch ein bisschen auf mich warten.« Sie drehte den Autoschlüssel in der Hand und kämpfte mit sich, gab ihm schließlich einen letzten Kuss auf die Wange und ging zum Wagen.

Er sah ihr nach und wollte das nicht. Nein, wollte er nicht. Nichts davon. *Er* war nicht stark genug, das würde bald auch seine Frau merken.

Vom Parkplatz der Klinik nähert sich ein Unfallwagen der

Johanniter, zügig und mit Blaulicht, aber erst, als er aus dem Blickfeld verschwunden ist, holt sein Martinshorn Hartmut vollends zurück in die Gegenwart. Die Uhr am Armaturenbrett zeigt Viertel nach sieben. Langsam nimmt er die Hände vom Lenkrad. Am Wochenende hat Ruth ihn überrascht mit der Frage: »Hast du Angst, dass sie dich nicht mehr liebt?« Ein gutes Beispiel dafür, wie seine Schwester genau weiß, was an ihm nagt, und ihn trotzdem nicht richtig versteht. Wenn er abends alleine im Wohnzimmer sitzt, ist Angst nur ein Gefühl von vielen. Dann horcht er in sich hinein wie in den Verlauf einer Debatte, an der er nicht teilnehmen möchte, deren Argumente ihn aber betreffen. Gleichzeitig spürt er seine langsame Annäherung an den Punkt, da Argumente ihre Relevanz verlieren und er sich einfach gehen lassen wird. Nicht wie damals vor Florians Hochzeit, aber mit ähnlichen Konsequenzen.

Eine Viertelstunde später als verabredet betritt sie das Restaurant. Die Haare sind offen und etwas rötlicher, als Hartmut sie in Erinnerung hatte. Sie hat sich die Jacke über den Arm geworfen und ihn mit einem Blick an seinem Ecktisch erspäht. Dem auf sie zutretenden Kellner bedeutet sie ›Seh ihn schon‹, grüßt mit den Augen und verstaut ihren Autoschlüssel in der Handtasche, als sie ihm auf hohen Absätzen entgegenkommt. Hartmut erhebt sich von seinem Platz und streckt die Hand aus, noch bevor sie den Tisch erreicht hat.

»Stau auf der Kennedybrücke«, sagt sie, »wie immer.«

»Ich bin auch gerade erst gekommen«, lügt er. »Schön, dass Sie da sind.«

Als sie sich auf dem Stuhl niederlässt, ist ihr Parfüm überall. Ein dezent verführerisches Dekolleté mit Silberkettchen und die Andeutung von Schweiß auf der Stirn. Dahinter die diskrete Dämmerung des Restaurants. Es war ein Tipp aus der Gastronomie-Sektion von *bonnjour*, die zu Recht das geschmackvolle Interieur hervorhob. Warme Rot- und Brauntöne, auf den Tischen stehen Kerzen, Blumengebinde und langstielige Gläser.

»Ich sehe, Sie haben sich schon für einen Wein entschieden.«
Frau Müller-Graf kramt in der Handtasche und scheint noch
einmal das Display ihres Handys zu kontrollieren. »Mit der Flasche seinerzeit haben Sie meinen Geschmack getroffen. Einstweilen vertraue ich Ihnen.«

»Der hier dürfte etwas trockener sein.« Hartmut winkt dem
Kellner und bittet noch einmal um denselben Rioja. Seine Freude über das Wiedersehen ist größer, als er erwartet hat; wenn-
gleich zwischen ihren Büros nur wenige Treppen und Flure liegen, sind seit der letzten Begegnung sechs Monate vergangen.
Da sie sich außerhalb der Uni überhaupt noch nie getroffen
haben, glaubt er, ihr eine Erklärung zu schulden.

»Sie haben sich sicher gewundert, dass ich Sie während des
Urlaubs kontaktiere«, sagt er, obwohl er lieber nicht sofort mit
seinem Anliegen herausplatzen will.

»Ich bin sowieso zu Hause.« Ihr Schulterzucken fügt hinzu:
ein bisschen schon, aber was soll's. »Mein Sohn macht bei einer
Ferienspiel-Aktion mit, und ich stelle fest, dass auch Romane
lesen zu den Tätigkeiten gehört, die man verlernen kann. Früher hab ich viel gelesen, jetzt sitze ich auf dem Balkon, und
mein Kopf will mir einreden, es gebe Dringenderes zu tun.«

»Das kenne ich gut. Meinen letzten Roman …«

Der Kellner kommt mit der Flasche, und Hartmut fällt auf,
dass er ohnehin nicht gewusst hätte, welches Buch es war. Auf
der Rückfahrt von Berlin, von einem leeren Rasthof bei Mag-
deburg aus, hat er mit der Rechtsabteilung telefoniert und sich
sagen lassen, dass Frau Müller-Graf noch zwei Wochen im Urlaub sei. Ohne große Hoffnung hat er es am nächsten Tag auf
ihrem Handy probiert, aber sie war in Bonn und schien sich
durch seinen Anruf nicht gestört zu fühlen. Im Gegenteil. Also
hat er sich mit ihr verabredet, statt die Auskunft am Telefon
einzuholen, und dabei nicht einmal das Gefühl gehabt, dass
Maria sein Verhalten missbilligen würde. Außer Frau Müller-
Graf kennt er niemanden, der ihm in dieser Sache behilflich
sein könnte.

»Nun denn«, sagt er, als ihr Glas gefüllt ist. »Hoffentlich schmeckt Ihnen der hier auch.«

»Zum Wohl.«

Sie trinken, und Hartmut erinnert sich, dass er die kleinen Fältchen um ihre Augen schon einmal betrachtet und sich gefragt hat, warum sie das Gesicht verschönern. Jetzt allerdings setzt sie das Glas ab und blickt skeptisch.

»Nicht Ihr Fall?«, fragt er.

»Bisschen sehr trocken, oder?«

»Das tut mir leid. Möchten Sie gleich einen anderen?« Er will den Arm heben, aber sie winkt lachend ab.

»So schlecht ist er auch nicht. Außerdem soll man sich ja steigern. Haben wir nicht gerade noch von was anderem gesprochen?«

»Die Romanlektüre. Beziehungsweise der Versuch.«

»Heute habe ich mich gefragt, ob es das ist, was Workaholics empfinden, wenn sie ein Wochenende nichts zu tun haben: die Unfähigkeit, Freizeit zu genießen? Passt eigentlich nicht zu mir.«

»Vielleicht ist es nur ein Übergangsphänomen«, sagt er. »Mir geht das jeden Sommer so. Nach ein paar Tagen ist die Umstellung vollzogen, oft schon am zweiten Tag.«

»Ich erinnere mich an das schöne Foto in Ihrem Büro. Den Namen des Ortes hab ich vergessen.«

»Serra da Estrela heißt der Landstrich, Rapa das Dorf. Nichts als karge Berge und saurer Wein, aber ich kann mich nirgendwo besser erholen.«

»Dieses Jahr fahren Sie nicht?«

»Dieses Jahr … Sagen wir: Der Verlauf meiner Ferien, obwohl sie schon begonnen haben, ist in diesem Jahr ungewöhnlich offen. Aus verschiedenen Gründen.«

»Okay. Vielleicht spannender als mein Versuch, auf dem Balkon zu lesen. Oder hätte ich mir nicht gleich Tolstoi vornehmen sollen?«

»Vielleicht«, sagt Hartmut und greift nach der Karte. »Bestellen wir was?«

Vor ihrem Eintreffen hat er das Angebot studiert, jetzt nutzt er den Wissensvorsprung, um seiner Begleiterin die Auswahl zu erleichtern. Während sie Vor- und Hauptspeisen kombinieren und nach dem passenden Wein suchen, schweifen Hartmuts Gedanken ab nach Berlin. Dass Maria heute Abend mit Peter Karow verabredet ist, hat er am Nachmittag aus einer kurzen E-Mail erfahren. Den Anlass des Treffens nicht. Seit seine Frau wieder in Berlin wohnt, lädt Peter sie häufig in jenes italienische Restaurant am Planufer ein. Wird er Maria vom jüngsten Treffen im Verlag erzählen? Zwar hat Peter am Freitag versprochen, ihr nichts zu sagen, aber er ist nun mal eine so ehrliche Haut, dass er niemanden täuschen kann. Vorläufig lässt Hartmut das Handy ausgeschaltet. Seine eigene Verabredung mit Frau Müller-Graf hat er beim gestrigen Telefonat nicht erwähnt. Wie auch, ohne zu verraten, worum es ging? Jedes Verschweigen erzwingt ein weiteres. Das ist der Preis für den Freiraum, den man sich damit erkauft.

Sie bestellen ihr Essen, dann fragt Frau Müller-Graf ganz unverblümt nach dem Grund ihrer Zusammenkunft. »Sehen Sie, ich zeichne meine Telefongespräche nicht auf«, sagt sie, »aber mir ist, als hätten Sie am Samstag eine Sache erwähnt, die Sie gerne mit mir besprechen möchten. Zu der ich gerne Ihre Meinung hören würde, war die Formulierung, und Sie hatten dabei Ihre Dienststimme.«

»Meine Dienststimme?«, fragt er mit gespieltem Erstaunen. Am Samstag hat er auf Ruths Terrasse gestanden und nicht gewusst, wie viel von seinem Telefonat durch die offene Küchentür zu verstehen war.

»Ersparen Sie mir die Nachahmung. Ich bin darin nicht gut.«

»Sie haben recht, mit der Angelegenheit. Vielleicht bringen wir das vor dem Essen hinter uns. Es ist mir eigentlich unangenehm, Sie damit zu belästigen, noch dazu in den Ferien, aber ich brauche Ihren fachlichen Rat.«

Hartmut trinkt einen Schluck und versucht, sich zu konzentrieren. Vorerst erwähnt er weder den Namen noch den Standort von Karow & Krieger, sondern spricht unbestimmt von einer Offerte aus der Verlagsbranche. Auch die wahren Gründe für seine Überlegungen legt er nicht offen, sondern belässt es bei beruflicher Auszehrung und der Frustration über die dilettantischen Reformen. An einer Stelle greift er auf Peter Karows Formulierung von der neuen Herausforderung zurück, für die er sich reif fühle. Nach dem Gespräch mit Ruth ist es das zweite Mal, dass er jemandem von den Plänen erzählt und dabei gegen das Gefühl ankämpft, er versuche vor allem, sich selbst zu überzeugen. Diesmal nicht nur von der Ernsthaftigkeit seines Anliegens, sondern auch davon, dass sie beide deswegen hier sind. Frau Müller-Graf scheint seine Geschichte interessant zu finden, das signalisieren die Augen und der erstaunte Tonfall ihrer Nachfrage: »Verstehe ich Sie richtig? Sie denken ernsthaft darüber nach, Ihre Professur aufzugeben?«

»Ich weiß, wie abwegig das klingt. Im Moment bin ich weit davon entfernt, zu dem Schritt entschlossen zu sein. Aber da es das Angebot nun mal gibt, will ich wenigstens wissen, was es hieße, es anzunehmen. Verstehen Sie?«

»Theoretisch ja. Aber von der Uni in einen kleinen Fachverlag?«

»Die Vorstellung hat etwas Schwindelerregendes, aber das macht einen Teil ihres Reizes aus.« Er meint das nicht so doppeldeutig, wie es in diesem Moment klingt.

»Sie meinen, weil es unvernünftig ist, würden Sie's gerne tun?«

»Erst einmal würde ich gerne wissen, ob und zu welchen Bedingungen es möglich wäre.« Genau genommen versucht er, die Vorstellung in jener prekären Halbdistanz zu halten, in der sie ihre volle Verführungskraft nicht entfalten kann, ohne darum wie ein Hirngespinst auszusehen. Sich locken lassen von etwas, über das man die Kontrolle behält – schwer.

»Vielleicht sollte ich Ihnen an dieser Stelle etwas über mich erzählen«, sagt Frau Müller-Graf und greift nach ihrem Glas. »Meine Ehe ist daran gescheitert, dass mein Mann nicht über die Frustration hinwegkam, es *nicht* zum Professor gebracht zu haben. Auch daran jedenfalls. Es hat ihn regelrecht aufgefressen.«

»Das tut mir leid«, sagt er. »Ihr Mann war …?«

»Ist. Nicht mehr mein Mann, aber immer noch Kunsthistoriker in Köln. Erst war er ein sich selbst ausbeutender Privatdozent, der seine Familie nicht ernähren konnte. Dann kam die Reform des Mittelbaus, und man hat ihm auch noch sein kärgliches Dozentenentgelt gestrichen. Was sowieso eine Verhöhnung war, bloß eben eine, die wir für die Miete brauchten. Seit einigen Jahren unterrichtet er am Lessing-Kolleg, van Gogh für interessierte Laien und Ähnliches. Verstehen Sie mich nicht falsch, das hat mit Ihnen nichts zu tun. Ich erwähne es bloß. Bisher habe ich noch nie davon gehört, dass jemand freiwillig seine Professur aufgibt. In den Geisteswissenschaften!«

»Bernhard Tauschner ist der einzige mir bekannte Fall. Er war bei uns am Institut, bis er vor drei Jahren überraschend den Hut genommen hat.«

»Ist mir nicht zu Ohren gekommen. Zu der Zeit habe ich gerade angefangen.«

»Er war Juniorprofessor, aber zum Zeitpunkt seines Ausstiegs hatte er noch einen Vertrag über mehrere Jahre. Soweit ich weiß, betreibt er jetzt ein Weinlokal in Südfrankreich.«

»Schön für ihn«, sagt sie bündig und mit einem missbilligenden Unterton. »Wie Sie wissen, bin ich für arbeitsrechtliche Fragen nicht zuständig. Deshalb kann ich zu Ihrem Fall nicht viel sagen, schon gar nicht aus dem Stegreif. Wenn Sie wollen, mache ich mich schlau. Ich nehme an, das wollen Sie.«

»Solange ich selbst nicht weiß, ob ich das angehen will, soll es an der Uni niemand erfahren. Deshalb kann ich in der Drei-Drei keine Erkundigungen einziehen.«

»Verstehe. Aber ich könnte das. Als private Weiterbildung.«

»Ich wäre Ihnen sehr dankbar.« Er kann in ihrer Miene lesen, dass sie nicht davon ausgeht, die ganze Wahrheit gehört zu haben. Einen Moment lang blicken sie schweigend auf den

Tisch. Frau Müller-Graf hat schmale Hände, die er gerne in seine nehmen und ihr versichern würde, dass er nicht nur deswegen angerufen hat. Ein Verlangen, das ebenso viel mit ihren Händen zu tun hat wie mit dem Wunsch, zur Abwechslung mal einfach nur ehrlich zu sein.

»Aus dem Stand kann ich Ihnen sagen, dass der Zeitpunkt ungünstig ist.« Offenbar besitzt auch Frau Müller-Graf eine Dienststimme.

»Ich weiß, ich bin zu alt.«

»Im Gegenteil. Für den vorzeitigen Ruhestand sind Sie zu jung. Oder zu gesund, wie Sie wollen. Ihnen bleibt nur entweder die Kündigung oder die Beurlaubung, aber auch im zweiten Fall würde sich Ihr Ruhegehalt reduzieren. Um wie viel, hängt ab von den Dienstjahren und der Dauer der Beurlaubung. Dafür gibt es einen komplizierten Berechnungsschlüssel. Alles unter der Voraussetzung, dass man den Antrag bewilligt, da müssten natürlich triftige Gründe angeführt werden.«

»Sehen Sie, das ist das Problem. Sobald ich an all die einzelnen Faktoren denke, erscheint das Unternehmen verrückt.«

»Ich werde mich kundig machen und mich dann bei Ihnen melden. Können wir so verbleiben?«

»Vielen Dank. Das Problem ist, dass ich die Entscheidung sehr bald treffen muss.«

»Sie können sich auf mich verlassen. Den ganzen Tag Tolstoi ist sowieso nicht das Richtige für mich.« Sie legt beide Hände flach auf den Tisch. »Jetzt müssen Sie mich einen Moment entschuldigen.«

Er erwidert das Lächeln, mit dem sie nach ihrer Handtasche greift und aufsteht. Sobald sie aus seinem Blickfeld verschwunden ist, zieht Hartmut das Handy aus der Tasche und schaltet es ein. Obwohl er mit einer skeptischen Reaktion und dem Hinweis auf bürokratische Hürden gerechnet hat, fühlt er sich für einen Moment vollkommen entmutigt. Der Plan war unrealistisch, und es wird Zeit, dass er das endlich einsieht. Sein Telefon meldet keine Anrufe, nur eine SMS von Maria. Gespannt klickt

Hartmut auf den kleinen gelben Umschlag, der sich augenblicklich auffaltet und zugunsten des Textes verflüchtigt: Gruß aus Berlin von Peter und mir. Beijinhos. M.

Schlicht und spröde stehen die Worte auf dem blau leuchtenden Display. Lassen nicht viel erkennen, außer dass sie im Lauf des Abendessens an ihn gedacht hat. Sie dort mit einem schwulen Freund, er hier mit einer attraktiven Kollegin. Seit dem Umzug schickt sie gelegentlich kurze Nachrichten, wenn ihr danach ist, und schafft es jedes Mal, noch in unscheinbaren Halbsätzen sie selbst zu sein. Voll von dieser alles durchdringenden Aufrichtigkeit, mit der sie spricht, liebt und lacht. Gestern Abend haben sie zuletzt telefoniert, wenige Minuten nachdem er von seinem Besuch bei Ruth und Heiner zurückgekehrt war. In Jacke und Straßenschuhen stand er im Wohnzimmer, mit einer DVD aus Philippas Kiste in der Hand und der Frage im Kopf, ob er probehalber eine Folge von *Sex and the City* anschauen soll. Maria erzählte vom Stress, den das bevorstehende Kopenhagener Gastspiel im Ensemble verursacht. Es ist ein Festival, nur zwei Aufführungen eines in Berlin dutzendfach gespielten Stückes, aber dem übellaunigen Falk Merlinger scheint jeder Anlass willkommen, um sich auf Kosten seiner Umgebung zu produzieren. Hartmut hörte zu, horchte in sich hinein und stellte fest, dass es ihm an Empathie mangelte. Als müsste er sich durch eine große Willensanstrengung davon überzeugen, dass sein Mitgefühl schwerer wog als der Einwand, sie habe sich diese Suppe selbst eingebrockt. Gleichzeitig störte ihn seine Gleichgültigkeit, weil sie nicht echt war, sondern ein Versuch, mit der Einsamkeit klarzukommen, der ihn am Ende noch einsamer machte. Er wollte dem Gedanken weiter nachgehen, aber Maria beendete ihren Bericht und wechselte mit dem Thema auch den Tonfall. Vergnügt forderte sie ihn auf zu raten, bei welcher internationalen Hilfsorganisation sie neuerdings Mitglied sei.

Er wusste es sofort. Warum tut sie das, fragte er sich.

Keine Ahnung, sagte er. Bei welcher?

Nach dem Abschied am Freitagmittag sei sie am British Council vorbeigeradelt und prompt angesprochen worden, erzählte Maria. Vermutlich von derselben Frau wie er am Morgen. Lange Haare und um die Augen eine komische Rötung, richtig? Während Hartmut seiner Frau zuhörte, erinnerte er sich an ihre Worte damals im Auto: In deiner Wahrnehmung tue ich alles, was ich tue, dir an. Stimmte das, und wenn ja, könnte seine Wahrnehmung trotzdem richtig sein? Im Lauf des Wochenendes hatte er den peinlichen Vorfall aus seinen Gedanken verdrängt, nun brachte Maria ihn zurück. Auf dem Klappentext der DVD las er von »den verrückten Abenteuern von Carrie, Miranda, Samantha und Charlotte auf der Suche nach der großen Liebe – oder dem nächsten aufregenden Sex«. Da war sie wieder, die zermürbende Vieldeutigkeit, die seit Florians Hochzeit ihre Gespräche kennzeichnet. Das stumme Tasten nach dem doppelten Boden, die Unterscheidung zwischen tatsächlich Gesagtem und womöglich Gemeintem. Er suchte nach der richtigen Erwiderung, und sein Zögern erzielte dieselbe Wirkung wie eine direkte Verdächtigung.

Gar nichts habe sie sich dabei gedacht, falls er sich das frage. Es habe sich einfach spontan richtig angefühlt. Ob er jetzt etwa verstimmt sei?

Was sie meinte, war: Ich habe es für dich getan, und dir würde kein Zacken aus der Krone brechen, das anzuerkennen. Indem er es anerkannte und sich wünschte, sie hätte es nicht für ihn getan, machte er die Unbefangenheit des Gesprächs endgültig zunichte. Marias anschließender Frage nach seinem Wochenende war anzuhören, dass sie lediglich nicht sofort auflegen wollte. Ob er Ruth und Heiner ihre Grüße ausgerichtet habe? Ja, log er, schließlich hatte sie ihm keine aufgetragen. Am Freitagmittag waren sie liebevoll auseinandergegangen, am Sonntagabend legte er in dem Wissen auf, dass die Halbwertszeit ihrer ehelichen Harmonie zweieinhalb Tage beträgt. Aber nur, wenn sie in der Zwischenzeit nicht kommunizieren. Obwohl sie immer häufiger miteinander reden wie in einem Lehrfilm für Paartherapie. Wenn er sich abreagieren muss, brüllt er ins erschrockene Gesicht einer Kämpferin für mehr Gerechtigkeit in der Welt, und als wäre das nicht beschämend genug, eilt Maria umgehend zum Tatort und erkauft an seiner Stelle Ablass. Oxfam muss nur noch dafür sorgen, dass wenigstens ein paar äthiopische Grundschüler vom Niedergang seiner Ehe profitieren.

Ratlos blickt er auf das Display seines Mobiltelefons. Grüße und Küsse. Reicht nicht, denkt er, als hätte seine Frau gerade die letzte Chance verspielt. Ihre aufrichtige Zuneigung und das beharrliche Festhalten an der Überzeugung, dass die räumliche Trennung ihnen guttun würde, wenn er es zuließe. Als wäre seine Liebe zu ihr eine Form von Verstocktheit. Was, wenn sie sich stattdessen wie eine Kränkung anfühlt? Nach dem gestrigen Telefonat hat er im Wohnzimmer gestanden, an die heutige Verabredung gedacht und genau gespürt, wie leicht sich darin etwas anderes als ein Informationsgespräch sehen ließe. Vielleicht brauchte es nur zwei Gläser Wein. Eins hat er bereits getrunken. Jetzt erkennt er im Durchgang zu den Toiletten eine schemenhafte Bewegung und schaltet das Handy wieder aus. Katharina Müller-Graf macht bei der Theke Halt und spricht mit dem Kellner. Der Anflug von Verstimmung ist aus ihrem Gesicht verschwunden, als sie zum Tisch zurückkehrt. Als hätte sie in der Zwischenzeit einen Entschluss gefasst.

»Wer war eigentlich die Freundin, die Ihnen damals in Amerika den Jazz nahegebracht hat?« Sie nimmt Platz und rückt ihr leeres Weinglas zurecht wie ein Mikrofon. »Wenn es keine zu private Frage ist.«

Einen Moment lang fühlt er sich überrumpelt. In den vergangenen Tagen hat er ein paar Mal an Sandrine denken müssen.

»Hatte ich davon … Hatte ich erwähnt, dass sie meine Freundin war?« Von der letzten Unterhaltung ist ihm lediglich in Erinnerung, wie er mit einer Weinflasche in der Hand vor ihrem Schreibtisch stand und beinahe gesagt hätte, was ihm durch den Kopf ging: dass ihm mit der Verabschiedung der neuen Studienordnung leider jeder Vorwand genommen worden sei, weiter mit der Rechtsabteilung des Kanzlers zu kommunizieren. Worüber sie tatsächlich gesprochen haben, hat er vergessen.

Frau Müller-Graf schüttelt den Kopf: »Nein. Aber *wie* sie es erzählt haben.«

»Verstehe. Kompliment.«

Der Kellner kommt mit frischen Gläsern und einem anderen Wein. Die Flasche lässt er nach dem Einschenken zwischen ihren Gläsern stehen, und Frau Müller-Graf zuckt mit den Schultern: »Ich dachte – zu zweit.«

»Wir werden es schaffen.«

Sie probieren den Wein, und anstatt zu fragen, ob er mit ihrer Auswahl zufrieden sei, stellt sie ihr Glas ab und nickt ihm aufmunternd zu: »Sie wollten erzählen.«

»Meine damalige Freundin also«, sagt er. »Aus Paris. Wir haben beide in Minneapolis promoviert, und sie kannte sich in vielen Dingen besser aus als ich. Mit ihr hab ich auch das erste Mal einen anständigen Wein getrunken. Der hier ist übrigens ziemlich gut.« Obwohl es den Altersunterschied zwischen ihnen betont, holt er Eindrücke aus dem Amerika der Siebzigerjahre hervor und kann sich nicht erinnern, wann er zuletzt von damals gesprochen hat. Bürgerrechtsbewegung und Gegen-Kultur, those fucking hillbillies, wie sein damaliger Vermieter die bunten Anwohner der West Bank nannte. Zufrieden nimmt er zur Kenntnis, dass Katharina ihm gerne zuhört. Der Kellner bringt ihr Essen. Es fällt ihm leicht, so von Sandrine zu sprechen, dass eine Frau sie sympathisch und interessant findet. Ihre Streitgespräche mit weißen Südstaatlern. Ein paar Mal hat er sie am Arm ins Auto ziehen müssen, bevor es brenzlig wurde. Er erwähnt seine jugendliche Begeisterung für Mark Twain und die spätere für Faulkner. Schildert den Mississippi als majestätisch und träge. Wo er sich mit dem schneller fließenden Missouri vereinigt, ist es besonders gut zu erkennen. Ermutigt durch ihr Interesse, versucht er sich an Parodien der Leute, die ihn fragten, ob es in Deutschland Kühlschränke gebe und was er von

Hitler halte. Katharina Müller-Graf lacht und fächelt sich mit der Hand Luft zu. Das Essen schmeckt köstlich, und Hartmut weiß nicht, ob er lieber reden oder sich den Mund vollstopfen will. Beides scheint derselben Gier zu entspringen, die desto größer wird, je weiter er ihr nachgibt.

»Kennen Sie den Film *Thelma & Louise*?«, fragt er kauend.

»Einer meiner Lieblingsfilme.«

»Mit dem gleichen Wagen waren wir unterwegs.« Klingt nach Aufschneiderei, stimmt aber. »Einem 1966er T-Bird. Wollte meine Freundin unbedingt haben. Hinterm Steuer hat man das Gefühl, in einer Motoryacht zu sitzen.«

»Okay.« In ihrem Gesicht spiegelt sich die verlockende Vorstellung, jung, verliebt und frei zu sein und mit offenem Verdeck durchs Land zu fahren. Einen Moment lang kann Hartmut nur staunen, dass es für ihn gar keine Vorstellung ist, sondern etwas, das er tatsächlich erlebt hat.

»Meine erste große Reise«, sagt er. »Dinge, die man nicht vergisst.«

»Wenn ich die Zeit zurückholen könnte, würde ich später heiraten und Mutter werden. Und vorher mehr von der Welt sehen.«

»Der Fluss ging durch alles mitten hindurch, das ganze Land. Wir mussten ihm einfach nur folgen. Meistens haben die beiden Ufer zu verschiedenen Bundesstaaten gehört. Auf unserem Campus in Minneapolis hieß es East Bank und West Bank. Ich hab am Westufer gewohnt und auf dem Weg zum Unterricht jeden Tag den Mississippi überquert. Und jedes Mal gedacht, wow, der Mississippi. Aufgewachsen bin ich an der Lahn.«

»Darf ich fragen, ob Sie noch Kontakt haben zu dieser Sandrine?« Frau Müller-Graf krempelt die Ärmel ihrer Bluse auf.

Hartmut deutet auf seinen vollen Mund und lässt sich Zeit mit dem Kauen. Darf sie? Es fällt ihm schwer, den BH-Träger zu ignorieren, der unter ihrer Bluse zu erkennen ist.

»Wir schreiben einander E-Mails«, sagt er. »Nicht mehr oft.« Zuletzt vor drei oder vier Jahren.

»Ich frage, weil es selten ist, dass Männer sagen, sie hätten viel von einer Frau gelernt.« Sie machen da was richtig, scheint ihr Blick zu bedeuten.

»Von meinem Doktorvater abgesehen, hab ich eigentlich nur von Frauen gelernt. Jedenfalls die wichtigen Dinge.«

»Außerdem mag es naiv klingen, aber ich finde es schön, wenn Menschen nach der Trennung befreundet bleiben. Gute Beziehungen haben das verdient. Mein Ex-Mann und ich schaffen es leider, über jede Kleinigkeit zu streiten. Wann er Marko abholt, unseren Sohn. Ob zwanzig Minuten früher oder später, am Bahnhof oder zu Hause. Als wäre Streit das eigentliche Ziel und nicht …« Mitten im Satz hält sie inne, schüttelt den Kopf und sagt: »Ach was, reden wir von was anderem. Erzählen Sie weiter!«

Mühelos nimmt Hartmut den Faden wieder auf. So unbekümmert und redselig war er lange nicht. »Eigentlich wollte ich nach der Promotion nicht zurückkommen. Mein Traum war ein College im Mittleren Westen oder in Neuengland. Aber mein Doktorvater hatte andere Pläne, und er war nicht der Typ, gegen den man sich als Student hätte behaupten können. Vorsichtig ausgedrückt. Sonst wäre ich heute vielleicht Amerikaner.«

»Auch ein komischer Gedanke, oder?«

»Jetzt ja. Damals überhaupt nicht. Es war eher komisch, wieder in Deutschland zu sein. Diese winzigen Autos!«

Sie lacht und streicht sich eine Haarsträhne aus dem Gesicht. Hartmut zuckt mit den Schultern. Was soll's, denkt er. Wie nah seine Füße den ihren gekommen sind, spürt er an einem plötzlichen Kitzel, der bis hinauf in die Wirbelsäule reicht. Die Zeit hat einen Sprung gemacht. Sehen sie einander nicht schon eine ganze Weile an, als achteten sie noch auf etwas anderes als den Gang der Unterhaltung? Hartmut bewegt seinen Schuh ein wenig zur Seite, verliert den letzten Zweifel und spürt seine Freude in eine Fülle inkompatibler Bestandteile zerfallen, Versprechen, Forderung und Drohung zugleich. Trotzdem streckt er den Fuß ein Stück weiter vor. Erneut fällt ihm auf, wie viele Kerzen in dem Raum brennen. Und dass weniger Leute da sind als bei seiner Ankunft.

»Eine Weile hab ich mir sogar eingebildet, einen amerikanischen Zungenschlag zu haben, wenn ich Deutsch spreche«, sagt er mit dem breiten Akzent, den in Minnesota kein Mensch spricht. Die Berührung unter dem Tisch macht ein unbefangenes Gespräch schwierig. Zwischen ihnen stehen leere Teller, in der Flasche wartet der letzte Schluck. Frau Müller-Graf verteilt ihn auf beide Gläser und sagt: »Eigentlich könnten wir uns duzen.«

»Das ist …« Er sucht nach einer flotten Erwiderung und findet keine. »Hartmut.«

»Katharina.«

»Noch einen Nachtisch? Kaffee?«

»Nein. Nein.«

»Okay.« Hartmut winkt dem Kellner, bittet um die Rechnung und gibt ihm die Kreditkarte gleich mit. Dann stehen sie vom Tisch auf, er hilft ihr in die Jacke und sieht sich ein letztes Mal um, ob wirklich kein bekanntes Gesicht ihn beobachtet. Im Übrigen glaubt er nichts von dem, was gerade geschieht. Die Bedienungen an der Theke danken und wünschen einen guten Abend. Niemand sagt Stopp.

Doch. Um ihm die Karte zurückzugeben.

Eine kühle Brise vom Rhein sorgt für einen Anflug von Nüchternheit. Hinter den Bäumen am Ufer leuchten Post Tower und Langer Eugen in die Nacht. Maria sitzt wahrscheinlich gerade in der U-Bahn. Zwingt er sich zu dem Gedanken, oder wird er gezwungen? Seine Frau auf dem Weg in die zwei kargen Zimmer in Pankow, wo die verstreuten Paraphernalien ihrer Theaterarbeit liegen – Flyer, Plakate, zerfledderte Manuskripte – und sie sich manchmal fragen *muss*, ob sie das Leben führt, das sie führen möchte. Vor einem Jahr hat er sich wie ein Idiot aufgeführt, aber es ist nicht zu spät, denkt Hartmut und legt einen Arm um Katharinas Schultern. Spürt ihre Hüfte im Takt gemeinsamer Schritte. Schweigend gehen sie die Straße entlang. Wie dunkel es auf dem rückwärtigen Parkplatz sein wird, weiß er bereits, bevor sie um die Hausecke gebogen sind.

»Dürfen wir eigentlich noch fahren?«, fragt sie.

»Gerade so. Vielleicht.« Aber wohin?

»Morgen früh muss ich Marko von meiner Mutter abholen.« Also in die Südstadt, wenn er sich richtig entsinnt. Luftlinie weniger als einen Kilometer entfernt, aber erst müssen sie zurück zur Kennedybrücke.

»Kavalier, der ich bin, wäre ich bereit, das Risiko auf mich zu nehmen und dich in deinem Auto nach Hause zu bringen.« Er erkennt das metallische Schimmern seines Wagens und den gestelzten Duktus der Verlegenheit. Da Katharina ihn in keine andere Richtung dirigiert, muss der kleine Fiat, auf den sie zugehen, ihr gehören. Ein Aufkleber am Heck bittet darum, nicht zu hupen, weil der Fahrer vom 1. FC Köln träumt.

Einen Augenblick lang verharren sie in skrupulöser Unschlüssigkeit. Zwei erleuchtete Fenster über ihnen gehören zur Küche, daneben quillt bleicher Dampf aus einem Abzugsrohr. Vier weitere Autos stehen auf dem Parkplatz, dahinter erstrecken sich dunkle Gärten. Dann können sie beide nicht mehr warten.

Es ist keine langsame zärtliche Annäherung. Hartmut hört eine Handtasche zu Boden fallen, und im selben Moment saugt er fleischige Schärfe von ihren Lippen. Seine Hand fährt unter ihre Bluse und streicht über weiche heiße Haut. Drängt unter den Rand ihres BHs, so wie ihre Hand unter seinen Hosenbund. Mit dem Rücken stößt er gegen ihr Auto, dann halten sie noch einmal inne. Waren da Schritte? Eine Tür? Wollen sie es in diesem schäbigen Hinterhof treiben? Katharina klammert sich fester in die Umarmung und keucht etwas gegen seine Brust, das er nicht versteht. Mit beiden Händen fasst er an ihren Hintern.

Als sie den Blick hebt, schließt er die Augen. In letzter Sekunde oder eine zu spät. Was auch immer sie als Nächstes sagen will, liegt bereits in der Luft. Muss nur noch in Worte gefasst und ausgesprochen werden. Schon glaubt Hartmut die Nähe zu spüren, so wie den Druck ihres Körpers gegen seinen. Erst eine Ahnung, dann mehr. Das unbestimmte Wissen um etwas, dem er spätestens morgen wird entkommen wollen.

1978

»Endlich!«, sagt seine Schwester immer wieder, während sie nicht aufhört, ihn zu drücken und zu herzen. Wie um einen Stein im Wasser fließt der Strom anderer Fahrgäste um sie beide herum, und er spürt feuchte Lippen auf seiner Wange. Ein Pfiff ertönt, der Schaffner geht neben den Waggons entlang und schließt die Türen. Hartmut will nach dem Koffer greifen, aber Ruth hat immer noch die Arme um seinen Hals gelegt, genau wie damals, als er nicht angekommen ist, sondern eingestiegen in den Zug nach Frankfurt. Jetzt allerdings weint seine Schwester nicht, sondern strahlt übers ganze Gesicht, trägt die Haare kurz, wie er es bereits auf den Fotos gesehen hat, und überrascht ihn trotzdem mit ihrem Aussehen.

»Endlich«, sagt sie ein letztes Mal, bevor sie einander lachend an den Schultern halten, in der Verlegenheit eines Paares, das ohne Musik zu tanzen versucht. Ruth ähnelt nicht länger dem Mauerblümchen seiner Erinnerung. Neugierig erforschen ihre Augen sein Gesicht.

»Du kriegst graue Haare.« Ihr Zeigefinger deutet abwechselnd auf beide Schläfen, und ihm fällt keine Erwiderung ein. Leichte Nervosität ersetzt die Verträumtheit, mit der er mehrere Stunden aus dem Zugfenster geschaut hat, auf eine hinter Hecken verborgene, sich nur in flachen Ortschaften am Horizont andeutende DDR. Um sie herum wird der Bahnsteig leer. An der Grenze ist alles gutgegangen, will er sagen, aber danach fragt

Ruth gar nicht, sondern hakt sich bei ihm unter und zieht ihn mit.

»Los! Ich steh im Halteverbot. Ich war viel zu spät.« Gut gelaunt dirigiert sie ihn eine Treppe hinab und wieder hinauf in die nach Urin riechende Bahnhofshalle. Tauben hocken auf der Balustrade über dem Ein- und Ausgang. »Gerade als ich losfahren wollte, brauchte Florian ein Pflaster. Und wenn der eine ein Pflaster bekommt, will der andere natürlich auch eins. Auf dieselbe Stelle.«

»Haben die beiden eine Idee, wer ich bin?«

»Jede Menge Ideen, sieh dich vor. Sie sind wahnsinnig gespannt. Da du trotz mehrmaliger Aufforderung kein Foto geschickt hast, erwarten sie allerdings einen dunkelhaarigen Onkel. Sag, wann hat das angefangen?«

Ruths Käfer steht auf dem Bordstein vor dem Taxistand und erregt den Missmut einiger Fahrer. Die Autobahnbrücke, an die Hartmut sich als eingerüstete Baustelle erinnert, blockiert den Blick auf die Stadt. Der Marburger Bahnhof steht, wo die auf ihn zulaufende Straße rechtwinklig abknickt und die Pendler hinaus in die Dörfer leitet. Alles wirkt vertraut und neu. Damals ist er ein Mal in der Woche vom Bahnhof zur Verwaltungsschule gefahren, später täglich zur Uni, aber Ruth lässt ihm keine Zeit für nostalgische Betrachtungen, sondern klappt den Sitz nach vorne, damit er sein einziges Gepäckstück auf die Rückbank wuchten kann. In dem Arnau, das er kennt, gehen junge Mütter nicht in so kurzen Röcken auf die Straße. Außerdem trägt sie Sandalen und eine rote Bluse mit weitem Kragen. Weiß sie, wie sehr ihre Veränderung ihn erstaunt? Im Auto setzt sie eine riesige Sonnenbrille auf und schaut ihn an.

»Heiner sagt, ich sehe aus wie eine Stubenfliege mit dem Ding. Was meinst du?«

Erst jetzt fällt ihm auf, dass sie Hochdeutsch mit ihm spricht. Ohne auf eine Antwort zu warten, schaltet sie energisch, drängt sich in den Verkehr auf der Bahnhofsstraße und lenkt den Wagen aus der Stadt hinaus. Ruth Brunner heißt sie, seit vier Jahren schon.

Dass er kein Geschenk für die Zwillinge mitgebracht hat, quittiert sie mit einem wortlosen Nicken. Warme Luft streicht durch die offenen Fenster herein, und ihn befällt das Gefühl, in den Sog eines Trichters zu geraten. Die Bundesstraße verläuft rechts der Lahn zwischen sonnigen Feldern und grünen Hügeln, durch ein Abziehbild ländlicher Idylle, das er mit einem Blick wiedererkennt und weniger abstoßend findet, als er geglaubt hat. Fachwerkhäuser und breite Ortsdurchfahrten, sorgfältig gestaltete Vorgärten, Jägerzäune und Kirchturmspitzen. Er ist nicht mehr der, der er war, als er ging. Das zu wissen tut gut. Als Beamter auf Probe wird er ab September monatlich 3290 Mark und 94 Pfennige brutto verdienen. Seit einer Woche denkt er an diese Zahl wie an ein süßes Geheimnis. Was haben sie damals gestaunt, als das Gehalt seines Vaters vierstellig wurde.

»Hartmut schweigt«, sagt Ruth.

»Ist ein komisches Gefühl, nach so vielen Jahren.« Er streckt einen Arm nach draußen und spürt den Fahrtwind in der Handfläche. »Du hast nie daran gedacht, hier wegzuziehen?«

»Wir haben ein Haus gekauft. Heiner hat seine Stelle hier.«

»Davor. Grundsätzlich.«

»Es gab die Überlegung, für eine Zeit ins Ausland zu gehen, an eine deutsche Schule. Aber dann kam das Angebot mit dem Haus, und seitdem …« Sie zuckt mit den Schultern. »Es ist schön, ein eigenes Haus zu haben. Auch wenn unseres vorläufig eine Baustelle bleibt.«

»Verstehe. Zurück ans Krankenhaus willst du nicht?«

»Im Moment werde ich zu Hause am meisten gebraucht. Außerdem war ich nie wie du. So unzufrieden und wütend auf alles – Hauptsache weg.«

In einem Eiscafé links der Straße herrscht reger Betrieb, mehrere Kinderwagen und Fahrräder stehen um eine Ansammlung bunter Sonnenschirme. *Rialto* heißt der Laden. Die Wut, denkt er und hört Kinderstimmen, die im Vorbeifahren an sein Ohr dringen. Was ist eigentlich mit seiner Wut passiert in den Jahren in Amerika?

»Und du?«, fragt Ruth. »Hattest du nie Heimweh?«

»Heimweh wonach?«

»Nun, wie der Name schon sagt.« Sie wirft ihm einen Blick zu, als wolle sie vor dem nächsten Satz das Gelände sondieren. »Anders als unsere Eltern habe ich übrigens nicht geglaubt, dass du deine Tage da drüben ausschließlich in Hörsälen und Bibliotheken zubringst.«

»Aha.«

»Sag schon. Wie heißt sie?«

Unwillkürlich wendet er das Gesicht nach rechts, wo der Waldrand wie ein grünes Band an ihm vorbeizieht. Nicht mehr lange, dann wird das Bergenstädter Schloss auf seinem Hügel auftauchen. Die Idee, mit Ruth über diese Dinge zu sprechen, ist einerseits abwegig und andererseits: In Berlin kennt er keinen Menschen, die beiden einzigen Unterredungen der letzten Woche hat er mit dem Vermieter und seinem neuen Chef an der TU gehabt. Hinter der nächsten Kurve öffnet sich das Tal, und da hockt das Schloss, sonnt sich unbekümmert und reglos wie ein Frosch auf seinem Stein.

»Sandrine«, sagt er.

»Klingt nicht amerikanisch.«

»Wir reden ein andermal darüber.«

Danach schweigen sie, bis Ruth den Wagen durch die schattige Senke hinter dem Schlossberg lenkt und wieder hinein ins Sonnenlicht. Ein Neubaugebiet zieht sich den Hang entlang, eine Reihe hölzerner Firste, von denen die Tannenkränze kürzlich gefeierter Richtfeste baumeln. Braun gebrannte Bauarbeiter trotten zu ihren Fahrzeugen. Ruth biegt links ab, und wenn sein Orientierungssinn ihn nicht täuscht, fahren sie jetzt in Richtung des alten Landratsamtes. Vielleicht ist es Widerwille, was in ihm aufkommt; stärker empfindet er das Erstaunen, tatsächlich zurückgekehrt zu sein. Stan Hurwitz dachte, er tue ihm einen Gefallen, wenn er sich für ihn verwendet. Eine Belohnung für die vielen Abende in seiner Zelle. Ohne Job wäre die Aufenthaltsgenehmigung ohnehin ausgelaufen.

Seine Schwester lässt den Wagen ausrollen und deutet mit dem Kinn auf ein Grundstück, von dem nur dichte Hagebuttenhecken und die grünen Kegel zweier Tannen zu erkennen sind.

»Da sind wir.«

»Geht's da vorne zum Landratsamt?«

»Ein Mal links abbiegen, in zwei Minuten bist du da. Wärst du da.«

»Wo sind unsere Eltern?«

»Vater ist noch in der Fabrik. Wir trinken Kaffee, und dann hol ich sie.«

Hartmut nickt und versucht, durch die Hecken hindurch etwas von dem Haus zu erspähen. Natürlich hat seine Schwester ihm Fotos geschickt, und er hat sich ein paar anerkennende Zeilen abgerungen, bevor die Bilder in seiner Schreibtischschublade verschwunden sind. Jetzt spürt er Ruths Blick am Hinterkopf und weiß, was sie als Nächstes sagen wird.

»Bemüh dich, okay. Die beiden freuen sich wahnsinnig auf dich.«

»Okay.«

»Freust du dich gar nicht?«

Noch einmal wendet er den Kopf, bevor er aussteigt.

»Seit wann sagst du dauernd wahnsinnig?«

Der Aufgang besteht aus quadratischen Steinplatten, die durch einen Durchlass im Gesträuch führen und auf einer ebenen Rasenfläche enden. Das Haus steht etwas höher, ein schlichter Bau mit Terrasse und zwei vorstehenden Seitenflügeln, deren rechter noch unverputzt ist und das Muster roter Hohlblocksteine zeigt. Links wurde auf das Dach ein spitzer Giebel aufgeschlagen, und wo einmal die Fenster sein werden, hängen helle Plastikplanen. Drinnen heult eine elektrische Säge.

»Unsere Baustelle.« Ruth ist neben ihm stehen geblieben.

»Schönes Grundstück.« Gemüsebeete liegen im Schatten des

Hauses. Sattes grünes Sonnenlicht fließt durch die Hecke und fällt auf drei junge Buchen im äußersten Winkel des Gartens.

»Wo die Bäume stehen, soll irgendwann eine ordentliche Treppe hin. Im Moment heißt der Ort noch Räuberhöhle, und ich glaube, es sind auch gerade zwei Räuber drin.« Hinter Ästen und Blättern ist eine Bewegung auszumachen, und kurz darauf schleichen zwei kleine Jungs aus dem Dickicht, blond und splitternackt, und bleiben in sicherer Entfernung vor dem Neuankömmling stehen. Einer trägt eine Schirmmütze auf dem Kopf und einen abgebrochenen Zollstock in der Hand, die Hände des anderen spielen mit dem gebogenen Zipfel in seiner Körpermitte.

»Was für eine Begrüßung.« Ruth schüttelt den Kopf, aber ihr Mutterstolz ist so offensichtlich, als hätte sie das Wort auf ein Plakat geschrieben und mit ausgestreckten Armen über den Kopf gehalten. »Habt ihr zwei keine Hosen?«

»Wer ist wer?«

»Der mit der Mütze ist Felix. Also muss der andere Florian sein. Hey, ihr Räuber, wo sind eure Hosen?«

Die zwei nackten Kinder ziehen sich wieder ins Gebüsch zurück, aber als Hartmut auf der Terrasse steht, sieht er sie durch Lücken im Blattwerk das Geschehen beobachten. Entgegen seiner Erwartung fühlt er sich wohl – so wie man durchfroren an einem fremden Kamin sitzt, in geliehenen Socken und zu süßen Kakao trinkend. Keine Wolke hängt über dem Ort, das Geschrei im Freibad dringt aus dem Tal herauf. Als kleiner Junge hat er einmal auf dem Drei-Meter-Brett gestanden und sich nicht getraut zu springen. Mit neun oder zehn Jahren. Stand wie gelähmt vorne an der Kante, direkt vor dem Abgrund, und ist schließlich mit brennender Scham im Gesicht die Leiter wieder hinuntergestiegen. Warum fällt ihm das jetzt ein?

»Der Amerikaner.« In der offenen Küchentür steht sein Schwager Heiner und wischt sich die Hände. »Lange nicht gesehen. Willkommen auf unserer Baustelle.«

Sie schütteln einander die Hand. Sein Schwager ist mittelgroß und breitschultrig, mit behaarter Brust und kräftigen Armmuskeln. Über der staubigen Arbeitshose trägt er ein Unterhemd und riecht nach Sägemehl und frischem Schweiß. Rötliche Spuren im Gesicht markieren den Abdruck einer Schutzbrille. Insgesamt ist es erst das dritte oder vierte Mal, dass sie einander begegnen.

»Wir sind doch Räuber«, verkündet eine dünne Stimme aus der Hagebuttenhecke.

»Ich glaube, das war ein Lockruf«, sagt Ruth. »Schau mal, ob du irgendwo ihre Hosen siehst. Blaue Shorts mit Flicken am Hintern.«

Es fühlt sich an wie eine Bewährungsprobe, als er den Hang hinuntergeht, ein paar Zweige zur Seite biegt und die Höhle betritt. Die Äste der Buchen halten das Strauchwerk auf Distanz und lassen auf natürliche Weise einen Hohlraum entstehen, in den hinein ein Auto gepasst hätte. Spielzeug und Werkzeug liegen auf dem Boden, eine blaue Luftmatratze, ein Dreirad, Gummisandalen.

»Das ist also eure Räuberhöhle«, sagt er in Richtung der beiden Nackedeis, die ihn unverhohlen anstarren. Unter ihren Blicken fühlt er sich groß und komisch. Wann hat er zuletzt mit Kindern gesprochen?

»Du wohnst in Amerika«, sagt der mit der Mütze, also Felix. Zwei kleine weißhäutige Gestalten, zwischen deren Gesichtern Hartmut keinen Unterschied ausmachen kann. Vor dem Haus hört er die Stimmen von Ruth und Heiner, die damit beschäftigt sind, den Kaffeetisch zu decken. In der Höhle ist es angenehm schattig.

»Nicht mehr. Na ja. Schwer zu sagen. Jedenfalls hab ich lange dort gewohnt. Vielleicht gehe ich wieder zurück.« Im Sitzen ist er immer noch größer als die beiden. Weiche unfertige Kindergesichter, in denen Ruths runde Augen und Wangen die markanteren Züge des Vaters dominieren.

»Nachts schläft ein Igel hier.« Florian zeigt mit einem Stock ins Gebüsch.

Etwas unwiderstehlich Sachliches liegt in der Art, wie die beiden ihm Einlass in ihre Welt gewähren. Hartmut erfährt, dass der Igel manchmal ein Milchschälchen über die Terrasse schiebt und dabei grunzende Laute von sich gibt, die in der Imitation der beiden Kinder an Schweine erinnern. Ihr Spiel gehorcht einer Choreographie aus enger werdenden Kreisen um den Erwachsenen auf der Luftmatratze, als wollten sie ihn einwickeln in die Bahnen ihres Treibens. Es dauert nicht lange, bis einer über sein angewinkeltes Bein stolpert und sich wieder aufhelfen lässt. Kurz darauf hält der andere sich an seiner Schulter fest. Mit meisterhafter Beiläufigkeit reißen die beiden alle Barrieren der Fremdheit nieder und tun schließlich ihren Besitzanspruch kund, indem sich jeder auf einem seiner Oberschenkel niederlässt, sichtlich zufrieden mit dem Verlauf der Eroberung.

»Ist euch beiden gar nicht kalt?« Zwei geflickte Shorts hängen im Geäst, und Hartmut glaubt leichten Uringeruch wahrzunehmen.

Felix zuckt mit den Schultern und stößt einen langen Seufzer aus. Wahrscheinlich ist es auf Dauer ermüdend, Erwachsenen alles erklären zu müssen.

»Wir sind ja nackte Räuber.«

Zehn Minuten später hat Ruth die beiden feuchten Kleidungsstücke entsorgt und ihre Kinder mit frischen Hosen und T-Shirts ausgestattet. Der Kaffeetisch steht auf einem schmalen Rasenstück neben dem Haus. Die Unebenheiten des Bodens werden mit kleinen Holzkeilen ausgeglichen, die zweifellos sein Vater angefertigt hat. Beide Jungs haben Zwetschgenstücke in den Haaren und Sahne im Gesicht, ziehen am Tischtuch, entdecken Flugzeuge am Himmel und experimentieren geschickt mit den unterschiedlichen Quantitäten von Geduld, die ihnen von den Erwachsenen entgegengebracht werden.

»Das ist die zweite Phase«, erklärt Heiner seinem Schwager. »Erst schüchterne Zurückhaltung, dann der abrupte Umschlag ins Gegenteil.«

Felix und Florian beobachten ihn mit neugierigen Blicken,

Heiner versucht, eine Unterhaltung über Filbingers Rücktritt in Gang zu halten, und Ruth schaut ihn über den Tisch hinweg an, als läge in alldem eine Lektion für ihn, den Heimkehrer wider Willen. Im Zug hat er zum ersten Mal seit fünf Jahren eine deutsche Zeitung gelesen. Was in der *Minneapolis Tribune* in die Randspalten passte, beansprucht jetzt den Platz in der Mitte. Der Bundeskanzler heißt Schmidt und der Feind der Linken BRD. Immer wieder hat Hartmut von seiner Lektüre auf- und aus dem Fenster gesehen, als ließe das Gelesene sich draußen verifizieren. All die vielen Dinge, die hier wirklich passiert sind, während er in der Wilson Library saß und eine Dissertation über Sprechakttheorie geschrieben hat. Aber das ist es nicht, was Ruth meint.

»Ob ich allerdings in der *Tagesschau* hören will: Der baden-württembergische Ministerpräsident *Rommel* erklärte … Das weiß ich auch nicht.«

»Hartmut, willst du noch Kaffee?«

»Ich hab noch, danke. Für seinen Namen kann er ja nichts.«

»Heiner, nimmst du deinem Sohn bitte eins von den Kuchenstücken wieder ab?«

»Ich sage ja nur: Es klingt komisch. Felix, hör auf mit dem Unsinn! Du kennst die Regeln. Florian, die Regeln gelten für euch beide. Zurück damit!«

»Willst du mit nach Arnau fahren, Hartmut, oder hier warten?«

»*Ich* will nach Arnau!«

»Schatz, wir haben eure Sitze nicht im Auto, und ich will nur Oma und Opa abholen. Die beiden kommen zum Abendessen hierher.«

»Wollten wir eigentlich grillen? Und hast du Zeit, kurz bei Happels zu halten und den Schlagbohrer abzuholen?«

»Das schwere Ding?«

»Kann Bernd dir ins Auto laden. Ich komm sonst oben mit der Wand nicht weiter.«

»Grillen, grillen!«

»Es ist Samstag, wo soll ich noch Fleisch herkriegen? Hartmut, hattest du jetzt gesagt, ob du … Felix, ich höre dich. Wir besprechen es ja gerade.«

»In Arnau im Gefrierhaus liegen die Würstchen vom Richtfest.«

»Ich denke, ich bleib einfach hier«, sagt Hartmut und nickt. Mit einem Mal erscheinen ihm die letzten fünf Jahre merkwürdig entrückt. Hier wurden Kinder geboren und Häuser gebaut. Aus der kleinen dummen Ruth ist eine junge Mutter geworden. Was ihn ratlos macht, könnte die ungeheure Entfernung sein. Die und die Gleichzeitigkeit. Zu denken, dass Sandrine gerade auf dem Rasen der Mall sitzt, genau jetzt, ohne ihn. Oder schläft sie noch? Es kommt ihm vor, als ob unaufhaltsam an den Rand seines Lebens rücken würde, was jahrelang im Mittelpunkt gestanden hat. Und die Mitte? Einstweilen ist es leer dort und wird auf unbestimmte Zeit so bleiben. Er kann nur warten.

Ruth schüttelt den Kopf.

»Moment mal, du willst doch nicht morgen diese Wand da oben rausnehmen?«

»Und dann stellt er sich auch noch hin und sagt, ihm sei schweres Unrecht angetan worden – ihm! Ich meine, wie unverschämt kann man sein.«

»Lieber Herr Hochhuth, morgen ist Sonntag.«

»Ich weiß, Liebling, aber morgen spielt Bernd Fußball, und am Montag muss er wieder arbeiten. So lange Ferien wie ich hat sonst niemand.«

»Ich will aber mit nach Arnau.«

»Ihr zwei helft Papa und Hartmut dabei, das Feuer zu machen, okay? Wie viele Würstchen soll ich mitbringen?«

»Ich will zwei!«

»Bring die ganze Tüte mit, Ruth. Ich hab Angst, unsere Kinder fangen demnächst an, bei den Nachbarn zu betteln.«

»Ich will drei.«

»Wie waren eigentlich deine Mahlzeiten in Amerika – auch so lebhaft?«

»Ich hab meistens alleine gegessen. Manchmal zu zweit.«

»Dazu später mehr. Ihr Lieben, ich hab Mutter gesagt fünf Uhr. Mit dem Feuer wisst ihr Bescheid: Nur wenn ein Erwachsener dabei ist, okay? Kriegt eure Mama noch einen Kuss, bevor sie fährt?«

Nach dem Kaffeetrinken schieben Felix und Florian ihre Dreiräder über den Rasen, und Hartmut bekommt von seinem Schwager eine Führung durch das Haus. Der neue Anbau ist innen fertiger, als es von außen den Anschein hat; das frisch verlegte Parkett im Wohnzimmer glänzt unter schützenden Plastikplanen, und eine breite Fensterfront geht auf den Schlossberg und das Bergenstädter Tal.

Stolz zeigt Heiner auf den schulterhohen Kachelofen.

»Unser Prachtstück. Eigentlich zu teuer für unsere Geldbörse, aber da waren Ruth und ich uns einig, so viel Unvernunft muss sein. Bei den Laufzeiten ist es sowieso egal, ob wir den Kredit noch zwei oder drei Monate länger abbezahlen.« Er hält inne und zuckt mit den Schultern. »Eintausendzweihundert Mark jeden Monat, dreiundzwanzig Jahre lang. Letztes Jahr ging's los, im Jahr Zweitausend werden wir schuldenfrei sein. Ich bin dann vierundfünfzig, Ruth neunundvierzig und die beiden Jungs … Tja. Die Alternative wäre eine Mietwohnung ohne Garten oder ein zu kleines Haus.«

Über eine knarzende Holztreppe steigen sie in den ersten Stock. Heiner berichtet von den Schwierigkeiten mit der Dämmung, und Hartmut denkt daran, wie er am Charles Lindbergh Terminal ins Flugzeug gestiegen ist und sich gesagt hat: Ab sofort warte ich. Alles hängt davon ab, wie Sandrine mit ihrer Arbeit voran- und mit dem Betreuer zurechtkommt. Ihm kam schon der Flug nach Berlin zu lange vor.

Zwei Tage später saß er in Ernst Simons Büro im Telefunken-Hochhaus. Zu müde, um nervös zu sein. Er hatte die Grüße ausgerichtet, kämpfte mit schweren Augenlidern und wartete darauf, dass Professor Simon seine persönliche Stan-Hurwitz-Story erzählte. Aus irgendeinem Grund kennt jeder eine. Unter den Kommilitonen in Minneapolis kursierten gleich mehrere und handelten von kriegshistorischen Abschweifungen im Seminar, den früheren Heldentaten als Linebacker der Gophers und der profunden Traurigkeit, die diesem Riesen von Mann die Aura eines einsamen Kindes verleiht. Obwohl er Gefühle nie zeigte, sondern darauf vertraute, dass die wichtigen sich von selbst verrieten. Es gibt dort viel für dich zu tun, hatte er zum Abschied gesagt, als entsende er Hartmut auf eine wichtige Mission in der Fremde. Over there. Dass Marsha in Tränen ausgebrochen war, schien ihn peinlich zu berühren.

»Haben Sie ihn mal betrunken erlebt?«, fragte Simon einleitend.

Draußen schien die Sonne auf das grüne Dach des Tiergartens. Dieses verqualmte Büro im zwölften Stock hätte einem zwielichtigen Filmproduzenten gehören können, wären da nicht die zweitausend Bücher, von denen Hartmut einige erkannte, während sein Gegenüber Kaffee einschenkte und es nicht eilig zu haben schien mit der Geschichte. *Sein und Zeit* war eine Überraschung in den langen Reihen englischer Titel und erinnerte Hartmut an Hurwitz' Worte, es sei ›something fishy‹ in Ernst Simons Verständnis von Philosophie. Keine entschiedene Absage an den kontinentalen Unsinn auf Stelzen, den Simon zwar nicht verteidigte, aber bereit war, ernst zu nehmen. Dergleichen machte einen Mann wie Hurwitz weniger wütend als traurig: die Verführbarkeit der Intelligenz durch puren Schabernack.

»Das passiert auch nur ein Mal im Jahr«, Professor Simon nippte an seiner Tasse, »am sechsten November, dem Todestag seines Bruders.«

»Joey.«

»Sie kennen die Geschichte?«

»Der Bruder ist im Zweiten Weltkrieg gefallen.«

»In der Familie galt Joey als das junge Genie mit der großen Zukunft. Konnte mit vier Jahren schreiben, hat zwei Klassen übersprungen, mit neun war er im ganzen County bekannt.

1941 hat er in Harvard zu studieren begonnen, Physik, und sofort Aufmerksamkeit erregt. Stan hat erzählt, wie neidisch er als Jugendlicher auf den kleinen Bruder war. Sie kennen ihn, er ist zu groß, um in jemandes Schatten zu stehen. Dann kam der Krieg, und wahrscheinlich wollte Joey zeigen, dass er nicht nur denken und rechnen kann.«

Hartmut beschränkte seine Reaktion auf ein Nicken. Offenbar wusste Simon nicht, dass Joey sich gemeldet hatte, weil sein älterer Bruder mit gebrochenem Bein im Krankenhaus lag. Eine Trainingsverletzung. Nach einem halben Jahr musste das Bein noch einmal gebrochen werden, sonst wäre im November 44 nicht Joey, sondern Stan in den Hürtgenwald gekommen. Als Reservist und ohne Fronterfahrung.

»Ein Mal war ich zufällig dabei«, sagte Simon. »Nach einer Tagung abends im Hotel. Sechster November 56. Draußen Schneeregen und drinnen Stan Hurwitz, der immer lauter, wütender und weinerlicher wurde. Ich hab versucht, ihn zum Aufhören zu überreden, aber da war nichts zu machen. Irgendwann standen alle im Halbkreis um unseren Tisch und haben die Geschichte angehört. Kellner, Gäste, Kollegen. Ich mittendrin, der einzige Deutsche. Obwohl er gar nicht wusste, was genau passiert war.« Simon stellte seine Tasse ab, setzte die Brille auf und sah Hartmut an. »Wie komme ich jetzt darauf?«

Die folgende Unterhaltung besaß wenig Ähnlichkeit mit dem, was Hartmut sich unter einem Bewerbungsgespräch vorgestellt hatte. Im Lauf von anderthalb Stunden rauchte Simon acht oder neun filterlose Roth-Händle, sprach vom zarten Pflänzchen der analytischen Philosophie in Deutschland und fragte nach Hartmuts Plänen für die Habilitation. Dass die Arbeit, die Hartmut ihm in wenigen Sätzen skizzierte, bereits von jemand anderem geschrieben worden war, schien ihn zu amüsieren, aber sein Blick deutete an, dass er auch anders konnte.

»Sie hatten in den USA nicht viel Zugang zu deutscher Literatur. Folglich haben Sie was nachzuholen, nicht übermäßig viel, aber etwas. Fangen Sie gleich an.«

»Ich werde mir Mühe geben.«

»Fangen Sie gleich damit an.« Das fragliche Buch lag griffbereit neben Simons Stuhl, und als Hartmut das stickige Büro verließ, hatten sich vier weitere dazugesellt. Außerdem stand er zum ersten Mal in seinem Leben in Lohn und Brot. Hatte einfach die ihm hingehaltene Hand ergriffen und geglaubt, Simon wolle ihm auf Wiedersehen sagen, aber stattdessen sagte der »Willkommen an Bord«, und Hartmut traute sich nicht zu erwidern, dass er erst mit seiner Freundin reden müsse. Im Aufzug fuhr er nach unten und trat auf den Ernst-Reuter-Platz. Ein Spätsommertag mit vereinzelten Wolken am Himmel. Auf dem Bürgersteig standen kleine Gruppen von Studenten. Büchertische vor der Buchhandlung Kiepert. Und jetzt? Einen Moment lang war er wie betäubt von der eigenen Ratlosigkeit.

»Wie sagt deine Mutter immer: Kannste machen nix.« Heiner steht vor ihm, deutet auf eine Rolle mit Dämmstoff und macht ein skeptisches Gesicht. »Manche Dinge kann man sich nicht aussuchen.«

»Bitte?«

»Tückisches Zeug und wahrscheinlich nicht gesund, aber bei unserem Dach ist Glaswolle die einzige Möglichkeit.«

»Okay. Verstehe.«

»Apropos Mutter: Mach dich auf Tränen gefasst. Deine Rückkehr ist der emotionale Höhepunkt des Jahres. Wenn nicht des Jahrzehnts.« Heiner klopft gegen die Holzvertäfelung der Decke; eine Geste, die keinen Zweck erfüllt und wahrscheinlich ein Ausdruck von Verbundenheit ist, von natürlichem Stolz auf das Werk der eigenen Hände.

»Verstehe«, wiederholt Hartmut und sieht sich um. Im künftigen Arbeitszimmer fehlen noch die Vorderfenster und die Tür zum Balkon. Sein Erstaunen nimmt bereits ab. Kommt nicht an gegen die Normalität, die ihn umgibt. Erneut erreicht der Lärm aus dem Freibad sein Ohr. Zurückzukommen war unausweichlich, nun muss er das Beste daraus machen. Geduld haben und die nächste Arbeit schreiben. Es klingt banal, aber das Leben geht wirklich weiter. Unten im Garten stimmen die Zwillinge ein Geheul an, das eher an Indianer als an Räuber denken lässt. Kurz darauf hört Hartmut, wie auf der Straße ein Auto hält, eine Tür geöffnet wird und die vertraute Stimme seines Vaters sagt: »Hässde e bissche wäirer weg vom Boddstäh gehahn, Ruttche, da käm äich besser raus.«

4 Wie ein weiß gekacheltes Schneckenhaus windet sich die Treppe nach oben. Von bunten Werbetafeln strahlen glückliche Menschen, und aus dem U-Bahn-Schacht steigt warme Luft auf. Um nicht zu schwitzen, geht Hartmut langsam und lässt eine Gruppe Jugendlicher passieren, deren Schritte ihm im nächsten Moment als hohles Echo entgegenfallen. Dass es in Lamarck-Caulaincourt auch einen Aufzug gibt, sieht er erst, als er nach den letzten Stufen die Station verlässt.

Der Ausgang führt aus dem Berg hinaus wie ein waagerechter Stollen. Verwahrloste Gestalten sitzen auf den Treppen, trinken Dosenbier und Wein und unterhalten sich in lautem Argot. *Montmartre Fleurs* gibt es immer noch, ebenso das kleine Bistro mit der windgeschützten Terrasse. Sanft steigt die Rue Lamarck an zwischen prächtigen Fassaden und kommt ihm zwar bekannt, aber nicht mehr vertraut vor nach so vielen Jahren. Gegenüber der Métrostation eröffnet sich ein Ausblick auf das Häusermeer von Paris. Den ganzen Tag über hat der Himmel graublau und kühl über der Stadt gehangen, jetzt lockert die Bewölkung auf und verspricht einen heiteren Mittwochabend. Hartmut betritt den Blumenladen, gibt dem Verkäufer zwanzig Euro und fährt mit der Hand über die verschiedenen Gebinde in den Vasen. Danach nickt er lediglich und sagt ›Oui‹, wenn der Mann mit fragender Miene nach dem nächsten Stiel greift. Dann drei Mal ›Non‹, als ihm verschiedene Folien angeboten werden, um den Strauß einzuschlagen. Es sind nur ein paar Meter die Straße hinauf. Schlafmangel schärft seine Sinne und verleiht auch flüchtigen Eindrücken einen Anschein von Bedeutung. So war es schon gestern auf der Autobahn. Beinahe droht die Vorfreude dahinter zu verschwinden.

Er überlegt, im Bistro gegenüber ein Glas Wein zu trinken, und entscheidet sich dagegen. Will weder nach Alkohol riechen noch nach Schweiß, also bezwingt er seine Ungeduld, folgt der Rue Lamarck über die nächste Kreuzung und erkennt schon von weitem den Eingang des Hauses. Dahinter das Restaurant, wo sie beim letzten Mal zusammen gegessen haben, im Herbst 99. Alles erscheint unverändert und doch anders. Vor dem breiten Haustor bleibt Hartmut stehen und sucht in seinen Taschen nach dem Zettel mit dem Türcode. Am Vormittag hat er gleich nach dem Frühstück das Hotel verlassen. Wollte sich im Freien bewegen, aber nach wenigen hundert Metern stand er vor dem steinernen Gebirge des Opernhauses und wusste nicht weiter. Eine vollbusige Frau joggte den Bürgersteig entlang, ohne sich an gaffenden Passanten zu stören. Paris ist eine schöne Erinnerung, an die er nicht gerne rührt. Der ungeduldige Wind trieb Wolken über die Dächer. Einkäufer strömten ins Kaufhaus Lafayette. Nach einer halben Stunde ist er zurück ins Hotel gegangen und hat sich mit Charles Lins ungelenkem Deutsch die Zeit vertrieben. Als der Text vor seinen Augen zu tanzen begann, hat er ihn zur Seite gelegt und sich auf den Weg zum Montmartre gemacht.

In der Gegensprechanlage ertönt ein Knacken. »Too early, of course«, sagt Sandrines amüsierte Stimme.

Mit der Schulter stößt er die Tür auf. Das Deckenlicht spiegelt sich in einer Reihe von Briefkästen und dem frisch gebohnerten Parkett. An der Tür der Conciergewohnung klebt eine handgeschriebene Notiz. Wie damals meidet Hartmut den hundert Jahre alten Fahrstuhl, steigt fünf Stockwerke nach oben und hört vor dem letzten Treppenabschnitt, wie über ihm eine Tür geöffnet wird. Den ersten Moment hat er sich oft und in verschiedenen Versionen vorgestellt, aber als er da ist, geht es vor allem schnell. Jahre werden zu Sekunden, die Zwischenzeit verpufft. Weil Licht aus der Wohnung in den dunkleren Flur fällt, erkennt Hartmut zunächst nur ihre Silhouette. Ein wenig kleiner kommt sie ihm vor, aber schmale Schultern hat sie immer gehabt, kein Parfüm benutzt und ihm bei der Umarmung eine Hand in den Nacken gelegt. Ein kühler Luftzug weht ins Treppenhaus, dann halten sie einander an den Oberarmen, der Blumenstrauß verknickt, und Hartmut weiß nicht, was er sagen soll. Hat jemandes Lächeln eine eigene Art, älter zu werden?

Sandrine zuckt die Schultern unter seiner wortlosen Musterung.

»Was hast du erwartet? Es ist ein paar Jahre her.« Ihr Englisch klingt unrhythmisch, und der französische Akzent ist stärker als in seiner Erinnerung. In ihren weiten Leinenkleidern würde sie als Dozentin für Kräutermedizin oder tantrische Meditationstechniken durchgehen, aber der gestrigen Mail zufolge arbeitet sie weiterhin freiberuflich und nimmt Lehraufträge in Ethnologie an. Der Name der Uni ist ihm entfallen, eine von denen mit den Nummern.

Es ist merkwürdig, berührt zu sein und es kaum spüren zu können. Als wäre er noch gar nicht da, sondern wartete gespannt auf sein Eintreffen.

»Du sagst nichts?«, fragt sie. Ihre langen Haare trägt sie zu einem Pferdeschwanz gebunden, in dem es hier und da silbrig schimmert.

»Schön, dich zu sehen.«

Noch einmal umarmen sie einander, dann tritt Sandrine zur Seite und lässt ihn in die Wohnung. Ein schmaler heller Flur, in dem ihre Schuhe aufgereiht auf dem Boden stehen. Den Strauß nimmt sie mit einem befremdeten Kopfschütteln entgegen. Sind Blumen nach so vielen Jahren, in denen sie einander lediglich E-Mails geschrieben haben, zu wenig? Zu konventionell?

Er zieht sein Sakko aus, und Sandrine sagt: »Demnach bist du nicht meinetwegen gekommen.«

»Weswegen sonst?«

»Fragst du mich.« Sie schnuppert an einer der Blüten und verzieht das Gesicht. »Ich weiß gar nicht, ob ich eine passende Vase habe. Seit wann bist du in der Stadt?«

»Seit gestern Abend, wie ich geschrieben habe.«

Die Küche ist klein wie eine Vorratskammer und ebenso überfüllt. Vor der Heizung stapeln sich Bücher. Bunte CD-Hüllen mischen sich darunter, Zeitschriften und Aktenordner. In den engen Räumen dieser Mansardenwohnung hat Sandrines Vater früher seine Geliebten getroffen. Die holzvertäfelten Schrägen besitzen Charme, und der Blick aus den hohen Fenstern geht über Dachfirste, Brandmauern und schlanke Schornsteine hinein in die offene Weite über der Stadt.

»Was trinkst du um diese Zeit?«, fragt Sandrine, während sie ein paar Schranktüren öffnet und wieder schließt. »Kaffee oder Alkohol?«

»Wenn du Wein hast.«

»Rate«, sagt sie nur.

Von einem Cover von *Paris Match* blickt ihm das triumphierende Gesicht des Präsidenten entgegen. Sandrine hat nie viel von der funktionalen Trennung von Zimmern gehalten oder unterlässt es jedenfalls, ihre Arbeit an einen bestimmten Ort zu bannen. Gelbe Zettel mit Literaturhinweisen kleben auf der Anrichte und dem Türrahmen. Einen Moment lang gibt es nichts zu sagen. Seit Jahren hat er immer mal wieder daran gedacht, sie zu besuchen, jetzt bleibt er mit dem Sakko über dem Arm in der Küchentür stehen. Das Innere der Wohnung hat sich kaum verändert, ebenso wenig wie der Duft nach Kaffee und altem Papier, nur die Höhe überrascht ihn: die schwebende Draufsicht auf Häuser, Parks und Boulevards.

»Wo wohnst du?« Sandrine hat eine Vase gefunden, stellt die Blumen hinein und sucht mit den Augen nach einem freien Platz.

»Rue du Helder, in der Nähe der Oper. Hotel Haussmann.«

»Kenn ich nicht. Warum dort?«

»Ich hab einfach das nächstbeste Hotel gebucht. Ich war hier noch nie in einem.«

»Wenn du dich früher gemeldet hättest … Warum musste es plötzlich so schnell gehen, bist du auf der Flucht? Jahrelang Funkstille und dann: Hallo, morgen bin ich da. Was, wenn ich in den Ferien gewesen wäre?«

Mit der Hand zeigt er auf den Kühlschrank.

»Da ist Platz, oben drauf.«

»Als wüsstest du nicht mehr, wie ich lebe. Hättest du nicht wenigstens einen kleineren Strauß kaufen können?«

Kurz sehen sie einander an, amüsiert angesichts der Unhandlichkeit des Moments. Zwischen jetzt und der nächsten Gemeinsamkeit liegen die Jahre, in denen sie getan haben, was Sandrine beim letzten Mal ›the right thing‹ nannte. Sie wendet sich zur Spüle und dreht den Wasserhahn auf. Was seine Nervosität so rasch gedämpft hat, ist ein beinahe angenehmer Anflug von Enttäuschung. Den ganzen Tag über war es, als stünde ihm ein Abenteuer bevor, nun wandern seine Blumen auf den Kühlschrank, weil sonst nirgendwo Platz ist. Gut so, denkt er. Vielleicht hat er sich gestern ins Auto gesetzt, um desillusioniert zu werden. Noch einmal und anders.

»Es ist nicht leicht, richtig?«, sagt Sandrine über die Schulter. »Das hier.«

»Nur am Anfang nicht.«

Sie muss sich strecken, um die volle Vase abzustellen, und Hartmut stellt fest, dass sie hager geworden ist. Die zurückfallenden Ärmel machen Unterarme sichtbar, die nach regelmäßiger Bewegung im Freien aussehen, aber der Gesamteindruck ist der eines geschwächten Körpers. Einen richtigen Hintern hat sie nie gehabt, nun weist etwas in ihrer Physis voraus auf die alte Dame, die sie in nicht allzu ferner Zukunft sein wird.

»Hör auf, mich zu mustern«, sagt sie, ohne sich umzudrehen. »Ich war im Frühjahr krank und bin noch nicht wieder die Alte.«

»Krank?«

»Nichts, worüber wir reden müssten. Wenn du also weggelaufen bist – wovor?«

»Das hab ich nicht gesagt. Wahrscheinlich bin ich eher auf der Suche. Musst du mich gleich in die Mangel nehmen? Ich bin gerade angekommen. Wir haben uns lange nicht gesehen. Hallo.«

»Auf der Suche wonach?«

»… vielen Dingen. Der richtigen Entscheidung über meine Zukunft. Abstand von meinem Bonner Leben. Vielleicht nach mir selbst?«

»Nach dir selbst, viel Glück. Du bist hoffentlich nicht gekommen, um mich mit Plattitüden zu langweilen. Abgesehen davon, dass ich nicht wüsste, warum du dich ausgerechnet in Paris suchen solltest. Du wurdest hier seit Ewigkeiten nicht gesehen.«

»Du hast dich kaum verändert, wirklich«, sagt er. »Erinnerst du dich noch, was eine Kratzbürste ist?«

»Weißt du noch, was mauvaise foi bedeutet?« Sandrine stemmt die Hände in die Hüften und neigt den Kopf zur Seite, bevor sie lachend abwinkt. Ihr Blick ruft einen Gedanken während der gestrigen Autofahrt zurück: dass er seit Monaten – vielleicht seit zwei Jahren – im Zustand einer ständigen Übertreibung lebt. Gestern Mittag ist ihm das Wegfahren aus Bonn wie ein Akt der Befreiung erschienen. Rein nach Belgien, raus aus Belgien, lauter unmerkliche Übergänge und die langsamen Wechsel der Landschaft. Er hätte früher herkommen sollen, statt bloß mit dem Gedanken zu spielen und dadurch das Wiedersehen aufzuladen mit unrealistischen Erwartungen. Eine überflüssige Übertreibung auch das.

»Mit wem sollte ich sonst reden?«, fragt er. Es ist ungewohnt und tut trotzdem gut, Englisch zu sprechen. Die Sprache ihrer früheren Vertrautheit.

»Keine Ahnung, Schopenhauer. Reden worüber? Deine E-Mail klang, als würden wir einander jede Woche schreiben und sollten mal wieder für einen kleinen Plausch zusammenkommen. Hab ich was verpasst?«

»Es war spät Montagnacht, und ich hatte einiges getrunken.«

»Du siehst nicht gut aus, wenn ich das sagen darf.« Mit ernstem Gesicht macht sie einen Schritt auf ihn zu und fährt mit der Hand über seine Wange. Weniger eine zärtliche Geste als ein Test, ein vorsichtiges Austarieren von Nähe und Distanz. Ihr konzentrierter Blick registriert, was ihm auch schon aufgefallen ist: die Rötungen unter den Augen und entlang der Nasenflügel. Den letzten Gesundheitscheck hat er ausfallen lassen, vorgeblich aus Zeitmangel.

»Sei ehrlich«, sagt sie. »Trinkst du?«

»Mehr als früher jedenfalls.«

»Job oder Familie?«

»Beides.«

»Aber du bist noch verheiratet?«

»Weniger als früher. Eigentlich nur am Wochenende, aber ja, natürlich. Ich bin noch verheiratet.«

Sie nickt und fährt fort mit ihrer Musterung. So dicht vor seinem Gesicht, dass er schielen müsste, um ihrem Blick zu folgen. Es gibt etwas, das Maria und Sandrine gemeinsam haben und wofür ihm kein passendes Wort einfällt. Die Formulierung ›weniger als früher‹ wurde registriert und für zu leicht befunden. Wer dergleichen sagt, hat entweder den Ernst der Lage nicht erkannt, oder die Lage ist nicht ernst, und er führt etwas anderes im Schilde. Begegnet sind sich beide Frauen lediglich in seiner Phantasie und sind dabei zwar respektvoll, aber ohne echte Sympathie miteinander umgegangen.

»Und hier bist du«, sagt sie leise.

»Es tut gut, dich zu sehen.«

»Hast du schon gesagt.« Ein Lächeln will über ihr Gesicht ziehen, und nach kurzem Zögern lässt sie es geschehen. »Ich hab lange überlegt, ob ich überhaupt antworten soll auf deine merkwürdige Mail. Du wirst es nicht gerne hören, aber ich war zuerst verärgert. Nicht dass die paar Jahre eine Rolle spielen, aber so zu tun, als wären sie nicht gewesen?«

»Verlangst du nach einer Erklärung?«

Sie schüttelt den Kopf.

»Gehen wir rüber und machen den Wein auf. Oder soll ich Kräutertee kochen, um deine Leber zu schonen?«

»Sei nicht kindisch«, erwidert er so schroff wie möglich.

Durch die halb offene Tür wirft er einen Blick in ihr Schlafzimmer, bevor er den größten Raum des Apartments betritt, den als Wohnzimmer zu bezeichnen irreführend wäre. Zwar gibt es ein Zweiersofa und einen alten Korbsessel, aber der kniehohe Tisch dient vorrangig als Ablage. Lückenlos bedeckt von Büchern, Zeitschriften und losen Blättern, von alten Fotos und aufgerissenen Briefumschlägen. Sandrines Computer steht auf einem Sekretär zwischen schmalen hohen Gaubenfenstern. Verschleiert von einer feinen Staubschicht glotzt Hartmut das konvexe Auge eines Bildschirms entgegen, den Philippa ›antik‹ nennen würde.

»Kann ich dir helfen?«, ruft er, als in der Küche ein Weinkorken ploppt.

»Schaff Platz für ein Tablett.«

»Ich will deine Sachen nicht durcheinanderbringen. Ich weiß, dass hinter dem Chaos eine versteckte Ordnung waltet.«

»Schön wär's.« Mit vollen Händen kommt sie zur Tür herein. In den weiten Kleidern hat sie etwas Feenhaftes, das ihm weniger gut gefällt als früher ihr Hippie-Look. »Das war eine Schutzbehauptung, die ich inzwischen aufgeben musste. Versuch einfach, eine ebene Unterlage zu schaffen.«

»Okay.« Er macht sich an die Arbeit, und Sandrine wartet im Stehen darauf, dass seine Umschichtung zum gewünschten Ergebnis führt. Ein Foto zeigt zwei missmutig dreinblickende junge Leute, in denen er erst beim zweiten Hinsehen Sandrine und sich selbst erkennt. Nebeneinander gegen ein Geländer gelehnt vor unscharf grünem Hintergrund. Auch Briefe in seiner Handschrift liegen auf dem Tisch. Mit den Augen fährt Hartmut über die Hausarbeit eines Studenten namens Mathieu Dubost und den prätentiösen Briefkopf einer baltischen Gesellschaft für Anthropologie. Sieht aus wie ein altes Adelswappen.

Schließlich kann Sandrine sich das Lachen nicht verkneifen.

»Hartmut, einfach irgendwie stapeln.«

»Es soll stabil sein, oder?«

»Nicht im Sinne von: für die Ewigkeit. Erinnerst du dich, wir suchen nach einem Platz für das Tablett.«

»Lenk mich nicht ab. Ich arbeite.«

»Du bist genau wie früher!« Sie ruft das mit einer überdrehten Begeisterung, die ihn überrascht innehalten lässt. »Brauchst du Werkzeug? Ich hab einen Hammer.«

»Eile mit Weile«, erwidert er auf Deutsch. Vielleicht erinnert sie sich an diese Maxime aus der aphoristischen Hausapotheke seines Vaters.

Vor dem Tisch kniend, beginnt er damit, einzelne DIN-A4-Blätter auf zwei Stapel zu verteilen, bis Sandrine das Tablett auf den Boden stellt, sich neben ihn setzt und mit beiden Händen sein Gesicht umfasst. Was sich am wenigsten verändert hat, sind ihre Augen. Blaugrau und in diesem Moment an den Rändern feucht schimmernd.

»Ich weiß nicht mal genau, wie viele Jahre es her ist.« Mit den Fingerspitzen fährt sie über seine Wangen. Wie Blinde lesen. »Warum?«

»Keine Ahnung. Ich hab oft an dich gedacht.«

»Lügner. Wir beide wissen warum, aber wir sind keine Kinder mehr.«

»Genau das hab ich mir auch gesagt.«

Vielleicht wäre es der richtige Moment für einen Kuss, aber es ist die falsche Zeit. Sandrine lehnt sich gegen den Korbsessel, schenkt Wein ein und reicht ihm sein Glas.

»Auf uns«, sagt er. »Es war höchste Zeit.«

»Was auch immer das heißt.«

Die Briefe auf dem Tisch sind versehen mit antiquiert aussehenden deutschen Marken. Seine damalige Handschrift ist nach rechts geneigt, als zögen die Buchstaben schwere Lasten hinter sich her. Auf einem der Umschläge prangt ein schwarzer, halb verblichener Stempel: Post – damit wir uns besser verstehen. Insgesamt ein Dutzend Briefe, schätzt er und zeigt mit dem Kinn darauf.

»Hast du dich vorbereitet auf meinen Besuch?«

»Du hast mir nicht viel Zeit gelassen. Beim Lesen ist mir eingefallen, wie du in Minneapolis alle Briefe auf Matrize geschrieben und die Durchschläge aufbewahrt hast. Als würdest du davon ausgehen, dass irgendwann deine gesammelte Korrespondenz publiziert wird.« Sandrine zeigt ihrerseits auf den Tisch. »Hast du von denen auch Abzüge?«

»Bestimmt.«

»Warum? Falls du eines Tages nach dir selbst suchen musst?«

»Oder nach jemand anderem.« Sobald er das Weinglas abstellt, warten seine Hände auf Beschäftigung.

»Ich habe immer noch diese Karteikarte vor Augen, ganz oben auf einem großen Stapel: ›Take care, man‹. Die Übersetzung hab ich vergessen, aber bestimmt war sie sehr akkurat.« Die Erinnerung bringt Sandrine zum Lachen. »Du hast alles aufgeschrieben. Am Anfang dachte ich, es muss entweder deutscher Ordnungssinn oder ein zwanghafter Zug sein. Ich hab nicht gewusst, dass man sich selbst so systematisch erziehen kann. Offen gestanden bin ich immer noch skeptisch.«

Hartmut nickt. Sandrine gehört zu den wenigen Menschen, die ihn aufziehen dürfen, ohne dass er es ihnen übel nimmt, aber in diesem Moment wünscht er, sie würde nicht direkt ins Zentrum zielen. Da ihm keine Erwiderung einfällt, greift er nach einem Foto auf dem Tisch. Die Aufnahme ist neu und zeigt Sandrine neben einer dunkelhaarigen jungen Frau. Beide stehen im Freien, tragen Sonnenbrille und Kletterausrüstung und halten dem Fotografen einen gestreckten Daumen entgegen. Im Hintergrund leuchtet heller Fels, offenbar Sandstein. Seit wann machst du solche Sportlergesten, will er fragen, aber Sandrine kommt ihm zuvor.

»Meine jüngste Cousine, Virginie. Vor zwei Jahren ist sie nach Paris gezogen und hat mich fürs Klettern begeistert – beziehungsweise: Sie hat mir die Angst davor genommen, danach kam die Begeisterung von alleine. Inzwischen ist sie meine beste Freundin. Wir überlegen sogar zusammenzuziehen.«

Die Cousine ist schlank und kaum größer als Sandrine, mit langen, zum Zopf gebundenen Haaren. Sie trägt ein ärmelloses Trikot, und entweder ist der Fotograf ihr Geliebter, oder sie besitzt eine herausfordernd offenherzige Art im Umgang mit anderen Menschen.

»Sympathisch.« In Sandrines Art, die Geste der Jüngeren zu kopieren, erkennt er eine ironische Überlegenheit, die ihr schon als Studentin eigen war. Tochter eines flamboyanten Lokalpolitikers, der sich dem letzten seiner vielen Schmiergeldprozesse durch Herzstillstand entzogen hat. Manchmal behauptet Sandrine, seine Verschlagenheit geerbt zu haben, aber das gehört zum sparsamen Gebrauch, den sie von Koketterie und Selbststilisierung macht. Auch das eine Ähnlichkeit mit Maria.

»Virginie ist ein Schatz«, verkündet sie und nimmt ihm das Foto aus der Hand. »Das Beste an den letzten beiden Jahren war die Zeit, die ich mit ihr verbracht habe. Wer hätte gedacht, dass ich eines Tages ein Hobby finden würde, das aus körperlicher Anstrengung im Freien besteht. Oder eine Freundin, die meine Tochter sein könnte.«

»Wenn ich mich richtig erinnere, bist du nicht mal schwindelfrei.«

»Ich übe«, sagt sie. »Meine Freundinnen fiebern den Wochenenden entgegen, wenn die Kinder oder die Enkel kommen, und ich freue mich darauf, mit Virginie in die Berge zu fahren. Das ist meine Erholung. Findest du nicht, dass junge Leute heutzutage bemerkenswert gesund sind? Einen gesunden Optimismus besitzen, eine gesunde Portion Nachdenklichkeit. Ich glaube, wir waren nie so, als Generation.«

»Ich weiß, dass ich nicht so war.«

Sandrine schüttelt den Kopf, als hätte er ihr widersprochen.

»Erst waren wir naiv, dann entweder verbittert oder selbstgerecht. Jetzt sind wir gleichgültig. Seit ich Virginie kenne, langweilen mich die Abendessen mit Freunden immer mehr. Dieselben Themen, derselbe Ton, abgeklärt und leidenschaftslos. Wir wissen alles besser, aber nur besser als früher, und das heißt gar nichts.« Obwohl sie erst ein halbes Glas getrunken hat, lauert in ihrem Blick die Bereitschaft zu einer aggressiven Litanei, von der Hartmut sie gerne abhalten würde. Zu gut erinnert er sich an ihre Tiraden im Auto, über amerikanischen Rassismus, Bürgerrechte und die Frage, welche Formen von Religiosität mit dem Ausdruck Zivilisation vereinbar sind. Abgeklärt und leidenschaftslos war Sandrine Baubion nie, das ist eine Qualität ihres Charakters, die zu würdigen nicht immer leichtfällt.

»Nichts gegen deine Cousine, aber da ich beruflich mit der jungen Generation zu tun habe ...«

»Ich weiß. In Wirklichkeit sind sie angepasst, oberflächlich und karriereorientiert. Ich werde mich nicht darüber beklagen. Wir haben Mao Zedong verehrt.«

»Ich nicht.«

»Du natürlich nicht. Du bist zu Kundgebungen von Hubert Humphrey gefahren.«

Ein Mal hat er das getan, im Herbst 76, als Humphrey für den Senat kandidierte. Kürzlich hat er darüber nachgedacht und festgestellt: Er besitzt eine Schwäche für uncharismatische Politiker. Obwohl er zeitlebens SPD gewählt hat, kann er mit Angela Merkel gut leben. Charisma verführt den Besitzer zur Unaufrichtigkeit und lässt alle anderen darüber hinwegsehen. Eine Einladung zum Missbrauch im beiderseitigen Einvernehmen.

»Wenn ich gewusst hätte, wie lange du dich darüber mokieren würdest«, sagt er, »wäre ich zu Hause geblieben.«

»Du hast kein Haschisch geraucht und nicht getrunken. Warst kein Marxist und gegen jede Form politischer Gewalt. Die Liste deiner Jugendsünden würde einen Mormonen zum Lächeln bringen.«

»Die jungen Leute von heute nennst du gesund. Aber mich?«

»Dein größtes Laster waren English Muffins. Ist das immer noch so?«

»Ich beginne zu verstehen, warum ich so lange nicht hier war. Warum bist du jetzt gemein zu mir? Was hab ich getan?«

»Du warst ein komischer Vogel mit deinen hässlichen Hemden und dem deutschen Akzent, und ich wollte nichts an dir verändern. Gar nichts. Es ist mir erst später aufgegangen, wie selten das ist.« Sie sieht ihn an und legt den aggressiven Tonfall ebenso schnell ab, wie sie ihn angenommen hatte. »Genau genommen war es einmalig, also beschwer dich nicht. Du schreibst eine betrunkene Mail, und ich fange an, in alten Briefen zu lesen. Ich hab mir vorgenommen, ein bisschen gemein zu sein. Es geschieht mit Absicht.«

»Okay.«

Ein paar Mal nickt sie still vor sich hin. Leert ihr Glas und stellt es auf den Tisch. Das Foto der Cousine wandert zurück zu den anderen Bildern.

»Letzten Monat ist Carson Becker gestorben«, sagt sie.

»Letzten Monat erst?«

»Genau was ich gedacht habe. Ich bin zufällig auf die Nachricht gestoßen. Wollte einen alten Text von ihm zitieren – um ihn zu kritisieren, natürlich –, und als ich im Internet nachgeschaut habe, fiel mir der Nachruf ins Auge. Sehr kurz, eher eine Notiz. Er muss fast hundert Jahre alt geworden sein. Kannst du dir einen überzeugenderen Beweis für seine Selbstgerechtigkeit denken? Hundert Jahre!«

»Hast du ihn trotzdem zitiert?«

»Ja. Aber zustimmend.« Zum ersten Mal seit seiner Ankunft lacht sie so fröhlich wie früher. Jahrelang haben Professor Becker und sie im Clinch gelegen, weil Sandrine sich in den Kopf gesetzt hatte, in ihrer Doktorarbeit Lynchjustiz als eine primitive Ritualform zu untersuchen. Damals ein gewagter Ansatz, von dem ihr Betreuer nichts wissen wollte. Ein stoischer weißhaariger Mann aus Montana, der auf die Siebzig zuging und ungerührt zur Kenntnis nahm, dass seine Studentin ihn für borniert hielt. Er fand das Thema ungeeignet und witterte in Sandrines Haltung den typischen französischen Kulturchauvinismus. Mit

Beckers Namen kehrt die Erinnerung an einen Nachmittag kurz vor Hartmuts Abflug zurück. Sandrine berichtete empört, ihr Professor habe angeregt, sie solle lieber eine theoretische Arbeit schreiben, über die methodischen Probleme einer Ethnologie des Eigenen. Ihre Empörung wurzelte in Beckers stillschweigender Unterstellung, sie, Sandrine Baubion, könnte über einen Begriff des Eigenen verfügen, der die blutrünstigen Normalbürger von Mississippi und Kentucky mit einschloss. Das hatte sie in aller Deutlichkeit verneint und ihre Entrüstung auf Hartmut gerichtet, weil der Beckers Entgegnung zum Lachen fand: How about Louisiana, then? Am Ende führte der fruchtlose Streit dazu, dass sie von Minneapolis an die Ostküste zog, wo ein College seinem liberalen Ruf gerecht wurde und Sandrine machen durfte, was sie wollte.

»Das Leben ist seltsam«, sagt sie und scheint einem ähnlichen Gedanken zu folgen wie er. »Ich wollte dem alten Knacker nicht recht geben. Koste es, was es wolle. Am Ende hat es mich über drei Jahre gekostet.«

»Und mich.«

»Stimmt. Sonst wäre ich heute von dir geschieden statt von George.« Sie klatscht in die Hände und freut sich über die böse Bemerkung. Einige der Briefe auf dem Tisch beinhalten flehende Petitionen, in denen er vergebens seine Liebe, ihre Vernunft und allerlei andere Dinge beschwört, die Sandrine ihrem angeborenen Stolz unterordnete. Ehrgeiz im eigentlichen Sinn hat sie nie besessen. Nie des Geldes wegen gearbeitet; in ihrer Familie war Geld immer vorhanden, zusammen mit einem Ferienhaus im Luberon, dem Kindermädchen Bernadette und den neurotischen Eltern, die nur am Tisch miteinander sprachen.

Sie rückt ein Stück näher an ihn heran und legt den Kopf an seine Schulter.

»Hast du geglaubt, dass es so sein würde? Heute.«

»Allenfalls hatte ich gehofft, du würdest weniger auf mir rumhacken.«

»Ich hatte Angst, dass es sich überflüssig anfühlen könnte.

Ein Wiedersehen nach so vielen Jahren. All der emotionale Aufwand, nur um gemeinsam alte Erinnerungen aufzuwärmen. Wozu?«

»Du kannst zwar gemein sein, aber berechnend bist du nicht. Das hast du bestimmt nicht gedacht.«

»Was macht dich so sicher?«

»Nichts. Ich glaube es nicht.«

»Trotzdem stimmt es. Ich war nahe dran, dir abzusagen.«

Als Hartmut ihr einen zweifelnden Blick zuwirft, will sie von ihm wegrücken, aber er legt einen Arm um ihre Schulter und hält sie fest. Sandrine faltet die Hände im Schoß, bevor sie weiterspricht.

»Ich wollte nicht davon anfangen, aber wenn du unbedingt darauf bestehst. Hör mir zu, und mach kein betroffenes Gesicht. Okay? Ich meine es ernst.«

»Ich höre dir zu.«

»Es besteht kein Grund zur Betroffenheit, ich bin wieder völlig gesund, wie vorher. Ich kann sogar klettern, auch wenn die Ärzte das für riskant halten.« Sie scheint sich in Ruhe die nächsten Sätze zurechtzulegen, und Hartmut schickt einen Blick durch den Raum. Neben seinen Füßen liegt ein mit Lesezeichen gespicktes Buch, dessen Cover zwei Männer vor der offenen Fahrertür eines Autos zeigt. Ein Weißer im dunklen Anzug und ein Schwarzer, der die weiße Arbeitsjacke eines Kochs oder Friseurs trägt. Vielleicht ist er der Chauffeur. Beide schauen mit ernsten Mienen am Fotografen vorbei, als wären sie durch jenes namenlose Verhängnis verbunden, von dem Faulkner geschrieben hat. *There Goes My Everything – White Southerners in the Age of Civil Rights* heißt der Titel. Offenbar interessiert Sandrine sich immer noch für ihr altes Thema.

»Letzten Winter«, sagt sie und zeigt auf das Buch, »hatte ich einen Lehrauftrag in Nanterre. Ein Mal in der Woche ein Seminar, immer Donnerstagnachmittag. Schwarz und Weiß in Amerika. Ein Thema, das unter meinen Bekannten ein derart sorgsam verstecktes Desinteresse hervorruft, dass ich alleine deswegen immer wieder davon anfangen muss. Es gibt nichts Demaskierenderes als die Maske selbst. Übrigens ein Satz vom alten Carson Becker.«

Hartmut lehnt sich gegen die Sitzfläche des Sofas und ist froh, dass Sandrine die Umarmung nicht löst, um zu erzählen.

»Letzten Winter also«, sagt er.

»Wir saßen im Seminar und haben über einen Text gesprochen. Das heißt, ich hab eine Passage vorgelesen, auf Englisch, und sie grob übersetzt. Es ging um McClung versus Katzenbach, wenn du dich erinnerst. Um präzise zu sein, hatte ich mir mehr Notizen gemacht als sonst. An einem Punkt hab ich aufgeschaut in die Reihe der Gesichter. Wollte sehen, ob alle wach sind. Zwei Fenster standen offen, von draußen kam Baulärm herein. Alles ganz normal, ein sonniger Tag und das mittlere Aufmerksamkeitsniveau, an das ich mich inzwischen gewöhnt habe. Ich dachte: So, dann weiter im Text. Die Argumentation vor dem Berufungsgericht. Aber ich konnte nicht sprechen. Ich weiß immer noch nicht, wie ich es beschreiben soll. Von einem Moment auf den anderen war alles weg. Kein Wort mehr, kein Satz, keine Sprache. Ich war wach und bei Sinnen, und es hat nicht weh getan. Im Grunde wusste ich sogar, was ich sagen wollte. Bloß hatte dieses Etwas keine Form. Als ich auf den Zettel geschaut habe, standen dort Wörter in meiner Handschrift, aber auch nur ein einziges davon vorzulesen kam mir vor wie eine Herkulesaufgabe. Wo anfangen? Die Studenten wurden unruhig; alle haben mich angesehen und miteinander getuschelt. Später hab ich gehört, wie eine Studentin zu den Sanitätern sagte: Sie hat fast zwei Minuten stumm vor sich hin gestarrt. Und ich dachte: Zwei Minuten, was für ein Quatsch! Ich musste mich doch nur für ein paar Sekunden sammeln. Gleichzeitig wusste ich, dass ich einen komischen Eindruck mache, also wollte ich mich entschuldigen. Ging aber auch nicht. Stattdessen hab ich mich brabbeln gehört! Unverständliche Laute, die aus meinem Mund kamen. Was soll der Blödsinn, dachte ich. Ich war nicht schockiert, sondern verärgert. Dann hat jemand sein Handy aus der

Tasche gezogen und begonnen zu telefonieren. Das hat mich so was von empört. Jetzt machen die, was sie wollen! Aber ich konnte nichts sagen. Die Welt stand mir vor Augen wie immer, und ich war eingeschlossen in mir selbst. Obwohl ich denken konnte, vielleicht sogar präziser und kleinteiliger als normal, aber ohne Ordnung. Das merkwürdigste Gefühl. Übrigens hab ich mich wirklich auf deinen Besuch vorbereitet. Hab ein paar Begriffe nachgeschlagen, weil ich genau wusste, früher oder später muss ich dir die Geschichte doch erzählen. Irgendwo auf dem Tisch liegt mein Spickzettel.« Sie beugt sich nach vorne, um danach zu suchen. »Je älter ich werde, desto mehr ähnele ich dir. Geheuer ist mir das nicht.«

»Such nicht nach dem Zettel. Was hattest du?«

»Technisch gesehen war's eine Art Schlaganfall.« Ihr Gesicht kann er nicht sehen, weil sie sich über den Tisch streckt und in den Papieren wühlt. »Bloß, dass du immer wusstest, wo deine Sachen liegen.«

»Ein ... was? Was heißt ›technisch gesehen‹?«

»Das ist eine Formulierung, die ich benutze, um nicht sagen zu müssen, ich hatte einen Schlaganfall. Hier ist er.« Mit einem gelben Notizzettel in der Hand lehnt sie sich wieder zurück und blickt auf die Einträge. »Denk bitte an unsere Abmachung, kein betroffenes Gesicht.«

»Erzähl, Sandrine!«

»Der Student mit dem Handy hat später gesagt, seinem Großvater sei dasselbe passiert, deshalb hat er die Situation erkannt und den Notarzt gerufen. Tja, ich hab einen Aussetzer im Seminar, und durch die Tür kommen Sanitäter. Zum ersten Mal in meinem Leben wurde ich auf einer Trage transportiert. Mit Blaulicht und Martinshorn durch die Stadt. Ich konnte die Leute um mich herum genau verstehen. Der Fahrer hat zu jemandem gesagt: Ich komm um vor Hunger. Und ich dachte: Schokolade in der Tasche. Scho-ko-la-de. Es erschien mir schon weniger kompliziert, aber dann gingen die Türen auf, und ich bin weitergeschwebt. Hier. Bei uns sagt man UNV.«

Der erste Eintrag auf ihrem Zettel. »Auf Englisch heißt es Stroke Unit.«

»Du hattest einen richtigen Schlaganfall?«

»Nein, Hartmut. Ich versuche dich zu unterhalten, wenn du extra aus Bonn kommst. Einen Schluck Wein dazu?« Sandrine muss den Hals verdrehen, um ihn anzuschauen. Nicht streng, eher peinlich berührt, als wollte sie sagen: Lass dich von meinem Tonfall nicht täuschen. Also hält er den Mund. Am Beginn ihrer Geschichte hat er sich an das erste Auftreten seines Ohrgeräuschs erinnert, den kurzen Aussetzer seines Verstandes an jenem Abend. Sandrines Fall ist offensichtlich ernster.

»Die Abteilung«, sagt sie, »kannst du dir vorstellen wie eine Hotelküche um acht Uhr. Im ersten Moment ist alles an mir vorbeigerauscht. Es geht viel zu hektisch zu, als dass man irgendwas in sich aufnehmen könnte. Time is brain, lautet das Motto. Ich wurde auf Lähmungen untersucht, kam in eine Röhre und wieder raus. Die Ärzte haben eine Reihe von Tests gemacht, wie im Kasperletheater. Fassen Sie sich mit der rechten Hand ans linke Ohr! Sprechen Sie mir nach! Ich konnte schon wieder reden, langsam zuerst, weil ich Angst hatte, dass nur Gebrabbel kommt, aber nach einer Weile war alles normal. Wenige Stunden. Es war der berühmte Schuss vor den Bug, wurde mir später gesagt. Der Körper gibt zu bedenken, dass für sein Funktionieren keine Garantie besteht. Man ist an einen launischen Vertragspartner gebunden. Genau genommen besteht gar kein Vertrag. Man hat so lange Glück, bis es einen verlässt.«

»Keine Folgeschäden?«

»Ich bin eine Nacht zur Beobachtung geblieben. Die Ärzte haben mir erklärt, dass ich keine Hirnblutung hatte. Ein Herzfehler war die Ursache.« Sie liest das nächste Wort von ihrer Liste, ein langes diesmal, das Hartmut nicht versteht. »Im Kern bedeutet es mangelnde Koordination. Ein bisschen Blut bleibt vor den Herzkammern stehen, dadurch bilden sich Gerinnsel. Ich hab ein Mittel zur Blutverdünnung bekommen. Ursprünglich ein Rattengift, kein Witz. Mein Arzt konnte mir nicht sagen, wie man rausgefunden hat, dass es zur medizinischen Behandlung taugt. Das muss ich jetzt nehmen für den Rest meines Lebens: Coumadine. Klingt wie ein indonesisches Gewürz, ist aber Rattengift und schmeckt ein bisschen nach Vanille.«

»Und du kletterst wieder.«

»Die Ärzte meinten, ich muss selbst wissen, ob ich das Risiko auf mich nehmen will. Stürze sind gefährlich wegen des dünnen Blutes. Virginie hat bloß gesagt: Du stürzt nicht, ganz einfach. Falls du dich gefragt hast, warum ich dieses enge Verhältnis zu einer Cousine habe, die meine Tochter sein könnte – deshalb. Weil Freundinnen meines Alters betroffen den Kopf geschüttelt und von Kuren gesprochen haben. Mir einschärfen wollten, dass ich besser auf mich aufpassen muss. Schließlich lebe ich alleine! Was, wenn es wieder passiert, nachts? Virginie meinte, die beste Kur ist weiterleben wie vorher. Ein Mann mag seine Vorzüge haben, aber im Zweifelsfall schläft er sowieso. Zur Schlaganfallprävention ist Rattengift besser.«

»Als ich reinkam, hast du gesagt, du seist noch nicht wieder ganz die Alte. Du hast abgenommen.«

»Gefall ich dir nicht?« Noch immer sitzt sie dicht neben ihm und lehnt den Kopf gegen seine Schulter. Trotzdem wirkt sie verändert. Weniger angespannt und nicht länger auf Widerspruch aus, sondern trostbedürftig gegen ihren Willen. »Wahrscheinlich hätte ich nicht davon anfangen sollen. Ich rede ungern darüber, schließlich ist nichts Schlimmes passiert. In den ersten Wochen hab ich weitergelebt wie vorher, genau wie meine Cousine meinte. Nur den Lehrauftrag konnte ich nicht fortsetzen, weil ich täglich zur Blutuntersuchung musste. Das hat mir beinahe mehr zu schaffen gemacht als der Schlaganfall selbst. Wie soll man sich gesund fühlen, wenn man jeden Tag mit Ärzten zu tun hat? Irgendwann ging es dann los. Ich saß am Schreibtisch und hab Schweißausbrüche gekriegt, von einem Moment auf den anderen. Die Ärzte sagen, es kommt vor, dass der Schock mit Verzögerung einsetzt. Der Körper erholt sich schneller als der Kopf. Manchmal träume ich von den armen Teufeln, die ich auf der Stroke Unit gesehen habe. Die mit den halbseitigen Lähmungen, die drei Monate Reha machen müssen, bevor sie's wieder alleine aufs Klo schaffen. Das Ganze ist Anfang März passiert, und seitdem habe ich das Gefühl, als gebe es in mir eine zweite Person. Die schwache kleine Frau, der ich nie ähneln wollte und auch jetzt nicht ähneln will. Mein ganzes Leben lang hab ich sie in den Schrank gesperrt, und auf einmal drückt sie von innen gegen die Tür. Es ist der Gipfel der Ironie. Weißt du, wen ich meine?«

Weder ihren Vater noch die Mutter hat Hartmut je gesehen, nicht einmal auf Fotos, aber Sandrines Beschreibungen waren eindrücklich genug. Vor seinem inneren Auge erscheint ein abgedunkeltes Zimmer, in dem es nach Blumen und Seife riecht. Still über der Decke gefaltete Hände.

»Ich weiß noch, was du über sie gesagt hast: Eine gebildete kluge Frau, die alles, was sie schluckt, Aspirin nennt.«

Das Nicken, mit dem Sandrine seine Vermutung bestätigt, wirkt dankbar.

»Das letzte Drittel ihres Lebens hat sie im Sanatorium verbracht. Das war die beste Lösung für beide. Mein Vater konnte arbeiten und Geliebte haben, und meine Mutter hat sich ganz ihren Leiden hingegeben, frei von jeder Verantwortung für ihr Leben. Nachdem ich aus Amerika zurückgekommen war, hab ich sie nicht mehr oft gesehen, das war die beste Lösung für mich. Im Grunde habe ich ihr ihre Schwäche nie verziehen. Eine körperlich gesunde Frau, die ihr Leben im Bett verbringt. Vor fünfzehn Jahren ist sie gestorben, seitdem habe ich kaum an sie gedacht. Virginie, wer sonst, musste mir erklären, wer die Person im Schrank ist, von der ich mich bedrängt fühle. Ich wollte nicht glauben, dass zwischen uns Ähnlichkeiten bestehen, aber natürlich bestehen sie. Wie nicht? Sie war meine Mutter.«

Hartmut sagt nichts, greift nur nach ihrer Hand, die ihm kälter vorkommt als zuvor. Gerne würde er sich besser an die damaligen Gespräche erinnern, an die Orte und die Umstände, aber es sind nur Versatzstücke. Versprengte Zitate.

»Seitdem versuche ich, gewisse Erschütterungen zu vermeiden«, sagt sie. »Ich leiste mir eine Egozentrik, die ich früher peinlich gefunden hätte. Arbeite weniger, gehe regelmäßig zur Massage und so weiter. Schaue weniger Nachrichten und trinke kaum Alkohol. Ich mag nicht, wer ich bin im Moment, aber zumindest für eine begrenzte Zeit muss ich mich so akzeptieren.« Ruckartig richtet sie sich auf und sieht ihn an, als würde sie ihre Worte im Geist noch einmal durchgehen. »Das war die sehr lange Erklärung meiner ersten Reaktion auf deine E-Mail. Ich hab sie gelesen und einen Moment lang gedacht: Vielleicht lieber nicht.«

»Verstehe.«

»Dann hab ich mir gesagt: Scheiß drauf. Wenn der Kerl unbedingt will, soll er kommen. Hab ich vorhin gesagt, ich hätte lange überlegt, ob ich antworten soll? Es war eine halbe Stunde.«

Erst als Hartmut ihre Hand an seine Lippen führt, fällt ihm auf, dass es sich um eine Geste aus seinem Repertoire ehelicher Zärtlichkeiten handelt. Falls Sandrine das spürt, lässt sie sich nichts anmerken. Draußen ist aus dem kühlen Nachmittag ein milder Abend geworden, der seine Sonnenstrahlen durch die offene Balkontür schickt. Die Wolken, die er am Morgen über dem Opernhaus beobachtet hat, haben den Himmel über Paris geräumt. Langsam zieht von Westen her ein blasses Abendrot herauf. Es tut gut zu wissen, dass er jetzt nichts sagen muss.

»Wenn ich schon dabei bin«, fährt Sandrine fort. »Neulich ist was Merkwürdiges passiert, ein Beispiel für die seltsamen Anwandlungen, die mich gelegentlich überkommen. Vielleicht gefällt es dir. Ich hab in dem kleinen Gemüseladen um die Ecke eingekauft, die üblichen Sachen fürs Wochenende, unter anderem einen Beutel Kartoffeln. Seit Amerika mag ich Kartoffeln. Ich hatte den Beutel in der Hand und wollte ihn gerade in meinen Korb legen, als du auf einmal neben mir standest und sagtest: They are such a pain to pick, you know.« Die Imitation seiner Stimme gelingt nicht und Sandrine schüttelt sich, als wäre es ihr peinlich. Auch ihre Hand zuckt, aber Hartmut hält sie fest.

»Sind sie wirklich«, sagt er. »Sogar in deinen Phantasien weiß ich, wovon ich spreche. Das ist ein gutes Zeichen.«

»Ich konnte hören, wie du das sagst, okay? Direkt neben mir, als würdest du mir über die Schulter schauen. Im ersten Moment war ich erschrocken und dachte: Jetzt ist es so weit, jetzt verliere ich den Verstand, genau wie meine Mutter. Gleichzeitig musste ich laut lachen, mitten im Laden. Es ist kein witziger Satz, nur klang er in dem Moment wie etwas, das du genau so sagen würdest. Verstehst du, was ich meine? Da stand ich, eine nicht mehr junge Frau, den Einkaufskorb und einen Beutel Kartoffeln in der Hand. Lachend über nichts. So weit ist es mit mir gekommen.«

»Ich hab mich in den letzten Monaten auch ein paar Mal so verhalten, dass ich mich hinterher fragen musste: Was ist los mit mir? Wahrscheinlich gehört es einfach …«

»Du verstehst nicht, was ich meine, Hartmut.« Sie legt eine Eindringlichkeit in ihre Stimme, die er von früher kennt. »Es war ein schöner Moment. Mir war völlig egal, ob andere mich sehen und was sie denken. Es war real!«

In der Rue Lamarck quietschen Reifen. Ein Hupen ertönt, dann schüttelt Sandrine den Kopf, greift nach der Weinflasche und gießt den restlichen Inhalt in sein Glas.

»Vielleicht sollten wir demnächst was essen. Was meinst du?«

»Gerne. Ich hab heute nur gefrühstückt.«

»Eigentlich wollte ich dich ins *Au Relais* einladen, aber jetzt hab ich keine Lust mehr rauszugehen. Ist es okay, wenn wir eine Kleinigkeit bestellen?«

Mit einem Nicken zeigt er auf die leere Weinflasche. Sandrine steht auf und ist bereits an der Tür, als sie sich noch einmal umdreht: »Hilf mir auf die Sprünge. Gab es irgendwas, was du nicht isst? Meeresfrüchte, Schweinefleisch? Sind deine Zähne noch in Ordnung?«

»Danke der Nachfrage. Bestell, was du selbst magst.«

»Okay. Danach will ich endlich wissen, was dich hierhergetrieben hat.«

»Wir haben genug Zeit. Ich werd dir alles erzählen.«

»Genug Zeit, hm? Wenn du es sagst.«

Kurz darauf hört Hartmut sie in der Küche telefonieren.

Seine Armbanduhr zeigt halb acht. Der linke Fuß ist eingeschlafen, und um das Kribbeln abzuschütteln, steht Hartmut auf und geht ein paar Schritte durchs Zimmer. Studiert die Buchrücken in den Regalen. Einige amerikanische Romane glaubt er wiederzuerkennen. Dazu viel ethnologische Lektüre, hauptsächlich strukturalistischer Provenienz, was Carson Becker seinerzeit ebenso wenig begeistert hat wie Sandrines Dissertationsthema. Erst Ende der Achtzigerjahre, nachdem sie eine Weile von College zu College getingelt und der Trostlosigkeit der amerikanischen Provinz überdrüssig geworden war, ist sie zurückgekehrt. Abgesehen von den drei Jahren ihrer Ehe hat sie seitdem in diesen hellen Räumen in der Rue Lamarck gewohnt und sie zu einem Spiegel ihrer Person gemacht: unkonventionell und schnörkellos, voller Ballast und eine Wärme ausstrahlend, die nicht jeder spürt. Besucher kriegen teuren Bordeaux und müssen auf dem Boden sitzen. Was andere denken, ist deren Sache.

Hartmut nimmt das Bild in die Hand, das ihm am Nachmittag aufgefallen ist, den verwackelten und grünstichig gewordenen Schnappschuss von Sandrine und ihm. Sie lehnen gegen ein Geländer, das bei näherem Hinsehen nach der Reling eines Schiffes aussieht. Der Fotograf hat keine besondere Sorgfalt walten lassen. Vorne links ragt die Schulter einer weiteren Person ins Bild, und das junge Pärchen scheint im nächsten Moment aus dem Fokus der Kamera zu geraten. Beide halten Abstand zueinander und sehen aus, als wären sie gegen ihren Willen fotografiert worden. Im Hintergrund schimmert trübes Wasser.

Zwei Fremde, denkt er, wie gebannt vom Fehlen jeder Erinnerung an den Moment der Aufnahme. Der junge Mann auf dem Bild hat sich seit mehreren Tagen nicht rasiert und scheint zu glauben, dass die Stoppeln auf seinen Wangen ihn männlicher aussehen lassen. Tatsächlich liegt in seiner Miene etwas Verquältes und gleichzeitig Hochmütiges, das es schwer macht, Sympathie für ihn zu empfinden. Die Frau trägt die Haare offen und ein kurzes Kleid, dessen Muster an explodierte Blumenrabatten erinnert. Ist das Gewässer im Hintergrund der Mississippi oder einer der vielen Seen des Mittleren Westens? Als er Sandrine das Telefonat beenden hört, legt Hartmut das Bild zurück und stellt sich in die offene Balkontür. Draußen beginnt der Himmel über der Stadt violett zu leuchten. Die Spitze des Eiffelturms berührt beinahe den sichelförmigen Mond.

Beide Hände gegen den Türrahmen gestützt, atmet er mehrmals tief durch. Die letzten anderthalb Tage sind gleichzeitig schnell und langsam vergangen. Gestern Morgen war er derart verkatert, dass er die Abfahrt um einen Tag verschoben hätte, wäre nicht die Buchungsbestätigung des in der Nacht angeschriebenen Hotels bereits eingegangen. Also hat er lange geduscht und drei Tassen Kaffee getrunken, bevor er mit dem Taxi nach Beuel fuhr, um sein Auto zu holen. Ein sich über dem Siebengebirge zusammenbrauendes Gewitter machte die Luft schwer, als er schließlich wieder auf dem Parkplatz stand. Er schwitzte, ohne einen Finger zu rühren, fühlte Sehnsucht nach Marias Stimme und gleichzeitig Angst vor dem Klingeln seines Telefons. Sah sich um, als suchte er nach Spuren auf dem Boden, in der freien Parkbucht neben seinem Passat. Hier hatten sie gestanden in den wenigen Sekunden, in denen der scheinbare Beginn sein unausweichliches Ende fand.

Weniger als zwei Tage liegt es zurück, und wenn er ehrlich ist, hat er seitdem kaum daran gedacht.

5 Eine weitere Sekunde verging. Gegen den Wagen gelehnt, spürte Hartmut das Chaos seiner aufgewühlten Sinne und Trockenheit im Mund. Über Katharinas Kopf hinweg blickte er auf eine Reihe schimmernder Autodächer. Im angrenzenden Grundstück hing die Wäsche noch auf der Leine, wölbten sich Bettbezüge und weiße Laken in der kühlen Brise, die vom Rheinufer durch die Gärten wehte. Es geht nicht. Alles gesagt in einem Satz. Hartmut verlagerte das Gewicht aufs andere Bein und wartete auf seine Enttäuschung.

Am Nachmittag hatte er nachgedacht über den Punkt, wenn ihm alles egal sein und er sich einfach gehen lassen würde. Jetzt ließ Katharina die Hände über seinen Rücken wandern, so wie es Maria beim Abschied auf dem Hackeschen Markt getan hatte. Es war eine stille Sommernacht, in der er neben sich stand und den älteren Mann beobachtete, der geglaubt hatte, er könne mit einer jungen Frau Sex haben in diesem dunklen Hinterhof. Sein eigenes Tun, erlebt wie das Wirken einer anderen Kraft. Über Wochen und Monate hatte er gespürt, wie die Frustration in ihm zunahm, aber anstatt sich Bahn zu brechen, war alles in diesem einen kurzen Moment verpufft. Im Grunde ist gar nichts passiert, dachte er verwundert.

»Ich kann das nicht.« Katharinas Kopf lag auf seiner Brust, als stünden sie schon lange in regloser Umarmung. Als wäre ihre Handtasche aus Versehen zu Boden gefallen und die

Kleidung hätte der Wind zerzaust. »Mit einem verheirateten Mann.«

Am liebsten hätte er gesagt, dass er keine Erklärung brauchte. In Gedanken verfolgte er den anderen Weg bis zu all dem, was ihm nun erspart bleiben würde: die Verlegenheit, die gestammelten Anklagen und Rechtfertigungen, die ganze verkrampfte Kasuistik des Morgens danach. Stattdessen ein paar Sachen packen und wegfahren, gleich morgen früh. Aus offenen Küchenfenstern drangen Stimmen und das Klappern von Geschirr. Hinter dem Parkplatz hielten Bäume ihre Äste still und wisperten durch die Blätter.

»Ich kenne es von beiden Seiten«, sagte sie leise. »Es war seine Art, sich über die berufliche Demütigung hinwegzutrösten. Und meine, mich an ihm zu rächen. Das Ende ist bekannt.«

Hartmut legte seine Arme um ihre Schultern. Es tat gut, nicht angreifbar zu sein durch das, was sie sagte. Die Verantwortung lag anderswo. Als wollte sie das bestätigen, hob Katharina den Kopf und zögerte nur kurz, bevor sie ihn küsste. Die Übertretung lag hinter ihnen, der Weg nach vorne war versperrt, aber im Hier und Jetzt, zwischen den Autos auf dem nächtlichen Parkplatz, waren sie frei zu tun, was sie wollten. Von der Straße hörte er fröhliche Stimmen und Schritte, die sich zum Glück schnell wieder entfernten.

»Danach hab ich mir geschworen, es nicht mehr zu tun. Weder die Betrogene zu sein noch die Betrügende. Auch nicht die an einer fremden Ehefrau.«

»Das ist …« Er musste sich zwei Mal räuspern, bevor er weitersprechen konnte. »Sehr nobel von dir.« Was sollte er sonst sagen?

Ein letztes Mal fuhren seine Hände über ihren Rücken, ertasteten feineren Stoff und die beginnende Rundung ihres Pos. Die Lust war noch da, das eingesperrte Tier, dessen Bedürfnisse nicht mehr zählten. Dann ließ er sie los und sagte: »Ich fahr dich nach Hause.«

Jeder für sich richteten sie ihre Kleidung und stiegen ein. Auf der Rückbank lagen zerfledderte Comic-Hefte. Hartmut fuhr den Sitz nach hinten und justierte den Rückspiegel. Trat die Kupplung, schaltete probehalber einmal durch und war Katharina dankbar, dass sie keine Stille aufkommen ließ.

»Als ich davon erfahren habe, war ich völlig zerstört. Obwohl ich es hätte wissen können. Wahrscheinlich wollte ich ihn für stärker halten, als er ist. Weshalb er sich stärker geben musste, als er war, bloß auf die falsche Weise. Erst jetzt, bei unseren kleinlichen Streitereien, wird mir klar, wie wenig er dem Bild entspricht, das ich mir von ihm gemacht hatte.«

»Er hat dich betrogen, zuerst. Warum wollen Frauen immer glauben, dass es ihre eigene Schuld ist?«, fragte Hartmut, als sie vom Parkplatz rollten. Obwohl er einiges getrunken hatte, spürte er nichts mehr davon. Stattdessen erreichte ihn die Vorhut seines schlechten Gewissens, ein kleiner Erkundungstrupp, der das Gelände sondierte, auf dem sich morgen die ganze Mannschaft breitmachen würde.

»In einem Punkt verfüge ich über mehr Lebenserfahrung als du«, sagte Katharina ein wenig kühler als zuvor. »Auch wenn Scheidungen wahrlich keine Seltenheit mehr sind – wer es nicht kennt, versteht die Desillusionierung nicht, die damit einhergeht. Alle sind Zeugen. Die Familien, die Freunde, allen muss man's erklären, und selbst wenn man das kann, bleibt das Gefühl, auf ganzer Linie gescheitert zu sein. Unseren Sohn gibt es, weil wir einander geliebt haben, und jetzt lebt er abwechselnd bei zwei Menschen, die kleinlich um Besuchszeiten feilschen. Was hab ich damit gewonnen zu sagen: Er hat angefangen?«

»Wahrscheinlich hast du recht.« Hartmut steuerte den Wagen über die Kennedybrücke, dann die verwaiste Adenauerallee entlang. Angestrengt blickte er auf Tachometer und Straße und bog kurz hinterm Bundesrechnungshof ab in die Südstadt. Bei jedem Schalten ging ein Ruck durch den Wagen, und jedes Mal schluckte Hartmut die Entschuldigung hinunter, die ihm auf der Zunge lag. Einmal hielt neben ihnen ein Polizeiauto an der Ampel, und sie beide schauten verkrampft geradeaus, bis es grün wurde. Das Gespräch verebbte. Als sie um halb zwölf in der Lessingstraße ankamen, wurden in einer Eckkneipe die Stühle hochgestellt. Schöne Altbauten und hohe Linden zu beiden Seiten. Katharina dirigierte ihn in die einzige freie Parkbucht, die für sie reserviert zu sein schien, auch wenn er kein Schild sah. Nicht weit von hier, oben im Bonner Talweg, hatten Maria, Philippa und er in den ersten Jahren gewohnt. Ein junges Paar mit kleinem Kind. Jetzt fiel ihm auf, dass er lange nicht mehr in der Südstadt gewesen war und die Gegend als weniger bürgerlich in Erinnerung behalten hatte.

»Bist du mir böse?«, fragte Katharina, als er den Motor abstellte.

»Überhaupt nicht. Es ist besser so.«

»Ich hätte es dir früher sagen sollen. Früher sagen müssen, und das wollte ich auch. Bloß ist es mir noch nie so schwer gefallen. Wenn man alleine lebt, fragt man sich, wozu Prinzipientreue gut sein soll. Außer dass sie das Alleinsein verlängert.«

Wir schulden einander nichts, wollte er sagen und schüttelte den Kopf. Es war bereits etwas falsch an der Art, wie sie jetzt versuchten, alles richtig zu machen, nicht enttäuscht oder gekränkt zu sein, weder Scham noch Reue zu empfinden. Machen wir uns nichts vor, dachte er grimmig, Prinzipientreue ist die Tofuwurst unter den Tugenden. Fleischlos und fade. Stattdessen sagte er lahm: »Ich halte es mir zugute, dass die Anziehung stärker war.«

»Okay.«

In Gedanken legte er beide Hände auf ihre Brüste. In Wirklichkeit verließen sie den Wagen und gingen zum Eingang ihres Hauses. Die letzten Körnchen rieselten durch den Hals der Sanduhr, dann erreichten sie die Tür, und er übergab den Autoschlüssel, wie eine symbolische Kapitulation.

»Na dann.« Mit zerwühlten Haaren stand Katharina vor ihm, und Hartmut steckte die Hände in die Taschen. Nebenan praktizierte das Analytische Gestalt-Institut, an den Zaun des kleinen Vorgartens waren Fahrräder gekettet.

»Balkonien«, sagte er und wies mit dem Kinn aufwärts. »Welcher ist es?«

»Dritter Stock. Wegen der Beurlaubung werde ich mich erkundigen und dir Bescheid geben.« Katharina hielt den Schlüssel in beiden Handflächen wie einen aus dem Nest gefallenen Vogel. »Es ist wegen deiner Frau, richtig?«

»Ja«, sagte er ohne Widerwillen. Entweder riet sie oder konnte es spüren, oder sie hatte an der Uni den üblichen Tratsch aufgeschnappt. »Vor allem ist es kompliziert. Aus vielen Gründen, nicht nur wegen meiner Verpflichtungen hier. Vielleicht reden wir darüber ein andermal.«

»Okay. Tun wir das.«

Mit dem letzten Kuss sagten sie einander gute Nacht, dann konnte er nur noch Bedauern lesen aus der Art ihres Gangs und dem kurzen Gefecht mit dem Türschloss. Er sah ihren Schemen im Flur verschwinden und verwarf den Gedanken, ein Taxi zurück nach Beuel zu nehmen. Hinter ihm lag ein langer Tag, und er musste zu Hause ein paar Dinge erledigen, zum Beispiel noch was trinken. Das Auto konnte er morgen holen. Langsam lief er die Lessingstraße hinauf und bog nach rechts ab, auf die Strecke, die er früher zur Uni gefahren war. Vor dem Eingang einer Kneipe verabschiedeten sich junge Leute voneinander, mit Küssen und innigen Umarmungen, als würden sie einander nie wiedersehen. Hartmut ging vorbei und fühlte sich aufgehoben im Gleichgewicht widerstreitender Gefühle. Einsam auf ebenso wohltuende wie schmerzliche Weise. Enttäuscht und erleichtert, aufgekratzt und müde. Als ihn in der Weberstraße ein leeres Taxi überholte, hob er die Hand und sah die Bremslichter aufleuchten. Im Fond empfing ihn der angenehme Geruch von Vanille und Leder. Dazu ein fragender Blick im Rückspiegel.

»Venusberg, bitte.« Hartmut schloss die Tür und schnallte sich an. Merkwürdig, wie der Entschluss vor ihm stand, ohne gefasst worden zu sein. Sandrine würde sich zwar wundern und zuerst misstrauisch nachfragen, aber wohin sollte er sonst fahren? Das letzte Zusammentreffen lag so viele Jahre zurück, dass ihm nicht auf Anhieb einfiel, wie viele es waren. Sie hatten im *Au Relais* gegessen, unweit ihrer Wohnung. Eine Mahlzeit in freundschaftlicher, leicht melancholischer Atmosphäre. Gemeinsam hatten sie eine Flasche Wein getrunken und das Gespräch ferngehalten von allem, was ihnen auf dem Herzen lag. Vielleicht dachte er daran, weil er auch damals nicht gewusst hatte, warum sich sein schlechtes Gewissen nur zögerlich einstellte. Als absolvierte es eine lästige Pflichtübung.

»Schöner Abend«, murmelte er vor sich hin.

Nach dem Essen hatte Sandrine ihn zur Métro gebracht, mit vor der Brust verschränkten Armen und so schweigsam, wie sie nur wird, wenn sie traurig ist. An ihrem Haus vorbei, die Rue Lamarck hinunter. Er hatte die Fassade hochgeblickt und sich gefragt, ob er je wieder ihre Wohnung betreten würde. Sieben Jahre lag es zurück, oder acht?

»Sind Sie Professor Hainbach?« Die Frage riss Hartmut aus seinen Gedanken. Automatisch setzte er sich aufrecht hin und hob den Kopf.

»Das … Der bin ich, ja.«

»Sie erinnern sich nicht an mich. Ich hab nur ein Seminar bei Ihnen besucht. Vor zehn Jahren. Wittgenstein.« Das Gesicht, das der Fahrer ihm kurz zuwendete, kam Hartmut nicht bekannt vor. Ein Mann Anfang dreißig, mit randloser Brille und bereits schütterem Haar, dessen Miene auf zufriedene Weise gelangweilt wirkte.

»Sie haben Philosophie studiert?«, fragte Hartmut.

»Architektur. Philosophie war nur ein Hobby.«

»Verstehe.« Er hätte es vorgezogen, in Ruhe seinen Erinnerungen nachzuhängen, aber da er nun mal zu einem ehemaligen Seminarbesucher ins Taxi gestiegen war, versucht er, das Beste aus der Situation zu machen. Den *Tractatus* hatten sie gelesen, erfuhr er auf Nachfrage. Sein Fahrer hieß Meier. Die Welt ist alles, was der Fall ist, wusste er, das habe ihm seinerzeit zu denken gegeben. Während er den Wagen durch Poppelsdorf lenkte, wo die Kneipen noch belebt waren, sprach Herr Meier in den

Rückspiegel wie in eine laufende Kamera. Im Grunde so etwas wie ein Gestrüpp aus Tatbeständen, auch wenn Wittgenstein es anders ausgedrückt habe. Der Versuch, das in eine endliche Zahl von Sätzen zu fassen, sei allerdings hoffnungslos. Genial und auf seine Weise heroisch, aber undurchführbar. Habe Wittgenstein wohl später selbst eingesehen. Das Gesicht im Rückspiegel schien auf eine Beurteilung zu warten.

»Jetzt sind Sie Architekt?«, fragte Hartmut.

»Mehr oder weniger.« Zurzeit keine feste Anstellung, seine Freundin sei schwanger und die Jobaussichten – »nun ja, wir alle lesen Zeitung«. Wie zum Beweis lag der *Generalanzeiger* aufgeschlagen auf dem Beifahrersitz. Was auf dem amerikanischen Immobilienmarkt geschehe, werde auch hier nicht folgenlos bleiben, sagte er. Hartmut hörte mit einem Ohr zu und wunderte sich, dass er heute bereits die zweite Unterhaltung dieser Art führte; die erste am Nachmittag mit Charles Lin, der vermutlich gerade Rilke las und von seinem Fahrer sagen würde, er habe eine sehr erfahrene geistige Stufe. Herr Meier griff in eine Tüte mit Salzgebäck neben der Handbremse und schien zu überlegen, ob er dem Fahrgast davon anbieten sollte.

»Wenn man erst mal Kinder hat«, sagte er kauend, »ändert sich vieles. Richtig?«

»Bei mir war es so.« Kurz erwog und verwarf Hartmut den Gedanken, den Witz mit den drei Geistlichen zu erzählen. Die Kneipen in der Clemens-August-Straße hatten sie hinter sich gelassen und hielten an einer roten Ampel. Hartmuts Blick fiel auf leere Bürgersteige und dunkle Schaufenster. Das Papiergeschäft an der Kreuzung stellte Utensilien für Schulanfänger aus. Philippa hatte eine blaue Schultüte gehabt, mit der silbernen Aufschrift ›Mein erster Schultag‹. Schwer zu sagen, warum ihm das jetzt einfiel, oder warum dieser Moment – der Anblick eines nächtlichen Schaufensters, das hinter ihnen zurückblieb, als die Ampel auf Grün schaltete – wie die Summe von vielen anderen erschien, die ihm vorangegangen waren. Zu was schließlich summieren sich Momente? Vielleicht sollte er mal wieder ein Seminar zu einem aus der Mode gekommenen Buch wie dem *Tractatus* anbieten. Darin wurde viel von Bestandteilen geredet, die sich zusammensetzten zu etwas, das so nicht erklärbar ist. Wann immer Hartmut sein zerlesenes Exemplar zur Hand nahm, sah er Stan Hurwitz vor der Tafel auf und ab gehen, gepackt von einer Erregung, die sich allmählich auf die Zuhörer übertrug. Lauter zweifelhafte Sätze, sachlich kühl und mystisch tief. *1.21 Eines kann der Fall sein oder nicht der Fall sein und alles übrige gleich bleiben.* Konnte es das wirklich, oder war es im Gegenteil so, dass alles anders wurde, wenn eins sich änderte? Schließlich ging es um einen Zusammenhang, kein Kompositum.

»Als meine Freundin mir gesagt hat, dass sie schwanger ist …« Herr Meier hatte ein Thema gefunden, das ihn stärker beschäftigte als der frühe Wittgenstein. »Stundenlang lag ich nachts wach und dachte: Oh Gott, und jetzt? Klar hab ich mich gefreut, aber schlafen konnte ich nicht. Wollen Sie's genau wissen? Seitdem fahre ich wieder Taxi, nachts. Wie als Student.«

Noch einmal begegnete Hartmut Herrn Meiers ausdruckslosem Blick, und mit einem Mal war ihm der Fahrer sympathisch. Die freudige Panik vor dem ersten Kind kannte er gut. Das Gefühl, dass abgenutzte Wörter wie ›Verantwortung‹ eine Bedeutung annahmen, von der er früher nichts geahnt hatte. Als Philippa zu Welt kam, war er ein Privatdozent ohne feste Anstellung und mit unregelmäßigem Einkommen. Wie Katharinas Ex-Mann. Nicht sicher, wovon die Familie im nächsten Jahr leben würde.

»Ich hab damals Tagebuch geführt«, sagte er. »Vorher selten, nachher nie wieder. Aber ein paar Monate lang dachte ich, das will ich festhalten. Die Veränderung. Die sich übrigens nicht festhalten lässt, aber es lohnt den Versuch.« In einer der Boxen im Arbeitszimmer musste es liegen, ein grünes Heft voll hilfloser Reflexionen. Später hatte er nie mehr reingeschaut.

Schweigend fuhren sie die Robert-Koch-Straße hinauf. Seit fünfzehn Jahren tat er das täglich und genoss jedes Mal den sanften Schwung der Kurven. Als würde der Alltag von ihm abfallen, auch wenn ihn seit zwei Jahren nur ein leeres Haus erwartete. Wie viele Jahre waren vergangen, seit er Philippa zuletzt vom Schwimmbad abgeholt hatte? Hartmut schaute aus dem Seitenfenster. Der Sendemast blinkte verloren in den Himmel, und etwas hatte sich unwiderruflich verändert. Nicht in der Welt, in seinem Kopf.

»Auf die Idee bin ich noch gar nicht gekommen«, sagte Herr Meier mehr zu sich selbst. »Tagebuch schreiben. Klingt ein bisschen retro, oder?«

»Für Sie bestimmt. Ich meine Ihre Generation. Da vorne links.«

Seit zwei Jahren saß er nachts allein im Wohnzimmer, hörte es rauschen in den umliegenden Gärten und klammerte sich an die Hoffnung, Maria werde den Umzug nach Berlin zum Irrtum erklären und zu ihm zurückkehren. Ein vergeblicher Wunsch, der genau den Platz besetzte, an den die Einsicht gehörte, dass er eine Entscheidung treffen musste. Diesmal war es kein harmloses Gedankenspiel wie vor drei Tagen auf dem Hackeschen Markt, keine Mutprobe im Kopf, sondern die Wirklichkeit. Er musste einen Zug machen.

»Ein Haus hier oben war immer mein Traum«, sagte Herr Meier, als sie am Waldrand entlang über Kopfsteinpflaster rollten. Aus dem Funkgerät unter dem Taxameter kamen verzerrte Stimmen.

»Ich werde meins bald verkaufen«, hörte Hartmut sich sagen. Horchte dem Satz hinterher, ob er abwegig oder unglaubwürdig klang, und fand ihn allenfalls ein wenig kühn. »Meine Tochter studiert in Hamburg, meine Frau hat einen Job in Berlin, und für mich alleine ist das Haus zu groß. Das da vorne mit dem unordentlichen Garten.« Er zog sein Portemonnaie aus der Tasche. Dass es ihm Spaß machte, sich selbst mit Worten voraus zu sein, war das ein gutes oder schlechtes Zeichen? Würde er den Worten folgen oder morgen früh befinden, er habe zu viel getrunken und sich selbst einen Floh ins Ohr gesetzt?

»Das sind neun Euro sechzig.« Herr Meier hielt direkt vor

der Einfahrt. »Aus dem Garten könnte man übrigens mehr machen, auch wenn er klein ist.«

Zum zweiten Mal an diesem Tag betrachtete Hartmut sein Grundstück durch ein Autofenster. Dunkel und verlassen und in der Tat eines Faceliftings bedürftig, bevor potentielle Käufer es in Augenschein nahmen.

»Mir fehlt die Zeit, verstehen Sie.«

Herr Meier streckte die Hand aus und zeigte auf den Kirschbaum neben der Terrasse.

»Apropos Zeit: Der geht Ihnen früher oder später ans Fundament. Wächst zu dicht am Haus. Quittung?«

»Nein. Stimmt so«, sagte Hartmut und reichte zwölf Euro nach vorne. Dann blickte er in den offenen Geldbeutel und beschloss, den Schwung des Augenblicks für einen weiteren Schritt zu nutzen. »Hören Sie, wenn ich Ihnen noch zwanzig Euro gebe, dreißig, wenn Sie wollen, würden Sie dann kurz mit reinkommen, sich das Haus ansehen und mir sagen, was ich dafür verlangen könnte?«

»Ich soll jetzt …?« Zum ersten Mal drehte Herr Meier den Kopf weit genug nach hinten, um Hartmut direkt anzusehen. Sicher war er damals im Seminar ein Hinterbänkler gewesen oder hatte nur unregelmäßig teilgenommen, sonst müsste sein Gesicht ihm wenigstens vage bekannt vorkommen.

»Schon seit Wochen hab ich vor, das Haus schätzen zu lassen«, sagte Hartmut, »und komme nicht dazu. Morgen fahre ich für einige Tage in Urlaub und würde die Sache gerne durchrechnen. Sind Sie mit dem Bonner Immobilienmarkt vertraut?«

»Einigermaßen. Genauer gesagt, ziemlich gut.«

»Also?« Hartmut zog einen Schein aus dem Geldbeutel und hielt ihn nach vorne. »Nur so Pi mal Daumen, zu meiner Orientierung.«

»Stecken Sie das wieder ein.« Herr Meier winkte ab, bevor er in schlecht gespielter Entrüstung den Gurt löste und die Fahrertür öffnete. »Sie wissen, dass das keine seriöse Schätzung wird. Eigentlich darf ich das gar nicht.«

»Vielen Dank.« Hartmut stieg auf der anderen Seite aus. Wie immer war es auf dem Venusberg zwei bis drei Grad kühler als unten in der Stadt. Er blickte die nächtlich leere Straße entlang, auf die Reihe gebogener Laternenmasten, deren Licht aufs schwarze Kopfsteinpflaster fiel. Ein Haus in bester Lage, damals nur finanzierbar dank einer kräftigen Finanzspritze seines Schwiegervaters. Neben der Einfahrt hatte vor zwei Jahren der Umzugswagen gestanden und Marias wenige Sachen aufgenommen. Seitdem lebte er mit dem Gefühl, seiner Frau hinterherzusehen. Hatte sich in Stress und Einsamkeit ergeben und nicht gemerkt, wie groß sein Verlangen geworden war, selbst vorauszufahren. Hatte es das früher nicht gegeben: Sehen, wohin die Straße führt, indem man ihr folgt? Hatte Wittgenstein nicht auch darüber geschrieben: *3.02 Der Gedanke enthält die Möglichkeit der Sachlage, die er denkt. Was denkbar ist, ist auch möglich.* Das mochte stimmen oder nicht, aber wer es herausfinden wollte, musste den ersten Schritt tun. Dann noch einen. In der Hoffnung, Schwung zu gewinnen aus der eigenen Bewegung.

»So. Das war meine sehr ausführliche Antwort auf die Frage, was mich hierhergetrieben hat.« Hartmut hält inne und sieht Sandrine ins Gesicht. Erst jetzt wird ihm bewusst, wie lange er erzählt hat. Fast eine Stunde, die ganze Geschichte von Marias Auszug über den großen Streit bis vorgestern Abend. Beinahe ist er überrascht, wie bruchlos sich eins aus dem anderen ergeben zu haben schien. Alleine die Schlussfolgerung klingt ein wenig gezwungen, jedenfalls spürt er den Schwung seiner Bewegung nicht so stark wie die Widerstände.

»Verstehe.« Sandrine hockt mit angezogenen Beinen auf ihrem Stuhl und lächelt. Das Kerzenlicht macht die Falten um ihren Mund als schmale Schattenlinien sichtbar. Die Augen blicken ein wenig spöttisch, als hege auch sie Zweifel an seiner Entschlossenheit.

»Wir sind ins Haus gegangen«, sagt er, »der Kerl hat angefangen, sich umzuschauen, und ich dachte: Verdammt ja, es ist möglich. Woran ich hänge, ist schließlich weder das Haus noch Bonn. Nachdem er gegangen war, hab ich die Mail geschrieben und ein Zimmer reserviert. Am nächsten Morgen musste ich nur noch meine Sachen packen und losfahren.«

»Und hier bist du. Nach all den Jahren.«

»Ich weiß nicht mehr, mit welcher Vereinbarung wir damals auseinandergegangen sind. Mir war bloß klar, dass es zu lange her ist und ich den Kontakt nicht abreißen lassen will.« Er greift nach der Karaffe auf dem Tisch und schenkt sich Wasser ein.

»Du willst also tatsächlich dein Haus verkaufen«, sagt Sandrine, ohne auf seine Bemerkung einzugehen. »Vielleicht den Beruf wechseln. Ich gebe zu, das hätte ich dir nicht zugetraut.«

»Neulich hab ich gelesen, dass erwachsene Amerikaner im Schnitt alle fünf Jahre den Wohnort wechseln. In den USA tun die Leute es ständig: lassen das eine hinter sich und beginnen mit dem Nächsten. Du überlegst, mit Virginie zusammenzuziehen. Es ist ganz normal. Warum nicht für mich?«

Durch die Balkontür kommt kühle Luft herein. Sie sitzen einander über leeren Tellern gegenüber, an einem Klapptisch, den Hartmut ebenso sorgfältig stabilisiert hat wie am Nachmittag den Abstellplatz für das Tablett. In dem Journal-Artikel wurde außerdem ein direkter Zusammenhang zwischen Lebenseinstellung und Umzugsbereitschaft hergestellt: Je zuversichtlicher Leute in die Zukunft blicken, desto größer sei ihre Bereitschaft, den Wohnort zu wechseln. Über den Wert für Deutschland schrieben die Autoren, er sei vergleichsweise niedrig, aber im Steigen begriffen.

»Was mit dem Haus geschieht«, sagt er, »ist natürlich nicht die einzige Entscheidung, die demnächst ansteht. Nicht mal die wichtigste.«

»Das hab ich verstanden.«

»Eine Woche bleibt mir, und schon jetzt bin ich nervös, wenn ich meine E-Mails lese. Wahrscheinlich will der Verleger eine Antwort, bevor ich die Möglichkeit hatte, mit Maria zu sprechen.« Hartmut bricht ein Stück Baguette ab, fährt über die

Olivenölreste auf seinem Teller und isst. Was Sandrine als kleine italienische Vorspeisenplatte angekündigt hatte, entpuppte sich als üppiges Mahl aus Meeresfrüchten und Parmaschinken, kleinen Melonenscheiben, Lachs und eingelegtem Gemüse. Den Salat dazu haben sie gemeinsam in der Küche zubereitet und über ihre früheren Kochversuche in Walters Haus gelacht. Während sie Schulter an Schulter Tomaten schnitten und an ihren Weingläsern nippten, war es so, wie er sich den Besuch vorgestellt hatte: Geschichten von früher, Orte, Namen. Wie die Bar hieß, die sie immer aufsuchten, wenn die Kochversuche gescheitert waren. Palmer's Bar, Palmer's Café oder einfach nur Palmer's? Jetzt sitzt Sandrine mit verschränkten Armen auf ihrem Platz und schaut ihn fragend an.

»Soll ich noch einen Wein aufmachen oder … Willst du Kaffee, einen Tee?«

»Einen Rat könnte ich gebrauchen.«

»Von mir?«

»Deine Cousine würde empfehlen: weiterleben wie bisher. Mein Fall liegt aber anders.« Tatsächlich hat seine plötzliche Entscheidungsfreude schon vorgestern Abend einen ersten Dämpfer erlitten. Auf den Wert des Hauses wollte sich Herr Meier nicht festlegen. Die Kellerwände seien ein Unsicherheitsfaktor, auf die müsste er bei Tageslicht einen genaueren Blick werfen, sagte er, als sie nach einem Rundgang durchs Haus wieder in der Küche standen. Das Dach scheine solide, aber neue Besitzer würden wohl bald an ein Auswechseln der Ziegel denken. Für den Zustand der Wasserleitungen lege er seine Hand nicht ins Feuer und so weiter. Der spontan berufene Gutachter nahm seine Aufgabe überaus ernst. Das Entscheidende beim Verkauf einer Immobilie sei ohnehin das Grundstück. Nur Laien klammerten sich an den Mietpreisspiegel, der Experte schaue auf den Bodenrichtwert. Hier oben auf dem Venusberg betrage er über vierhundert Euro. Wenn Hartmut ihm sage, wie groß das Grundstück sei, werde er ihm den Marktwert ausrechnen. Sofort, aber wohlgemerkt ohne Garantie, dass ein Käufer den Preis auch zahlen wolle.

Hartmut leert sein Wasserglas in einem Zug und schenkt sich gleich noch einmal ein.

»Ich hab den ganzen Tag nicht genug Wasser getrunken«, sagt er. »Willst du auch noch was?«

Sandrine schüttelt den Kopf.

»Du hast gar nicht gesagt, was du den ganzen Tag gemacht hast. Was hast du dir angesehen?«

»Heute Morgen bin ich einmal um die Oper und durch dieses Kaufhaus gelaufen. Danach saß ich in meinem Hotelzimmer und hab eine Doktorarbeit gelesen. Über den Weltgeist in China. Mehr wusste ich nicht mit mir anzufangen, alleine in Paris.«

»Was macht der Weltgeist in China?«

»Wenn ich den Autor richtig verstehe, sorgt er dafür, dass die Moderne Einzug hält. Wie er das schafft, bleibt sein Geheimnis. Sprachlich ist die Arbeit ein Alptraum.«

Sandrines Miene verrät nicht, ob sie sich für seine Antwort interessiert. Je später der Abend, desto kleiner scheint die Schnittmenge zu werden zwischen seinen und ihren Gedanken. Ein langsames Auseinanderdriften, mit dem Hartmut sich nicht abfinden will.

»Der Verfasser ist Chinese«, sagt er, »und hat sechs Jahre an der Arbeit gesessen. Vor zwei Tagen hab ich mich mit ihm unterhalten und festgestellt, dass ich wenig über ihn weiß oder wissen will. Einerseits beschwere ich mich, dass die begabten Leute nicht zu mir kommen, andererseits hab ich mir zugutegehalten, dass ich mich um die kümmere, die meine Hilfe brauchen. In Wirklichkeit kümmere ich mich nicht, sondern schleuse sie durch. Obwohl ich mir vorgenommen hatte, zu meinen Studenten zu sein, wie Stan Hurwitz zu mir war.«

Sandrine lächelt und nickt.

»Hab mich schon gefragt, wann du endlich auf ihn zu sprechen kommst. Reverend Hightower und seine geheimen Studien. Dass du dich an jemanden hängst, der Nixon wählt – zwei Mal! –, konnte ich damals schwer akzeptieren. Nur als Nachtrag, weil ich vorher gesagt habe, ich hätte nichts an dir ändern wollen.« Den Spitznamen hatte sie seinem Doktorvater nicht wegen der Körpergröße, sondern in Anspielung auf den Priester aus *Light in August* verpasst, durch dessen Kopf die Kavallerie des Bürgerkriegs zog; so wie durch Stans Kopf die Infanterie des Zweiten Weltkriegs. Jetzt beugt sie sich nach vorne, als wäre es an der Zeit, das Geplauder sein zu lassen.

»Tu es, Hartmut! Verkauf das Haus, wechsel den Job und zieh nach Berlin, bevor die Einsamkeit dich aus der Bahn wirft. Du bist kurz davor.«

»Das ist dein Rat?«

»Bei unserem letzten Treffen hast du damit kokettiert, in der Midlife-Crisis zu stecken, aber du warst nicht halb so verunsichert wie jetzt.«

»Wenn du es sagst. Ich weiß nicht mehr, was ich damals gefühlt habe.«

»Versteck dich nicht hinter Paragraphen. So unfrei, wie du glauben willst, bist du nicht. Du hast bloß Angst.«

»Ein paar arbeitsrechtliche Fragen werde ich klären müssen. So ein Ausstieg ist keine Kleinigkeit.«

»Klär sie! Und dann fass dir ein Herz, und tu es!« Energisch rückt sie ihren Stuhl nach hinten und steht auf. »Ich bin gleich wieder da.«

»Okay. Klar.«

Das Kerzenlicht lässt zitternde Schatten über die Regale wandern, als Sandrine den Raum verlässt. Bei Dunkelheit erinnert er an eine Höhle, deren Enge Hartmut zu entkommen versucht, indem er sich erneut in die offene Balkontür stellt. Die kühle Nachtluft auf seinem Gesicht tut gut. Tu es!, denkt er. Dasselbe wollte er sich vorgestern Abend zurufen. Nach einigem Suchen hatte er den Kaufvertrag gefunden und auf dem Schreibtisch ausgebreitet. Herr Meier beugte sich darüber und schien in allem, was er las, seine Erwartungen bestätigt zu finden. Ein Grundstück von fünfhundert Quadratmetern sei klein für hiesige Verhältnisse und kaum mehr als zweihunderttausend Euro wert. Konservative Schätzung. Er habe von

Fällen gehört, in denen vierhundertzwanzig Euro pro Quadratmeter gezahlt worden seien und etwas komme für das Haus natürlich dazu. Enttäuschung und Groll stiegen in Hartmut auf, als Herr Meier mit gewichtiger Miene zusammenfasste: Wegen mäßiger Bausubstanz sei der Wert des Hauses gering zu veranschlagen. Ihn durch Investitionen zu steigern, lohne sich nicht. Der wahrscheinlichste Käufer dürfte jemand sein, der es auf den Baugrund abgesehen habe. Dessen Wert steige. Die Schlussfolgerung oder, wie man in Hartmuts Beruf sage, die Konklusion zu ziehen, überlasse er ihm. Dass der Füllfederhalter, den er in seinen fleischigen Fingern drehte, nicht ihm gehörte, schien Herrn Meier nicht zu stören. Mit spürbarem Vergnügen spielte er die Rolle eines Maklers, der einen finanzschwachen Kunden mit den Realitäten des Geschäfts vertraut macht. Als wollte er als Nächstes raten: Vielleicht schauen Sie erst mal woanders.

Tu es – auch wenn es ökonomisch unklug ist?

Nachdem er mehrere Minuten auf Sandrine gewartet hat, geht Hartmut in die Küche und sieht sie mit verschränkten Armen vor dem Fenster stehen. Der Geruch von Zwiebeln und Olivenöl mischt sich mit dem süßen Duft seiner Blumen. Drinnen herrscht die schummrige Beleuchtung einer über der Spüle angebrachten Schreibtischlampe, draußen strahlt die nächtliche Metropole. Auf einmal ist ihm mulmig bei dem Gedanken, sich in Kürze verabschieden zu müssen.

»Den Blick werde ich vermissen«, sagt Sandrine, »wenn ich mit Virginie zusammenziehe.«

»Gibt's schon ein Datum für den Umzug? Eine neue Wohnung?«

»Weder noch. Wir suchen.«

»Hab ich dich gelangweilt mit meinen Problemen?« Hartmut lehnt sich mit dem Steiß gegen die Spüle. »Falls ja, tut es mir leid.«

»Ich steh nur ein bisschen hier und hänge meinen Gedanken nach.«

»Okay.«

Eine Weile schauen sie schweigend nach draußen. Wie ein dunkles Band windet sich die Seine durch das Lichtermeer. Dann wirft Sandrine einen Blick über die Schulter, als müsste sie sich vergewissern, dass er noch hinter ihr steht.

»Haben wir uns sehr verändert seit dem letzten Mal? Es kommt mir so vor.«

»Inwiefern verändert?«

»Es ging mir durch den Kopf, als ich dir zugehört habe. Wie wir da sitzen und reden und Bedenken wälzen. Über die Ehe, die Arbeit, die Gesundheit.« Es klang, als wollte sie zu einer längeren Rede ansetzen, aber sie schüttelt den Kopf und führt ihr Glas an die Lippen. Hartmut kann nicht erkennen, ob sie ihn über das spiegelnde Fenster ebenso beobachtet wie er sie.

»Also doch gelangweilt«, sagt er.

»Es ist nicht deine Schuld, ich bin genauso. Das meinte ich: Früher haben wir nicht ängstlich nach vorne geschaut. Du bist gekommen, um mit mir zu schlafen und ein interessantes Wochenende zu verbringen. Ich hab mich darauf gefreut. Es war zwar falsch, hoffnungslos und verspätet, und das wussten wir auch. Aber wir haben es getan. Und ich zumindest habe es nie bereut.«

»Obwohl es deine Ehe ruiniert hat?«

»Die war schon vorher kaputt. Ich spreche auch nicht von Konsequenzen, sondern: Damals bist du gekommen, und es war spannend. Jetzt trinken wir zwei Flaschen Wein, ich erzähle von meinem Schlaganfall und du …« Eine resignierte Geste beendet den Satz. »Heute Nachmittag hab ich hier am Fenster gestanden, und da war das Gefühl wieder da. Ich hab nichts erwartet, weißt du, ich hab mich einfach gefühlt wie damals – als gäbe es etwas zu erwarten. Ein schönes Gefühl, ich hatte fast vergessen, wie es ist.«

»Dann komme ich mit Blumen.«

»Stell dir meine Begeisterung vor. Blumen! Beim nächsten Mal sind es Pralinen.«

Dann die Heizdecke, will er sagen, aber er kennt das englische Wort nicht.

»Hast du noch Kontakt zu George?«

»Ich weiß, dass er in Montreal lebt. Das ist alles.« Transparent und vage steht sie sich selbst im Fenster gegenüber und spricht mit leiser Stimme. »Manchmal wäre ich gerne wie andere Frauen: ein bisschen heulen und dann zum Friseur gehen. Neue Schuhe kaufen. Wer aus materiellen Dingen Trost ziehen kann, hat wirklich Glück. Ich war dafür immer zu reich. Also betrachte ich mich nüchtern im Spiegel oder schaue aus dem Fenster. Vorhin hab ich gedacht, der beste Teil deiner Erzählung war, als du im Auto ausgerastet bist. Im Ernst. Nicht nur, weil es heißt, dass du deine Frau liebst, sondern weil es richtig ist und guttut. Ich hab kein Ventil. Obwohl ich unsportlich bin, klettere ich. Virginie hat mir auch nicht die Angst davor genommen, ich tue es trotz meiner Angst. Ich zwinge mich dazu, seit dem Schlaganfall noch mehr. Vielleicht nur, um mich von meiner Mutter zu unterscheiden.«

»Solange du beim Klettern besser auf dich aufpasst als damals auf unserer Reise.«

»Hast du mir zugehört? Auf meine Gesundheit zu achten ist mein Beruf geworden. Von März bis heute habe ich kein einziges Mal vergessen, mein Rattengift zu schlucken. Die Angst davor, dass ich zum Pflegefall werden könnte, begleitet mich auf Schritt und Tritt. Mein ganzes Leben ist davon bestimmt. Die Felswände klettere ich hoch, um mich darüber hinwegzutäuschen. Verstehst du das?«

»Es wird sich nicht wiederholen«, sagt er. Gerne würde er sie in den Arm nehmen, aber er weiß nicht, ob sie es auch will. »Du nimmst regelmäßig deine Medikamente und lässt das Blut untersuchen. Das ist vernünftig und …«

»Gutes Stichwort.« Sie schnaubt verächtlich. »Neulich hat ein Arzt gesagt: Madame Baubion, ich wünschte, alle Patienten wären so vernünftig wie Sie. Ein junger Typ mit Schwimmerfigur, ich hätte ihm am liebsten die Augen ausgekratzt. Nichts fällt Frauen meines Alters leichter, als vernünftig zu sein. Die Gelegenheiten zur Unvernunft werden sowieso rar. Du kannst mit jungen Dingern auf Parkplätzen rumfummeln. Aber ich?«

»So jung war sie auch wieder nicht.«

»Im Vergleich zu dir schon. Ich müsste dafür bezahlen. Weißt du was? Vielleicht tu ich's irgendwann. Genug Geld ist da, und es muss noch was anderes geben, als vernünftig zu sein.«

»Sandrine!«

»Sandrine was?«, ruft sie ungehalten. »Das war der Teil deiner Erzählung, der mir am wenigsten gefallen hat. Du wolltest deine Frau damals nicht betrügen und jetzt noch weniger, also solltest du's nicht tun. Mit mir hast du's aus alter Liebe getan, okay. Aber aus bloßer Geilheit? Bleib wenigstens dir selbst treu.«

»Manchmal tut man Dinge. Ohne es wirklich zu wollen, ohne zu wissen warum.« Er spürt ihr zorniges Funkeln, das sie ihm über die Fensterscheibe zuwirft. Wie damals vom Fahrersitz aus, wenn er Stan Hurwitz in Schutz nehmen oder Präsident Ford keinen Verbrecher nennen wollte. Wenn er lau war in Fragen, an denen Sandrines Temperament sich entzündete. Dann nannte sie ihn einen hoffnungslosen Fall und fuhr zehn Meilen später rechts ran, um es zurückzunehmen. Saß auf seinem Schoß in ihrem bunten Kleid, in der Weite der Landschaft, aufgebracht und reuevoll und alles andere als lau. In Wirklichkeit hatte sie viel an ihm ändern wollen. Sehr viel.

»Hast du dir schon mal überlegt«, sagt sie jetzt, »dass du der einzige Mensch sein könntest, den du mit deinen Handlungen überraschst? Sie sehen ziemlich folgerichtig aus, wenn man dich ein bisschen kennt. Bestimmt wusste deine Frau, warum du wirklich nach Paris gefahren bist. Was hast du ihr eigentlich erzählt, damals?«

»Das geht dich nichts an«, antwortet er sanft, aber bestimmt. »Das gehört zu den Fragen, die wir einander nicht stellen.«

»Den vielen.«

Vorsichtig tritt er hinter sie. Sieht seine eigene Bewegung im Fenster und dass auch Sandrine sie bemerkt und still hält. Mit den Schultern lehnt sie sich gegen seine Brust, ins Hohlkreuz gehend, um eine intimere Berührung zu vermeiden. Richtig ist, dass ihre Vertrautheit in der fernen Vergangenheit wurzelt und seitdem eher vorausgesetzt als bestätigt wurde. Nichts, worum sie oder er sich bemüht hätten. Er erinnert sich, wie sie vor demselben Fenster gestanden haben, er in Unterhose und Sandrine in ein Laken gewickelt, halb volle Gläser in der Hand. Drei Besuche insgesamt, verteilt über ein halbes Jahr. Hoffnungslos und verspätet und besser als ein Leben ohne Geheimnisse. Beim ersten Mal waren Maria und Philippa in Portugal, danach hat er berufliche Verpflichtungen vorgetäuscht. Zu lügen ist zwar hässlich, aber nicht schwer. Es erfordert Disziplin, und die hat er. Beim letzten Mal sind Sandrine und er übereingekommen, dass es so nicht weitergehen könne, also ist es nicht weitergegangen. Weder so noch anders.

Vor ihm in der Fensterscheibe stehen zwei ältere Menschen, die beharrlich Abstand halten, sogar bei körperlicher Nähe. Deren jugendliche Pendants neben ihnen auf dem Tisch liegen. Sandrine und er auf dem Schiff. Als sie in der Küche zugange waren, hat Hartmut das Foto geholt, um sie danach zu fragen. Jetzt fällt sein Blick erneut auf die beiden mürrischen Gesichter, und zum ersten Mal glaubt er, einen Zipfel der Erinnerung zu erhaschen: Hannibal, Missouri, der Geburtsort von Mark Twain. Drückende Schwüle, die Luft war voller Moskitos, und in den Straßen roch es penetrant nach Schiffsdiesel.

Mit der linken Hand deutet er auf das Bild.

»Das sind wir nicht, oder? Es war ein schlechter Moment.«

»Ein Crewmitglied hat das Foto gemacht und uns mit seinen Sprüchen genervt. So ein Typ mit Kapitänsmütze und zu großen Eiern in der Hose.«

»Glaubst du, wir wären zusammengeblieben?«, fragt Hartmut. »Wenn wir die Chance gehabt hätten?«

Als Sandrine sich aus seiner Umarmung löst, befürchtet er, sie sei verärgert und wolle zurück ins Wohnzimmer gehen. Stattdessen nimmt sie ein Feuerzeug von der Anrichte, zündet zwei Kerzen auf dem Tisch an und knipst die Lampe über der Spüle aus. Murmelt vor sich hin, dass sie dieses Licht nie gemocht habe, bevor sie am Tisch Platz nimmt, das Gesicht ihm zugewendet, mit verschränkten Armen.

»Was wirst du jetzt machen?«, fragt sie. »Ich meine morgen. Zurück nach Bonn fahren und dein Haus verkaufen?«

»Noch nicht. Wenn ich mich schon mal losgeeist habe von meiner Arbeit, will ich die Freiheit genießen. Erst mal fahre ich weiter in den Süden.«

»Wohin?«

»Ein ehemaliger Kollege betreibt ein Weinlokal in Mimizan. Den wollte ich schon lange besuchen.«

Der Tisch ist so klein, dass ihre Knie einander berühren, als Hartmut ihr gegenüber Platz nimmt. Auf der hölzernen Tischplatte stapeln sich Zeitschriften und Bücher. Der freie Platz reicht gerade, um seine Hände darauf abzulegen, und sobald er es getan hat, greift Sandrine danach und hält sie fest. Nachdem sie zuvor den meisten Berührungen ausgewichen ist, überrascht ihn die Geste. Was wäre, wenn. Warum Fragen stellen, wenn man die Antwort nicht wissen will?

»Von Anfang an hab ich deine Hände gemocht«, sagt sie, ohne ihn anzuschauen. »Ich weiß noch, wie merkwürdig dir das vorkam. Hände. Offenbar hatte dir niemand gesagt, dass Frauen die attraktiv finden können.«

»Es gibt einiges, was ich von dir zum ersten Mal gehört habe. Ich glaube, ich hab nicht viel davon vergessen.«

»Weißt du, was der Grund für deinen Besuch ist?«, fragt sie. »Du bist gekommen, um dich zu vergewissern, dass deine Entscheidung richtig war. Dass du keinen Fehler gemacht hast, jedenfalls nicht diesen. Bevor du die nächste Entscheidung treffen musst. Ist es so? Sag die Wahrheit.«

»Damals hat es sich nicht wie eine Entscheidung angefühlt.«

»Trotzdem war's eine.« Lächelnd spielt sie mit seinen Händen. Hält sie gegen ihre Wangen, fährt einzeln über die Finger und scheint ihren Worten keine Bedeutung beizumessen. »Mein

Vater, der eine interessante Mischung aus Mann von Welt und dreistem Dummkopf war, hat zu dem Thema gesagt: Bestenfalls trifft man *eine* Entscheidung, und dann macht man sie richtig, hinterher. Nicht dass es ihm allzu oft gelungen wäre, aber es ist einer der wenigen Ratschläge, die ich behalten habe.«

»Für einen Politiker nicht schlecht.«

»Das ist es, was du tun musst, dich entscheiden und das Beste draus machen. Nicht vorher wissen wollen, was du erst hinterher wissen kannst.«

»Klingt nach der leichtesten Sache der Welt.«

»Nein. Aber nach deiner Sache.« Sie sieht ihn an, und er versteht, was sie meint. Unter ihnen glitzert Paris in tausend Lichtern. Erst jetzt fällt ihm auf, dass sie den ganzen Abend keine Musik gehört haben. Damals war es *Purple Sun*, das Geschenk ihres Vaters und der Anfang von so vielem, wovon es längst zu spät ist zu sprechen. Was Sandrine mit seinen Händen tut, gehört bereits zum Abschied, und sie wird nicht dulden, dass er ihn dramatisiert oder verkitscht. Alles Wichtige ist gesagt. Als er seine Hände zurückzieht, nickt sie lediglich.

»Ich muss los.« Er steht auf.

»Ich weiß noch, wie wir in Minneapolis am Flughafen standen. Du hast von Berlin geredet, und ich wollte mir nichts anmerken lassen. Ich war kurz davor, es zu sagen, aber dann hättest du mir widersprochen, und wir hätten uns im letzten Moment gestritten. Das wollte ich nicht.« Sie spricht geradeaus, als säße er ihr noch gegenüber.

»Ich wusste es selbst«, sagt er. »Es war nicht realistisch.«

»Hinterher hat es mich gestört, dass ich ausgerechnet in diesem Moment nicht ehrlich war. Es ist das Einzige, was ich lange Zeit bereut habe.«

»Es hätte nichts geändert.«

»Trotzdem. Um unseretwillen.«

Er würde gerne etwas tun: ein Glas in die Spüle stellen, ihre Teller aus dem Wohnzimmer holen, den wackeligen Esstisch wieder zusammenklappen, irgendwas. Stattdessen nimmt er das Foto vom Küchentisch und fragt: »Kann ich das mitnehmen?«

»Ich hab ein besseres Andenken für dich. Fiel mir in die Hände, als ich nach deinen Briefen gesucht habe.« Sie steht auf und geht ins Wohnzimmer.

Ein weiterer Teil der Erinnerung an jenen Nachmittag kehrt zurück, an ein trostloses Kaff mit billigen Souvenirläden und Cafés. Leere Straßen und scheele Blicke auf Sandrines kurzes Kleid. Es war im Sommer 74, kurz nach Nixons Rücktritt. Außer einer Dampferfahrt über den Mississippi hatte Hannibal nichts zu bieten. Dann kam der Typ in Uniform von der Brücke geschlendert und entdeckte, wonach er gesucht hatte. Lächelte maliziös und steuerte direkt auf sie zu.

Sandrine kommt mit einer Schallplatte in der Hand zurück. Einer Single, verpackt lediglich in die weiße Innenhülle. Auf dem kreisförmigen Label steht ›Voice-O-Graph‹, sonst nichts.

»Ich wette, du hast zu Hause einen Plattenspieler«, sagt sie.

»Ich hab sogar noch ein Tonbandgerät. Haben wir das aufgenommen?«

»Hör's dir an, dann fällt es dir wieder ein. Es ist ziemlich authentisch.«

»Ich erinnere mich jetzt an den Typ auf dem Schiff. Er wollte, dass ich dir den Arm um die Schultern lege, und als ich es nicht getan habe, hat er mich als sissy verspottet.«

Sandrine stellt sich auf die Zehenspitzen und küsst ihn auf die Wange.

»Danach hast du den ganzen Tag kein Wort geredet. Wir sind runter vom Schiff und sofort weitergefahren nach St. Louis.«

Alles, was er vorher vermisst hat an ihr, ist auf einmal wieder da: die beiläufige Art, mit der sie ihre Zärtlichkeiten verteilt und doch genau weiß, was sie tut. Die Ernsthaftigkeit ihrer Zuneigung, beinahe eine Art von Loyalität. Ihr Lächeln ist halb nach innen gekehrt, der Stolz versteckt, und gleichzeitig lässt ihre Entschiedenheit keinen Zweifel daran, dass sie einander gleich zum letzten Mal umarmen werden. Einen Besuch mit Pralinen wird es nicht geben. Ihre Geschichte endet jetzt.

Hand in Hand gehen sie zur Wohnungstür. Hartmut nimmt sein Jackett von der Garderobe und sucht nach einem Vorwand, um einen letzten Blick ins Wohnzimmer zu werfen. Schaut noch einmal auf die Platte in seiner Hand und nickt.

»Danke.«

»Ich bin froh, dass du gekommen bist«, sagt sie.

Als er sie in den Arm nimmt, steht die Wohnungstür bereits offen, und aus dem Treppenhaus erreicht ihn der kühle Geruch von Bohnerwachs. Es ist eine Sache von Sekunden. Mit einer Hand fährt sie ihm über die Wange.

»Mach's gut«, sagt er so fest wie möglich.

Sandrine nickt. Sie ist wieder, was sie bei seiner Ankunft war, ein Schemen in der offenen Tür.

Dann geht er.

1980

Die Achtzigerjahre beginnen kalt. Alle Seen um Berlin frieren zu, und am frühen Morgen stehen senkrechte Rauchsäulen über den Dächern. Die Zeitungen verurteilen den sowjetischen Einmarsch in Afghanistan und versuchen vorherzusagen, wie die Mitgliedschaft der DDR im Weltsicherheitsrat sich auf das deutsch-deutsche Verhältnis auswirken wird. An einem Donnerstagmittag Anfang Februar hat Hartmut eine produktive Seminarsitzung beendet, mit wachen Studenten und einem schlagfertigen Dozenten, der zu Hause die richtigen Fragen antizipiert und prägnante Antworten vorbereitet hatte. Einer dieser Tage, an dem die klirrende Kälte des Berliner Winters ihm nichts anhaben kann. Der arbeitsintensive Teil der Woche liegt hinter ihm, und der Chef ist nicht im Haus. Vor seiner Bürotür hält Hartmut den Seminarordner und eine leere Kaffeetasse in der rechten Hand und sucht mit der linken nach dem Schlüsselbund, als hinter ihm eine rauchige Stimme »Hi« sagt.

Er dreht sich um.

Sie heißt Tereza und arbeitet am Lateinamerika-Institut der FU. Zwei Mal in der Woche kommt sie zum Ernst-Reuter-Platz, um an einem Tutorium über Ernesto Cardenal mitzuwirken. Zusammen mit anderen Assistenten sind sie und Hartmut ein paar Mal Mittagessen gegangen, und bei einer dieser Gelegenheiten hat sie ihn auf energische Art davon zu überzeugen versucht, dass das Neue Testament eine dem Marxismus nahestehende Soziallehre beinhalte. »Und du sagst jetzt nicht einfach ›Ostblock‹, sondern hörst mir zu, mi niño.« Auf der Geburtstagsfeier seines Kollegen Dietmar Jacobs hat er sie tanzen sehen, und dieser Anblick ist ihm noch besser im Gedächtnis geblieben als ihre Argumente für den Proto-Marxismus der Bergpredigt. Sie ist klein und drall, mit schmaler Taille, breiten Hüften und großen Brüsten. Die dunklen Locken werden von Haarbändern zurückgehalten, und an den Ohren hängen komplexe Gebilde, die ihre Rede mit leisen Geräuschen untermalen. Als sie einander gegenüberstehen, trifft ihn der Blick aus ihren schwarzen Augen, nicht auf der Höhe des Gesichts, sondern als suchte sie nach Flecken auf seinem Hemdkragen.

»Hallo«, sagt er. »Schon gegessen?«

»Neulich hab ich mit einer Freundin über deinen Schal gesprochen. Wo kriegt man so was?«

Gemeinsam werfen sie einen Blick auf den dunklen Kaschmirstoff.

»KaDeWe.«

»Du bist ein Snob«, stellt sie zufrieden fest. »Darf ich mal?«

Bevor er antworten kann, greift sie nach dem Schal, und er muss den Kopf nach vorne neigen wie ein Sportler bei der Siegerehrung. Er riecht Shampoo und einen Hauch Tabak.

Schnuppernd drückt sie ihre Nase in den Stoff, bevor sie ihn sich umhängt und ein Ende über die Schulter schwingt. Das vordere Ende liegt zwischen ihren Brüsten. Steht dir gut, will er sagen, aber sie kommt ihm zuvor.

»Nächste Woche Samstag feiern wir das Diplom meiner Freundin. Sagt man das so? Wir feiern das Diplom?«

»Eigentlich feiert ihr ja die Freundin, aber man kann es so sagen.«

»Nicht ihr, wir. Du auch, wenn du willst. Du bist eingeladen.«

»Danke.«

»Danke was?«

»Für die Einladung.«

»Aber kommst du auch?«

»Ja, klar.«

»Erst bei uns in der Wohnung. Und später mal sehen.«

»Vielen Dank.«

»Hast du schon gesagt. Du bist ein höflicher Snob. Aber nach der Revolution ist Schluss mit dem Luxus, okay?« Sie legt den Schal wieder um seinen Nacken und streicht ihn mit den Händen glatt. Dann teilt sie ihm ihre Adresse mit und geht zurück Richtung Aufzug, und Hartmut sieht ihr nach und erwägt verschiedene Möglichkeiten der Nachmittagsgestaltung. Soll er Bücher kaufen oder das Geld lieber in ein neues Kleidungsstück investieren, das Tereza zu weiteren koketten Gesten animiert? Schließlich schlendert er hinüber ins andere Büro, wo eine Kollegin ihn daran erinnert, dass Anne donnerstags ihren Maschinentag hat und sich im Institut für Soziologie aufhält. Also zieht er seine Winterjacke an und geht rüber in die Franklinstraße.

Die Luft ist kalt und riecht nach Schnee. Auf dem Kanal unter der Marchbrücke ziehen Enten über das Wasser, schnattern und kippen vornüber auf der Suche nach Futter. Die kurze Begegnung mit Tereza hat ihn beschwingt, wovon er Anne profitieren lassen will, er weiß selbst noch nicht wie. Auf jeden Fall, ohne ihr den Grund seiner guten Stimmung zu verraten.

Im zweiten Stock findet er sie kauernd vor dem Lochkartenstanzer und merkt erst beim Näherkommen, dass sie sich nicht konzentriert über ihre Arbeit beugt, sondern weinend das Gesicht in die Hände gräbt. Neben ihr liegt ein Stapel Karten mit den an Blindenschrift erinnernden Codierungen. Für ihren Doktorvater muss Anne manuell ausgefüllte Fragebögen auf Lochkarten übertragen und ist jedes Mal überzeugt, dass ihr entweder bei der Codierung oder bei der Befehlseingabe ein Fehler unterlaufen wird, der den gesamten Job ruiniert – was nicht selten geschieht. Stundenlange Arbeit, die sich als vergebens erweist, wenn die Maschine statt der gewünschten Analyse eine trockene Fehlermeldung ausspuckt. Professor Kreutz reagiert zwar verständnisvoll, aber den Fehler zu korrigieren und den Job zu wiederholen dauert viele weitere Stunden, die Anne im neonbeleuchteten Maschinenraum verbringen muss. Hartmut stellt sich hinter sie und legt ihr die Hände auf die Schultern.

»Schlimm?«, fragt er. Jedes Mal, wenn Anne ein Missgeschick passiert, wird sie auf unheimliche Weise zum Alter Ego ihrer Mutter. Macht einen weiteren Eintrag in das Verzeichnis von Nachlässigkeiten und Fehlern, das den roten Faden ihrer Biographie zu bilden scheint. Klaus mit seinen Stummelfingern radiert daran herum, klammert Einträge ein und streicht die Wiederholungen heraus und erreicht am Ende gar nichts. Seit Kreta redet Anne anders über ihn. Unduldsamer. Auf vertrackte Weise ist er derjenige, der sie am besten versteht und ihr am wenigsten helfen kann.

»Sag schon.« Er massiert ihre Schultern. Draußen beginnt es zu schneien. Minneapolis-Wetter.

»Ein kleiner Tippfehler bei der Eingabe, und schon ist bei diesem SPSS alles im Arsch.«

»So was kann vorkommen. Es mag ärgerlich sein und Zeit kosten, aber es ist nicht schlimm.«

»Für dich nicht. Es ist der dritte Fehler im selben Job.«

»Schau«, sagt er, »es schneit.« Der Schneefall wird schnell dichter, und weil Anne nicht hinsehen will, nimmt er ihr Gesicht in beide Hände und dreht es zum Fenster. »Wann bist du zum letzten Mal Schlitten gefahren?«

»Im Dezember fünfundsiebzig.«

»Das weißt du so genau?«

»Wir waren über Weihnachten im Harz, mit Kollegen von Klaus. Irgendwo auf der westdeutschen Seite. Am zweiten Feiertag sind wir rodeln gegangen, Klaus und ich saßen auf einem Schlitten, bis ein Loch im Boden uns aus der Bahn geworfen hat. Wir lagen im Schnee, haben uns angeschaut, und Klaus sagte: Heirate mich, Anne. Sechsundzwanzigster Dezember neunzehnhundertfünfundsiebzig.«

»Lass uns essen gehen.«

»Ich hab keinen Hunger.«

»Lass uns trotzdem essen gehen.«

»Du merkst es gar nicht, oder?«

Hartmut sieht Schneeflocken an den Fenstern entlangstreichen und wünscht, er wäre alleine mittagessen gegangen. Nach draußen sehen und nicht reden müssen. Natürlich merkt er es. Warum sonst würde er krampfhaft versuchen, es zu ignorieren?

»Ich wusste, dass es passieren würde«, sagt sie. »Wahrscheinlich wusste ich es, als du zum ersten Mal in mein Büro gekommen bist. Ich kann nicht einem Menschen so nahe sein, ohne mich zu verlieben.«

»Du konntest es mit dem Kollegen von Klaus.«

»Der hatte eine Glatze und hat Herman van Veen gehört. Außerdem war ich ihm nicht nah, ich hab nie eine Nacht bei ihm verbracht.«

Eine Weile blicken sie schweigend vor sich hin. Seit sechs Monaten führen sie diesen Lückenbüßer von einer Beziehung, haben beide ein schlechtes Gewissen, ohne es voreinander zuzugeben, und scheinen darauf zu warten, dass die Sache von sich aus an ein Ende kommt. Er jedenfalls wartet.

»Ich weiß nicht, wie lange ich so weitermachen kann«, sagt Anne. »Warum bin ich noch mit Klaus verheiratet, wenn ich dich liebe? Warum bist du mit mir zusammen, wenn du mich nicht liebst? Warum promoviere ich, wenn das Letzte, was ich will, eine akademische Karriere ist? Gibt es irgendwas in meinem Leben, das einen Sinn ergibt?«

»Du liebst deinen Mann. Du hast es oft gesagt.«

»Die Psychotherapie in der gottverdammten Sowjetunion, das ist alles, worüber wir sprechen. Wusstest du, dass die simplifizierende Pawlow'sche Neurosenlehre schon seit den Sechzigerjahren ihre Monopolstellung verloren hat?« Ihre Stimme wird hart und bitter.

»Anne.«

»Und dass sie überhaupt ein Erbe der deutschen Psychiatrie

gewesen ist, was häufig übersehen wird. Sehr häufig sogar. Außer meinem Mann übersehen es eigentlich alle.«

»Anne, nimm's mir nicht übel, aber ... hast du deine Tage?«

Mit zusammengepressten Lippen sieht sie ihn an. Ihre Miene erinnert ihn an das, was er früher Ruths Heulsusengesicht genannt hat.

»Schön, wenn's nur Tage wären«, sagt sie. »Es ist aber mein Leben.«

Darauf erwidert er nichts, sondern schiebt ein paar Karteikästen zur Seite und setzt sich auf die Tischkante. In manchen Momenten betrachtet er sie mit einer Kälte, die ihn selbst erschreckt. Lacht innerlich über die grotesken Grimassen ihrer Ekstase, will nichts hören von den ständigen Klagen über ihre Mutter, verachtet die ganze mimosenhafte Empfindsamkeit, die sich in bebenden Schultern und feuchten Augen äußert. Immer häufiger fühlt er sich im Bett wie bei den einsamen Runden, die er früher um den Arnauer Sportplatz gedreht hat. Noch eine und noch eine, in der Verfolgung keines anderen Ziels als körperlicher Erschöpfung. Wenn er hinterher neben ihr liegt, erreicht ihn die Einsicht von damals wie eine aus dem Fluss der Zeit gefischte Flaschenpost: Man kann vor sich selbst davonlaufen – aber nur solange man läuft.

»Ich kann die Probleme zwischen dir und Klaus nicht lösen«, sagt er.

»Willst du mich verlassen?«

»Du bist verheiratet. Und ich bin nicht die Lösung deiner Probleme.« Beinahe hätte er hinzugefügt: Das findet auch meine Schwester. Ruth fordert bei jedem Telefonat, er solle endlich das Verhältnis mit einer verheirateten Frau beenden. Dass Annes Mann von den Treffen nicht nur weiß, sondern sie begrüßt, macht die Sache in ihren Augen nicht besser. Warum suchst du dir keine Frau, mit der du richtig zusammen sein kannst?, hat sie letzten Sonntag wieder gefragt. Eine, die nicht ihren Mann anrufen muss, wenn sie die Nacht bei dir verbringen will. Die

Wahrheit ist, dass er sehr wohl sucht, wenn er im ersten Stock von Kiepert nicht auf das Taschenbuch in seinen Händen, sondern auf diese oder jene Kundin blickt. Wenn er im Café sitzt, U-Bahn fährt oder im Supermarkt denselben Wein kauft wie die Blonde vor ihm. Auf den Partys, die er neuerdings besucht, signalisieren Gesprächspartnerinnen nicht selten die Bereitschaft, größere Mengen erotischen Kapitals auf ihn zu setzen und zu schauen, was er damit anstellt – warum nicht darauf eingehen? Es ist die Zeit von Rollkragenpullovern, Koteletten und einer Libertinage, die keine großen Gesten mehr nötig hat. Manchmal beobachtet er Paare, die mit einem Nicken zueinanderfinden. Die andere Wahrheit hält er auch vor Ruth geheim: dass er nicht ›richtig‹ mit einer anderen Frau zusammen sein will, weil irgendwann Sandrine mit ihrer Doktorarbeit fertig werden muss.

Annes Blick wird eindringlich.

»Manchmal glaube ich, du hast keine Ahnung, wie schwierig das alles für mich ist. Was sind eigentlich meine Probleme? Ich schaffe es nicht, das Leben zu leben, das ich gerne leben würde, so viel ist klar. Aber liegt das an mir oder an meiner Mutter? Ist es Schicksal? Übrigens hattest du recht neulich: Es ist wirklich eine Form von Abhängigkeit, Liebe. Entweder beide lieben einander, oder es ist unerträglich.«

Ich muss weiter, denkt er.

»Klaus besteht drauf, dich kennenzulernen«, sagt Anne. »Er findet es respektlos, dass du dich dauernd davor drückst.« Dann dreht sie sich um, und was auch immer ihre Probleme sind und worin sie ihren Ursprung haben, in der erektilen Dysfunktion ihres Mannes oder den sozialen Statuskomplexen ihrer Mutter, sie finden geballten Ausdruck in der Art, mit der sie sich um einen lockeren Tonfall bemüht und dabei beinahe wieder in Schluchzen ausbricht. »Immerhin fickst du seine Frau.«

»Okay«, sagt er, um der Stille nach diesem Satz zu entkommen.

»Nächste Woche Samstag bei uns zu Hause.«

Er nickt und unterlässt es, die Party bei Tereza zu erwähnen. Dort kann er später vorbeischauen. Vorerst gibt er Anne einen aufmunternden Klaps auf die Schulter und zeigt zur Tür. »Dann lass uns jetzt essen gehen.«

Am darauffolgenden Dienstag schlüpft Anne in sein Büro, mit roten Wangen und strahlenden Augen, und sagt, er solle sich wegen Samstag keine Sorgen machen. Auch nichts mitbringen, sondern sich einfach auf einen netten Abend mit ihr und Klaus freuen. Der werde seinen berühmten Sauerbraten mit selbst gemachten Klößen servieren. Nervös kichernd deckt sie ihn mit Küssen ein und ist nicht beleidigt, als er sie unter dem Hinweis, er müsse das Seminar am Nachmittag vorbereiten, aus der Tür schiebt. Auf dem Schreibtisch liegt der Torso eines Textes, auf den Professor Simon seit Wochen wartet. Neulich hat Hartmut sich zum ersten Mal dabei ertappt, wie er vor dem Verlassen des Büros den Kopf aus der Tür steckte und den Flur entlangblickte. Nicht mehr lange, und er wird die Treppe nehmen, um ein Stockwerk tiefer auf den Aufzug zu warten.

Es schneit die ganze Woche über. Felix und Florian überschlagen sich, wenn sie ihm am Telefon von ihren Schlittenfahrten erzählen. Sogar in Charlottenburg sind die Bürgersteige zugeschneit und werden gesäumt von kleinen gelbrandigen Kratern. Die Kastanie vor seinem Haus ist weiß bedeckt bis in die dünnsten Verästelungen ihrer Krone. Tief hängt der Himmel über der Stadt. Die Aussicht, an einem Abend sowohl dem Mann zu begegnen, mit dessen Frau er schläft, als auch der Frau, mit der er lieber schlafen würde, lässt Hartmuts Phantasie immer neue Szenarien des Gelingens und Scheiterns entwerfen. Er wundert sich, wie leicht Tereza es geschafft hat, ein Zimmer im Haus seiner Tagträume zu beziehen. Dort erwartet sie ihn, aber wenn er sich zu ihr stehlen will, ist es nicht Anne, sondern Sandrine, der er die Tür ins Gesicht schlagen muss, bevor er Tereza aus den Kleidern hilft.

Am Samstagabend um fünf vor sieben steigt er am Heidelberger Platz aus der U-Bahn und findet ohne Probleme den angewiesenen Eingang. Ein fünfstöckiges Gebäude mit Jugendstilfassade. Hier wohnen sie, die liebestolle Frau Saalbach und ihr toleranter Gatte, Mitbegründer des Therapeutenkollektivs Gegen-Warte e.V., das in seinen frühen Jahren mehrfach in Verfassungsschutzberichten aufgetaucht ist. Inzwischen haben die Mitglieder alle ihren Kassensitz.

Die Gegensprechanlage bleibt stumm, aber das Summen des Türöffners antwortet so schnell, als habe jemand neben der Klingel Wache gestanden. Im Treppenhaus dämpft ein Bastbelag seine Schritte. Große hölzerne Türen, hinter denen er gediegene Salons vermutet. Über sich hört Hartmut ein Klicken, und er hofft, es werde Anne alleine sein, die ihn an der Tür erwartet. Plötzlich freut er sich darauf, sie zu sehen.

Sie steht in der Tür und sieht anders aus als sonst. Trägt Rock und Bluse und schaut ihm aus ihren großen Augen entgegen. Dankbar, ängstlich und froh.

»Hallo«, sagt er. Es rührt ihn, dass sie ihn so schüchtern küsst, mit Lippen, auf denen er zum ersten Mal ein helles Rouge sieht.

»Hallo.« Sie streckt die Hand aus und fährt ihm durch die kurzen Haare. Um die Zeit totzuschlagen, war er am Nachmittag beim Friseur.

Sie nimmt seine Hand und zieht ihn in die Wohnung. Ein geräumiger Flur mit dunklen Bodendielen, in dem es schwer und würzig nach Braten riecht. Rechts und links führen Türen in hell erleuchtete Zimmer. Im Vorbeigehen fällt Hartmuts Blick auf volle Bücherregale, aber bevor er den Mantel ablegen kann, zieht Anne ihn weiter in die Küche. »So«, sagt sie mit einem Schulterzucken, als ihr Ehemann und ihr Liebhaber einander schließlich gegenüberstehen.

Mit Schürze und aufgerollten Hemdsärmeln steht Klaus vor dem Herd. Ein stämmiger Mann, vollbärtig, bebrillt und mit Ansätzen von Geheimratsecken auf der Stirn.

»Hartmut«, sagt er und macht zwei Schritte auf ihn zu. »Freut mich, dass wir uns kennenlernen.« Er sagt nicht ›endlich kennenlernen‹ oder ›schließlich doch noch kennenlernen‹, sondern schüttelt ihm kräftig die Hand, und Hartmuts Suche nach einem versteckten Vorbehalt, einem Anzeichen von Missgunst hinter der freundlichen Fassade bleibt ohne Ergebnis.

»Freut mich auch«, erwidert er.

»Ich bin gleich so weit. Oder nicht ich, der Kollege im Ofen.«
Eine angenehm dunkle Stimme – Anne hat das erwähnt, und es fällt ihm sofort auf. Eine Stimme, die Vertrauen erweckt.

Dunst hängt in der Küche und lässt die Fenster beschlagen. Auf dem Elektroherd steht ein riesiger Topf, aus dem Wasserdampf in die Abzugshaube strömt. Hartmut beginnt zu schwitzen, zieht den Mantel aus und steckt seinen Schal in die Ärmelöffnung. Mit dem Kleidungsstück in der Hand verschwindet Anne im Flur, und er muss dem Drang widerstehen, ihr aus der Tür zu folgen.

»Womit fängst du an?«, fragt Klaus. »Sherry oder ein Glas Prosecco?«

»Einen Sherry, warum nicht?«

Klaus weist mit dem Finger aus der Tür Richtung Wohnzimmer. Als er vorangeht, fällt Hartmut auf, wie schwerfällig er sich bewegt, hüftsteif und als trage er zu kleine Schuhe. Dreiundvierzig oder vierundvierzig ist er, wirkt aber älter. Im Wohnzimmer steuert er auf einen Glasschrank zu, dessen Auswahl an Spirituosen es mit den Beständen einer Hotelbar aufnehmen könnte. Dutzende Flaschen mit bunten Etiketten, darüber eine nicht weniger beeindruckende Ansammlung von Gläsern, als stehe für jeden Inhalt eine eigene Form bereit. Anne sitzt an dem großen gedeckten Eichentisch und reibt sich die Unterarme. Hinter den Fenstern fällt Schnee in die Nacht, in den freien Raum über dem Heidelberger Platz. Es scheint nicht mehr aufhören zu wollen.

»Sherry«, sagt Klaus und reicht ihm ein schlankes, langstieliges Glas. »Ich hoffe, du magst Sauerbraten. Den selten zubereiteten Schweine-Sauerbraten in diesem Fall.«

»Sicher.«

»Pepse sagt man im Rheinland dazu. Hab nie herausfinden können warum.«

»Obwohl du es sicher versucht hast – es herauszufinden?«, sagt Anne, und Klaus schenkt ihr einen Blick voll väterlicher Zuneigung.

»Möchtest du auch was trinken?«

»Mein Glas steht in der Küche.« Wieder verschwindet sie nach draußen und lässt Hartmut zurück in der Gesellschaft ihres Mannes. In den Regalen herrscht sorgfältig gewahrte Unordnung, stehen die Bücher mal gestapelt, mal aufgereiht, und auf dem Boden liegen Schallplatten in ihren weißen Innenhüllen. Zuerst glaubt Hartmut, sich zu verhören, aber auf dem Saxophon im Hintergrund spielt Jan Garbarek, *Going Places*, kein Zweifel. Ist das Zufall oder verbindet Klaus und ihn eine gemeinsame musikalische Vorliebe? Anne jedenfalls hat nie erwähnt, dass sie Jazz mag.

»Philosophie!«, ruft sein Gastgeber unvermittelt, als würde er gespannten Zuhörern die Ankunft einer bedeutenden Persönlichkeit verkünden. »Hat mich immer interessiert. Allerdings die amerikanische Variante etwas weniger. Da hab ich den Eindruck, man weicht den eigentlich wichtigen Fragen aus und flüchtet in die … delikaten Verästelungen der Irrelevanz.« Das kurze Zögern verrät, dass er sich die Formulierung für den Anlass zurechtgelegt hat. Hartmut kostet den ersten Sherry seines Lebens, findet ihn trinkbar und verzichtet vorerst auf eine Antwort.

»Ich meine, gibt es in der gesamten analytischen Philosophie so etwas wie Transzendenz? Einen Begriff von einer anderen Realität oder wenigstens den Raum, in dem ein solcher Begriff sich entfalten könnte?«

»Transzendenz?«

»Historisch. Wie bei Marcuse.«

»Ich kann nichts politisch Verwerfliches an dem Bemühen finden, die Realität zu verstehen, wie sie ist.«

»Aber kann ich sie verstehen, ohne zu ihr Stellung zu beziehen? Und kann ich Stellung beziehen, ohne einen Begriff von Alternativen zu haben? Denn sie ist ja nicht, wie sie ist, sondern wurde so gemacht. Vielleicht könnte man sie besser machen.«

Hartmut horcht Richtung Küche, aber da blubbert nur ein Kessel mit Klößen vor sich hin.

»Anne hat mich vor dir gewarnt«, sagt er.

Klaus stellt das Glas auf einem niedrigen Tisch ab, bevor er sich lachend auf den Oberschenkel schlägt. Er besitzt Humor, aber dessen Zentrum scheint nicht im Innersten seiner Person zu liegen, sondern irgendwo in den Randbereichen, weshalb die Anweisung, herzlich zu lachen, einen Augenblick lang unterwegs ist, ehe sie gewissenhaft ausgeführt wird. Dann ist das erledigt, und er wird wieder ernst.

»In zehn Jahren wird kein Mensch mehr die Frage verstehen, die ich gerade gestellt habe. Das ist das eigentliche Verhängnis.«

»Schon?«, fragt Anne von der Tür aus.

»Schon was?«

»Bist du so schnell übergegangen zur Lage der Welt und der Dinge?«

»Der Prophet gilt nichts im eigenen Land«, sagt Klaus in Hartmuts Richtung. Er hat sich auf einen Stuhl gesetzt, trägt immer noch seine Schürze und stützt beide Hände auf die Knie, als wolle er gleich aufspringen und die Revolution ausrufen. Hartmut kann sich nicht entscheiden, ob er Zu- oder Abneigung empfindet, Achtung oder Mitleid. Statt den Sturm auf die Bastille anzuführen, fragt Klaus nach dem Zustand der Klöße, und als Anne den Kopf schüttelt, erhebt er sich schwerfällig von seinem Platz.

»Dann muss der Präsident selbst nachschauen.« In der Tür bleibt er kurz stehen, küsst seine Frau auf die Wange und geht weiter. Den Kuss nimmt Hartmut sich vor, bei nächster Gelegenheit seiner Schwester zu beschreiben – genau die unbeholfene Geste, mit der sein Vater sich an Weihnachten bei seiner Frau bedankt, nachdem er den üblichen Strickpullunder ausgepackt, sich an die Schultern gehalten und gesagt hat: Passen tut er.

»Ist es sehr schlimm für dich?«, fragt Anne. Sie sieht unendlich traurig aus dort im Türrahmen.

»Nein.«

»Er ist nervöser, als er zugeben will.«

»Den Eindruck macht er nicht. Du siehst nervös aus.«

»Ich bin immer nervös. Wer weiß, wann meine Mutter anruft.« Sie kommt auf ihn zu, küsst ihn mit halb offenen Lippen, und ihm ist, als würde sie tief im Innern zittern vor Kälte oder Verlangen. »Kann ich nachher mit zu dir kommen?«

»Wir können nicht zusammen von hier verschwinden und ihn den Abwasch machen lassen.«

»Sag, dass ich dir nicht egal bin.« Sie drängt sich an ihn, und nach einem Blick zur Tür legt er ihr einen Arm um die Taille. Sie zittert wirklich.

»Anne, was ist los mit dir?«

»Nichts. Ich bin bloß unglücklich.«

»Kann es sein, dass du einfach …« Er zuckt mit den Schultern. Unglücklich. Warum immer die ganz großen Worte?

»Dass ich einfach was?« Sie legt den Kopf nach hinten und funkelt ihn an. »Läufig bin? Mal wieder richtig rangenommen werden muss?«

»Du lässt mich nicht ausreden.«

»Sprich.«

Aber er weiß nicht, was er sagen wollte. Er hat lediglich diese Unterhaltung nicht führen wollen, während im Nebenzimmer ihr Mann seinen rheinischen Sauerbraten zubereitet. Die seltene Schweine-Variante. In was für eine Situation ist er geraten? Er liebt eine Frau, von deren Existenz Anne nie gehört hat. Deren immer seltener eintreffende Briefe er in Schubladen versteckt, damit er nicht Farbe bekennen muss. Aber warum? Hat er Angst, dass Anne seine Gefühle nicht verstehen würde oder dass er sie nicht erklären kann?

»Du wolltest das tatsächlich sagen.« Sie schüttelt den Kopf

und kämpft mit den Tränen. »Denkst du, es geht mir nur ums Ficken? Verstehst du überhaupt nicht, was los ist? Und was bin ich für dich – ein Loch?«

»Fürs Protokoll: Ich wollte das *nicht* sagen. Und ich weiß nicht, ob es eine gute Idee war, heute hierherzukommen.«

Abrupt wendet sie sich ab, nimmt ihr Glas vom Tisch und leert es in einem Zug. Da ihm nichts Besseres einfällt, tut er es ihr nach. Dann schweigen sie. Jan Garbareks Saxophon wird immer ungeduldiger, und draußen schneit es, als habe auch der Himmel genug von dem jämmerlichen Schauspiel, das unter ihm aufgeführt wird.

Der Sauerbraten allerdings schmeckt köstlich. Seine zarten Fasern haben in sich eingesogen, was Klaus als Zutaten der Beize aufzählt, in der das Fleisch zwei Tage lang gelegen hat: Wacholderbeeren, Lorbeerblätter, Gewürznelken, Pfeffer- und Senfkörner. Und in der Sauce Wein, Rosinen, Rübenkraut und Aachener Printen. Hartmut erinnert sich, dass Anne ihren Mann den unsinnlichsten Menschen der Welt genannt hat, und tatsächlich scheint die schiere Fülle der Zutaten ihn mehr zu erfreuen als das Ergebnis seiner Kochkunst. Zum Braten gibt es schweren Rotwein und ein Gespräch über die Situation im Iran. Über ein Vierteljahr dauert die Besetzung der amerikanischen Botschaft schon, und Klaus sagt: »Jede Revolution, auch die reaktionäre, hält das Bewusstsein für die Möglichkeit der Veränderung wach. Das ist ihr progressiver Kern. Was ich vorhin zur analytischen Philosophie gesagt habe ...« Seine Messerspitze weist in Hartmuts Richtung.

»Darf ich kurz was anderes sagen? Das sind die besten Klöße, die ich je gegessen habe.«

»Dein Freund weicht mir aus.« Mit unerschütterlicher Gutmütigkeit wendet Klaus sich an seine Frau. »Du hast uns einen Liberalen ins Haus geholt. Aber gut, keine Gespräche mehr über Politik oder Philosophie. Ich schwöre.«

Von da an verläuft der Abend angenehm. Noch vor dem Nachtisch geht die zweite Flasche Wein zur Neige, und Klaus beweist unerwartete Selbstironie, als er von den frühen Jahren seines Therapeutenkollektivs erzählt, der Theoriebesoffenheit, dem naiven Elan und der heilsamen Begegnung mit Patienten, die seinen Worten zufolge »vergleichsweise gesund waren. Aber das hatten wir ja zeigen wollen. Mir hat mal eine Frau gesagt, dass sie die Therapie gerne fortsetzen würde, allerdings unter der Bedingung, dass ich mich besser rasiere. Was ich auch gemacht habe, noch am selben Tag.«

»Als ich dich kennengelernt habe, sahst du aus wie Martin Buber.« Anne hält sich die Hand auf Brusthöhe.

»Ich war auch genauso erleuchtet. Was ist mit dir, Hartmut, hattest du nie einen Bart?«

»In Amerika hab ich mich mal vier Wochen nicht rasiert, das war alles. Steht mir nicht.«

»Noch Wein?«

»Kleine Pause für mich.«

»Du bist kein Trinker und kein Raucher, kleidest und rasierst dich gut – gar keine Sünden?«

Einen Moment lang ist er versucht, auf sein Verhältnis mit einer verheirateten Frau hinzuweisen, dann sagt er: »Irgendwie assoziiere ich Bärte mit Geistlichen. In meiner Kindheit hab ich keinen Pfarrer ohne Bart gesehen. Warum eigentlich?«

»Gute Frage. Ich assoziiere Bärte übrigens mit Männlichkeit. Komisch, was?«

Es ist ein merkwürdiges Duell, das sie ausfechten und das Anne still beobachtet, während ihre Hände nicht aufhören, mit allem zu spielen, was ihr in die Finger gerät, Servietten, Messer oder der gläserne Salzstreuer. Sie ist die Einzige, die im Lauf des Abends nicht entspannter wird, auch nicht nach dem dritten Glas Wein.

Als es auf zehn Uhr zugeht, beginnt Hartmut, an die Party bei Tereza zu denken. Der Rotwein macht ihn träge und unbekümmert. Sie sind einander noch zwei Mal im Telefunken-Hochhaus begegnet, und es gefällt ihm, dass Tereza immer eine flirtende Bemerkung auf den Lippen hat, ihn ›chico lindo‹ oder dergleichen nennt und keinen Hehl daraus macht, wie attraktiv sie ihn findet. Ob sie von seiner Beziehung zu Anne erfahren hat, weiß er nicht; falls ja, scheint sie darin kein Hindernis zu sehen.

Zum Nachtisch gibt es Eis mit heißen Kirschen, und Hartmut wundert sich, dass Klaus als Zuckerkranker dieselbe Portion verdrückt wie er. Dann noch ein Glas Grappa, danach ist Hartmut angetrunken und will hinaus in den Schnee. Sein Gesicht glüht. Annes nackte Fußspitze umspielt seine Knöchel, während Klaus zu dem Ergebnis kommt, dass Jesus und die heiligen Männer der Kirche meist bärtig dargestellt werden und dass Pfarrer sich wohl daran orientieren. Schließlich senkt sich Stille über den Tisch. Die Platte ist abgelaufen, und Hartmut zieht seinen Fuß zurück, aus Angst, das sanfte Reiben von Annes Zehen werde hörbar. Einen Moment lang starren alle auf ihre leeren Teller.

»Ich denke, ich geh dann mal.« Er muss sich anstrengen, die Wörter sauber voneinander zu trennen. »Bevor wir so einschneien, dass keine Bahn mehr fährt.«

Im Flur gibt Klaus ihm die Hand und scheint die richtigen Worte zum Abschied nicht finden zu können. Dass es ihn sehr gefreut habe, bringt er hervor, und dass angesichts der Situation ... Es sei für ihn wichtig zu wissen, dass ... Und für Anne sei es nicht leicht, aber ... Er zuckt mit den Schultern.

»Ich hoffe, wir sehen uns öfter.«

»Vielen Dank für das Essen.«

»Aber irgendwann will ich eine Antwort von dir. Warum dieser Rückfall in kruden Positivismus?«

»Weil man nicht immer Luftschlösser bauen kann. Man muss sich auch mal den Boden angucken«, sagt Hartmut und kommt sich albern vor. Wie ein Pennäler, der mit Worten jongliert, die er bei den Erwachsenen aufgeschnappt hat.

»Reicht mir nicht. Komm gut nach Hause.« Klaus verschwindet in der Küche, und Hartmut steht mit Anne im Treppenhaus, wo es angenehm kühl und dunkel ist. Er will feiern, mehr trinken und mit Tereza schlafen. Lust kommt in ihm auf, nicht nur auf den Körper einer anderen Frau, sondern auf alles. Anfang dreißig ist er, und was hat er erlebt? Erst nichts, dann Langeweile und Einsamkeit, schließlich Sandrine. Die zankt lieber mit ihrem Betreuer, als endlich nach Berlin zu kommen, und er will nicht länger warten. Beinahe hätte er Anne bei den vor der Brust verschränkten Armen gepackt und sie kräftig geschüttelt. Schon gar nicht will er das Trostpflaster spielen für die Frau eines unsinnigen, liebevollen Mannes, der zu fürsorglich ist, als dass sie ihn verlassen könnte, und zu kauzig, um es mit ihm auszuhalten. Er ist das Dauerbumsen leid, diese horizontalen Überstunden, die schon lange kein Abenteuer mehr sind. Lass mich in Ruhe!, will er brüllen, er wird wütend unter Annes schweigendem Blick, der ihn an seinen Fauxpas erinnern und klarstellen soll, dass sie die Verletzte ist und er der Missetäter. Draußen wartet die Stadt auf ihn, ein Ort voller Frauen und Verlockungen, und er muss jetzt dahin und endlich sein Leben leben!

»Dann eben nicht«, sagt Anne und wendet sich Richtung Tür.

»Du weißt genau, dass ich das nicht sagen wollte. Und es auch nicht gesagt habe.«

»Ich weiß, dass es für dich Wichtigeres gibt als mein Unglück.« Wieder ein Satz, den sie von Ursula Saalbach geerbt hat, wie die großen Augen und die blasse Haut. Kein Wunder, dass der Vater seit zwanzig Jahren in Brasilien lebt. Wahrscheinlich gehört auch das Zusammenpressen der Lippen zum Familieninventar. Die Lippen pressen, und aus den Augen quillt es heraus, aber er ist in diesem Moment frei von dem Bedürfnis, sie zu trösten.

»Wir reden ein andermal«, sagt er.

»Wir haben noch nie geredet, und wahrscheinlich werden wir es nie tun. Ich bin dir unangenehm. Im Grunde tickst du wie die frommen Bauern in diesem Kaff, aus dem du kommst. Für dich bin ich bloß ein notgeiles Miststück. Bumsen, und dann nichts wie weg.«

»Ich weiß nicht, warum du das jetzt sagen musst.«

»Hör auf, dir was vorzumachen. Du tust verständnisvoll, aber du verstehst nichts. Manchmal guckst du mich an, als wäre ich behindert. Vielleicht bin ich nicht, wie ich sein soll. Glaubst du, dass du es bist?«

Binnen weniger Sekunden wird aus dem Gefühl, weglaufen zu wollen, das Gefühl, rausgeschmissen worden zu sein. Tränen laufen über Annes Gesicht, aber darum kümmert sie sich nicht, sondern sieht ihn an. Der Eindruck, sie könne seine Gedanken lesen, ist derart beklemmend, dass Hartmut nur versuchen kann, gar nichts zu denken. Wieder einer dieser Momente der Wahrheit, in denen er nach Worten sucht und sie nicht findet. Sich verteidigen will und nicht weiß wie.

Langsam schüttelt er den Kopf.

Anne schließt die Tür.

6 Trotz des Altersunterschieds von fünfzehn Jahren hat er sich Bernhard Tauschner gegenüber nie als der Ältere gefühlt. Weder am Institut noch bei ihren geselligen Abenden am Rhein. Dass Bernhard ungeachtet seines Stilbewusstseins nichts auf Äußerlichkeiten gab, machte den Umgang leicht. Ebenso frei von Breugmanns Allüren wie von Herweghs Schrullen, ging es ihm um jenes Wesentliche, das eine abgewirtschaftete Philosophietradition als Essenz bezeichnet hatte. Wie radikal er dabei sein konnte, verstand Hartmut erst ganz am Ende, als Bernhard seine Juniorprofessur niederlegte, um in Südfrankreich ein Weinlokal zu eröffnen. Auf der Suche nach einer Lebensform im Einklang mit seinen eigenwilligen Überzeugungen. Ob sie in den zweieinhalb Jahren zuvor Freunde oder bloß gute Kollegen gewesen sind, gehört zu den Fragen, über die Hartmut an diesem Morgen aufs Neue nachdenkt. Auf dem Weg hinaus aus der Stadt.

Das Navigationsgerät leitet ihn durch ein Gewirr von verstopften Ausfallstraßen zur A 10. Graue Wolken hängen über den einförmigen Betonschichten um das eigentliche Paris. Nach dem Abschied von Sandrine hat er schlecht geschlafen, wirr geträumt und heute Morgen im Hotel mehr Kaffee getrunken als sonst. Jetzt muss er auf die im Rückspiegel heranfliegenden Motorräder achten, die sich zwischen den dichten Fahrzeugkolonnen hindurchzwängen. Orléans und Tours lautet die Richtung, Mimizan ist das Ziel. In einer seiner letzten E-Mails hat Bernhard geschrieben, ›jemand wie Du‹ könne einen solchen Schritt wohl nicht nachvollziehen, aber er bereue ihn keineswegs. Wenn man unter Denken mehr verstehe als die sorgsame Verwaltung des bereits Gedachten, gehöre persönliche Konsequenz eben dazu. Ein typischer Tauschner-Satz, die Art von Äußerung, auf die Breugmann mit einem süffisanten ›Hört, hört‹ reagiert hatte, als Bernhard und er noch regelmäßig aneinandergerieten. Hartmut solle ihm jederzeit willkommen sein im neuen Domizil, schrieb er außerdem. Seitdem sind drei Jahre vergangen, in denen Hartmut gelegentlich daran gedacht hat, den Kontakt wieder aufzunehmen und Bernhard zu fragen, was genau er mit ›jemand wie Du‹ gemeint habe. Weil Ruhe im Büro aber zu einer Sache von Minuten geworden ist, blieb die Frage unbeantwortet. Ein Argument in Bernhards Sinn: Was ist zu erreichen an einem Arbeitsplatz, wo das eigentlich Wichtige untergeht im Ansturm des momentan Dringenden?

Obwohl sein Rücken schmerzt von der Nacht auf einer zu weichen Matratze, fühlt Hartmut sich aufgekratzt und voller Energie. Die letzten grauen Wohnblocks bleiben zurück, und der Verkehr beginnt dreispurig zu fließen. Schneller als erwartet liegt Paris hinter ihm. Vor zwei Tagen hat er verkatert am Steuer gesessen und auf die schmalen Autobahnen von Belgien geschaut, jetzt stellt sich die angenehme Eintönigkeit wirklichen Reisens ein. Die Landschaft besteht aus abgeernteten Feldern und kleinen Waldstücken, so flach und offen, dass der Horizont darin zu verschwinden scheint. Kurz hinter Orléans rät die Frauenstimme seines Navigationsgeräts: »Folgen Sie dieser Straße noch sehr lange«, und Hartmut sagt »Okay« und legt eine neue CD ein. Die Wolkendecke wird dünner und das Licht heller. Hinweistafeln auf berühmte Bauwerke säumen die Strecke, der französische Überfluss an Kulturgütern, die seinem Blick verborgen bleiben. Bernhard wird Augen machen. Während Hartmut auf der mittleren Spur nach Süden rollt, trommeln seine Fingerspitzen den Takt der Musik aufs Lenkrad. Hättest du nicht gedacht, hört er sich sagen. Ziemlich spontan für jemanden wie mich.

Wie grundlegend die Universitäten sich damals zu wandeln begannen, ist ihm lange Zeit nicht aufgefallen. Im Rückblick findet er das schwer verständlich, aber mit Bernhards Berufung hatte sich vor allem die Atmosphäre am Institut verändert, und zwar zum Positiven. Da ihre Büros nebeneinander lagen, ergab es sich zwanglos, dass sie zusammen in die Mensa gingen und die dort begonnenen Debatten im Flur fortsetzten. Mit dampfenden Kaffeetassen in der Hand, zwischen Tür und Angel. Bernhard Tauschner war ein leidenschaftlicher Diskutant, der gerne hoffnungslose Standpunkte bezog und sie mit Verve und Dickköpfigkeit verteidigte. Die Pläne für ein gemeinsames Kolloquium nahmen allmählich Gestalt an, als Bernhard erstmals davon sprach, die Universität sei nicht länger der richtige Ort für ihn. Hartmut erinnert sich an eine Unterredung, die in seinem Büro stattfand und hauptsächlich aus Pausen bestand, in denen sie beide aus dem Fenster sahen und er sich ermahnen musste, für die Klagen des Kollegen Interesse aufzubringen. Nicht nur an den Unis kamen die Dinge ins Rollen, zu Hause auch. Am Vortag waren Maria und Philippa so heftig aneinandergeraten, dass seine Tochter Zuflucht bei einer Freundin gesucht hatte. Außerdem war es kein Ausweis von Konsequenz, sondern von Verwöhntheit und Naivität, einen gut dotierten Arbeitsvertrag kündigen zu wollen, der noch fast drei Jahre lief. Seine Finger in der Tasche spielten mit dem Handy. Reiß dich zusammen, hätte er am liebsten gesagt. Mach deinen Job! Zu Hause lag Maria deprimiert im Bett, und er musste mit Philippa sprechen, aber die hob nicht ab.

Tu, was du willst, sagte er schließlich.

»Tu, was du willst.« Als ob ihm nicht klar gewesen wäre, dass jemand wie Bernhard Tauschner genau das tun würde. Ein halbes Jahr später war er weg.

Auf der Höhe von Poitiers wird es blau über der Landschaft. Kleine Ortschaften dämmern in der Sonne, und Nina Simone singt: I wish you could know what it means to be me. In der Ferne stehen schneeweiße Wolken, wie Gipfel in glasiger Höhenluft. In sachten Wellen und gedeckten Farben zieht sich das Land dahin. Maispflanzen stehen auf den Feldern und manchmal Sonnenblumen mit schwarz verdorrten Blüten.

Der Vormittag treibt vorüber.

Zweihundert Kilometer vor Bordeaux ist die CD zum zweiten Mal durchgelaufen. Hartmuts Rückenschmerzen werden stärker und der Durst ebenso. Die Außentemperatur klettert unaufhaltsam nach oben. Er betätigt den Blinker, nimmt den Fuß vom Gas und biegt ab auf den nächsten Rasthof. Eine schmucklose Grünanlage trennt die Parkplätze von der Tankstelle, Urlauber sitzen auf massiven Holzbänken und bedienen sich aus ihren Kühltaschen. Im Schatten hoher Pappeln und Kastanien spielen Kinder. Hartmut findet eine freie Parkbucht und spürt die Luft wie einen heißen Hauch über seine Unterarme streichen, als er den Wagen verlässt. Vor einem Wohnwagen aus Münster sitzt eine vierköpfige Familie um den Campingtisch, als stünde er im heimischen Esszimmer.

Nachdem er sich auf der Herrentoilette das Gesicht gewaschen hat, kauft er einen Kaffee und setzt sich vor die getönte Fensterfront. Mütter mit kleinen Kindern und einem gestressten Lächeln im Gesicht hasten zu den Wasch- und Wickelräumen. Während Hartmut die fettigen Schlieren von zu viel Kaffeesahne verrührt, wird ihm klar, dass zum ersten Mal seit Jahren weder Maria noch Philippa, auch nicht Ruth oder Frau Hedwig wissen, wo er sich befindet. Am Morgen im Hotel hat er überlegt, wenigstens Bernhard seinen Besuch anzukündigen, dann aber lediglich die Adresse des Lokals notiert. Die Taverne verfügt über eine weinrot unterlegte und geschmackvoll gestaltet Website, auf der alleine die Fotogalerie den guten Eindruck stört. Ausgelassen feiernde Gäste, die begeistert Siegeszeichen machen und ihre Getränke in die Kamera halten. Wo der Besitzer sich zeigt, sieht er gut gebräunt und ansonsten unverändert aus. Das hagere Gesicht mit den wachen Augen, aus denen eine ironische Distanz zur Umwelt spricht. Die Ordinarien am Institut hatten ihm das als Überheblichkeit ausgelegt und nicht verziehen.

Wird Bernhard sich freuen über den unangemeldeten Besuch? In der Ferne kann Hartmut ein Stück Autobahn ausmachen, flimmernd in der Mittagshitze. Im nächsten Augenblick zuckt er zusammen, weil das Handy in seiner Hosentasche zu vibrieren beginnt.

›Maria‹ steht auf dem Display.

Im ersten Moment ist er zu überrascht, um das Gespräch entgegenzunehmen. Wann und worüber haben sie zuletzt gesprochen? Wo vermutet Maria ihn, und von wo ruft sie an? Hilflos blickt sich Hartmut im betriebsamen Rasthof um. Die schwarze Küchenhilfe hinter der Theke muss schon vorher dort gestanden haben, aber erst jetzt nimmt er sie wahr. Über dem blauen Kittel balanciert sie einen Turban aus Zöpfen und bunten Perlen und hantiert mit ihrer großen Schöpfkelle. Kopenhagen, Bonn, eine SMS mit Grüßen und Küssen. Sie wollten nach Spanien fliegen. Hartmut atmet tief durch und drückt auf den grünen Knopf.

»Hallo.«

»Hallo. Ich dachte schon, du bist nicht zu sprechen. Wobei störe ich dich?«

In der Leitung rauscht es, aber das ruhige Timbre von Marias Stimme lässt auch ihn augenblicklich ruhiger werden. Über dem Zeitschriftenregal steht in bunten Lettern das Wort Évasion.

»Bei nichts«, antwortet er. »Einer Tasse Kaffee und der Frage, was meine Frau gerade macht. Schön, dass du anrufst.«

»Ich hab heute so viel Kaffee getrunken, mein Herz macht komische Sprünge.«

»Stress in Kopenhagen?«

»Eigentlich wär's mir lieber, du würdest erzählen. Hier ist es unerfreulich.« Sie seufzt, aber dann berichtet sie doch, von Problemen mit dem Bühnenbild und ständigen Querelen um die Probenzeiten. Es ist ein internationales Festival anlässlich der

Einweihung des neuen Theaterhauses, und natürlich will jedes Ensemble mindestens ein Mal auf der großen Bühne proben. Falk Merlinger scheint allerdings zu glauben, dass seiner Truppe eine Bevorzugung gebührt, und Maria gibt zu, sich manchmal für sein Auftreten zu schämen. Hartmut hört zu. Bevor das Telefon zum meistbenutzten Kanal ihrer ehelichen Kommunikation wurde, hat er ausgesprochen gerne mit seiner Frau telefoniert. Ihre Stimme klingt gut so nah an seinem Ohr. Sexy, um genau zu sein. Ein einziges Mal, und ohne es ihr hinterher zu gestehen, hat er im Zimmer eines Tagungshotels onaniert, während Maria von ihrem Tag berichtete. Jetzt überlegt er, ob die Hintergrundgeräusche seinen Aufenthaltsort verraten, aber Maria scheint nichts zu bemerken. Vielleicht vermutet sie ihn in der Bonner Mensa.

»Ich wünschte, du wärst hier«, schließt sie, bevor er auf das Thema Merlinger anspringen kann. »Ich mag es nicht, alleine im Hotel zu schlafen. Wenn dich nichts Dringendes in Bonn hält, könntest du spontan einfliegen.«

»Um im Hotelzimmer auf dich zu warten?«

»Mir würde das gefallen.«

»Was mache ich den ganzen Tag?«

»Bring Arbeit mit. Am besten eine schlechte Hausarbeit, aus der du mir abends vorlesen kannst.«

»Apropos: Dein Freund Charles Lin hat seine Dissertation abgegeben.«

»Mein Freund Charles Lin«, lacht sie. »Auf Deutsch?«

»Sino-Deutsch. Konfuzianisches Denker-Esperanto. Der internationale Jargon der akademischen Legasthenie.« Der unerwartete Anruf hat ihn aufgeschreckt, aber schon nach wenigen Minuten glaubt er, dass nichts als ein Gespräch mit seiner Frau dem Moment zur Vollkommenheit gefehlt habe. Soweit die steife Rückenlehne es erlaubt, lehnt Hartmut sich auf seinem Stuhl zurück, streckt die Füße unter den Tisch und genießt das Wissen, von Maria vermisst zu werden.

»Philosophen aller Länder, vereinigt euch und promoviert

bei Hartmut Hainbach«, sagt er. »Ich bin wie die AOK, ich muss jeden nehmen.«

»Du klingst nicht genervt.«

»Ich werde altersmilde. Wo bist du gerade?«

»Ich stehe vor diesem riesigen neuen Theater in der Sonne und rauche meine erste Zigarette. Von der Stadt hab ich noch nicht viel gesehen, aber sie scheint schön zu sein. Sollten wir uns mal vornehmen: eine Nacht in Hamburg, ein Wochenende in Kopenhagen. Oh, und ist die Rechnung von meiner Frauenärztin gekommen?«

»Ja«, sagt er aufs Geratewohl. »Glaub schon.«

»Leg die zur Seite, da will ich erst nachschauen. Beim letzten Mal hat sie zu viel abgerechnet.«

»Okay.« Mit der freien Hand greift er nach den Blättern einiger künstlicher Blumen auf der Fensterbank. Fühlt Plastik zwischen Daumen und Zeigefinger und denkt an Sandrines Befremden, als er ihr den Strauß überreicht hat. Wieso war ihm nicht selbst klar, dass Blumen das falsche Mitbringsel sind?

»Ich hab das Gefühl, wir hätten uns schon sehr lange nicht gesehen«, sagt Maria. »Länger als eine Woche.«

»Geht mir immer so. Wie war eigentlich dein Essen neulich mit Peter Karow?«

»Nett.« Sie atmet Zigarettenrauch aus, ein leises Rauschen im Hörer. Dann entsteht eine Pause, als wüsste Maria genau, dass die Frage nicht so beiläufig gemeint war, wie er sie hat klingen lassen. Hinter der Theke verharrt die schwarze Frau vollkommen reglos, in der linken Hand einen Teller, aber vor sich keinen Kunden, den sie bedienen könnte. Ihr Blick ist zum Eingang gerichtet, durch den schubsend und drängelnd einige Jugendliche kommen. Soll er nachhaken und fragen, worüber Maria und Peter gesprochen haben?

»Ich soll dich natürlich grüßen«, kommt sie ihm zuvor. »Erinnerst du dich noch, wie du ihn zum ersten Mal getroffen hast? An das Buch, das ich ihm mitgebracht hatte? Den Nietzsche-Band.«

»Ich erinnere mich«, sagt er. Es war während eines Ausflugs

nach Ost-Berlin im Frühjahr 1985. Wenige Minuten nachdem Maria und er einander zum ersten Mal geküsst hatten, wurden sie von Peter Karow von einer Bahnstation abgeholt, die damals Marx-Engels-Platz hieß. Heute heißt sie Hackescher Markt. Merkwürdige Symmetrie: der Ort ihres ersten und bisher letzten Kusses.

»Siehst du, ich hatte es vergessen. Offenbar hatte ich das Buch für ihn über die Grenze geschmuggelt und dann gesagt, du wärst es gewesen. War es so?«

»Genau so.« Vorher hatte er jahrelang im Westteil der Stadt gearbeitet, ohne sich für das Leben hinter der Mauer zu interessieren. Maria hingegen fuhr oft nach drüben, um Falks Manuskripte unters Theatervolk zu bringen. An der Volksbühne haben sie und Peter Karow einander kennengelernt. In der guten alten Zeit des Kalten Krieges.

»Wie kommst du jetzt darauf?«, fragt er.

»Bis vor drei Tagen hat Peter geglaubt, du hättest ihm das Buch mitgebracht. Wir kamen drauf, weil er meinte, er habe von Anfang an diesen positiven Eindruck von dir gehabt. Wegen des Buches.«

»Und?«

»Ich kann beim besten Willen nicht verstehen, warum ich das gesagt haben soll. Was war der Zweck? Wollte ich euch zwei verkuppeln?« Ein seltener Anflug von Albernheit, der Hartmuts Sehnsucht augenblicklich verstärkt. Einen Moment lang erwägt er, umzukehren und hoch nach Dänemark zu fahren. Durch die fremde Stadt streifen, bis Maria vom Theater kommt. Gemütlich essen gehen, die Optionen auf den Tisch legen und sie in Ruhe mit seiner Frau besprechen. Außerdem wünscht er zum ersten Mal, er hätte auf das Gewühle mit Katharina Müller-Graf verzichtet. Dann würde es ihm jetzt leichter fallen, zu sagen, wo er ist.

»Als ich dich hinterher gefragt habe, meintest du, Peter hat diese Art, gerührt und dankbar zu sein, selbst für Kleinigkeiten. Und dass es dir irgendwie unangenehm sei.« Zu dritt sind sie schließlich in Peters Wartburg gestiegen, um sich in der Wohnung von irgendwem eine szenische Lesung anzuhören. Hartmut saß hinten mit dem Geschmack ihres ersten Kusses auf den Lippen, vorne kramte Maria in ihrer Tasche und sagte: Hartmut hat dir was mitgebracht. *Die Geburt der Tragödie*, wenn er sich richtig erinnert. Nicht offiziell verboten in der DDR, aber schwer zu bekommen. Jetzt wundert er sich, dass er bei ihrem Abschied vor einer Woche nicht daran denken musste. Wahrscheinlich hat der Platz vor dem Bahnhof sich zu sehr verändert.

Maria atmet Rauch aus und ist bereit für einen Themenwechsel, in dem die baldige Beendigung des Gesprächs anklingt.

»Gibt's in Bonn was Neues?«

»Ich werde jemanden kommen lassen, der den Garten in Ordnung bringt. Wahrscheinlich muss der Kirschbaum vor dem Haus gefällt werden, sonst greifen die Wurzeln das Fundament an.«

»Hm-m. Sagt wer?«

»Dein Mann. Überhaupt überlege ich, das Haus zu verkaufen.«

»Bitte?«

Etwas in Marias Tonfall – ihre Sehnsucht nach ihm, die mädchenhafte Albernheit, dann die Andeutung von Rückzug – hat ihn zu der Äußerung provoziert. Er setzt sich aufrecht hin und stützt beide Ellbogen auf die Tischplatte.

»Es ist zu groß für mich alleine«, sagt er so beiläufig wie möglich.

»Okay. Wann bist du auf diesen Gedanken gekommen?«

»Kein Gedanke, sondern eine Tatsache. Es *ist* zu groß für mich.«

»Kann ja sein, aber es ist nicht fair, mich damit am Telefon zu konfrontieren. Ich muss gleich wieder rein.«

»Ich hab noch nichts unternommen, Maria, nur eine Überlegung angestellt. Ein bisschen erstaunt es mich, dass … Ich meine, man kann nicht behaupten, du würdest an dem Haus hängen.«

Es könnte der Beginn eines Streits sein, aber wahrscheinlich hat Maria keine Zeit dafür, oder sie ist nicht in der richtigen Stimmung.

»Ich hab ein komisches Gefühl«, sagt sie. »So denkst du nicht: Es ist zu groß für mich, also verkaufe ich's eben. Es ist unser Haus. Außerdem bist du nicht der Einzige, der in letzter Zeit nachgedacht hat.«

Die Jugendlichen kommen von den Toiletten zurück, und Hartmut dreht den Kopf zur Seite. Durch die getönten Fensterscheiben sieht das Sonnenlicht draußen trüb und hart aus.

»Ich höre«, sagt er.

»Wir können jetzt nicht darüber sprechen. Ich muss wirklich wieder rein. Wir reden nächste Woche, okay? Hast du schon nach Flügen geschaut?«

»Noch nicht.«

»Aber du willst mit mir nach Spanien fliegen? Zu Philippa, und dann weiter nach Portugal. Das gilt weiterhin, ja?«

»Ja«, sagt er. »Unbedingt.«

»Und ich will, dass wir unser Leben anders einrichten. Ich weiß nicht wie, aber jedenfalls so, dass keiner von uns darunter zu leiden hat. Schaffen wir das?«

Zuerst denkt er, dass Peter Karow nicht dichtgehalten und ihr von dem Treffen im Verlag erzählt hat. Warum sonst sollte er die Eindrücke ihrer Begegnung vor über zwanzig Jahren hervorgeholt haben? Aber dann würde Maria nicht um den heißen Brei herumreden, sondern zur Möglichkeit seines Umzugs Stellung beziehen. Wüsste sie von Peters Angebot, würde sie entweder gar nichts sagen oder: Komm nach Berlin! Im ersten Moment fällt Hartmut nichts Besseres ein, als die Worte anlässlich ihres Umzugs zu zitieren: »Wir sind stark genug, wir schaffen das.«

»Hartmut, hab ich einen Fehler gemacht? Ich meine nicht, ob ich dir weh getan habe oder ob es schwierig für dich ist, mit der Situation umzugehen. Ich meine: Habe ich einen *Fehler* gemacht?«

»Soweit ich sehe keinen, der sich nicht korrigieren ließe. Wir finden einen Weg. Zusammen.«

»Versprich mir das.«

»Komm aus Kopenhagen zurück, und dann reden wir.« Auf einmal spürt er einen verdächtigen Druck hinter den Augäpfeln und muss zwei Mal schlucken, bevor er weitersprechen kann. »Gibt's Neuigkeiten von unserer Tochter?«

»Die letzte Mail kam vor einer Woche, die mit dem Witz. Aber ich hab meine Post seit zwei Tagen nicht lesen können.«

»Ich werde mich bei ihr melden. Bestimmt hat sie einen Freund. Was meinst du?«

»Ich muss los, Hartmut. Pass auf dich auf, okay.«

»Du auch. Lass dich nicht zu sehr stressen vom großen Diktator.«

Noch einmal scheint Maria Luft zu holen, um etwas zu sagen, aber dann klickt es bloß, und die Verbindung ist unterbrochen.

Zögernd nimmt Hartmut das Handy vom Ohr. Obwohl er erst vor einer Viertelstunde auf dem Klo gewesen ist, muss er schon wieder. Außerdem spürt er ein Rumoren im Magen. Ihm gegenüber, auf der Titelseite von *L'Équipe*, ballt jemand triumphierend die Faust. Gedankenverloren reibt Hartmut sein Telefon über den aufgerollten Hemdsärmel und klappt es zusammen. Im Aufstehen leert er seine Kaffeetasse und tastet nach dem Autoschlüssel. Wasser muss er kaufen, tanken nicht. Nachdenken kann er auch unterwegs. Vor ihm liegt immer noch ein langer Weg.

Als Hartmut die Küste fast erreicht hat, beginnt die Sonne zu sinken. Flach und weit streckt sich das Land dem Meer entgegen. Seit Bordeaux hinter ihm liegt, glaubt er, den nahen Atlantik zu erahnen hinter dem nächsten Stück Pinienwald, rechts der meist pfeilgeraden N 10, aber zu sehen ist nur ein tiefblauer Himmel, der am Horizont auf weißen Wolkenbergen sitzt. Die Verspannung in seinen Schultern wird immer schmerzhafter, bis endlich die ersehnte Abzweigung nach Mimizan auftaucht. ›La fôret c'est la vie‹ verkünden Schilder entlang der schmalen

Landstraße, auf der sein Navigationsgerät die letzten Kilometer herunterzählt. Der trockene Boden sieht aus wie aufgescheuert und macht die darunter liegende Sandschicht sichtbar. Hinter dem Ortsschild liegt ein schmuckes Städtchen mit gepflegten Gärten und einem durch Ladenzeilen definierten Zentrum. Daneben die obligatorische Kirche. Viel Grün wächst zwischen den Häusern, ein paar ältere Urlaubsgäste sitzen unter den weinroten Markisen des Hôtel du Centre. Erst einige Kilometer weiter, im maritimen Ableger Mimizan-Plage, wird Hartmut von der Geschäftigkeit eines Urlaubsortes in der Hochsaison empfangen. Böige Meeresluft und französische Wortfetzen wehen ihn an, als er gegenüber dem Tourismusbüro seinen Wagen abstellt und aussteigt.

Der kleine Ort liegt im Rücken einer langgezogenen Düne. Das Meer bleibt dahinter verborgen, Scharen von Strandbesuchern kommen Hartmut entgegen, als er sich zu Fuß auf den Weg macht. Die ersten Heimkehrer offenbar, die gerollte Sonnenschirme und Handtücher tragen, Schwimmtiere und müde Kinder. Überall in der sanft ansteigenden Fußgängerzone erklingt Musik, liegen auf Verkaufsständen bunte Waren aus und locken Terrassen die Urlaubsgäste an. Es riecht nach Kaffee und frischen Crêpes. Mit einer Miene, als wäre sein Umsatz ihm gleichgültig, verkauft ein Mann mit grauem Zopf Silberschmuck und tibetische Gebetsfahnen. Ein kleiner Junge beginnt zu weinen, weil seine volle Eiswaffel auf dem Boden liegt. Gute Laune und die kleinen Dramen des Alltags. Nicht mehr lange, bis die Restaurants sich zu füllen beginnen.

Auf halbem Weg die Gasse hinauf entdeckt Hartmut den roten Neonschriftzug der Taverne. Kein Weinlokal, das erkennt er auf den ersten Blick. Der Eingang führt über eine hölzerne Veranda, die wie eine Tribüne die Promenade flankiert, davor stehen ein halbes Dutzend Tische unter weißen Sonnenschirmen. Der Innenraum ist klein und schummrig, außerdem fast leer, wie Hartmut feststellt, als er in der offenen Tür stehen bleibt. Zwei alte Ventilatoren bewegen die von Reggaemusik erfüllte

Luft, und ein langhaariger Barkeeper kreiert neue Drinks. Gießt sich ein kleines Glas voll, nippt daran und schüttet den Rest weg. Von Bernhard Tauschner keine Spur, und hätte Hartmut ihn heute Morgen nicht auf den Fotos erkannt, würde er ihn an diesem Ort auch nicht vermuten.

Bei der dunkelhaarigen Kellnerin, die gemächlichen Schrittes an seinen Tisch kommt, bestellt er ein Bier und fragt mit unbeholfenem Akzent nach Monsieur Tauschnère. Ihre Antwort und den auf die Armbanduhr tippenden Zeigefinger interpretiert er so, dass Bernhard bald in der Bar auftauchen wird. Hartmut bedankt sich, streckt den Rücken und drückt mit beiden Händen gegen seine Wirbelsäule. Oberhalb der Nieren konzentriert sich das Gefühl, zu lange in derselben Position gesessen zu haben. Zwei Jahre lang ist er regelmäßig zur Massage gegangen, geholfen hat es wenig. Von der Anschaffung eines Stehpults spricht er gelegentlich, ohne sich darum zu kümmern. Jetzt ist er froh, die Etappe bewältigt zu haben. Atmet tief durch und lässt die Szenerie auf sich wirken.

Erst als das Bier vor ihm steht, fällt ihm auf, wie groß sein Durst ist.

Braun gebrannte junge Frauen haben sich Tücher um die Hüften geschlungen, die Männer tragen offene Hemden über weiten Boxershorts. In Grüppchen und mit Gläsern in der Hand stehen sie vor einer schmalen Theke. Was Hartmut bekannt vorkommt, ist nicht der Ort, sondern die wohltuende Mattigkeit der Ankunft. In Rapa geht er immer als Erstes hinüber in die alte Dorfhälfte, um im Café von Marias Tante ein kühles Sagres zu trinken. Auf dem rückwärtigen Balkon, mit Blick über die karge Landschaft der Serra da Estrela. Da er in Bonn nur selten Bier trinkt, versetzt ihn der Geschmack in seinem Mund augenblicklich in Ferienstimmung. Er ist im Süden. Der Strom der Badegäste und Flaneure wird stetig dichter. Drinnen singt Bob Marley *I Shot the Sheriff*.

Das gehört zu den Dingen, über die zwischen Bernhard und ihm Einigkeit herrschte: Allen südwärts gerichteten Sehnsüchten soll man nachgeben, sooft es geht. Bernhards Vater war Richter in der Nähe von München, er selbst spielt Geige und malt. Nach Bonn hatte man ihn seinerzeit berufen, weil die neuere französische Philosophie im Lehrplan zwar vorkommen, sich darin aber nicht zu sehr ausbreiten sollte. Der Poststrukturalismus sei der Epilog einer Verirrung, lautete Herweghs keineswegs isolierte Meinung, eine ephemere Erscheinung, für die eine Juniorprofessur völlig ausreichte. Fünf Jahre, bis die nächste Mode kommt. Dass Bernhard Tauschner ein humanistisches Gymnasium besucht hatte, die alten Sprachen konnte und Derrida trotzdem ernst nahm, machte ihn umso verdächtiger. Ein höflicher junger Mann, gut gekleidet und breit gebildet, der in den grauen Eminenzen des Instituts Nachtwächter sah, die sich als Chefs aufspielten.

»Verrückt. Heute Morgen hab ich an dich gedacht.«

Als Hartmut aufschaut, steht Bernhard neben seinem Tisch. Die Sonnenbrille hat er abgenommen und muss blinzeln gegen die Helligkeit. Sein Gesicht ist noch schmaler geworden, durch die kurzen, braunen Haare laufen silbergraue Strähnen. Obwohl er die Arme waagrecht in der Luft hält, sieht er weniger überrascht aus, als Hartmut gehofft hat. Eher still amüsiert. Seinerseits überrumpelt steht Hartmut auf und weiß nicht, wie er den anderen begrüßen soll.

»Du hast geschrieben: jederzeit«, sagt er und spürt das schiefe Grinsen, mit dem er versucht, seine aufkommenden Emotionen zu überspielen. »Also dachte ich mir, ich komme vorbei auf ein Getränk. Schön, dich zu sehen.«

Sie schütteln einander die Hand, lachen verlegen und machen aus dem Handschlag eine ungelenke Umarmung. Anders als seine Gäste trägt Bernhard keine Strandkleidung, sondern ein weißes Hemd zur beigen Leinenhose und dunkle Mokassins. Es fühlt sich merkwürdig an, das Rasierwasser eines alten Bekannten wiederzuerkennen.

»Das ist wirklich eine Überraschung«, sagt Bernhard, als sie einander wie vorher gegenüberstehen. »Ich hab an dich gedacht, weil ich mit jemandem über einen Film gesprochen habe. Da fiel mir ein, du hattest mir davon erzählt. *Wilde Erdbeeren*. Ich hab ihn immer noch nicht gesehen.«

»Nicht der beste, aber ein typischer Bergman-Film. Ingrid Thulin ist zauberhaft.«

»Irgendwann werde ich ihn mir ansehen.« Im Platznehmen gibt Bernhard der Bedienung ein Zeichen, stützt die Hände auf den Tisch und sieht Hartmut fragend an. »Und du – bist gerade angekommen, oder schon gestern? Mit dem Auto?«

»Ja, aus Paris.«

»Aus dem grauen Paris. Alleine?«

Nickend hebt Hartmut die Hände.

»Vor zehn Minuten eingetroffen. Die Adresse hab ich mir im Internet besorgt. Heute Morgen im Hotel, alles ganz spontan.«

»Bist du auf der Durchreise nach Portugal?«

»Mal sehen, vielleicht. In erster Linie bin ich deinetwegen gekommen. Wollte mir dein Weinlokal anschauen.«

Bernhard macht eine kreisende Kopfbewegung, der Hartmut entnimmt, dass er lieber nicht sofort darauf angesprochen worden wäre. Seine blauen Augen haben etwas Durchdringendes, das manche Studenten einschüchternd fanden. Als wollte er alles von einem wissen, hat Maria einmal gesagt. In der Tat fragt Bernhard gern und viel und behauptet selbst, es sei ein inneres Unbehagen, das er dadurch abzuschütteln versuche. Besonders Fremden gegenüber.

»Hat früher einem Studienfreund gehört«, sagt er jetzt, »der es loswerden wollte. Ein Weinlokal hätte es werden sollen, und ich hab ein paar gute Flaschen im Angebot. Leben könnte ich davon nicht.«

Die Bedienung bringt ein zweites Bier. Sie stoßen an und trinken, danach fasst Bernhard die letzten drei Jahre in wenigen Sätzen zusammen: Übernahme des Lokals mit dem Ziel, den anspruchsvolleren Urlaubsgästen eine feste Adresse zu bieten; die schnell reifende Einsicht, dass die Zahl der Kunden nicht ausreichte für ein breites Angebot. Jetzt heule er mit den Wölfen und trinke die guten Weine selbst. Wie früher untermalt er seine Rede mit Gesten, die ein väterliches Erbe sein könnten. Ruhig und gemessen. Nachdem er seinen Bericht beendet hat, kommt er auf die Frage nach dem Anlass von Hartmuts Besuch zurück.

»Alleine unterwegs in Frankreich, das klingt ungewöhnlich. Wo ist deine Frau?«

»Maria arbeitet. Ich musste raus aus Bonn.« Um nicht mit der Tür ins Haus zu fallen, begnügt Hartmut sich mit einer unbestimmten Geste in Richtung seines Kopfes. »Kleine Auszeit vom Reformstress. Es ist seit deinem Abgang nicht besser geworden.«

»Wo arbeitet sie?«

»An einem Berliner Theater. Falk Merlinger, du erinnerst dich. Im Moment ist sie mit der Truppe in Kopenhagen.«

»Okay. Aber ihr seid noch …?« Bernhards Hände hängen in der Luft, als wüsste er nicht, wie man das Wort ›zusammen‹ gestisch ausdrückt.

»Seit zwei Jahren führen wir eine Wochenendbeziehung. Angeblich tut uns das gut. Bewahrt uns vor dem Einrosten.«

»Die Euphorie steht dir ins Gesicht geschrieben.«

»Die ganze Geschichte erzähl ich dir später. Im Moment bin ich gedanklich noch bei deiner. Du betreibst also eine Bar.« Hartmut schaut sich um, als würde ihm das erst jetzt auffallen.

»Ich weiß, was du meinst. Eine Bar.«

»Es interessiert mich einfach. Ist es besser als an der Uni?«

»Es war für den Übergang gedacht, von der Uni in was Besseres. Hätte kein Dauerzustand werden sollen. Was als Nächstes kommt … on verra. Sparen wir uns die langen Geschichten für später auf.« Lächelnd lehnt er sich in seinem Stuhl zurück. Vielleicht in Reaktion auf Hartmuts Blick fügt er hinzu, dass er gutes Geld verdient und im letzten Frühjahr ein Haus gekauft habe. Eine Autostunde landeinwärts, mitten in der Heide. Während der Saison wohne er in einer kleinen Wohnung über der Bar, von Herbst bis Frühjahr schaue er nur ab und an vorbei, um nach dem Rechten zu sehen. Daraufhin schweigen sie, und Hartmut glaubt, in der Ferne den beharrlichen Takt der Wellen zu hören. Der Betrieb in den Straßen nimmt weiter zu. Gegenüber der Taverne wird Eis verkauft in hundert verschiedenen Sorten. Bob Marley singt den *Redemption Song*.

Hier sitzen wir, denkt Hartmut zufrieden. Drei Jahre sind eine Zeitspanne, in der Erwachsene sich verändern, ohne dass man sagen könnte wie. Schon in Bonn war Bernhard ein reifer und dabei merkwürdig unfertiger Mensch. Ebenso feinsinnig wie ungeschickt, verliebt in alles Mehrdeutige, aber mit festen Überzeugungen und einer bisweilen schroffen Art, sie zu äußern. Mit vierzig hatte er begonnen, Chinesisch zu lernen, und auf die Frage nach dem Warum geantwortet, man könne schließlich nie wissen. Hauptsache keine Scheuklappen.

Jetzt zieht ein nachdenkliches Lächeln über sein Gesicht. »Ich hab immer gedacht, wenn überhaupt, dann wirst du vorbeikommen, ohne dich vorher anzumelden. Es passt nicht zu dir, ist aber die einzige Möglichkeit.«

»Du kennst mein Leben: Bonn und Portugal. Was dazwischen liegt, ist mir nur vom Drüberfliegen bekannt.«

»Also gar nicht. Wie geht's Philippa?«

»Gut. Nehme ich jedenfalls an. Sie studiert in Hamburg und schneit nur selten in Bonn vorbei. Im Moment lernt sie Spanisch in Santiago. Falls sie Zeit hat, fahre ich von hier aus für ein paar Tage hin.«

»Bin ich in Bonn so was wie eine Persona non grata?« Die Frage untermalt Bernhard mit einem Hochziehen der Augenbrauen, das nicht erkennen lässt, wie ernst er sie meint.

»Die Parteilinie lautet, du hast dich eben verzettelt. Deine Vorstellungen von Universität passen nicht ins einundzwanzigste Jahrhundert. Sie ruhen sanft auf dem Friedhof von Bologna.«

»Solange man im Namen des einundzwanzigsten Jahrhunderts spricht, darf man heute wirklich jeden Unsinn behaupten.«

»Zum Beispiel den: Menschen sind Relaisstationen eines fortlaufenden Austauschs und der lebenslangen Verarbeitung von Informationen. Der Satz fiel in einer Ringvorlesung zum Thema Kommunikation, an der ich letztes Jahr mitwirken musste. Informationen, nicht Gedanken.«

»Relaisstationen, nicht Persönlichkeiten. Was glaubst du?«

»Was ich dir am meisten verüble, ist, dass Herwegh und Breugmann hinterher auf deinen Fall verweisen konnten, um für ihr Steckenpferd zu werben. Eine Habilitation hätte dir deine Flausen nämlich gründlich ausgetrieben, davon sind sie bis heute überzeugt.«

Dafür hat Bernhard nur ein müdes Lächeln übrig. »Unverbesserlich, die beiden. Manchmal vermisse ich sie.«

Inzwischen sind um sie herum alle Tische besetzt, größtenteils von Gruppen junger Leute. Die Sonne steht tief und schickt ihre Strahlen über den Ort. Ein angenehm warmes Zwielicht, das aus dem lodernden Himmel fließt.

»Was denkst du selbst?«, fragt Hartmut. »Gilt immer noch, dass du den Schritt nicht bereust?«

»Mal so, mal so. Unterm Strich bleibt mir mehr Zeit für die Arbeit als dir. Und das ohne den Zwang zum ständigen Publizieren.«

»Arbeit? Tatsächlich.«

»Was denn sonst?« Zum ersten Mal reagiert Bernhard so, wie es ihm seinerzeit in hitzigen Diskussionen unterlaufen ist. Erst nur ein wenig ungehalten, aber reizte man ihn dann weiter, begann er sich zu ereifern, und der Eindruck von Souveränität verschwand hinter einer verständnislosen, leicht angeekelten Miene.

»Ich dachte, du hättest das alles an den Nagel gehängt.«

»Dachtest du. Mir ist das nie in den Sinn gekommen. Ich wollte bloß nicht länger kollaborieren mit diesem schwachsinnigen System. Das ist übrigens, was ich dir am meisten verüble, dass du dich auch noch bereit erklärt hast, die Studienordnung zu entwerfen. Hast du doch, oder?«

Bevor Hartmut antworten kann, kommt die Bedienung und verwickelt Bernhard in ein Gespräch. In der Bar nebenan folgt lautes Johlen auf das Geräusch zerspringenden Glases. Schon acht Uhr vorbei. Auf den Gassen tragen Männer ihre Muskeln zur Schau und blicken jungen Frauen hinterher. Hartmut nimmt einen Schluck Bier. Warum fühlt er sich auf einmal so sehr im Einklang mit sich? Frei von dem Bedürfnis zu widersprechen, sich zu verteidigen, recht zu behalten. Die Verspannung in seinem Rücken ist verschwunden, er möchte das Meer sehen und dann weitertrinken und reden. Erst als Bernhards Angestellte ihn für einige Sekunden mustert, fällt Hartmut auf, dass er still vor sich hin lächelt.

»Pardon«, sagt Bernhard, nachdem er die Besprechung beendet hat. »Für heute Abend ist jemand ausgefallen. Am besten trinken wir aus, dann zeig ich dir ein Hotel. Meine Wohnung ist zu klein, außerdem geht der Trubel bis spät in die Nacht. Wie lange hast du vor zu bleiben?«

»Paar Tage. Zum ersten Mal, seit ich weiß nicht wie vielen Jahren, bin ich ohne festen Zeitplan unterwegs.«

»Es muss was richtig Schlimmes passiert sein.«

»Bevor ich's dir erzähle, würde ich gerne dem Atlantik Hallo sagen. Auf den freue ich mich schon den ganzen Tag.«

Bernhard nickt und trinkt. Dann hält er inne, als suche er nach dem abgerissenen Faden ihres Gesprächs.

»Weißt du, mir fiel eben ein, wie Breugmann einmal in mein Büro gekommen ist. Wir saßen in der kleinen Sitzecke neben der Tür, ich weiß nicht mehr, worum es ging. Wahrscheinlich wollte er einen seiner wohlformulierten Gemeinplätze loswerden. Dass man sich manchmal ins Unvermeidliche schicken muss. Der Kompromiss als Ausdruck praktischer Vernunft, irgend so ein Käse. Sag selbst, ist dir je ein Mensch begegnet, der auf so wohlwollende Weise herablassend sein kann? Es berührt einen nicht einmal unangenehm, aber was mir in Erinnerung geblieben ist, war mein Gedanke: Es ist unmöglich für mich, ihn zu überzeugen. Was ich anzubieten habe, ist für ihn nur

Spielgeld. Mit seinen Münzen wird seit Jahrhunderten gehandelt. Er würde nie auf die Idee kommen, mal draufzubeißen und festzustellen, dass es Blech ist.«

»Breugmann hat über dich gesagt, niemand sei auf so höfliche Weise renitent wie du. Das klang beinahe respektvoll.«

»Wenn ich ehrlich bin, habe ich ihn trotz allem gemocht. Irgendwie. Wer benutzt heute noch Wörter wie ›nassforsch‹ oder ›beckmesserisch‹.«

»Lass uns zum Strand gehen«, sagt Hartmut und leert sein Glas. Über den Häusern tauchen rote Schlieren am Himmel auf, und er will nicht länger über die Uni reden. Immer noch klingt ihm die merkwürdige Betonung im Ohr, mit der Maria am Telefon von einem *Fehler* gesprochen hat. Es macht ihm in diesem Moment bloß keine Angst. Für sie und ihn muss es einen Weg geben. Muss!

»Ich komme ja«, sagt Bernhard eilig, als Hartmut einfach aufsteht.

Es sind nur ein paar Schritte die Promenade hinauf. ›À louer‹ steht hier und da in den Fenstern leerer Apartments. Sobald sie oben auf der Düne angelangt sind, rollt der Atlantik in gleichmäßiger Bewegung auf sie zu. Rauschen und Kinderstimmen füllen die salzige Luft. Eine breite, leicht konkave Küste zieht sich nach Norden und Süden und verschwimmt in gelblichem Dunst. Mit dem Finger weist Bernhard auf den nördlichen Strandabschnitt: »Gehen wir da lang, dann kommen wir auf dem Rückweg zum Hotel.«

Eine Holztreppe führt hinab. Jugendliche sitzen auf den Stufen und essen Pizza aus fettfleckigen Kartons. Nur vereinzelt tummeln sich Leute im Wasser, meistens Ball spielende junge Kerle, deren Rufe über den Strand hallen. Weiter draußen gleiten Surfer über die brechenden Wellen. Der Wind weht kräftig und angenehm kühl aus nordwestlicher Richtung. Kein Schiff am Horizont.

»Wie bitte?«, fragt Hartmut, weil der Wind Bernhards letzte Äußerung verweht hat. Mit den Schuhen in der Hand gehen sie aufs Wasser zu, und als er sich umblickt, kommt es ihm vor, als würden die Häuser auf den Dünen langsam davontreiben. Sonnenstrahlen spiegeln sich in den Fensterscheiben. Die Schatten von Bernhard und ihm sind zwanzig Meter lang und dünn wie Giacometti-Figuren.

»Beharrungskräfte, hab ich gesagt.« Bernhard hat die Hemdsärmel aufgerollt und weiches Abendlicht im Gesicht. »Darin hat Breugmann mich an meinen Vater erinnert. Kultivierte Männer, richtige Bildungsbürger. Kennen ihre Klassiker oder können sie jedenfalls zitieren. Mein Vater war kein Kirchgänger, aber am Sonntag hat er einen Schlips getragen, auch zu Hause. Dann gab's Wein zum Mittagessen und feine Kuchen zum Dessert. Als Kind fand ich das normal, jetzt kommt es mir bemerkenswert vor: die Übereinstimmung. Er hat sein Leben getragen wie einen maßgeschneiderten Anzug. Oder umgekehrt, das Leben ihn, keine Ahnung. Jedenfalls war er genauso, wie er sein musste. Letztes Jahr ist er übrigens gestorben.«

»Das wusste ich nicht. Tut mir leid.«

»Wenn ich an ihn denke, frage ich mich, was für ein Gefühl das war. Beruht diese Übereinstimmung auf einer Leistung, die man erbringt, oder geschieht es einfach? Ins Leben passen, seinen Ort haben. Ich weiß nur, dass es in seinem Fall keine Borniertheit war. Aber was sonst?«

Draußen über dem Wasser fliegt eine Möwe gegen den Wind, mit ruhigen Schlägen und ohne sich von der Stelle zu bewegen. Statt etwas zu erwidern, nickt Hartmut nur. Solche Fragen hat er sich tausend Mal gestellt und keine Antwort gefunden.

»Früher sind wir zusammen gewandert«, sagt Bernhard. »Zwei oder drei Mal im Jahr für ein Wochenende. Mit Rucksäcken und unseren Schweizer Taschenmessern. Weil er selten zu Hause war, musste er mir unterwegs beibringen, was er für wesentlich hielt. Würde man das heute als Text lesen, käme kein Mensch auf die Idee, es seien die Siebziger gewesen. Es war zeitlos. Jetzt ist es so was von vorbei.«

Hartmut schlägt die Arme um seinen Oberkörper und blickt hinaus aufs Meer. Sein erstes Taschenmesser hat er sich gekauft, als er Lehrling am Bergenstädter Landratsamt war. Kein echtes Schweizer, sondern eins mit grün-schwarzem Griff, das seit Jahren in Roßbachs Schaufenster gelegen hatte. Ein Haushaltswarengeschäft mit angeschlossener Tankstelle, oberhalb der Kreuzung, die in Arnau ›Auf der Spitze‹ hieß. Am Rücken verwandelt sich die Feuchtigkeit seines Hemdes in unangenehme Kühle. Ein Surfer kommt aus dem Wasser und lässt sich erschöpft in den Sand fallen. Nach einer Weile gehen sie weiter. Das weiche Pulver unter den Füßen fühlt sich gut an.

»Was ich dich schon immer fragen wollte …« Bernhard muss laut sprechen, damit seine Worte nicht untergehen im Rauschen von Wind und Wellen. Beinahe ist es, als wollten die Elemente ihm das Rederecht streitig machen. »War dein alter Herr ein Nazi?«

»Was?« Hartmut schüttelt den Kopf und dreht sich um. »Nein, war er nicht. Wie kommst du darauf?«

»Der Generation nach? Außerdem hast du nie von ihm gesprochen.«

»Er ist lange tot. Ein Nazi war er so wenig wie ein Bildungsbürger. Wenn ich an ihn denke, trägt er seinen grauen Arbeitskittel. Leben und arbeiten war dasselbe für ihn.« Hartmut schaut aufs Meer hinaus, bis er ein Brennen in den Augen spürt. Seltsam, nach welch ferner Vergangenheit das klingt. Ein unauffälliger Mann mit kräftigen Händen, der bis ins Alter volles weißes Haar hatte. Was Hartmut spürt, ist ein Gefühl von Scham, schwächer geworden im Lauf der Jahrzehnte, aber tief im Innern unverändert. Um es abzuschütteln, macht er einen Schritt Richtung Wasser und fragt: »Wie warm oder kalt ist es?«

»Angenehm kühl. Zwanzig Grad. Spring morgen rein, ich muss zurück.«

»Gib mir eine Minute.« Mit einer knappen Handbewegung lässt er Bernhard stehen. Der Sandboden ist fester und grobkörniger als oben am Strand. Er geht, bis ihm die Ausläufer der Wellen zu den Waden reichen. Auf den Spaziergängen am Sonntag gab es für jeden ein Rippchen Karina-Schokolade. Manchmal nur ein halbes. Mit Ruth hat er letztes Wochenende darüber gesprochen, zum ersten Mal seit vielen Jahren und ohne dass sie sich hätten einigen können. Seine Schwester meinte, es sei keine billige, sondern besonders gute Schokolade gewesen, und der Vater habe sie manchmal eigens bestellen müssen. Im Tabakladen am Bahnhof. Er erinnert sich an den leicht seifigen Geschmack, bevor sie zu schmelzen begann. Jetzt überkommt ihn ein wohliger Schauer und lässt eine Gänsehaut auf seinen Armen zurück. Den Wind spürt er nicht mehr.

Möwen jagen dicht über der weißen Gischt dahin. Wellen rollen auf ihn zu, und der Horizont erstreckt sich so offen, dass der Anblick ihn schwindeln lässt.

7 Am nächsten Morgen geht Hartmut über den fast leeren Strand. Hundert Meter weiter haben Angler ihre Ruten in den Sand gesteckt und hocken daneben. Zwei Jogger verlieren sich auf dem breiten Sandstreifen, und draußen im Wasser liegen Wellenreiter bäuchlings auf ihren Brettern. Paddeln in die beste Position für den nächsten Ritt. Hartmut hat sich ein Badetuch aus dem Hotel über die Schultern gelegt, atmet salzige Meeresluft und fühlt sich ungewohnt nackt an den Waden. Glasiges Sonnenlicht fällt den brechenden Wellen entgegen.

Trotz der frühen Stunde stehen Schweißperlen auf seiner Stirn. Wenige Meter vor dem Wasser zieht er Shorts und Hemd aus, dreht beide ins Badetuch ein und legt das Bündel auf seine Schuhe. Ohne Brille wird aus der morgendlichen Szenerie ein Feld mit verwischten Linien, und wie immer fühlt er sich beobachtet, sobald er nicht mehr scharf sieht. Vor ihm wogt und rauscht ein kräftiges Blau, auf das er zugeht, bis ihn der erste kühle Schock an den Beinen trifft. Muscheln und kleine Steine stecken im Boden. Unter seinen Fußsohlen wird der Sand weggespült, strömt das Wasser zurück und macht seinen Gang unsicher. Obwohl er sich darauf gefreut hat, kostet es ihn Überwindung, ins offene Meer hineinzugehen.

Als die Füße den Bodenkontakt verlieren, ist der Strand bereits ein Stück entfernt, eine andere Welt, die hinter davonrollenden Wellenkämmen auftaucht und wieder verschwindet.

Die Umrisse von Dünen und Häusern zeichnen sich ab vor dem glänzenden Himmel. Beim Verlassen des Hotels hat er sich an frühere Urlaube erinnert, die gemeinsamen Aufbrüche zum Strand und Philippas morgendliche Ungeduld. Jetzt macht er ein paar kräftige Kraulzüge, bevor er sich der Wucht des Meeres überlässt. Die Wellen heben ihn hoch und lassen ihn sinken, eine starke Strömung hat ihn bereits ein Stück die Küste hinabgetrieben. Das *Atlantique* liegt direkt hinter der Düne, mit Brille könnte er das rot leuchtende Dach zwischen den Nachbarhäusern erkennen. Gestern Abend war er dort der einzige Alleinreisende zwischen jungen Familien und älteren Ehepaaren, die das zur Halbpension gehörende Menü verzehrten. Ein gemütlicher Speisesaal, zwischen dessen Backsteinwänden ein Hauch kleinbürgerlicher Enge hing; manche Gäste tranken Rotwein mit Eiswürfeln und hielten ihr Besteck wie schweres Werkzeug in den Händen. Zwei unter dem Tisch hechelnde Hunde bekamen ihren Teil der gebratenen Entenflügel ab.

Als Hartmut sich auf den Rücken dreht, hat die Sonne Ringe bekommen. Mit jeder Welle, die unter ihm hinweg zum Strand läuft, zieht es ihn weiter aufs Meer hinaus, aber für den Moment bezwingt er den Drang gegenzusteuern. Treibt mit weit ausgebreiteten Armen dahin und fühlt sich auf angenehme Weise ausgeliefert. Einverstanden mit dem Geschehen. Um neun Uhr gestern Abend ist er in die Taverne zurückgekehrt, wo ein jüngeres Publikum als im Hotel vor neonfarbenen Cocktails saß. Solange Bernhard nicht hinter der Theke aushelfen musste, blieben sie draußen auf der Veranda und tranken eine Flasche Bordeaux, die nicht auf der Karte stand. Das Gespräch drehte sich um die Situation an den Universitäten, von denen Bernhard sprach, als weise er einer früheren Geliebten die Schuld an der Trennung zu. Hartmut nippte an seinem Wein und musste an den energischen Ausdruck in Julia Ravenburgs rotwangigem Gesicht denken: eine kulturell interessierte Unternehmensberaterin mit mehr Bonusmeilen auf dem Konto, als Normalsterbliche im gesamten Leben fliegen. Bernhards Trennung von ihr war in dieselbe Zeit gefallen, in der er seinen Abgang aus Bonn vorbereitet hatte. Zufall oder nicht? Hartmut konnte sich an kein Gespräch darüber erinnern.

Drinnen wiegten sich die ersten Gäste im Takt der Musik. Schwaden von blauem Qualm waberten durch den Raum, den der leuchtende Schriftzug einer Biermarke in fahles Licht hüllte. Draußen saßen Bernhard und er über den Tisch gebeugt gegen den Trubel der Umgebung.

»Nenn es, wie du willst.« Bernhards Finger drehten den langen Stiel seines Weinglases. »Ich sage, es sind sterile Anstalten der Wissensvermittlung geworden. Handlichkeit, klare Disziplingrenzen, und jetzt das alberne Eins-zwei-drei der Module. Wie ein Setzkasten: schicke kleine Teile, die ein hübsch anzusehendes Ganzes bilden. Aber kein Platz für sperrige Gedanken.«

»Du hingegen …«, sagte Hartmut und versuchte, die zwei angetrunkenen Mädchen zu ignorieren, die am Nebentisch miteinander kicherten. »Ich bemühe mich, aber es fällt mir schwer, in einer Bar die bessere Alternative zu sehen.«

»Vergiss die Bar und schau auf die Freiräume, die sie mir lässt. Wer außer mir ist acht Monate im Jahr ohne Verpflichtungen und verdient trotzdem gutes Geld?« Bernhard nahm einen Schluck und schien nicht zu wissen, ob er selbstgefällig oder trotzig klingen wollte. »Außerdem bin ich nicht aus Bonn abgehauen, weil ich unbedingt eine Bar betreiben wollte, sondern weil ich die Nase voll hatte von der ständigen Nörgelei. Im gemachten Nest sitzen und daran herummäkeln. Selbst wenn man damit im Recht ist – wer keine Drittmittelanträge mehr stellen und sich keiner geistlosen Evaluation unterziehen will, muss gehen. Voilà, ich bin gegangen.«

»Hast du noch Kontakt zu Julia?«

»Ab und zu kriege ich eine SMS. Einmal ist sie nach Bordeaux geflogen und mit dem Mietwagen hier heruntergebrettert, um mir ins Gewissen zu reden. Dass es mir nicht um die Steigerung meines Marktwerts geht, war ihr schwer zu vermitteln. Sie hält mich für romantisch.« Eine Einschätzung, die er laut lachend zurückwies. Hartmut dachte an ihre gemeinsamen Abende am Rhein, die entspannte Kumpanei unter Männern, für die er seitdem keinen Ersatz gefunden hatte.

»Seit drei Jahren«, sagte er, »hab ich mit keinem Kollegen ein Glas Wein getrunken. Mit welchem auch? Ich glaube, das fehlt mir mehr als die verloren gegangene Freiheit an unseren Lehranstalten.«

»Weißt du, was wir machen?« Bernhard griff nach der Flasche und schenkte nach. »Wir fahren übers Wochenende in mein Haus. Vielleicht hat Géraldine Zeit. Wir setzen uns auf die Terrasse und trinken Wein. Was meinst du? Wir könnten morgen losfahren.«

»Wenn du's einrichten kannst. Géraldine ist …?«

»Meine Freundin. Seit letztem Jahr erst. Im Sommer sehen wir uns selten, weil sie in Mont-de-Marsan wohnt und ich meistens hier bin. Worüber lachst du?«

»Nichts. Hab mir schon gedacht, dass deine Zufriedenheit noch andere Gründe haben muss als das Geld, das du hier verdienst.« Hartmut nahm sein Glas und hielt den Zeitpunkt für gekommen, endlich über das zu sprechen, was ihn selbst aus Bonn fortgetrieben hatte. »Übrigens denke ich ebenfalls über einen Ausstieg aus der Uni nach. Ähnlich wie du, auch wenn ich keine Bar aufmachen werde. Ein Berliner Verlag hat mir ein Angebot gemacht. In gewissem Sinn ist das der Anlass meiner Reise.«

Das schrille Geräusch einer Trillerpfeife ruft ihn zurück in die Gegenwart. Eine Weile hat er sich dem Wasser und seinen Gedanken überlassen, jetzt blickt er auf und erschrickt über die Entfernung zum Strand. Gelblich hell und endlos weit erstreckt sich die Küste in beide Richtungen, davor hat sich ein breiter Wasserstreifen geschoben. Die Silhouetten der fernen Häuser sehen fremd aus. Ob der Pfiff ihm gegolten hat, weiß er nicht, möglicherweise ist er abgetrieben in das für Surfer abgesperrte Revier. Mit vollem Krafteinsatz beginnt Hartmut zu kraulen. Die Wellen heben ihn hoch, aber statt ihn mitzunehmen, rollen sie davon und lassen ihn schwer atmend zurück. Der Strand ist zu weit weg, um zu erkennen, ob dort jemand steht und nach ihm schaut.

Von einem Moment auf den anderen überfällt ihn Panik. Seine Bewegungen werden hastig. Er muss sich zwingen, nicht nach jedem Zug aufzublicken, um die Distanz zu schätzen, und verflucht die Arglosigkeit, mit der er sich hat treiben lassen. Erschöpfung lähmt seine Glieder, und sein Herzschlag wird zu einem schnellen Wummern. Bilder von Booten der Küstenwache schießen ihm durch den Kopf, nur eine leise Stimme versichert ihm, dass er nicht ernsthaft in Gefahr ist. Es dauert, bis sie sich Gehör verschafft und das Übertriebene seiner Angst ihm bewusst wird. Immer noch ist der Strand weit weg, aber die Entfernung schmilzt. Wenn Hartmut innehält, bevor eine Welle ihn erreicht, verleiht sie ihm zusätzlichen Schwung.

Etwa zweihundert Meter unterhalb der Stelle, wo er ins Wasser gegangen ist, watet er durch die knietiefe Brandung zurück an Land. Ausgepumpt, halb euphorisiert und halb beschämt von seinem Abenteuer. Über dem Hinterland steht die Sonne, als wollte sie sich durch den Himmel brennen. Er findet sein Handtuch und setzt die Brille wieder auf. Sofort verliert die Welt ihre bedrohliche Unschärfe, das Meer rauscht und rollt, als wäre nichts geschehen. Ein einzelnes Frachtschiff gleitet über den Horizont. Vergebens hält Hartmut Ausschau nach einer Person mit Trillerpfeife. Vielleicht war es ein Hundehalter beim morgendlichen Spaziergang.

Er setzt sich in den Sand, streckt die Beine aus und betrachtet die blau mäandernden Adern an den Fußgelenken. Angenehm kühl laufen Wassertropfen über seine Haut. Kurz darauf taucht die erste Familie am Strand auf. Vater und Mutter mit Tochter und Sohn, alle vier ausgestattet mit schützender Kopfbedeckung und bepackt wie eine Karawane reisender Händler. Mit ihren aufgeblasenen Schwimmtieren um den Körper sehen die Kinder aus wie Nachfahren des Minotaurus. Vermutlich Deutsche, wer sonst beginnt seinen Urlaubstag schon um kurz vor neun? Als wäre die Ankunft weiterer Badegäste ein Signal für sie, beginnen die Angler, ihre Sachen zusammenzupacken.

Einen Steinwurf von Hartmut entfernt bleiben die vier stehen, um über den besten Lagerplatz zu beraten. Kinderfinger weisen hierhin und dorthin. Der Anblick erfüllt ihn mit Wehmut: die Nähe, das Zusammenspiel von großen und kleinen Körpern. Mit geschlossenen Augen streckt er sich im Sand aus und sieht seine vierjährige Tochter über den Praia da Falésia rennen. Noch nicht das schlaksige Schulkind späterer Jahre, sondern liebenswert pummelig in ihrem türkisen Badeanzug. Die Taucherbrille ist verrutscht, nasse Haare kleben am Kopf, so kommt sie in seine Arme gelaufen mit dringenden Mitteilungen: was Delphine über Haie denken und dass sie einen Krebs gesehen hat. Maria liegt daneben und gibt vor, in ihrem Buch zu lesen. Theatertheorie, viel zu schwierige Lektüre für den Strand. Mit der Fingerspitze entfernt sie ein Stück Seetang von Philippas Wade, bevor sie gemächlich umblättert.

Ferne Rufe. Warmer Sand. Das Geschrei von Möwen und dahinter das Meer, so beständig rauschend, dass man es beinahe nicht hört.

Als er die Augen wieder öffnet, hat die Familie sich eingerichtet unter einem roten Sonnenschirm. Die Eltern werden träge, die Kinder reiten auf Schwimmtieren davon Richtung Wasser. Vater und Mutter reden miteinander; bestimmt sagt sie einen Satz, der mit ›Ich hab letzte Nacht‹ beginnt, denn sofort nickt er einsichtig und setzt sich auf, legt die Zeitung beiseite für später. Genau so war es, denkt Hartmut. Jahr für Jahr. Sommer für Sommer. Am Abend sind sie zum Strand zurückgekehrt, weil Philippa Muscheln sammeln wollte. Maria und er schlenderten hinterdrein, Arm in Arm und in der freien Hand ein Eimerchen. Am Ende jedes Urlaubs mussten sie ihrer Tochter erklären, warum sie von tausend Muscheln nur zwei Hände voll mit ins Flugzeug nehmen konnte.

Am liebsten würde er zu den Eltern hingehen und sagen: Besser wird's nicht mehr. Genießt jede Minute.

Die Sonne steigt höher, und der feinkörnige Sand beginnt Hitze zu speichern. Bernhard hat angekündigt, ihn um ein Uhr im Hotel abzuholen. Der gemeinsame Abend gestern endete, als der Betrieb in der Bar zunahm und der Chef drinnen aushelfen musste. Eine Weile saß Hartmut noch an der Theke, versuchte zu ignorieren, dass er der älteste Gast war, und zu ergründen, warum Bernhards zurückhaltende Reaktion auf seine Berlin-Pläne ihn stärker ernüchtert hatte, als er im ersten Moment glauben wollte. Gegen Mitternacht übernahm im hinteren Teil der Bar ein Diskjockey das Kommando. Mechanisch stupide Rhythmen dröhnten durch den Raum. Als an der Theke das nächste Sonderangebot ausgerufen wurde – fünfzehn Minuten lang kostete jeder Tequila-Shot einen Euro – beschloss Hartmut aufzubrechen. Auf der Promenade herrschte derselbe Betrieb wie um sieben Uhr, oben auf der Düne saßen Jugendliche im Kreis und sangen. Über den Strand huschten Schatten, meistens paarweise. Alleine stand Hartmut dort, wo jetzt der junge Vater steht und auf einmal älter aussieht mit seinen nach vorne gezogenen Schultern und dem leichten Bauchansatz. Alles vergeht wie im Zeitraffer. Ein Dutzend Kinder toben in der Brandung, und auf dem Hochsitz der Strandaufsicht wachen zwei sonnenbebrillte Rettungsschwimmer über das Geschehen. Vom bleichen Mond gerufen, arbeitet das Meer sich den Strand hinauf. Über die Düne kommen neue Badegäste, Familien, Paare, Einzelgänger. Sein knurrender Magen erinnert Hartmut daran, dass er noch nicht gefrühstückt hat. Im Aufstehen streift er sich das Hemd über den Kopf und geht zurück zum Hotel.

Gegen halb zwei sitzen sie einander am gedeckten Tisch gegenüber. Zwischen Tellern mit Gänseleberpastete und Salat liegt frisches Baguette in einem Bastkörbchen. Ein rechteckiger weißer Sonnenschirm überspannt die gesamte Terrasse des *La Mouette*. Bernhards bevorzugtes Restaurant, ein verglaster Bungalow in Sichtweite des Meeres, wenige Kilometer außerhalb von Mimizan. Bequeme Rattanmöbel und leise Musik verleihen dem Ort das Flair einer karibischen Lounge. Neben den Tischen aufgestellte Ventilatoren lindern die Mittagshitze. Hartmut wirft einen Blick in die Speisekarte und versucht, den langsamen Rhythmus des Tages zu genießen. Das, was Ferien ausmacht. Gleichzeitig drängt es ihn zu erzählen; seit gestern Abend schon, so als müsste er weiter ausholen, um Bernhard von der Ernsthaftigkeit seiner Überlegungen zu überzeugen.

»Als Siebzehnjähriger«, sagt er, trinkt einen Schluck Wasser und mag das Klirren der Eiswürfel in seinem hohen Glas, »als Siebzehnjähriger war ich oft im Marburger Studentenkino und jedes Mal stolz, wenn niemand nach meinem Ausweis gefragt hat. Ich bin nicht nur der Filme wegen hingegangen, sondern wollte schauen, wie die Studenten sich anziehen. Wie sie gehen und reden. Damals wusste ich noch nicht einmal, ob ich Abitur machen würde. Mein Vater hatte mir einen Ausbildungsplatz am Landratsamt verschafft. Über seine Kontakte im Posaunenchor. Das war mein vorgezeichneter Weg, nicht die Uni.« Er blickt auf und sieht seinem Gegenüber ins Gesicht. Wie immer in Frankreich wünscht er, sein Französisch wäre besser. »Was heißt huîtres?«

»Austern.« Bernhards Hemdkragen steht offen, in der Spitze des V zeigen sich ein paar Haare. Sein Tag hat erst vor einer Stunde begonnen. Auf dieser Terrasse, wo die Kellner ihn mit Namen anreden, wirkt er wie ein Lebemann in den unverdienten und zu langen Ferien. Nur die wachen blauen Augen stehen dem Eindruck entgegen.

»Was mich damals getrieben hat«, fährt Hartmut fort, »würde ich heute den typischen Bildungshunger des Autodidakten nennen. Ich hab *Stiller* gelesen und jeden zweiten Satz unterstrichen. Dann kamen die Bergman-Filme. *Das Schweigen* war wie eine Offenbarung, nicht nur wegen der Liebesszenen. Später Jazz, alles Neuland für mich. Wenn ich meine Tochter anschaue, denke ich, sie wächst auf in einer Welt, in der alles schon da ist außer dem nächsten noch besseren Handy. Für mich war's eine

Entdeckungsreise. Bloß für ideologische Fragen hatte ich keine Antenne, das war schlecht. Siebzig oder einundsiebzig, als ich gerade nach Berlin gewechselt war, musste ich zusammen mit einem Kommilitonen ein Referat halten. Worum es ging, hab ich vergessen, aber es hatte mit Marx zu tun. Wie alles zu der Zeit. Jeder hat seinen Text vorbereitet, danach haben wir uns zusammengesetzt, und ich wusste sofort, er ist mir Lichtjahre voraus. Im Seminar hab ich schwitzend meinen Teil vorgetragen, dann er seinen, als wäre es eine Selbstverständlichkeit: Hier irrt Marx, hier auch. Hier noch mal. Sobald er fertig war, brach der Sturm los, ich hab mich verkrochen, und der Kerl hat gekämpft wie ein Löwe. Es war beeindruckend. Er hat es mit dem ganzen Seminar aufgenommen.« Der überfüllte Hörsaal im Henry-Ford-Bau steht ihm vor Augen, im Sommer und bei offenen Fenstern, so dass die Flugzeuge nach Tempelhof mitten durch den Raum zu fliegen schienen. Hans-Peter mit aufgerollten Hemdsärmeln vorne am Pult, strenger Seitenscheitel und Hornbrille, uncool und blitzgescheit alle Angriffe parierend, ohne die Fassung zu verlieren.

Bernhard sieht aus, als hätte er weder großen Hunger noch besonderes Interesse an Hartmuts Erzählung. »Wovon willst du mich überzeugen?«, fragt er.

»Von nichts. Ich glaube, ich hätte Lust auf Austern.« In Gedanken blättert Hartmut weiter zum nächsten Bild: Hans-Peter in seinem penibel aufgeräumten Hinterhofzimmer am Mehringdamm, ein Glas mit warmem Sekt in der Hand, an dem Tag, als die Zusage für sein Stipendium eingetroffen war. ›Frauen, ja, Frauen sind ein Problem.‹ Maria meint, er habe kaum Freunde, weil er nicht aufhören könne, sich mit ihnen zu messen. Auf typisch männliche Weise, nicht gut sein wollen, sondern besser als.

»Bestellen wir Austern«, sagt Bernhard.

»Was ich in dem Moment verstanden habe, war: Ich hätte nichts dagegen, ein Außenseiter zu sein, im Grunde war ich immer einer. Mir fehlte bloß die Statur, um es durchzuziehen.

Im Seminar musste ich allen Mut zusammennehmen, um den Mund aufzumachen. In den Augen der anderen war ich nichts als ein Scheiß-Liberaler, ungeschult und autoritätsgläubig. Nach den damaligen Maßstäben stimmte das.«

»Wie bist du auf die Idee gekommen, nach Amerika zu gehen?«

»Besagter Kommilitone ist ein Jahr vor mir gegangen. In Berlin war ich danach der einsamste Mensch der Welt. Ich weiß nicht, was aus mir geworden wäre, wenn ich das Stipendium nicht bekommen hätte. Ich musste weg.«

»Und warum Philosophie?«

Hartmut zuckt mit den Schultern: »Interesse.«

Während der Kellner die Vorspeise abräumt, ruht ihre Unterhaltung. Am Nachbartisch erheben sich alle für einen Toast, ausgebracht von einem älteren Herrn, der bei näherer Betrachtung nicht älter aussieht als Hartmut selbst. Die achtköpfige Gesellschaft scheint eine Verlobung zu feiern, jedenfalls steht ein junges Paar im Mittelpunkt der Aufmerksamkeit. Hinter der Terrasse flimmert die heiße Luft über dem Strand. Ein metallisches Glänzen liegt auf dem Wasser. Zu seinem letzten, eigens nach Berkeley geschickten Buch hat sich Hans-Peter bisher nicht geäußert. Wahrscheinlich scheut er davor zurück, das Werk eines Freundes zu verreißen.

Über den Tisch hinweg sehen sie einander an, und Bernhard winkt ab, als bedürfte das Gespräch eines neuen Impulses. Inzwischen sieht er wacher aus als bei ihrer Ankunft.

»Nenn mich penetrant, aber wozu überhaupt Philosophie?« Für Grundsatzfragen, auf die es keine Antwort gibt, hatte er schon in Bonn ein besonderes Faible. »Was soll das noch in unserer Zeit? Niemand interessiert sich dafür, obwohl viele so tun. Die Zunft ist krampfhaft darum bemüht, ihre praktische Anwendbarkeit unter Beweis zu stellen, und fällt als Einzige darauf rein. Was tun wir? Für wen tun wir's?«

Am Nebentisch klirren Kristallgläser. Hartmut hätte lieber weiter von sich erzählt, aber offenbar hat er seinen Gesprächspartner damit gelangweilt. In dessen Sprachgebrauch gehört Penetranz zu den intellektuellen Tugenden.

»Was sollten wir stattdessen tun?«, fragt er.

»Wein trinken, Bilder malen, auf Berge steigen. Oder uns politisch engagieren und die Dinge verändern. Géraldine sitzt in allen möglichen Komitees und fordert mich auf mitzumachen. An Missständen herrscht kein Mangel. Aber wir widmen uns einer Wissenschaft, die keine ist, und tun so, als suchten wir Erkenntnisse, an denen wir festhalten können. In Wahrheit fahnden wir nach den Gründen, die uns das Festhalten verbieten. Als wollten wir an nichts glauben müssen. Warum?«

»Sag du's mir.« Hartmut erinnert sich an Abende, an denen amüsierte Blicke vom Nebentisch sie trafen, weil Bernhard mit lauter Stimme und energischen Gesten seine Tiefenbohrungen vornahm. »Die Rolle des desillusionierten Akademikers mag ich zwar nicht, aber was ich ausübe, ist in erster Linie ein Beruf. Er ernährt eine Familie. Beziehungsweise drei miteinander verwandte Individuen.«

»Das ist alles?«

»Als ich meiner Schwester von der Stelle im Verlag erzählt habe, meinte sie: Du wolltest immer Professor werden. Das stimmt. Ich komme aus einem Haus ohne Bücher und wollte Professor werden. Sobald es möglich war, bin ich nach Amerika gegangen, wo mein Doktorvater mir gesagt hat, worüber ich promovieren soll. Es war wichtig für mich, ihn nicht zu enttäuschen. So bin ich zu meinem Fachgebiet gekommen. Irgendwann ist man drin und tut seine Arbeit. Wenn ich zurückblicke, bin ich nicht sicher, ob ich je Illusionen hatte. Ich meine im großen Stil. Es war mehr ein persönliches Projekt.«

Die Austern kommen in einer großen, mit Eis gefüllten Schale. Bernhard lehnt sich in seinem Stuhl zurück und verschränkt die Arme.

»Ich bin davon überzeugt«, sagt er ernst, »dass das, was wir tun, von unersetzlichem Wert ist. Der in der praktischen Nutzlosigkeit dessen liegt, was wir tun – Gedanken denken, denen jede Anwendbarkeit abgeht. Abseitig sein, ohne beliebig zu werden. Es geht um die Weigerung, eine Funktion zu erfüllen. Vor kurzem hab ich zu Hause Spinoza gelesen und war beglückt. Ich hatte kein Bedürfnis, darüber zu schreiben, etwas daraus zu machen, ich wollte nur verstehen, was er meint. Übrigens glaube ich, dass Herwegh das genauso gesehen hat, er wollte sich bloß nicht in die Karten gucken lassen. Deshalb hat er von Tradition und historischem Bewusstsein genäselt. In Wirklichkeit war es für ihn gegenwärtig.«

»Nach deinem Abgang hat er sich als Einziger gegen die Reformen gestellt. Auf seine verquere Art, es war kein schönes Schauspiel.«

»Als ob ich's geahnt hätte. Mein Freund Herwegh.«

Die Tischgesellschaft neben ihnen hat wieder Platz genommen. Trockene Hitze liegt über der Landschaft. Wenn er still sitzt, spürt Hartmut die Wellen des Meeres durch seine Glieder laufen, ein sanftes Auf und Ab.

»Man weiß bei dir nie«, sagt er, »ob du das Gefühl hast, deiner Zeit voraus oder von ihr überrollt worden zu sein. Und was dir besser gefallen würde. Mein Verdacht war damals schon: Es schmeichelt deinem Ego, wenn man dich nicht versteht.«

»In welchem Fall ich mich genau jetzt geschmeichelt fühlen müsste«, erwidert Bernhard trocken.

»Wie kannst du nicht den Wunsch haben, weiter dabei zu sein? Gehört und gelesen zu werden.«

»Vielleicht hab ich ihn und geb ihm nicht nach.«

»Warum?«

»Weil man korrumpiert wird durch das Bedürfnis, andere zu überzeugen. Recht zu bekommen und recht zu behalten. Weil es zwei gegensätzliche Dinge sind, denken und nach Applaus gieren. Sie schließen einander aus.«

»Ich weiß bei dir auch nie, inwiefern du selbst glaubst, was du sagst.«

Die Austern schmecken fischiger und salziger, als Hartmut erwartet hat. Noch beim abschließenden Kaffee hat er das Gefühl, ein Schwall Meerwasser wäre samt Algen durch seinen Rachen geflossen. Nachdem Bernhard die Rechnung beglichen hat, gehen sie zum Auto und folgen der sandigen Piste zurück zur Landstraße. In der Ferne türmen sich weiße Wolken auf, schwebende Eisberge, denen sie nicht näher kommen, obwohl sie darauf zu fahren. Weiter im Landesinneren werden die Pinienwälder abgelöst von Eichen, Birken und gewaltigen Platanen. Schilder warnen vor Wildwechsel. Eine Weile fahren sie schweigend dahin, dann dreht Bernhard ihm das Gesicht zu, als würde er auf eine eben gemachte Bemerkung reagieren: »Und später, als Professor? Was war stärker, das Gefühl, es endlich geschafft zu haben oder weiterhin nicht dazuzugehören?«

Unentschieden wiegt Hartmut den Kopf hin und her.

»Als junger Professor in Bonn hatte ich Kollegen wie Hermann Grevenburg und Heinz-Ludger Riemann. Unglaublich elitäre Typen. Die sagten, sie seien ›zu Tisch‹, wenn sie sich mittags für zwei Stunden absentiert haben. Nicht in die Mensa natürlich, runter an den Rhein, vier Gänge und ein Viertel Weißwein, das entsprach ihrem Begriff von akademischer Kultiviertheit. Die haben in ihren letzten Jahren nichts mehr publiziert, außer in den Festschriften für geschätzte Kollegen. Aber ein C3-Prof, der kein Griechisch kann und von einer amerikanischen Uni kommt, die nicht Harvard heißt, das war der Untergang des Abendlandes. Ich würde sagen: beides gleich stark, bloß dass ich zu denen gar nicht gehören wollte. Riemann sagte immer ›Mini-apolis‹, mit einem verkniffenen Zwinkern, als hätte er was im Auge.« Hartmut schaltet einen Gang nach oben und zieht an einer Gruppe Radfahrer vorbei. Vier Männer in weißen Trikots und Helmen, über die Lenker gebeugt wie im Wettkampf. Kurz darauf zerfließen sie im Rückspiegel zu hellen Flecken am Straßenrand.

»Das hast du dir zu Herzen genommen? Den Spott solcher Mumien?«

»Ich hab sie gehasst. Richtig gehasst.« Zum Glück dauerte es nur drei Semester, bis Grevenburg emeritiert wurde und sein Kompagnon wegen gesundheitlicher Probleme kaum noch am Institut erschien. Ein Jahr später ging auch Riemann, und wenige Monate darauf war er tot. An Herzversagen gestorben kurz vor Erscheinen seiner eigenen Festschrift. »Dabei waren sie harmlos im Vergleich zu den Intrigen und Feindschaften, die es auch gab. Der linken Tour, die Dietmar Jacobs mit mir abgezogen hat. Den wirklich unerfreulichen Sachen.«

»Jacobs war früher in Bonn?«

»Immer in Berlin. Erst als Assistent an der TU, da haben wir uns kennengelernt. Später war er Privatdozent, und als nach der Wende eine Professur ausgeschrieben wurde, die ich hätte bekommen sollen, hat er in die Kiste mit den schmutzigen Tricks gegriffen. Bis heute weiß ich nicht genau, wie er das eingefädelt hat. Irgendwie muss es ihm gelungen sein, eine ehemalige Freundin von mir vor seinen Karren zu spannen. Spielt keine Rolle mehr. Er hat Maria und mich einander vorgestellt, das ist sein bleibendes Verdienst. Aber trotzdem. Heute Vormittag lag ich im Hotel auf dem Bett und hab an unser gestriges Gespräch gedacht. Eigentlich hätte ich Verwaltungsangestellter werden sollen, am Ende bin ich Professor geworden. Ich könnte stolz darauf sein, und ich bin stolz, aber außerdem würde ich gerne zufrieden sein, und das bin ich nicht. Verstehst du? Wenn es bloß Arbeit war, warum habe ich ihr alles andere untergeordnet? Und andererseits: Wenn ich so viel reingesteckt habe, kann ich jetzt einfach aussteigen?« Im Fahren wendet er den Kopf und begegnet Bernhards ratloser Miene. Er weiß nicht, nach welcher Antwort er sucht und wovon er sich überzeugen möchte. Es muss einfach raus. »Und du? Verpisst dich nach Südfrankreich und machst eine Bar auf. Was fällt dir ein? Wir hätten zusammen was auf die Beine stellen können in Bonn. Und wenn es nur gewesen wäre, was du vorhin gesagt hast, auf Berge steigen und Wein trinken. Malen kann ich nicht. Aber ich wäre nicht völlig alleine gewesen, das hätte einen großen Unterschied gemacht.«

Bernhard dreht sich zur Seite, lehnt mit der Schulter gegen

die Beifahrertür und schiebt die Sonnenbrille nach oben, um seinem Blick Eindringlichkeit zu verleihen.

»Was ist eigentlich dein Problem?«, fragt er. »Du hast erreicht, was du erreichen wolltest, und an mehr nie geglaubt. Hast du jedenfalls gerade behauptet. Aber wenn es wirklich so wäre, würdest du nicht lange nachdenken, sondern deinen Hut nehmen.«

Hartmut nickt. Was ihm auf der Zunge liegt, klingt wie die Zeile aus einem kitschigen Schlager. Abgeschmackt noch als ironisches Zitat, und dennoch tut es gut, die Worte auszusprechen: »Was bleibt, wenn ich nicht mehr bin.« In den Fahrtwind hinein, der durchs offene Seitenfenster ins Auto weht. »Das letzte Buch war ein Fehlschlag. Ich hab mich zu was hinreißen lassen und die Quittung bekommen. Aber dass ich schon am Ende sein soll? Gegen einen Wechsel hätte ich nichts einzuwenden, aber wenn es darauf hinausläuft, meinen Platz zu räumen ...«

»Davon musst du dich frei machen, hörst du. Aus diesem Denken musst du raus.«

»Das ist der Punkt. Anders als du war ich mein ganzes Leben lang draußen, ich wollte immer rein.«

»Vielleicht ist es dir entgangen, aber mindestens seit einem halben Leben bist du drin. Jetzt wäre es souverän zu sagen ›nein, danke‹ und dann wieder raus. Um dir den Schritt zu erleichtern, würde ich der Deutschen Bahn vorschlagen, einen ICE nach dir zu benennen. Mein Schwager arbeitet für den Laden.«

»Wann bist du so ein Arschloch geworden?«, sagt Hartmut ohne Wut. »Sei ehrlich, du hast hingeschmissen, weil der Erfolg nicht deinem Anspruch genügt hat. Richtig? Du hättest dich mit Freuden korrumpieren lassen, wenn du mehr zurückbekommen hättest als verständnisloses Kopfschütteln. Stattdessen sitzt du in der Sonne, leckst deine Wunden und hältst das für die souveränere Lebensform.«

»Lass uns über was anderes reden.« Bernhards Worte klingen verstimmt, aber seine Miene lässt davon nichts erkennen. »Ich hab meine Entscheidung getroffen, triff du deine. Zerbrich dir den Kopf und dann tu, was du für das Beste hältst. Okay?«

»Das nenne ich mal einen guten Ratschlag.«

Je weiter sie ins Land hinein fahren, desto kurvenreicher wird die Straße. Die Ortsnamen auf den vorbeitreibenden Schildern bekommen einen Klang, den Hartmut für baskisch hält, bis sein Beifahrer das Schweigen bricht und ihn aufklärt, dass er gaskognisch sei. Ein Bekannter in Mimizan, Linguist und Alkoholiker, komme gelegentlich in die Taverne und doziere über die verschiedenen Sprachen des französischen Südwestens. Als Hartmut der Abzweigung nach Mont-de-Marsan folgt, erfährt er, dass Géraldine dort als Lehrerin arbeitet, geschieden ist und zwei Kinder hat. Außerdem erzählt Bernhard von einem Stierkampf in der Arena, dem er den bisher heftigsten Streit mit seiner tierliebenden Freundin verdankt. In der Mitte eines verschlafenen Dorfes halten sie an, und Hartmut bleibt sitzen, während sein Beifahrer in einem Spar-Markt verschwindet. Ein dickes Kind fährt Fahrrad, ansonsten ist niemand zu sehen und nichts zu hören. Durch die Windschutzscheibe betrachtet Hartmut die vertraute Formation: eine graue Kirche inmitten eines ungeteerten, von Platanen gesäumten Platzes. Das überall gleiche Zentrum der französischen Provinz. Die Vorstellung, hier zu leben, erscheint ihm weder verlockend noch unattraktiv, sondern bloß ... er bricht den Gedanken ab wie einen gesprochenen Satz. Nach zehn Minuten tritt Bernhard mit voll bepackten Armen aus dem Laden. Beim Einsteigen hält er Hartmut eine gefüllte Papiertüte entgegen.

»Morgen kommt Géraldine und mit ihr die vegetarische Küche. Ich dachte, heute Abend nutzen wir die Chance und grillen.«

»Sie kommt erst morgen?«

»Heute besucht sie ihre Eltern. Da vorne links. Noch zehn Kilometer.«

Die Landschaft ist nicht südlich üppig, auch nicht karg wie die Serra da Estrela. Hinter den Mischwäldern erwartet man offene Ebenen und das blasse Relief der Pyrenäen, aber nie reicht der Blick frei und weit in die Ferne. Neben unbefestigten Straßenrändern grasen zottelige braune Pferde. Nach weiteren zehn Minuten rollen sie am Ortsschild von Saint-Yaguen vorbei. Das Rathaus neben der heruntergekommenen Kirche ist gerade groß genug für die Worte ›Liberté, Égalité, Fraternité‹ auf seiner Stirnseite. Auch hier zeigt sich am frühen Nachmittag keine Menschenseele auf der Straße. Vor dem einzigen Wirtshaus weist Bernhard nach links, und schon bewegen sie sich wieder aus dem in der Gegend verstreuten Ort hinaus. Auf großzügigen Grundstücken stehen teils verfallene, teils neu erbaute Häuser. Wo trockene Wiesen ins nächste Waldstück übergehen, biegen sie ein letztes Mal ab, dann erkennt Hartmut die Umrisse eines Gebäudes, das erst im Näherkommen Gestalt annimmt. Von Obstbäumen umgeben, steht es auf einer Erhöhung im Boden, mit schmalen hohen Fensterläden und einem roten Ziegeldach. Kein Zaun grenzt das Grundstück ein. Der Feldweg endet wie eine seit langem unbenutzte, von Vegetation überwucherte Bahntrasse.

»Früher war es Teil eines größeren Gutshofs«, sagt Bernhard. »Vermutlich nur ein Nebengebäude. Der neue Besitzer hatte es gerade renoviert, als er pleiteging. Ich hab's für die Hälfte seines tatsächlichen Wertes bekommen.«

Beim Aussteigen riecht die Luft nach Lavendel. Bernhard geht voran und berichtet von Plänen, die vordere Terrasse um ein Holzgerüst zu ergänzen und von wildem Wein bewachsen zu lassen. Mit der Schulter stößt er die massive Haustür auf und lässt Hartmut eintreten.

»Voilà. Von Géraldine abgesehen, bist du mein erster Gast. Willkommen!«

Schwacher Lackgeruch mischt sich unter die abgestandene Luft. Im ersten Moment erkennt Hartmut nur Schemen. Frisch geschliffene Bodendielen verbreiten einen matten Schimmer, Ledermöbel haben sich wie schlafende Tiere um einen Holztisch versammelt. Dann öffnet Bernhard zwei Fensterläden und lässt Licht in einen offenen Wohnbereich, der fast das gesamte Erdgeschoss einnimmt. Kräftige Balken stützen die Decke. An den Wänden hängen keine Bilder, nur über dem Sofa zwei geschnitzte Masken.

»Das Innere ist noch nicht fertig«, sagt Bernhard. »Ich richte mich nach und nach ein. Géraldine kennt einen guten Restaurateur für alte Möbel.«

Unten befinden sich lediglich Küche und Bad, oben zwei Schlafzimmer und nach hinten gelegen ein Raum, den Bernhard als sein Studio bezeichnet. Durch mehrere Dachfenster fallen Sonnenstrahlen in den Flur und machen schwebende Staubkörner sichtbar. Bernhard lehnt gegen das Treppengeländer und zeigt mit dem Kinn auf die offene Tür des zweiten Schlafzimmers.

»Bettwäsche liegt im Schrank. Ruh dich aus, hier oder auf der Terrasse. Vorher noch eins: An diesem Wochenende beginnt die Jagdsaison, das ist in Frankreich kein Spaß. Außer für die Jäger. Falls du vorhattest, einen Spaziergang zu machen.«

»Hatte ich nicht.«

»Schön. Dann fühl dich wie zu Hause.«

Hartmuts Blick bleibt an dem getrockneten Lavendel hängen, der in Büscheln über dem Treppenabgang baumelt. In Bernhards Bonner Wohnung hatte es keine Pflanzen gegeben, nur Bücher und noch mehr Bücher. Eine sparsame, um nicht zu sagen spartanische Möblierung.

»Die Antwort auf deine Frage lautet Ja.« Bernhard ist seinem Blick gefolgt und nickt.

»Du hast noch nicht viel von euch erzählt. Kommt sie als Gast hierher oder lebt ihr zusammen?«

»Im Moment überlegen wir, wo und wie wir zusammen leben könnten.«

»Im Gegensatz zu deinen Zimmern in Poppelsdorf macht das Haus den Eindruck, als sollte es ein Zuhause werden.«

»Könnte sein.« Bernhard sieht sich um, als suchte er nach

Hinweisen, die Hartmuts Behauptung bestätigen. Dann wendet er sich zum anderen Schlafzimmer und sagt: »Mach es wie ich. Leg dich eine Stunde hin. Wir haben das ganze Wochenende Zeit.«

Am Abend mischt sich der Geruch von gegrilltem Fleisch unter die Sommerdüfte des Gartens. Die Sonne ist bereits untergegangen, aber der Himmel strahlt weiter in einem fernen Blau, durch das gelegentlich glitzernde Flugzeuge ziehen. Den Nachmittag hat Hartmut auf der Terrasse zugebracht, mit einem Glas Orangensaft und der Lektüre von Charles Lins Doktorarbeit. Angenehmer als das Wissen, nicht arbeiten zu müssen, ist nur, es trotzdem zu tun. Aus dem Dorf kamen wenige Geräusche. Ein Schwarm Tauben umflatterte den gedrungenen Kirchturm von Saint-Yaguen. Nachdem Bernhard seine Siesta beendet hatte, gönnten sie sich den ersten Aperitif. Saßen auf den Liegestühlen und sahen den allmählichen Veränderungen des Lichts zu. Spatzen hopsten wie kleine Derwische um eine im Gras liegende Frucht. Als sich der Hunger zurückmeldete, holten sie den Grill aus einem von Sträuchern umwucherten Schuppen, der bei der Renovierung übergangen worden sein musste. Zwischen bröckelnden Lehmwänden hing der Geruch von Hasenkot und ewigem Schatten. Verrostete Gartengeräte standen zwischen Autoreifen, durch die man mit dem bloßen Finger stechen konnte. Das Entfernen von Spinnweben und altem Fett hat eine halbe Stunde gedauert. Jetzt hantiert Bernhard mit einer riesigen Fleischzange und hört zu, wie Hartmut einen typischen Satz aus der Dissertation zitiert.

»… wird schließlich die konfuzianische Moralsubstanz aufgehoben zu einer perfekten Syntheselehre in der nicht mehr eurozentrischen Lesart gemäß dem höchsten Prinzip von Daotong und Tradition.« Ratlos sieht er vom Text auf. »So geht das fünfhundert Seiten lang. Jede Behauptung ist gedeckt durch irgendwas, das ein weiser Mann des Altertums gesagt haben soll. Alles strebt nach oben und geht restlos auf, das häufigste Adjektiv ist

›perfekt‹. Einen derart optimistischen Text habe ich noch nie gelesen. Ich weiß bloß nicht, was er sagen will.«

»Gib ihm ein Magna«, sagt Bernhard ungerührt. Barfuß steht er vor dem Grill und trägt zur Cordhose ein verwaschenes grünes T-Shirt. Für seine Verhältnisse ein ungewöhnlich legeres Outfit.

»Magna vergebe ich für ordentliche Arbeiten. An das letzte Summa kann ich mich kaum erinnern. Leute, die mit Summa promovieren, tun es bei besser beleumundeten Kollegen.«

»Ich hab keine Ahnung, was diese Ausdrücke bedeuten sollen, und es spricht nicht für deinen Kandidaten, dass er Hegel wörtlich nimmt. Aber vielleicht stecken interessante Gedanken dahinter. Könnte sein oder auch nicht. Dir fehlt die Zeit, es herauszufinden. Du kannst ihn nur entweder durchwinken oder ihm ein Bein stellen.«

»Sechs Jahre hat er an dem Text gearbeitet. In China lebt seine kleine Tochter, die er ein Mal im Jahr sieht. Außerdem schreibt er, als wären Satzzeichen nur auf dem Schwarzmarkt zu bekommen. Am liebsten würde ich ihn Breugmann unterjubeln, damit er mal sieht, womit andere sich herumschlagen.«

Weil der Wein noch atmen muss in seinem bauchigen Dekantiergefäß, haben sie ein kühles Kronenbourg zwischengeschaltet. Hartmuts geheime Hoffnung war, dass Bernhard anbieten würde, ihm bei der Abfassung des Gutachtens zu helfen, aber darum bitten will er nicht. Entschlossen klappt er die Arbeit zu und lässt sie neben sich auf den Boden fallen.

»Genug davon«, sagt er. »Ich bin in den Ferien.«

Das Licht im Garten verändert sich weiter, bekommt einen Blaustich und wird schwächer. Mit der Bierflasche in der Hand sitzt Hartmut im Liegestuhl, fühlt Kondenswasser über seine Finger rinnen und wartet vergebens auf das wohlige Rapa-Gefühl, das ihn gestern in der Taverne überkommen hat. Die Muße langer Abende. Stattdessen fragt er sich, was Maria und Philippa gerade machen. In Kopenhagen steht die erste Aufführung an. Wann wird er seiner Frau endlich sagen, dass er im

Ausland unterwegs ist? Wenn er Philippa besuchen will, warum hat er ihr immer noch nicht geschrieben? Soll er weiterfahren oder doch lieber zurück? Am liebsten wäre er frei von der Notwendigkeit, irgendeine noch so nebensächliche Entscheidung zu treffen. Sich einfach treiben lassen, ohne Ziel und ohne Hast.

»Vor einiger Zeit ist mir eine seltsame Geschichte passiert«, sagt Bernhard, als hätte er nur darauf gewartet, dass Hartmut aufhört, von seiner Arbeit zu sprechen. »Wollte ich dir gestern schon erzählen. Es war in dem Winter, bevor Géraldine und ich uns kennengelernt haben.«

»Okay. Lass hören.«

Bernhard zieht einen Stuhl zu sich heran und stellt ihn so, dass er seitlich zum Grill sitzen und seinen Gesprächspartner ansehen kann.

»Letztes Jahr hatte ich das Haus noch nicht. Hab ganzjährig in der Wohnung über der Bar gewohnt, was im Sommer praktisch war. Im Winter kann es trostlos werden in Mimizan. Die Touristen sind weg, und in der Bar sitzen alte Männer, die Pastis trinken und über ihre Frauen klagen. Bevor ich Géraldine kannte, hab ich's mir zur Angewohnheit gemacht, regelmäßig nach Bordeaux zu fahren. Bücher kaufen, in Cafés gehen, andere Gesichter sehen. Ab und an brauche ich fremde Menschen um mich herum, denen ich zuschauen kann, wie sie alltägliche Dinge tun: miteinander reden, streiten, essen. Ich denke immer, sie tun es anders als ich. Géraldine meint, das kommt davon, wenn man zu lange alleine lebt. Unter ständiger Selbstbeobachtung beginnt irgendwann bedeutsam auszusehen, was bei anderen leicht und beiläufig wirkt.«

»Da hat sie recht.«

»An dem Abend in Bordeaux hatte ich mich mit einem Grossisten getroffen. Hab ein paar Weine probiert und war auf dem Rückweg zum Hotel schon leicht angetrunken. Hässliches Wetter, Nieselregen. Es war Februar, ich war solo. Einer dieser Abende, an denen du denken willst, dass hinter der nächsten Straßenecke etwas auf dich wartet. Nicht etwas, jemand. Du schaust in die Bistros und Bars, siehst eine Frau alleine am Tisch sitzen und fragst dich, was dagegen spricht, dich zu ihr zu setzen. Gefragt hab ich mich das oft, aber getan hab ich's noch nie. Ich wüsste nicht wie. Small Talk interessiert mich nicht, ich frage zu viel nach, bis die Leute anfangen, sich verhört zu fühlen.« Er unterbricht sich, greift nach der Karaffe mit dem Wein und schenkt zwei Gläser voll. »Das könnte einer von denen sein, die ich an dem Abend probiert habe. Mir schmeckt er gut. Zum Wohl.«

»Zum Wohl.«

Sie stoßen an und trinken. Im Dorf bricht eine größere Gesellschaft auf, mehrere Autotüren werden zugeschlagen, und Motoren springen an. Die Geräusche liegen eine Weile in der Luft, Fremdkörper in der abendlichen Stille. Bevor Hartmut den Wein loben kann, spricht Bernhard weiter.

»Es war ein Donnerstagabend gegen elf Uhr. Nachdem ich an zwei Bistros vorbeigeschlichen war, bin ich ins nächste einfach reingegangen. Drinnen saßen nur noch wenige Gäste. Ich hab mich an die Theke gesetzt, in den Spiegeln dahinter die anderen Tische beobachtet und Whisky getrunken, obwohl ich ihn nicht mag. Schien zu meiner Situation zu passen. Dann ging die Tür auf, direkt hinter mir. Ich hab erst nur die Bewegung gespürt, kalte Nachtluft und einen Hauch von Parfüm. Es war eine einzelne Person, eine Frau im nassen Mantel. Sie hat sich an die Bar gesetzt, zwei Hocker weiter. Ich drehe den Kopf, sie tut dasselbe. Ein sympathisches Gesicht, wir lächeln einander an. Bonsoir. Verstehst du: Es ist einfach passiert. Ich war so perplex, dass ich vergessen habe, befangen zu sein. Vivienne hieß sie. Schöner Name für eine attraktive Frau. Wir kamen ins Gespräch. Sie führt einen Musikalienhandel, sagt sie, und gibt Klavierunterricht. Findet es interessant, dass jemand seine Professur aufgibt, um Barbesitzer zu werden. An einer Stelle behauptet sie sogar, meinen Akzent zu mögen. Ich will kein Märchen daraus machen, aber sie war wirklich bezaubernd. Braune Locken und neugierige Augen. Sie hat oft und gerne und ein bisschen zu laut gelacht, vielleicht war sie nervös, auch wenn sie nicht den Eindruck gemacht hat. Sie sagte, sie sei auf dem Weg von einem Konzert nach Hause.« Mit einem Lächeln hält Bernhard inne. Es mag am Kerzenlicht liegen, dass sein Gesicht verändert wirkt. Furchiger und noch hagerer als sonst. »Es war genau die Art von Erlebnis, die in meinem Leben nicht geschieht. Frauen steuern nicht in einer Bar auf den Platz neben mir zu und beginnen ein Gespräch. Strahlen mich an, zeigen mir, wie amüsant und geistreich sie mich finden. Als sie mal sauer auf mich war, meinte Julia, ein Abendessen mit mir sei wie Überstunden machen. Wir hatten einen Film gesehen, sie fand ihn gut, ich fand ihn schlecht, und ich hab nicht locker gelassen. Aber an dem Abend ging alles wie von selbst. Ich war die ganze Zeit darauf gefasst, dass Vivienne auf die Uhr sieht und sagt: Ich muss los, mein Mann wartet. Einen Ehering hat sie getragen. Ich war hingerissen von ihr, aber nach außen ruhig. Vielleicht wegen des Alkohols oder weil ich nicht geglaubt habe, bei ihr landen zu können. Hab einfach erzählt und sie zum Lachen gebracht. Als würde ich nichts falsch machen können. Ich frage mich, ob es Leute gibt, für die das keine Ausnahme darstellt. Was muss das für ein Leben sein!«

Es ist dunkel geworden, die einzige Lichtquelle bilden die glimmenden Kohlen im Grill und die Kerzen auf dem Tisch. Ab und an fällt ein Fetttropfen vom Rost und verglüht zischend. Dahinter die schwarzen Silhouetten von Bäumen, die in einen Himmel voller Sterne ragen. Hartmut nimmt den nächsten Schluck Wein und fragt: »Was ist eigentlich mit unserem Essen?«

Sofort springt Bernhard aus dem Stuhl, fuchtelt mit der großen Zange und stößt eine Reihe von Flüchen aus. Eins der Fleischstücke spießt er auf und hält es Hartmut mit skeptischer Miene entgegen. »Vielleicht noch essbar. Tut mir wirklich leid.«

»Probieren wir's.«

»Géraldine würde lachen: erst Fleisch essen wollen, dann von fleischlichen Genüssen erzählen und darüber die Steaks vergessen. Sie kommt übrigens morgen Nachmittag und freut sich darauf, dich kennenzulernen.«

»Ganz meinerseits.«

»Die Kruste musst du abkratzen.« Bernhard legt ihm ein Stück auf den Teller. Im Kerzenlicht werfen alle Gegenstände auf dem Tisch tanzende Schatten. Eine Weile sind sie mit ihren Steaks beschäftigt, dann sagt Hartmut: »Spann mich nicht auf die Folter. Wie ging's weiter?«

»Wie im Film. Irgendwann war Mitternacht vorbei, und in der Bar wurde aufgeräumt. Vivienne hat versucht, bei der Bedienung ein letztes Getränk rauszuhandeln, aber die wollten schließen. Also ... Es war ihr Vorschlag, noch auf ein Glas zu ihr zu gehen. Ich seh sie noch lachen, als wir von den Stühlen rutschen. Keine Ahnung, worüber sie gelacht hat. Vielleicht entsprach es einfach ihrem Naturell. Wir sind zu ihr gegangen, haben miteinander geschlafen, Wein getrunken und geredet. Sie hat mir Chopin vorgespielt, nackt am Klavier. Es war, mit dem Lieblingswort deines Doktoranden, perfekt.« Für einen Moment haben sie beide dasselbe Bild vor Augen. Um nichts sagen zu müssen, das dessen Schönheit antasten würde, will Hartmut nach dem Weinglas greifen, aber Bernhard schüttelt den Kopf. »Bis der Ehemann zurückkam.«

»Der Ehemann?«

»Ja. In Toulouse hätte er sein sollen, aus Toulouse kam er überraschend zurück.« Es klingt, als rekapituliere er die Pointe eines schlechten Witzes. »Ich hatte nicht gefragt und sie nichts gesagt. Wo er geschäftlich unterwegs war, hab ich erst erfahren, als plötzlich die Wohnungstür aufging. Wir sind hochgeschreckt, draußen verharrt jemand und macht zwei Schritte in den Flur. Natürlich hat der Typ meine Schuhe gesehen und sofort verstanden. Ich greife nach meiner Unterhose und einem Hemd, mehr bekomme ich nicht zu fassen, bevor Vivienne mich auf den Balkon schiebt. Auf den Balkon! Es war ein blinder Impuls. Hauptsache weg! Da draußen stehe ich, zu erschrocken, um zu frieren, und höre drinnen den Tumult losbrechen. Geschrei, Flüche, Flehen. Der Typ war wie Jake LaMotta, klein und bullig, ich konnte ihn durch den Glaseinsatz in der Balkontür erkennen. Er mich auch. Einen Moment lang hatte ich Angst, dass er rauskommt und mich übers Geländer wirft. Keine Ahnung, wie eine Frau wie Vivienne einen solchen Kerl heiraten konnte. Er hatte einen irren Blick. Gleichzeitig außer sich und kalt berechnend. Statt nach draußen zu kommen, hat er die Balkontür von innen verriegelt. Lächelnd. Beinahe mit einem Ausdruck von Vorfreude im Gesicht. Dann … hat er Vivienne verdroschen.« Bernhard greift nach seinem Glas und leert es in einem Zug. Wischt sich mit dem Handrücken über den Mund und nickt, als müsste er sich von dieser Wendung der Geschichte aufs Neue überzeugen. »Richtig verprügelt. Sie lag wimmernd am Boden, und er hat sich ausgetobt. Hat sie beschimpft dabei, und trotzdem hatte ich das Gefühl, dass er eigentlich mir eine Lektion erteilt. Es war eine perverse Demonstration seiner Überlegenheit. Bis heute denke ich: Wenn er es auf andere Weise rausgefunden hätte, in meiner Abwesenheit, hätte er sich zwar auch an ihr gerächt, aber anders.«

»Und du, was hast du gemacht?« Es ist die einzige Frage, die Hartmut einfällt. Sie kommt ihm ebenso naheliegend wie unangebracht vor.

»Nichts. Ich stand in Hemd und Unterhose auf einem Balkon im vierten Stock. Ich hab überlegt, um Hilfe zu rufen oder die Glastür einzutreten, aber getan hab ich gar nichts. Nur zugesehen und mich gefragt, was als Nächstes kommt. Es war ein langer Moment, in dem ich genau gespürt habe, zu was ich nicht in der Lage bin. Ich hab gewartet, dass das Schwein da drin sich ausgetobt hat und entweder mit mir weitermacht oder mich gehen lässt. Wenn ich ehrlich bin, wollte ich, dass niemand etwas erfährt. Ich weiß nicht warum, aber ich fürchte, wenn auf der Straße ein Polizist vorbeigegangen wäre, hätte ich mich hinters Geländer geduckt. Da gibt es nichts zu beschönigen.«

In der Ferne ertönt ein lauter Knall. An mehreren Stellen im Dorf bricht Hundegebell los, dessen Echo durch die nächtliche

Landschaft irrt. Hartmut fragt sich, ob es ein defekter Auspuff war oder ob im jagdverrückten Frankreich auch nachts geschossen wird.

»Und dann?«

»Irgendwann war er fertig. Kam zur Balkontür und hat sie geöffnet. Höflich auf die Art gut gelaunter Tyrannen. Vivienne lag auf dem Boden mit blutender Nase, er hat ihr ein Küchentuch zugeworfen, und ich hab mich angezogen. Hab sie gefragt, ob ich die Polizei rufen soll, das hat ihn sehr amüsiert. Nur zu, Monsieur, nur zu, hat er gefeixt. Vivienne hat schweigend abgewinkt. Später hab ich's trotzdem getan, anonym, wahrscheinlich um mein Gewissen zu beruhigen. Was ich eigentlich hätte tun sollen, ist das, was er mit ihr gemacht hatte. Ihn vermöbeln. Wenn er auf mich losgegangen wäre, hätte ich es vielleicht gekonnt, aber er stand da mit verschränkten Armen und hat mir beim Anziehen zugesehen. Und ich wollte nur raus! Im Rückblick glaube ich, dieser brutale Typ hat mich genau durchschaut. Der wusste, dass ich ihm nichts entgegenzusetzen hatte. Im Grunde war ich eher beschämt als wütend. Ich hatte versagt und auf andere Gefühle kein Recht. In gewisser Weise denke ich bis heute so.« Er nickt und schiebt den Teller beiseite. Gegessen hat er nichts. »Tja, das war die Geschichte. Ich hoffe, ich hab uns nicht den Abend verdorben.«

»Du hast sie nicht mehr wiedergesehen?«

»Nein. Ich war seitdem nicht mehr in Bordeaux.«

»Verstehe.« Hartmut blickt in die kompakte Dunkelheit des Gartens. Obwohl er in der Ferne einige Laternen und erleuchtete Fenster sieht, kommt ihm das Grundstück abgeschiedener vor als am Tag. Bernhard legt neue Kohlenstücke auf die Glut. Hartmut schenkt Wein nach und spürt den ersten Hauch nächtlicher Kühle.

»Weiß Géraldine von der Sache?«

»Vor ein paar Monaten hab ich's ihr erzählt. Du bist der Zweite.« Bernhard nimmt wieder Platz. »Ich hätte ihn verprügeln sollen. Oder mich verprügeln lassen, worauf es wahrscheinlich hinausgelaufen wäre. Ob ich mich dann besser gefühlt hätte, weiß ich nicht. Es wäre einfach richtig gewesen.«

»Du warst überrumpelt und verwirrt.«

»Im ersten Moment, ja. Aber ich stand mehrere Minuten auf dem Balkon, und da war was, das mich zurückgehalten hat. Angst und noch was anderes: nichts damit zu tun haben wollen. Die Sache schnell hinter mir lassen. Während Vivienne drinnen geschlagen und getreten wurde, hat mein nacktes kleines Ich gewünscht, an dem Bistro vorübergegangen zu sein.«

»Was hat Géraldine gesagt?«

»Was soll sie sagen. Es ist eine beschissene Geschichte.«

Noch einmal knallt es in der Ferne, und diesmal ist Hartmut sicher, einen Schuss gehört zu haben. Wieder reagieren die Hunde im Dorf. Hartmut deutet auf die beiden Teller. »Die Steaks müssen wir wegwerfen. Die sind hart wie Schuhsohlen.«

»Käse ist noch da. Genug Wein für die Nacht.«

»Käse und Wein. Okay.«

Das Gespräch ruht, die Geschichte wirkt nach. Eine Reihe von Bildern und Gedanken, aus denen etwas folgen sollte – aber was? Das Hundegebell erinnert Hartmut an die Nächte von Rapa. Wenn er neben Maria liegt und durch die offene Balkontür nach draußen horcht. Auf das Schweigen der Berge und das unaufhörliche Zirpen der Grillen. An der Wange spürt er die sanfte Berührung ihres Atems. Derweil die Sonne auf die andere Seite der Erde scheint, auf fremde Menschen und ihre Sorgen.

1985

Die Menschen drängen sich auf engen Holzbänken und blicken zum Altarraum. Rechts und links des Kreuzes ragen zwei festlich geschmückte Weihnachtsbäume in die Höhe, davor sitzen Hirten im Grundschulalter um ein eingebildetes Feuer und erwarten die Verkündigung. Feierliche Andacht und zappelige Ungeduld füllen die Bergenstädter Kirche zu gleichen Teilen. Kinder quengeln, Gesangbücher fallen zu Boden, und Eltern zischeln in die vor Aufregung roten Ohren ihrer Zöglinge. Alle sind gespannt, und der Engel im weißen Laken hat vor Aufregung den Text vergessen. Ratlos blickt er zum Eingang der Sakristei, wo zwei soufflierende Helfer hocken.

»… verkündige ich euch große Freude«, wispert es, hörbar bis in die letzte Reihe, »denn euch ist heute der Heiland geboren.«

Ruth macht ein mitleidiges Gesicht, Hartmut lehnt sich auf der Bank zurück und blickt auf die Uhr. Noch zehn Minuten. Rechts von ihm stützt ein Halbwüchsiger seine Ellbogen auf die Knie, starrt die Bodenkacheln an und raschelt mit einem grünen Bonbonpapier. Der Übergang in die Feiertage ist auch in diesem Jahr nach bewährtem Muster erfolgt. Hartmut hat gearbeitet bis zum Dreiundzwanzigsten und sich mittags ins Auto gesetzt, um nach Bergenstadt zu fahren. Die Geschenke für Florian und Felix hat Ruth besorgt. Dass er diesmal den Familiengottesdienst besucht, statt seine Eltern in die Arnauer Christvesper zu begleiten, ist auf Wunsch seiner Neffen geschehen. Ansonsten beschränkte sich die Veränderung auf eine kürzere Fahrtzeit, und es entfiel die ärgerliche Warterei an der Grenze – zwei der wenigen Vorteile, die sich aus seinem Umzug nach Dortmund ergeben haben.

»Der Heiland ist da«, stellt der Engel sachlich fest und erntet vereinzelte Lacher.

Von Blockflötenspiel begleitet, brechen die Hirten auf nach Bethlehem, und Hartmut unterdrückt ein Gähnen. Sobald die Anspannung für zwei Tage nachlässt, macht sich der über Monate akkumulierte Schlafmangel bemerkbar. Zu Hause, wenn man die halb eingerichtete Wohnung in der Arneckestraße so nennen will, bedecken Korrekturfahnen seinen Schreibtisch, und fast jede Nacht wacht er auf, weil ihm die Wortwahl in einer Fußnote problematisch erscheint. Als wäre ein Teil seines Gehirns immer beim Text. Vorne im Altarraum folgen die drei Könige dem Stern und tragen beschriftete Schuhkartons vor sich her. Florian gibt einen würdigen Melchior, als er sein Präsent vor der Krippe ablegt. Felix als Balthasar hat bereits Spuren schwarzer Schminke auf seinem Kostüm verteilt, und Hartmut kann hören, wie Ruth die Luft anhält, als ihr Sohn zu seiner performativen Äußerung ansetzt. Diesmal kommt sie ihm ohne zu stocken über die Lippen. Er hat sogar eigens nachgeschlagen, was ›Reverenz‹ bedeutet. Wäre das Jesuskind keine Puppe und kennte die Bedeutung selbst, könnte man von Perlokution sprechen. Hätte Felix allerdings ›Referenz‹ gesagt, wie heute Mittag am Rehsteig, könnte das Kind sich aufgrund des Gemeinten zwar trotzdem geehrt fühlen, aber ein Beobachter würde sagen, es sei ein Fehler passiert. Oder in Ruths Worten: Du musst dich konzentrieren, mein Schatz. Jetzt atmet sie aus und greift kurz nach Heiners Hand.

Einer nach dem anderen verschwinden die jungen Akteure in der Sakristei. Ihre Souffleure signalisieren Entwarnung. Die Mühe hat sich gelohnt. Frohes Fest!

Zum Abschluss erlöschen die Lichter, und in der feierlichen Dunkelheit steht die Gemeinde auf und singt *O du fröhliche*.

Hartmut singt halblaut mit, und Ruth lehnt sich für einen Moment an ihn, als wollte sie entweder den Streit vom Vorabend beenden oder ihn auffordern zuzugeben, dass ihm in Wahrheit gefällt, was er aus unerfindlichen Gründen als lästige Verpflichtung abtun muss. Jedes Jahr behauptet er, dass eine mehrtägige Unterbrechung seiner Arbeit ihn uneinholbar in Verzug bringen werde, aber würde er an Heiligabend wirklich lieber am Schreibtisch sitzen und Fahnen korrigieren?

»… freue dich, o Chris-ten-heit.«

Nach dem letzten Akkord folgt ein Moment der Stille, bevor erneut die Orgel einsetzt und die Gemeinde hinaustreibt in den zu milden Heiligen Abend. Neun Grad waren es, als sie am Rehsteig aufgebrochen sind. Hartmut hält sich abseits, während Ruth und Heiner ihren Bekannten frohe Weihnachten wünschen. Ringsum versuchen Kinder, ihre plaudernden Eltern von der Stelle zu bewegen. Florian und Felix verabschieden sich von ihren Freunden und kommen auf ihn zugestürmt. Wahrscheinlich ahnen sie nicht, dass in Wahrheit sie es sind, die *ihn* ablenken von seiner inneren Unruhe. Auch wenn Ruth es ihm gestern nicht glauben wollte, für ihn geht es um sein Glück, die Zukunft, um alles. Verglichen damit ist die Habilitation eine Nebensächlichkeit.

»Ich will, dass meine Söhne sich an diese drei Tage als die schönste Zeit des Jahres erinnern.« Mit diesen Worten hat seine Schwester am Vorabend die Frage zurückgewiesen, ob sie es nicht übertreibe mit ihren Vorbereitungen für das Fest. Um halb elf lagen die Zwillinge endlich im Bett, und sie beide standen in der Küche, wo ein Wirrwarr von Zutaten die Arbeitsfläche bedeckte. Saucen für das Fondue mussten angerührt werden. Obwohl der Herd ausgeschaltet war, bedeckte milchiger Dunst die Terrassentür.

Hartmut nahm einen Teller aus der Spüle und stellte ihn auf die Anrichte. Draußen erklang das trockene Klacken einer Axt; Heiner bearbeitete den Stamm des Weihnachtsbaums, damit er in seine Halterung passte.

»Merkst du, dass du mir die Sachen in den Weg stellst?«, fragte Ruth.

»Ich weiß nicht, wo sie hingehören.«

»Frag mich, ich müsste es wissen.«

»Die Teller?«

»Da.« Mit dem Kinn wies Ruth auf einen Hängeschrank und zog den Kopf ein, als Hartmut ihn öffnete. »Du musst jetzt ausgerechnet an dieses Fach, ja?«

»Ich sollte dir zur Hand gehen.«

»Setz dich hin und probier das!« Ungeduldig hielt sie ihm ein Schälchen mit hellgelber cremiger Sauce hin. Die Müdigkeit in ihrem Gesicht sah aus wie Unzufriedenheit, und sie hatte schon dort gesessen, als Hartmut am Nachmittag angekommen war.

»Was ist das?«

»Soll gut zu Fonduefleisch passen.«

»Schmeckt jedenfalls gut.«

»Nicht zu viel Mayonnaise? Zu wenig Curry? Mehr Salz?«

Er schüttelte den Kopf, und Ruth deckte das Schälchen mit Zellophanfolie ab und schob es beiseite.

»Glaubst du«, hakte Hartmut nach, »dass deine Söhne Weihnachten in weniger guter Erinnerung behalten werden, wenn es nur drei Saucen zum Fondue gibt?«

»War das eine philosophische Frage?« Sie schaute vom Rezept auf und fixierte ihren Bruder. »Professor Hainbach?«

»Du siehst müde aus, und wie ich die beiden kenne, essen sie sowieso Ketchup.«

»Und? Wollen wir alle morgen Abend Ketchup essen?«

»Lass uns eine Flasche Wein aufmachen und ins Wohnzimmer gehen. Es gibt etwas, das ich dir erzählen will. Das Essen können wir morgen vorbereiten.« Seit er damit begonnen hatte, seine Habil für die Publikation zu überarbeiten, brauchte er gegen Mitternacht einen Schluck Alkohol, um die kreiselnden Gedanken anzuhalten. Seit zwei Wochen galt das auch für die arbeitsfreien Abende.

»Morgen muss ich den Baum schmücken, einen Kuchen backen, das Fleisch vom Metzger holen, das Baguette vom Bäcker, unsere Mutter will zum Friseur gefahren werden und ...«

»Wir sind zu dritt, Ruth. Du brauchst nicht alles alleine zu machen.«

Sie tauschten einen Blick. Die Auseinandersetzung hatte vor langer Zeit begonnen und zog sich offen oder verdeckt durch alle ihre Gespräche. Draußen stieß Heiner einen kräftigen Fluch aus.

»Ich weiß, was du denkst«, sagte er. »Der hat gut reden. Frei wie er ist von familiären Verpflichtungen.«

»Du glaubst, du weißt, was ich denke?«

»Habt ihr Wein im Keller?«

»Heiner hat welchen für morgen Abend gekauft.«

»Kaufen wir eben morgen früh eine Flasche nach. Übrigens scheinst du nicht neugierig zu sein, was ich dir erzählen will.«

Ruth seufzte, antwortete aber nicht. Hartmut stand bereits in der Tür.

»Wir haben uns seit einem halben Jahr nicht gesehen«, sagte er.

»Weil du keine Zeit hast. Obwohl es bloß zwei Stunden sind von Dortmund.«

»Jetzt bin ich hier. Ich hol den Wein rauf und ... Was?«, fragte er, weil Ruths Blick weniger Einverständnis als Resignation signalisierte.

»Vielleicht frage ich nicht, weil ich schon weiß, was du mir erzählen willst. Weil es nicht schwer zu erraten ist. Abgesehen von ihrem Namen natürlich, der das Neueste an der Geschichte sein dürfte. Um nicht zu sagen, das einzig Neue.« Damit wandte sie sich wieder ihren Rezepten zu. »Die Frage ist also nicht, was du zu erzählen hast, sondern ob ich es hören will.«

»Du könntest dich irren.«

»Okay. Wie heißt sie?«

»Nicht zwischen Tür und Angel. Räum die Sachen weg, ich bin gleich wieder da.« Er ging durch den kühlen Flur und die Treppe hinab. Weiß getünchte Wände mit Regalen voll ausrangierter Spielsachen. In der Vorratskammer empfing ihn der Duft geräucherter Würste. Getrocknete Pflaumen lagen auf einem Backblech. Da Ruth und Heiner selten Wein tranken, standen lediglich zwei Flaschen im Regal. Fröstelnd studierte Hartmut die Etiketten, aber wie immer in den letzten zwei Wochen schweiften seine Gedanken ab, sobald er sich zu sammeln versuchte. Kehrten zurück zu der schüchternen Selbstverständlichkeit, mit der sie am vorletzten Freitag seine Wohnung betreten hatte. Nach der brieflichen Ankündigung ihres Besuchs, weil sie in Berlin kein Telefon besaß. Zwei Tage lang war er wie aufgedreht durch die Zimmer gelaufen. Als sie hereinkam, hing sein Blick an ihr, während ihrer über die spärliche Einrichtung wanderte. Dann aus dem Fenster auf den Balkon. Ihre schlanke Silhouette verharrte vor dem grau verhangenen Dortmunder Himmel. Lächelnd, so als habe sie entweder nicht bemerkt oder nichts dagegen, dass es nur ein Bett gab, drehte sie sich zu ihm um. Ob sie draußen rauchen dürfe?

Als Hartmut mit einer Flasche Riesling in der Hand nach oben kam, war in der Küche das Licht gelöscht. Ruth stand im Wohnzimmer vor dem Platz, den sie am Nachmittag gemeinsam frei geräumt hatten für den Weihnachtsbaum. Rotes Papier lag über dem Parkett. Ein Karton mit Baumschmuck stand geöffnet auf der Ofenbank.

»Ich fürchte, wir werden die Spitze kappen müssen«, sagte sie.

»Die Spitze kappen?« Er nahm den Flaschenöffner vom Tisch und drehte ihn in den Korken.

»Heiner sagt, der Baum ist zwei fünfzig hoch. Plus zehn Zentimeter Halterung.«

»Abschneiden, was übersteht – mein Motto beim Überarbeiten der Habil.«

»Es sieht schöner aus mit Spitze.«

»Vielleicht kann Heiner ihn schräg in die Halterung stecken, dann …« Er brach den Satz ab, weil Ruth sich umdrehte und ihn ansah. Sie war breiter geworden um die Hüften und strahlte nicht mehr den Chic der jungen Mutter aus, sondern trug Jeans, Pulli und ausgetretene Hausschuhe.

»Warum hab ich das Gefühl, dass du ein bisschen belächelst, was ich hier mache.«

»Das tue ich nicht.«

»Was ist lächerlich daran, mehr als das eigene Glück im Auge zu haben?«

»Es stimmt nicht, Ruth. Es ist dein Leben, und ich schaue nicht darauf herab. Im Gegenteil.«

»Inzwischen bist du Professor«, sagte sie, als verfolge sie einen anderen Gedanken, »aber du beschwerst dich, weil es nur eine Vertretung ist und du nach Dortmund ziehen musstest. Als würdest du nicht sehen, was du erreicht hast.«

»Warum trinken wir nicht einfach einen Schluck und entspannen uns. Dank deines Einsatzes wird es ein schönes Weihnachtsfest werden. Ich belächele das nicht.« Er hielt ihr das Glas hin. »Mein Punkt war lediglich, dass ich es nach dem Ende der Vertretung schwer haben werde, eine ordentliche Professur zu ergattern. Der Goldrausch ist vorbei, und ich hab zu lange gebraucht für meine Habilitation.«

»Vielleicht warst du abgelenkt von anderen Projekten.«

»Ja, war ich. Deshalb muss ich jetzt publizieren, was das Zeug hält. Was mir wenig Zeit lässt für das, was du herablassend ›andere Projekte‹ nennst, weil du mir unterstellst, es wäre nur Zeitvertreib. Es ist aber mein Leben. Wirst du dieses Glas nehmen oder nicht?«

Tatsächlich hatte er sich fast schon entschlossen, das Angebot aus Dortmund abzulehnen, als Professor Simon ihn zu sich bestellte und keinen Zweifel daran ließ, was von ihm erwartet wurde. Dieses eine Mal habe er sich mit Erfolg für ihn eingesetzt. Sollte Hartmut die Chance verstreichen lassen, werde er fortan auf sich allein gestellt sein, und der Vertrag an der TU laufe definitiv aus. Offenbar hatte dem Chef jemand geflüstert, dass sein Schützling nicht erpicht darauf war, Berlin zu verlassen. Mit Spekulationen über die Gründe hielt Professor

Simon sich nicht auf. Die letzten drei Jahre hatten seinen Geduldsfaden zum Zerreißen gespannt. Hartmut war keine Wahl geblieben. Seit Oktober konnte er vom Schreibtisch aus hören, wenn im Westfalenstadion ein Tor fiel. Ansonsten ignorierte er die Stadt, so gut es ging.

»Zum Wohl«, sagte er. »Auf ein harmonisches Weihnachtsfest.«

Ruth setzte sich auf die Ofenbank und drehte ihr Glas in der Hand. Im Regal stand ein alter Schwarzweiß-Fernseher. Der graue Sofabezug glänzte vor Abnutzung, und an einigen Stellen quoll die Polsterung durch. Der gesamten Einrichtung war anzusehen, wie die monatlichen BHW-Raten drückten. Von seinem Angebot, finanziell auszuhelfen, wollte Ruth bisher nichts wissen.

»Heiner hat mich darauf aufmerksam gemacht«, sagte sie. »Vor ein paar Wochen, nachdem ich mit dir telefoniert hatte. Er meinte, jedes unserer Gespräche beginnt damit, dass ich dich frage, wie's dir geht.«

»Er hört mit, wenn wir telefonieren?«

»Wir sind verheiratet, ich schicke ihn nicht aus dem Zimmer.«

»Natürlich nicht. Aber wenn es um mich geht?«

»Das ist der Punkt. Heiner hat gefragt, ob du dich später auch erkundigst, wie es mir geht. Was es in meinem Leben Neues gibt. Und ich wollte sagen: Ja, natürlich tut er das.« Als wäre sie innerlich nicht bei der Sache, stand sie von der Ofenbank auf und zupfte eine Falte aus dem roten Packpapier. Dann setzte sie sich wieder und trank.

»Tue ich das nicht?«

»Normalerweise ist dringlicher, was in deinem Leben passiert. Wie es dir geht. Meistens nicht so gut, oder jedenfalls könnte es besser sein. Bei mir passiert wenig, nicht wahr? Worüber ich mich nicht beklage, ich hab mich so entschieden und würde es höchstens im Kleinen anders haben wollen. Zum Beispiel stört es mich, dass ich kein Abitur habe. Ist mir neulich klar geworden, als wir mit Freunden gewandert sind. Oder ein bisschen Geld verdienen, halbtags. Wir könnten es gebrauchen, aber ob ich mir den Schichtdienst im Krankenhaus antun will? Ich suche nach anderen Möglichkeiten. Hab ich dir erzählt, dass ich Mitglied bei den Grünen bin?« Ihre Miene hellte sich auf, als hätte sie einen guten Witz gemacht. »Hättest du mir nicht zugetraut, was? Du dachtest, deine Schwester kann nur Fonduesaucen. Stattdessen werde ich radikal.«

»Das meintest du mit Halbtagsjob – du willst in die Politik gehen?«

»Was heißt schon Politik. Ich wurde gefragt, ob ich fürs Stadtparlament kandidieren will. Mal sehen. Warum eigentlich nicht?«

»Wieso kandidierst du nicht für die SPD?«

»Du hältst es wahrscheinlich für spleenig, aber ich hab mich gefragt, ob es eine Sache gibt, dir mir wirklich am Herzen liegt. Gibt es. Ich will nicht, dass meine Kinder in einer Welt voller Atomraketen aufwachsen.«

Um sich nicht erneut vorhalten zu lassen, er belächele das Tun seiner Schwester, verzichtete Hartmut auf eine Erwiderung. Die Friedensbewegung hatte am Rehsteig schon vor längerer Zeit Einzug gehalten. An der Wand hing ein Poster mit Zitaten von Heinrich Böll und Ernesto Cardenal, die ein wenig gravitätisch von Schreibtischen handelten: den unschuldigen der Dichter und dem nur unschuldig aussehenden von Otto Hahn. Je nachdem in welcher Stimmung Heiner war, könnte es auch morgen beim Fondue vor allem um atomare Bedrohung gehen.

»Okay«, sagte er. »Du meinst also, ich erkundige mich zu selten danach, wie es dir geht. Kann sein. Ich bin davon ausgegangen, dass du glücklich bist mit deinem Leben. Nicht erst in letzter Zeit, immer schon. Damals schon.«

»Trotzdem hab ich beschlossen, in Zukunft weniger unserer Mutter zu ähneln. Irgendwann muss man anfangen, und ich hab mir gesagt: am besten jetzt.« Ruth lächelte in den leeren Raum, den ab morgen der Weihnachtsbaum füllen würde.

Dann schaute sie wieder zu Hartmut. »Damit zu dir und deinem bewegten Leben. Du bist verliebt, das hab ich dir sofort angesehen, als du durch die Tür gekommen bist. Wie heißt sie nun?«

Hartmut setzte sich in einen der Sessel. Unter der Couch entdeckte er eine Spielfigur von der letzten Partie *Mensch ärgere Dich nicht*. Wahrscheinlich würde es ihm nicht gelingen, seiner Schwester zu erklären, warum diesmal alles anders war. Das erste Zusammentreffen lag zwei Jahre zurück, aber er erinnerte sich an jedes Detail. Wieder ein zaghafter Beginn im Winter, nach den heftigsten Schneefällen des Jahres und einer Party bei Kollegen von der TU. Für seine Verhältnisse hatte er viel getrunken und sich trotzdem nüchtern gefühlt. Als die Feier zu Ende ging, stiegen einige Unermüdliche in die U-Bahn nach Tempelhof, um sie am Platz der Luftbrücke wieder zu verlassen. Geparkte Autos bildeten weiße Skulpturen, Schneebälle flogen, Flaschen kreisten. Ausgelassene Stimmung allenthalben. Die Luft war klar und kalt, und die Wolken über der Stadt zogen langsam nach Osten. Was sie vorhatten, war eine nächtliche Schlittenpartie auf dem Kreuzberg.

Tereza hatte zu viel Bowle getrunken. Im Gehen schlang sie beide Arme um ihn und begann, ihm auf die Nerven zu gehen mit ihrer Anhänglichkeit. Beim Nationaldenkmal standen vermummte Gestalten und applaudierten, wenn in der Nähe ein Schlitten umkippte. Hier und da leuchtete Zigarettenglut auf und erhellte Gesichter, die in der nächsten Sekunde wieder verschwanden. Um sich aus ihrer Umarmung zu befreien, fasste er Tereza bei den Schultern und sagte: »Lass uns Schlitten fahren.«

»Zu gefährlich. Ich bin noch nie Schlitten gefahren.«

»Warte hier. Ich besorg uns einen.« Er ließ sie stehen und ging ein paar Schritte den Hang hinunter. Dietmar Jacobs und seine Freundin kamen ihm entgegen und zogen einen Holzschlitten hinter sich her. Der Schnee war so tief, dass Hartmut bis zu den Schienbeinen versank.

»Was dagegen, wenn ich den mal ausleihe für eine Fahrt?«

»Hainbach, alter Genosse!« Dietmar trug eine Nickelbrille, halblange Haare und kultivierte auch sonst seine Ähnlichkeit mit John Lennon. Die Frau neben ihm kannte Hartmut nur vom Sehen. »Ich dachte, du wärst schon weg.«

»Nur für zwei oder drei Fahrten. Wie ist die Bahn?« Sie kannten einander kaum, auch wenn Dietmar stets so tat, als wären sie beste Freunde.

»Hier, nimm. Die Bahn ist so frei wie wir. Carpe noctem.«

»Du solltest dir öfter mal selbst zuhören«, sagte Dietmars Freundin. Den Rest bekam Hartmut nicht mit, weil die beiden weitergingen und er den Schlitten in Augenschein nahm. Ein ähnliches Modell hatte er früher besessen, bloß mit stabileren Sitzleisten und rostfreien Kufen. Er zog ihn hinter sich her und fand Tereza bei einer Gruppe von Leuten, die ihm schon auf der Party aufgefallen waren, weil sie den ganzen Abend in der Küche debattiert hatten, statt zu tanzen. Den Rothaarigen erkannte er wieder, der immer noch mit großen Gesten in die Runde dozierte, neben sich eine dunkelhaarige Schöne, rauchend und mit verlorenem Blick.

»Bereit zur Abfahrt.« Er tippte Tereza auf die Schulter, sah in die Runde und versuchte vergebens, dem Blick der jungen Frau zu begegnen. Kurz darauf saß er hinten auf dem Schlitten und Tereza vor ihm zwischen seinen Beinen. Sie bekreuzigte sich und sagte: »Manchmal auf Partys habe ich den Eindruck, du wärst lieber alleine dort. Ohne mich.«

»Unsinn.«

Sie legte den Kopf zurück und versuchte, ihn anzusehen.

»Es ist nicht meine Art, mich zu beschweren, oder?«

»Halt dich fest, am besten an meinen Knien. Und pass auf, dass die Schnur nicht unter die Kufen gerät.«

»Es ist auch keineswegs so, dass ich mir in der Rolle gefallen würde.«

»Die Füße vorne auf die Querstange.« Mit einem kräftigen Stoß schob er den Schlitten an, hielt Tereza fest und fasste mit der anderen Hand an die Sitzleiste. Der Schlitten fuhr zwei Meter, dann blieb er stehen. Tereza nickte: »Es ist weniger gefährlich, als ich dachte.«

»Zweiter Versuch.« Noch einmal stieß er sich ab, und der Schlitten rutschte nach vorne, bevor er mit einem knirschenden Geräusch zum Stehen kam. Erst beim dritten Mal war der Hang steil genug, dass sie gemächliche Fahrt aufnahmen. Ein Kleinkind hätte ohne Mühe neben ihnen herlaufen können.

»Qué curioso! Qué ameno!« Tereza breitete die Arme aus, als wollte sie den Hauch von Fahrtwind einfangen. Über kleine Unebenheiten im Boden huppelten sie bergab.

»Es ist wie fliegen«, sagte sie. »Bloß schöner.«

»Es ist ein Scheiß Schlitten mit rostigen Kufen.«

»Qué placentero!«

In Zeitlupe fuhren sie an schneebedeckten Linden und Ahornbäumen vorbei. Ein harmloses Vergnügen, das der Liebschaft ähnelte, die Tereza und er seit drei Jahren unterhielten. Auch die war angenehm frei von Ambitionen und Zielen. Gutwillig unterliefen sie alle Ansprüche, die man gemeinhin an eine Beziehung stellt. Wenn er darüber nachdachte, staunte er am meisten über die lange Zeit, die sie miteinander verbracht hatten. Die Wiese wurde wieder flach, und ihr Schwung reichte für einen weiteren Meter des Auslaufens, dann stand der Schlitten still. Gemeinsam ließen sie sich in den Schnee fallen.

Tereza nahm eine Handvoll Schnee und rieb sie ihm ins Gesicht.

»Rache«, sagte sie zufrieden.

»Wofür?«

»Du hast immer noch nicht gesagt, ob du im Sommer mitkommen willst.«

»Im Sommer, Tereza. Jetzt haben wir Januar.«

»Je früher du es sagst, desto länger kann ich mich freuen.«

»Wir werden sehen«, sagte er und küsste sie. »Noch eine Fahrt?«

Noch zwei Mal rutschten sie den Hang hinunter, danach überließ er Tereza ihrer neuen Leidenschaft und gesellte sich zu der Gruppe neben dem Denkmal. Seine Armbanduhr zeigte halb drei. Auf einem Gaskocher wurde Glühwein erhitzt, und im bläulichen Schein der Flamme erkannte Hartmut die Inschrift ›Leipzig den 18. Oktober 1813‹. Jemand spielte Gitarre. Dietmar reichte ihm einen dampfenden Becher und nahm die Mitteilung, der Schlitten sei noch in Gebrauch, mit einem Abwinken entgegen.

»Gehört mir sowieso nicht.«

»Kennst du die Truppe da drüben?« Erneut hatte er den Rothaarigen entdeckt und dieselben ernsten Mienen um ihn herum, aber das Gespräch schien verstummt zu sein.

»Den Roten kenn ich, Falk Merlinger. Theater-Genie von eigenen Gnaden, soll heißen: Der Beweis für sein Talent liegt darin, dass er nie gedruckt oder aufgeführt wurde. Daneben seine Muse, drum herum die Entourage.«

»Schöne Frau«, sagte Hartmut mehr zu sich selbst.

»Ich hab mal mit ihr gesprochen, aber der Name ist mir entfallen. Kriegst du den Hals eigentlich nie voll?«

»Wie ist sie so?«

»Wie du, eher unnahbar. Okay, Bruder. Pass auf, was ich jetzt tue, denn ich tu's für dich.« Bevor Hartmut ihn zurückhalten konnte, ging er auf die Gruppe zu und tippte der Frau auf die Schulter. Als sein ausgestreckter Arm auf ihn deutete, wendete Hartmut sich ab und nippte an seinem Glühwein. Auf der von Mondlicht erhellten Wiese erkannte er Tereza, die mit zwei Freundinnen vom Schlitten fiel und vor Begeisterung in die Hände klatschte.

»Das ist er«, sagte hinter ihm Dietmars Stimme. »Alles, was ich dir zum Thema Sprechakte nicht sagen konnte, erfährst du von ihm. Er ist der Experte.«

Hartmut drehte sich um und begegnete einem gleichzeitig freundlichen und ernsten Blick. Nickend nahm er ihre ausgestreckte, in einem Stoffhandschuh steckende Hand.

»Hallo. Sprechakttheorie interessiert mich.« Sie sprach mit einem Akzent, den er nicht zuordnen konnte, und mit einer heiseren, von Tabak angegriffenen Stimme, in der mehr Melodie lag, als das Deutsche verlangte.

Er lachte, halb aus Unsicherheit und halb aus Belustigung. Nachts um halb drei lernte er eine schöne Frau kennen, und alles, was sie von ihm wollte, war eine Belehrung in Sprechakttheorie.

Sie lachte nicht, sondern wartete ohne Anzeichen von Ungeduld darauf, dass er sich wieder beruhigte.

»Was genau willst du wissen?«, fragte er.

»Mich interessiert das fürs Theater. Wenn man die Handlung aus einem Stück wegnimmt. Der Rest, der bleibt: Sprechakte.«

Er erwartete, dass sie als Nächstes ein paar Dogmen hersagen würde wie ›Es gibt keine Stücke mehr, weil es keine Subjekte mehr gibt‹ oder ›Das bürgerliche Theater ist tot‹ oder dergleichen, aber sie zog bloß an ihrer Zigarette und sah ihn an. Unter ihrer Strickmütze lugten dunkle Haare hervor.

»Willst du nicht reden darüber?«, fragte sie und wandte sich zum Gehen.

»Doch. Ich kann bloß zu Sprechakten und Theater nichts sagen.«

»Aber zu Sprechakten.«

»Das Ganze ist entstanden aus der sogenannten Philosophie der normalen Sprache.« Sie wollte es wissen, also sagte er es ihr und bemühte sich nur am Anfang darum, den Jargon seiner Disziplin gegen das einzutauschen, wovon diese handelte: normale Sprache. Dann merkte er, dass ihre Aufmerksamkeit größer wurde, je weniger Zurückhaltung er sich auferlegte, also sprach er wie im Seminar. Ein einziges Mal schaffte er es, ihr ein Lächeln zu entlocken. Wen außer Austin und Searle sie noch lesen müsse, fragte sie, und er antwortete ohne nachzudenken: »Die Doktorarbeit von Hartmut Hainbach.«

»Die jede gute Buchhandlung zu kaufen … verkauft.« Sofort wurde sie wieder ernst, steckte sich die Zigarette zwischen die Lippen und zog die Augenbrauen nach oben. Als die Glut heller wurde, konnte er den dunklen Kreis ihrer Pupillen erkennen.

»Leider gibt es sie nur auf Englisch und in wenigen Exemplaren.«

»Ich geb dir meine Nummer.« Aus der Tasche ihres Parkas zog sie Notizbuch und Kuli hervor.

»Du musst die nicht lesen, das war ein Witz. Die Arbeit ist furchtbar trocken.«

Kopfschüttelnd schrieb sie ihm die Nummer auf und gab ihm den Zettel.

»Gehört zur Wohnung nebenan, aber du kannst fragen nach mir.«

»Wo kommst du her?«

»Portugal. Ruf mich an, ja? Und ein Exemplar von der Arbeit. Ich hab kein Geld.« Sie gab ihm noch einmal die Hand und ging zurück zu ihrer Gruppe. Dietmar hatte sich schon vorher abgesetzt. Der Park wurde leer, Hartmut sah kleine Grüppchen zum Mehringdamm ziehen. Im Osten stand die Kugel des Fernsehturms über der Stadt wie ein blinkendes Raumschiff. Erst jetzt fiel ihm ein, dass er oft hierhergekommen war, als Hans-Peter in der Nähe gewohnt hatte. Sein alter Freund, der in den USA Karriere machte und dessen Name ihm gelegentlich in Büchern und Aufsätzen begegnete. Damals waren sie diskutierend durch den Viktoriapark gelaufen, aber noch nie hatte er ihn so zugeschneit gesehen wie jetzt.

Alles schimmerte bläulich im Mondlicht. Hartmut blickte sich um und hätte nicht sagen können, was ihn plötzlich traurig machte. Von der Wiese aus winkte Tereza ihm zu. Wozu sich was vormachen, dachte er. Bevor er den Abhang hinabging, zerriss er den Zettel in kleine Fetzen und ließ einen nach dem anderen in den Schnee rieseln.

Auch der zweite Teil des Heiligen Abends folgt dem bewährten Muster. Nach der Kirche geht Hartmut mit den Zwillingen ins Spielzimmer, damit Ruth und Heiner die Bescherung vorbereiten können. Die Zeit für ruhige Brettspiele ist vorbei, während der letzten halben Stunde wird getobt. Die beiden stürmen auf ihn ein, stoßen sich die Köpfe und stürmen erneut auf ihn ein. Ein Knopf seines Hemdes rollt über den Teppich, dann endlich ertönt am Fuß der Treppe ein leises Klingeln. Augenblicklich lassen die beiden von ihm ab und rasen nach unten. Als Hartmut im Wohnzimmer ankommt, liegt schon zerrissenes Geschenkpapier über den Boden verteilt. Kerzenlicht spiegelt sich in den Fensterscheiben. Das ist der Moment, in dem er für einige Sekunden an Marsha Hurwitz denkt, deren Season's Greetings die Berliner Post vermutlich als unzustellbar zurückgesendet hat. Ruth schaut in seine Richtung, als frage sie sich immer noch, wie aufrichtig er gemeint hat, was sie ihm gestern nicht abnehmen wollte.

Nach der Bescherung fährt Hartmut nach Arnau, wo seine Eltern wartend am Küchentisch sitzen. Eine Wäschewanne voller Geschenke steht in der Mitte des Raums, der so überheizt ist, dass ihm beim Eintreten der Schweiß ausbricht. Dieselben Möbel, dieselbe niedrige Decke, an die er fast mit dem Kopf stößt. Derselbe Brandgeruch des Ofens, wie eine unsichtbare Spur aus der Vergangenheit. Seine Mutter schärft ihm ein, am Gefrierhaus zu halten, um Eis für die Kinder einzupacken.

Draußen kommt ihm die Nacht kühler vor. Der Himmel ist klar, und aus den Fachwerkhäusern ringsum dringt kein Laut, nur das Blinken von elektrischer Weihnachtsdekoration. Mit einem Stöhnen hievt er die Wanne in den Kofferraum. Von der Haustür folgen ihm bedächtige Schritte und das nervöse Licht einer Taschenlampe.

»Alles klar?«, fragt er, als alle angeschnallt sind. Seine Mutter legt ihm eine Hand auf die Schulter.

»Zum Gefrierhaus, ja.«

Es handelt sich um das Relikt aus einer Zeit, als private Tiefkühlschränke die Ausnahme waren. Ein garagengroßer Bau mit dicken Glasziegeln anstelle von Fenstern, der jetzt beherbergt, was die Geräte zu Hause nicht fassen können. Drinnen empfangen ihn Kälte und ein leises Summen. Gewölbte, nummerierte Schranktüren, jeweils drei Reihen übereinander. Die Neonröhren an der weißen Decke tauchen den Raum in grelles Licht. Im Fach mit der Nummer sieben erkennt er, nachdem der Eisdunst sich verzogen hat, die vertraute Ordnung gestapelter Tupperdosen. ›Rhabarber gehackt, Juni 1984‹ und ›Apfelbrei, Oktober 1985‹ steht auf farbigen Klebeschildchen.

Einen Moment lang hält Hartmut inne und horcht. Er spürt seinen Puls schneller werden und muss der Versuchung widerstehen, den Kopf in die von einer Eiskruste verengte Öffnung zu zwängen. Wie befürchtet, hat Ruth ihn nicht verstanden gestern. Oder wollte nicht. Mit unbewegter Miene hörte sie sich an, wovon er mit steigender Erregung erzählte: dem unverhofften Wiedersehen im Foyer der Schaubühne, den gemeinsamen Nachmittagen im Café, dem Ausflug nach Ost-Berlin und seiner Angst vor einem falschen Schritt. Ruth saß auf der Ofenbank und gab sich keine Mühe, ihre Ungeduld zu verbergen. Als er fertig war, erwiderte sie zuerst gar nichts, sondern sah zu, wie er sich den Rest des Weins eingoss. Sie nippte noch am ersten Glas. Nebenan im Badezimmer stand Heiner unter der Dusche.

»Hast du noch Kontakt zu Tereza?«, fragte sie schließlich. Als wäre das einzig Interessante an seiner Geschichte, was er nicht erzählt hatte.

»Was? Wieso fragst du das jetzt?«

»Ich will dich das seit Wochen fragen. Irgendwann fiel der Name nicht mehr. Als wolltest du sie totschweigen.«

»Hast du mir zugehört, Ruth? Hörst du, was ich dir sagen will?« Er spürte, wie seine Hand sich fester um das Weinglas schloss.

»Ehrlich gesagt, bin ich nicht sicher. Du hast diese Maria vor Jahren zum ersten Mal getroffen. Und sie danach zwar lange nicht gesehen, aber eigentlich warst du die ganze Zeit über verliebt in sie. Richtig? Du warst mit Tereza zusammen, hast sie im Sommer mit … na? Die mit dem kleinen Sohn, während Tereza bei ihrer Familie war.«

»Worauf willst du hinaus?«

»Aber verliebt warst du die ganze Zeit in eine dritte Person. Ist es das, was du mir sagen willst?«

»Ja«, presste er hervor. Es war ein Fehler gewesen, Tereza letztes Jahr mit nach Bergenstadt zu bringen. Sie und Ruth hatten sich auf Anhieb wie Schwestern verstanden.

»Okay. Und jetzt sprichst du davon, dein Leben zu ändern. Könntest dir plötzlich doch vorstellen, Kinder zu haben. Mit einer Frau, die dich ein Mal in Dortmund besucht hat. Ein Mal!«

»Nächstes Jahr fahren wir zusammen nach Portugal. Natürlich wird es nicht leicht, sie davon zu überzeugen, ausgerechnet nach Dortmund zu ziehen. Dieses Angebot hätte zu keinem schlechteren Zeitpunkt kommen können.«

Ruth schüttelte den Kopf. Störrisch wie ein Kind.

»Tereza hat dich geliebt«, sagte sie. »Sie hätte dich geheiratet. Aber du musstest sie betrügen, und jetzt tust du so, als hätte es sie nie gegeben. Weil du die Liebe deines Lebens getroffen hast, die sich gerade erst von ihrem Freund getrennt hat. Oder vielleicht noch nicht? Tut mir leid, Hartmut. Ich muss zurück in die Küche.« Sie stand auf, und er befahl sich, das Weinglas nicht gegen die Wand zu schleudern. Gegen das Poster, auf dem zwei alte Männer über Schreibtische faseln, als wäre das ein Ort, von wo aus die Welt sich verstehen ließe. Auf einmal schlug seine Wut um in den kalten Wunsch zu verletzen. Er stellte das Glas auf den Tisch, sah seiner Schwester in die Augen und sagte: »Vielleicht gönnst du mir mein Glück nicht. Vielleicht ist das dein Problem.«

Die Wirkung seiner Worte erkannte er sofort. Ruth hielt in der Bewegung inne, und er musste die Luft anhalten. Hätte er nicht die Badezimmertür gehört und Heiners Schritte auf dem Flur, wäre er auf der Stelle aus dem Raum gestürzt.

»Das ist das Gemeinste, was du je zu mir gesagt hast«, flüsterte sie mit zitternden Lippen. »Ich gönne dir dein Glück nicht? Mein Problem ist ein ganz anderes. Ich finde keine Antwort auf die Frage, die ich mir kürzlich gestellt habe. Wie ich eigentlich von dir denken würde, wenn du nicht mein Bruder wärst.«

Schwer atmend hält Hartmut die Dose mit den Eisröllchen in der Hand. Seine Finger haben Spuren hinterlassen im eisigen Reif. Über ihm geben die Neonröhren ein anhaltendes Summen von sich, das er die ganze Zeit gehört hat, aber jetzt erst zuordnen kann. Seine Eltern fragen sich sicherlich, wo er bleibt. Mit dem Eis in der Hand geht er zurück zum Auto und steigt ein in ihre Unterhaltung über den abendlichen Gottesdienst. Wer anwesend war und wer nicht, wer Heiligabend mit den Kindern verbringt, und wer nicht mal mehr weiß, wo die wohnen. Ein Gespräch über den zu dünn besetzten Sopran im Kirchenchor und was für eine Welt das ist. Die eigenen Kinder! Als sie fünf Minuten später am Rehsteig halten, greift sein Vater nach dem Gurt und sagt: »Fohr net so dichte on'n Boddstäh droh, sussd komm äich net so gudd raus.«

Dann feiern sie Weihnachten, alle zusammen. Es gibt eine zweite Bescherung, mit den üblichen Umarmungen und dem abwehrenden Dank. Seine Mutter protestiert, dass der Bademantel viel zu teuer für sie sei. Sein Vater hält einen großformatigen Bildband auf Leseabstand und behauptet, sich für Polarexpeditionen schon immer interessiert zu haben. Die Kerzen brennen, Heiner sammelt Geschenkpapier in einen ausgedienten Karton, und die Zwillinge spielen mit ihren ferngesteuerten Autos. Als Hartmut seinem schlechten Gewissen in die Küche folgt, findet er Ruth beschäftigt damit, die Fonduesaucen in kleine Schälchen zu füllen. Auf Tellern türmen sich Würfel von Rind- und Schweinefleisch. Eine Pyramide aus kleinen Hackbällchen ist für die Gebissträger der Familie gedacht. Eingelegte Gurken, Silberzwiebeln und rote Bete liegen zum Abtropfen im Sieb, dazu gibt es Kräuterbutter, frisches Baguette und grünen Salat. Der Geruch von Brennspiritus wabert durch den Raum. Hartmut bleibt in der Schiebetür stehen. Eins der Schälchen hat eine abgeplatzte Stelle und muss ausgetauscht werden. Ruth schaut nur kurz von ihrer Arbeit auf.

»Sag lieber nichts.«

»Kann ich dir helfen?«

»Nicht hier.« Mit einer Hand zieht sie ihn in die Küche und schiebt mit der anderen die Tür zu. Eigentlich würde sie jetzt ein verschwörerisches Lächeln aufsetzen, aber das lässt die Stimmung zwischen ihnen nicht zu. Er hat sich sofort für seinen Ausfall entschuldigt, und seine Schwester hat es akzeptiert, alles andere wird Zeit brauchen. »Versuch, deine Neffen für diese Märklin-Kästen zu begeistern. Unser Vater schenkt ihnen die immer wieder, er lässt sich nicht davon abbringen.«

»Weil es gutes Spielzeug ist.«

»Es ist wunderbares, hochwertiges Spielzeug, aber meine Söhne stehen gerade auf alles, was Batterien hat und Lärm macht. Ich hab ihm das zu erklären versucht. Du weißt, wie er ist.«

»Nein. Wie ist er?«

»Hartmut«, sagt sie, »sei heute bitte kein Scheusal! In drei Tagen wandert das Zeug auf den Speicher, aber heute Abend, solange unser Vater hier ist, will ich, dass die beiden damit spielen. Was sie auch tun werden, wenn ihr geliebter Onkel mit ihnen spielt. Okay?«

»Ist es eigentlich schwierig, es allen Leuten recht zu machen? Ich meine: allen gleichzeitig?« Er meint das weniger ironisch, als es klingt.

»Das kommt auf den Grad der Unterstützung an, den man dabei erfährt.«

Er nimmt ein Gurkenstück, dippt es in eine der vier Fonduesaucen und steckt es sich in den Mund. Aus dem Wohnzimmer kommt ein doppeltes Juchzen. Florian und Felix lassen ihre Elektroautos gegen jedes erreichbare Hindernis knallen.

»Weil wir gestern davon gesprochen haben«, sagt er kauend. »Hast du ihm je zum Vorwurf gemacht, dass du kein Abitur machen durftest?«

»Nein, wozu?«

»Damit er's weiß.«

»Und es beim nächsten Mal besser macht?« Sie stellt das letzte Schälchen ab, tritt einen Schritt zurück und lehnt sich gegen die Spüle. Hat sich geschminkt, zur Feier des Tages, und trägt unter ihrer Küchenschürze eine weiße Bluse.

»Du meinst«, sagt er, »du hast es ihm einfach verziehen.«

»Ich hab mir gesagt, manche Dinge sind, wie sie sind. Er hat sich fünfzig Jahre lang den Rücken krumm gearbeitet, und meine Kräfte sind ebenfalls begrenzt. Ich erziehe lieber meine Kinder als meine Eltern.«

»Irgendwie bewundere ich dich.«

»Irgendwie bewundere ich dich auch. Jetzt geh und spiel mit deinen Neffen. In zwanzig Minuten gibt's Essen.«

»Ich bemühe mich, weißt du. Manchmal glaube ich, es gelingt mir. Und manchmal schaue ich ihn an und … Bemerkst du keine Fortschritte?«

»Man sieht, dass du dir Mühe gibst.« Bevor er das nächste Stück nehmen kann, hebt sie drohend die Hand, aber ihre Stimme bleibt ruhig. »Und manchmal sieht man, wie du ihn anschaust.«

»Früher hast du dir immer die Augen zugehalten. Wenn es mal wieder so weit war. Wenn ich angeblich was verbrochen hatte.«

Das heiße Öl in den beiden Fonduetöpfen gibt ein leises Knacken von sich. Ruths Blick ruht auf ihm, und ihn überkommt ein tröstliches Wissen darum, wie lange sie einander kennen. Wie unauflöslich das ist und alles Verstehen ebenso umfasst wie die Missverständnisse. Ruth nickt, als hätte sie dasselbe gedacht.

»Du musstest das jetzt sagen, oder?«

»Ja, musste ich.«

»Manchmal frage ich mich, ob du dein ganzes Leben mit dieser Wut im Bauch rumlaufen willst. Dann sage ich mir, dass ich kein Recht habe, das zu beurteilen. Es fällt mir bloß schwer, es zu akzeptieren.«

»Und ich frage mich, warum *ich* derjenige sein soll, der …«

»Weil es die einzige Möglichkeit ist«, unterbricht sie ihn. Langsam bindet sie sich die Schürze ab und hängt sie zurück an den Haken. Schaut auf die Anrichte, auf ihre Fingernägel, durch die Küchentür nach draußen. »Heute Mittag wollte ich Nagellack auftragen und hab festgestellt, ich hab keinen mehr. Was sagt uns das?«

»Du siehst gut aus, wie du bist.«

»Weißt du, es gibt eine Frage, die ich ihm gerne stellen würde: Warum er mich anders behandelt hat. Aber dafür bin ich zu feige, das gebe ich zu. Ich weiß nicht mal, ob ich mich vor der Frage fürchte oder vor der Antwort.«

»Ganz einfach, weil du ein Mädchen warst.«

»Das ist alles?«

»Glaub mir. Ich hab lange genug darüber nachgedacht. Das ist alles.«

Ruth zuckt mit den Schultern. Es könnte alles so schön sein, hat sie beim letzten Mal gesagt. Wenn da nicht wäre, was nicht vergehen will. Im ersten Moment wollte er sie auslachen, inzwischen glaubt er, dass ihr Festhalten an dem Wunsch mehr Kraft erfordert, als die meisten Leute besitzen. Alles soll schön sein. Seine Schwester verfügt über eine seltene Art von Stehvermögen, ein besseres Wort fällt ihm nicht ein.

»Heißt das, du wirst nicht mit diesen beschissenen Baukästen spielen?«, fragt sie.

»Doch. Sobald du sagst, dass du mir nicht mehr böse bist wegen gestern.«

Ihr Seufzen ähnelt dem, das ihre Söhne zu hören bekommen, wenn sie dieselbe Bitte nach dem dritten Nein ein viertes Mal vorbringen. Die Augen beschreiben einen Kreis, die Schultern ebenso. Ruths Unfähigkeit zu lügen ist bemerkenswert.

»Nicht mehr lange«, sagt sie. »Reicht das?«

»Weil Weihnachten ist.« Er nimmt ein weiteres Gurkenstück und geht zurück ins Wohnzimmer.

Auch die letzte Stunde des Abends verbringen sie wie immer: sitzen mit vollen Bäuchen um den Wohnzimmertisch und singen. Florian spielt Flöte, und Felix hält sich die von Fondue-Öl verbrannte, in einem Salbenverband steckende Hand. Wenn Hartmut so tut, als hätte er den Text vergessen, wirft Ruth ihm einen strengen Blick zu. Zwischendurch wandern ihre Augen zu der wackeligen Konstruktion zwischen Bücherwand und Ofenbank, einem lockeren Zusammenschluss von Metallteilen, der vage Ähnlichkeit mit einer Brücke aufweist. Hartmut fühlt sich träge und zufrieden. Am Baum brennen wieder die Lichter. Seine Gedanken sind woanders.

Vor zwei Tagen hat sie von einer öffentlichen Telefonzelle aus angerufen, um ihm frohe Weihnachten zu wünschen. Jetzt hört er sich und die anderen singen, schließt die Augen, und das Licht wird morgenblau wie am Tag ihres Besuchs. Als Maria schon halb im Schlaf neben ihm lag und blinzelte, wenn er sie küsste. Er war müde, wollte trotzdem nicht schlafen und hörte draußen die Müllabfuhr durch den Hinterhof rumpeln. Eine Frage hatte ihn durch die ganze Nacht begleitet. Der kleine Widerhaken, der auf merkwürdige Weise den Genuss noch steigerte. Lag die Antwort in der Art, wie sie ihn hinterher an sich zog? Mit einer Hand bedeckte er ihre Augen und fragte. Noch einmal huschte ein Lächeln über ihre Züge. Die Andeutung eines Kopfschüttelns. Ob er sie denn gar nicht kenne? Sie habe schon seit dem Kuss in Ost-Berlin nicht mehr mit Falk geschlafen.

8 Am späten Sonntagmorgen stehen sie zu dritt neben dem Auto. Vogelgezwitscher füllt die wärmer werdende Luft, und über Wiesen und Maisfeldern hängt ein trockenes Knistern. Géraldine hält sich abseits, während die beiden Männer einander umarmen, auf den Rücken klopfen und baldiges Wiedersehen geloben. In den Platanen ringsum spielt der Wind.

»Jederzeit.« Bernhards Handbewegung deutet an, dass sein Haus für Hartmut so offensteht wie die Tür, durch die sie eben nach draußen gegangen sind. »Egal, ob alleine oder mit Maria. Notfalls sogar mit Vorankündigung.«

Einen Moment lang halten sie einander an den Schultern, und Hartmut denkt, dass es sich eher nach Aufbruch als nach Abschied anfühlt.

»Informiert mich rechtzeitig über den Termin«, sagt er.

Géraldine löst die Verschränkung ihrer Arme und tritt auf ihn zu.

»Merci«, versteht er, und dass sie sich gefreut habe, seine Bekanntschaft zu machen. Sein Besuch sei ein Vergnügen und für Bernhard wirklich wichtig gewesen. Lächelnd küsst sie ihn auf beide Wangen und bewegt sich mit einem jugendlichen Schwung, der ihn an Maria erinnert. Das blaue Sommerkleid passt gut zu ihrer schlanken Statur und den glatten langen Haaren. Im Zurücktreten legt sie die Hand auf eins der gestern aufgestellten Warnschilder: Propriété privée, chasse strictement interdite! Dann gibt es für niemanden mehr etwas zu tun, außer den Abschied um einige Sekunden hinauszuzögern durch diese oder jene Bemerkung.

»Du weißt Bescheid, bei Tartas auf die Schnellstraße, dann immer Richtung Bayonne.« Bernhard deutet nach Südwesten. »Grüß deine Tochter, wenn du ankommst. Sie ist natürlich auch eingeladen.«

»Nochmals danke für alles.« Beim Öffnen der Fahrertür schlägt Hartmut Hitze entgegen, aufgeladen mit dem Geruch von warmem Kunststoff. Er spielt mit dem Schlüssel in der Hand und glaubt, wie immer im letzten Moment, etwas Wichtiges vergessen zu haben.

»Soll ich mit dem Fahrrad vornewegfahren?«, fragt Bernhard. »Dich aus dem Ort geleiten?«

»Du fährst Fahrrad?«

»Ich besitze eins. Letztes Jahr gekauft, als ich plötzlich Angst bekommen habe, einzurosten.« Er zuckt mit den Schultern und schaut zu seiner Freundin, die ein bisschen Deutsch versteht, aber in diesem Fall den Kopf schüttelt.

»Nicht nötig, mein Navigationsgerät kennt den Weg.« Hartmut steckt den Schlüssel ins Zündschloss und lässt auf beiden Seiten die Fenster runter. Handy, Laptop, Charles Lins Arbeit – im Geist geht er die letzten fünf Minuten durch und vergewissert sich, dass er alles eingepackt und in den Kofferraum geladen hat. Er ist bereit zur Abfahrt. Eigentlich wollte er längst unterwegs sein.

»Wir sehen uns.« Mit der linken Hand verscheucht er ein Insekt, bevor er sie winkend aus dem Fenster streckt. Bernhard und Géraldine stehen nebeneinander wie Sandrine und er auf dem Foto aus Hannibal, Missouri: nah und doch nicht nah. Seit er letzte Nacht die Schallplatte angehört hat, geistern die beiden Stimmen durch seinen Kopf und geben ihm das merkwürdige Gefühl, sich selbst zuzuhören über einen Graben von dreißig Jahren hinweg. Von einem Moment auf den anderen freut er sich darauf, den ganzen Tag unterwegs zu sein.

»Bon voyage«, sagt Géraldine.

»Grüß Breugmann, wenn du ihn siehst, und sag ihm, ich …«
Der Rest geht unter im Lärm des anspringenden Motors. Gleich
darauf stehen zwei schmale Gestalten in Hartmuts Rückspiegel,
werden kleiner und erinnern ihn an eine frühere Abreise, er
weiß nicht mehr wann und von wo. An der nächsten Kreuzung
biegt er ab, passiert eine Reihe unbewohnt aussehender Häuser
und fährt aus dem Dorf hinaus. Richtung Spanien.

Eine Stunde später sind es bis zur Grenze nur noch wenige
Kilometer. Bayonne, Biarritz und ein kurzer Tankstopp liegen
hinter ihm. Hartmut hat die Karte studiert, Reifendruck und
Ölstand kontrolliert und sich davon überzeugt, dass der gelegentlich aufkreischende Keilriemen noch intakt ist. Die Hilfe
des Navigationsgeräts benötigt er vorläufig nicht, San Sebastián
ist bereits ausgeschildert. Die Landschaft wird hügelig, in der
Ferne tauchen wie mit Kreide gezeichnet die ersten Ausläufer
der Pyrenäen auf. Ausgeschlafen fühlt er sich, betrachtet die
vorbeitreibenden Weinberge und freut sich auf das immer wieder erhebende Gefühl, eine Landesgrenze zu überqueren, die
kaum als solche zu erkennen ist. Nachdem er dem französischen
Staat zwei Euro zwanzig für die Benutzung seiner Autobahn
entrichtet hat, leuchtet über der Straße eine Anzeige auf: Es-
pagne 12 MN. Als wäre Spanien eine Straßenbahn, in die er in
zwölf Minuten einsteigen kann.

Die Aussicht, in zwei Tagen Philippa wiederzusehen, trägt
viel zu seiner guten Stimmung bei. Gestern Vormittag hat er
ihr endlich geschrieben. Mit dem Laptop auf den Knien saß
er im Liegestuhl und hörte von drinnen die dissonanten Laute von Bernhards Geigenspiel. Passend zu den Kopfschmerzen
zwischen seinen Schläfen. Ohne sich mit Auskünften zur bis-
herigen Reiseroute aufzuhalten, hat er seine Tochter gefragt, ob
sie beschäftigt sei mit dem Sprachstudium oder Zeit habe, ihren
alten Vater durch Santiago zu führen. Kurz entschlossen habe
er sich ein paar Tage freigenommen und überlege, sie zu besuchen. Maria werde vermutlich nachkommen. Wenn es ihr nicht

passe, solle sie das sagen, dann freue er sich auf ihren Besuch in Bonn. Bevor er die Mail abschickte, überflog er den Text und prüfte den Ton. Klangen die Zeilen weder aufdringlich noch zu beiläufig, sondern nach der Anteilnahme eines geduldig aus der Ferne liebenden Vaters? Seit zwei Jahren versucht er sich selbst an der kurzen Leine zu halten, wenn er Kontakt mit Philippa aufnimmt. Mit dem Umzug nach Hamburg hat seine Tochter begonnen, die Beziehung zu ihren Eltern neu zu ordnen, in Marias Fall zum Besseren, aber dass sie von sich aus in Bonn anruft, ist selten geworden. Meldet er sich bei ihr, kämpft er mit dem Gefühl, sich ungebeten in ihr Leben einzumischen. Es gibt viel, das er gerne fragen würde, aber immer weniger, worüber sie reden. Oder bildet er sich das ein? Entgleitet seine Tochter ihm oder leidet er am typischen Phantomschmerz des Vaters, dessen Rolle auf eine Art Bereitschaftsdienst reduziert wurde?

›Alles Liebe, dein Papa‹ schrieb er und klickte sofort auf Senden.

Bevor sie ihn auf das Territorium des südlichen Nachbarn entlässt, fordert die Republik Frankreich einen letzten Wegezoll von ihm. Hartmut wirft die Münzen in einen großen Plastiktrichter, dann hebt sich der Schlagbaum, und auf einem Schild steht ›Espanha‹. Das ist alles. Keine Uniformen und strengen Blicke, weder hechelnde Hunde noch griffbereite Schnellfeuerwaffen. Im Hinterkopf begleiten ihn Erinnerungen an das eine Mal, als er in Helmstedt das komplette Programm absolvieren musste: Radkappen abmontieren und sämtliche Wäschestücke einzeln auspacken, während seine sächselnden Peiniger danebenstanden und ausschließlich in Imperativen mit ihm sprachen. Jetzt rollt er unbehelligt von Frankreich nach Spanien und befindet sich im selben Land wie seine Tochter. Seit Ostern hat er sie nicht gesehen, und auch da nur für zwei Tage. Die Hinweise am Straßenrand werden zweisprachig, Rasthof heißt ab sofort ›área de servicio‹ und auf Baskisch ›zerbitzugunea‹.

San Sebastián ist ihm von seiner ersten Portugalfahrt mit Maria in Erinnerung geblieben. Eine schöne Stadt. Mitten im Zentrum der helle Halbmond des Strandes, dahinter eine prächtige Promenade voller Flaneure, die in alle Richtungen flohen, als ein gewaltiger Platzregen niederging. Diesmal sieht Hartmut nur die grauen Mietskasernen der Außenbezirke, dann biegt er ab auf die A8 Richtung Bilbao. Ein gesprühter Slogan auf einem Brückenpfeiler fordert Freiheit für das Baskenland. Zwei Reisetage hat er eingeplant, mit einem Zwischenstopp an der Costa Verde. Damals sind Maria und er einer ähnlichen Route gefolgt, zunächst am Atlantik entlang und dann über die sonnenverbrannten Hochebenen Kastiliens nach Portugal. Es ist Jahrzehnte her, seit er zuletzt unterwegs war, ohne den Ort seiner nächsten Übernachtung zu kennen. Der Himmel hält sich bedeckt, graue Nebelschleier verleihen den Bergen das Aussehen rauchender Vulkane. Hartmut legt eine neue CD ein, denkt an die vergangenen zwei Tage und genießt das gute Gefühl, einen Freund gewonnen oder jedenfalls vermieden zu haben, ihn zu verlieren.

Den größten Teil des gestrigen Vormittags hat er allein auf der Terrasse verbracht. Mit hinter dem Kopf verschränkten Händen und gen Himmel gerichtetem Blick. Drinnen hatte Bernhard seine Geige beiseitegelegt und rumorte in der Küche. Géraldine wollte am Nachmittag eintreffen. Stickig und heiß lag die Luft über der flachen Landschaft. Einmal fuhren Kinder auf ihren Fahrrädern am Grundstück vorbei, ansonsten waren nur Vögel zu hören, Insekten und die tickenden Bewässerungsanlagen in den nahen Maisfeldern.

Nichtstun hat beinahe den Reiz des Verbotenen. Für den Fall, dass er mehrere Tage auf Philippas Antwort warten musste, beschloss Hartmut, wie geplant aufzubrechen und es seinerseits langsam angehen zu lassen. Die Entfernung nach Bonn war ungefähr die gleiche wie nach Lissabon, und er konnte Maria ebenso gut dort bei ihrem Bruder treffen. Jetzt zurückzufahren kam nicht in Frage. Mit dieser Reise verbanden sich Hoffnungen und Erwartungen, die er nicht ausbuchstabieren musste, um zu wissen, dass sie sich noch nicht erfüllt hatten.

Im Dorfgasthof nahmen sie ein spätes Mittagessen zu sich. Wurden von der Bedienung freundlich behandelt und von einer Gruppe alter Männer mit scheelen Blicken bedacht. Der anschließende Spaziergang führte sie unter Pinien entlang über sandigen Heideboden. Weit mussten sie laufen, um den garstigen Kötern zu entkommen, die ihnen aus jedem Grundstück hinterherbellten. Schließlich war vom Dorf nur noch die Spitze des grauen Wasserturms zu sehen. Über den Maisfeldern standen kleine Regenbogen, in der Ferne immer noch schneeweiß geballte Wolken. Als warteten sie auf ihn, seine luftigen Reisebegleiter.

Fliegen umschwirrten ihre Köpfe, als sie schweigend und verschwitzt zum Haus zurückkehrten. Hartmut setzte sich wieder in den Liegestuhl, öffnete den Laptop und traute seinen Augen nicht, als er im Posteingang die Antwort von Philippa sah. In Rekordzeit, ganze drei Stunden nach seiner eigenen Mail.

Verwundert klang sie, aber so gründlich er nach versteckten Vorbehalten fahndete, er konnte keine entdecken. Santiago im Sommer sei die reine Wucht, schrieb seine Tochter. Dass es ihm gefallen werde, könne sie nicht garantieren, aber auf jeden Fall wäre es besser, als alleine in Bonn herumzusitzen. Solle sie seine Mail als unverbindliche Anfrage verstehen, oder sei er bereits in den gewiss mehrstufigen Entscheidungsprozess eingetreten? Für den Fall, dass er ihre Ironie ebenso wenig verstand wie sie die seine, folgte ein gelbes Grinsegesicht. Die Anrede bestand aus einem spanisch flotten Hola, die letzte Zeile lautete: Grüß mir den Rhein und pack die Koffer, Flippa.

»Gute Nachrichten?« Mit einem Glas Wasser in der Hand stand Bernhard in der offenen Terrassentür. Er hatte geduscht und ein frisches Hemd angezogen. Géraldine konnte jeden Moment eintreffen. »Deinem Gesicht nach zu urteilen, ja.«

»Meine Tochter scheint bereit zu sein, mich in Santiago zu empfangen. Eine Selbstverständlichkeit, könnte man meinen, aber was ist heute noch selbstverständlich.«

»Komm mit, ich will dich was fragen.«

»Und das kannst du nicht hier?«

Ohne zu antworten, drehte sich Bernhard um und ging zurück ins Haus. Die Treppe hinauf. Hartmut stellte seinen Laptop beiseite und folgte ihm.

Licht kam aus der offenen Tür des Studios. Beim Eintreten fiel Hartmuts Blick auf einen breiten schweren Schreibtisch. Links und rechts stapelte sich Papier, die Bücher in den deckenhohen Regalen waren alphabetisch nach Autoren geordnet, genau wie früher im Bonner Büro. Als würde er ihn in seiner Sprechstunde empfangen, saß Bernhard auf dem Schreibtischstuhl, schob einen dicken Blätterstapel beiseite und sagte: »Es ist immer wieder verwunderlich, wie viele Wörter man braucht, um ganz gewöhnliche Dinge zu sagen. Wenn man genau sein will.«

Da es keinen zweiten Stuhl gab, blieb Hartmut in der Tür stehen. Draußen fielen Sonnenstrahlen durch die Wolken wie durch ein japanisches Papierfenster. Ein paar Feldhasen hoppelten zwischen den Bäumen umher.

»Deine Arbeit der letzten Monate?«, fragte er.

»Es gibt noch mehr. Ich bin dabei, mich umzugewöhnen, das braucht Zeit. Man schreibt anders, wenn man sich an niemanden richtet.« Bernhard nahm ein paar Blätter in die Hand, als wollte er sie wiegen, und legte sie wieder zurück. »Manchmal denke ich, dass ich ganz neu schreiben lernen müsste.«

Gegen den Türrahmen gelehnt, fühlte Hartmut sich in die Position von Peter Karow versetzt, letzte Woche im Verlag. Mit verschränkten Armen musterte er den Mann auf dem Stuhl und war nicht sicher, was in dessen Kopf vor sich ging. Das Zimmer berührte ihn seltsam. Aufgeräumt, vorzeigbar und gleichsam startbereit, aber der Blick aus dem Fenster ging auf nichts als Pinien und offene Felder. Nur dann ein guter Ort zum Arbeiten, wenn man seine Aufgabe genau kannte. Von einem Foto über dem Schreibtisch lächelte ihn eine Frau mittleren Alters an. Ihr freundliches ovales Gesicht wurde umrahmt von braunen Haaren. Sonnenstrahlen machten die Ränder unscharf, im Hintergrund verschwamm das Meer.

Bernhard folgte seinem Blick und nickte.

»Wir haben uns kennengelernt, als sie Freunde besuchte, die in Mimizan ein Haus besitzen. Zu viert sind sie eines Abends in die Bar gekommen und wollten Wein kaufen. Einen ihrer Freunde kannte ich flüchtig. Der meinte hinterher, er habe es darauf angelegt, uns zusammenzubringen.«

»Zwei Kinder, die schon studieren, hast du gestern gesagt. Dafür sieht sie ziemlich jung aus.«

»Beim ersten war sie zwanzig. Jetzt sind beide aus dem Haus, und Géraldine ist immer noch jung genug, was Neues anzufangen. Beinahe wie in deinem Witz. Als Lehrerin will sie nicht mehr lange arbeiten. Das möbliert ihr Leben nicht, wie man auf Französisch sagt. Treffendes Bild – das Problem ist immer, wie man's einrichtet.«

»Sie kündigt in der Schule, du verkaufst die Bar. Klingt doch gut.«

»Und dann was? Manchmal spinnen wir rum und kommen auf die verrücktesten Sachen, einen Weinberg kaufen, in die nächste Stadt ziehen und mit Antiquitäten handeln. Ein alter Traum von ihr. Oder erst mal ein Jahr reisen, um herauszufinden, wie gut wir zusammenpassen.« Er machte eine Handbewegung, die so viel besagte wie: Setz die Reihe selbst fort. »Wie sagt man so schön? Die Welt steht uns offen.«

»Bloß, dass du gerade nicht weg willst von hier.«

»Merkt man das?« Bernhard lächelte, als hätte er sich selbst bei einem Widerspruch ertappt. »Ich hänge nicht so sehr an dem Haus, dass ich es nicht wieder verkaufen könnte. Als Hausbesitzer hab ich mich sowieso nie gesehen. Es hat bloß lange gedauert, bis ich mich eingerichtet habe in meinem post-akademischen Dasein. Wir sind derart korrumpiert durch Lohnarbeit, dass wir Tätigkeiten, die finanziell nichts einbringen, auch nicht ernst nehmen. Ich hab regelrecht trainieren müssen, mich an den Schreibtisch zu setzen ohne das Gefühl, ich würde nur posieren. Dann kam die Sache in Bordeaux, das hat auch nicht geholfen.«

»Ich bleibe dabei. Du hättest nicht weggehen sollen aus Bonn.«

Eine Meinung, die Bernhard mit einem knappen Kopfschütteln zurückwies.

»Junge Leute fit machen für den Arbeitsmarkt, ohne mich. Es war richtig zu gehen. Im Übrigen bin ich mit meiner Emanzipation ein gutes Stück vorangekommen. Ich arbeite wieder, und es macht mir Freude. Vom Sommer abgesehen, tue ich, was ich für wichtig halte. Lese, was mich interessiert, ohne zu fragen, wofür ich es brauche. Kierkegaard – je angeguckt?«

»Irgendwann ein paar Seiten. Nicht mein Gebiet.«

»Eben. Ich lese alles außer Sekundärliteratur. In Bonn hatte ich für fast nichts anderes Zeit, und neunzig Prozent waren belanglos.«

»Okay. Aber jetzt will deine Freundin dich rausreißen aus deinem neu erworbenen Gleichgewicht. Deinem Dasein als Privatgelehrter.«

»Für mehr als zwanzig Jahre hat sich ihr Leben um die Kinder und den Job gedreht. Jetzt kommt ihre Zeit. Wir sind uns wie an einer Haltestelle begegnet, bloß dass ich angekommen bin und sie aufbrechen möchte. Sie sagt, sie kann sich eine Zukunft mit mir vorstellen. Aber nicht hier, nicht so wie jetzt. Und natürlich weiß sie, wo mein wunder Punkt liegt: Es ist okay, die Karriere an der Uni aufzugeben, wenn die Bedingungen einem nicht zusagen. Aber eine Bar aufmachen?« Ein Lächeln zwischen Selbstironie und Bitterkeit huschte über sein Gesicht. »Also muss ich entweder mitgehen oder alleine zurückbleiben. Nach reiflicher Überlegung ist mir klar geworden, dass ich Letzteres nicht will. Fürs Erste reicht das. Alles andere wird sich zeigen.«

Im selben Moment näherte sich draußen ein Auto, hielt neben dem Haus und hupte kurz. Bernhard stand auf.

»Das ist sie.«

»Hast du nicht gesagt, du wolltest mich was fragen?«

»Wir überlegen zu heiraten. Würdest du mein Trauzeuge sein?«

Weil Hartmut sich nicht bewegt hatte, standen sie einander auf weniger als einer Armlänge gegenüber. Musterten sich gegenseitig, und Hartmut kam es vor, als würden sie von der lächelnden Frau auf dem Foto beobachtet.

»Das kommt überraschend. Alles andere wird sich zeigen, hast du …«

»Keine Ahnung, wie du dich zur Ehe entschlossen hast. Ich glaube, manche Schritte machen wir entweder spontan, oder wir verausgaben uns beim Nachdenken über die Frage, ob wir es wirklich wagen sollen. Wenn du's nicht glaubst, wirf einen Blick in den Spiegel. Du fährst bis Südfrankreich, und wer weiß, wie weit du noch fahren wirst, um dich zwischen Bonn und Berlin zu entscheiden.«

»Als ob es nur um den Ort ginge.«

»Bevor ich in Bonn hingeschmissen habe, war ich ein halbes Jahr wie gelähmt, weil ich mich nicht entschließen konnte, es zu tun. Ein verlorenes halbes Jahr.«

»Gefolgt von zwei Jahren, in denen du dich gefragt hast, ob es der richtige Entschluss war.«

»Aber die waren ein Fortschritt, versteh das endlich!« In einer untypischen Geste boxte Bernhard ihm mit der Faust gegen die Brust. »Manchmal ist es sogar besser, den falschen Schritt zu tun, statt grübelnd auf der Stelle zu treten.«

»Küchenphilosophie. Ist es wegen der Geschichte in Bordeaux? Hast du Angst, dass …«

»Sei mein Trauzeuge! Irgendwann im nächsten Jahr, im kleinen Kreis. Schon bevor du hier aufgekreuzt bist, hatte ich beschlossen, dich darum zu bitten. Es wäre der Anlass gewesen, endlich die Funkstille zwischen uns zu beenden.«

»Ja?«

»Keiner von uns beiden hat zu viele Freunde, richtig?«

»Okay.« Sie sahen einander an, und für einen Moment glaubte Hartmut im Gesicht seines Freundes zu erkennen, warum der Altersunterschied für sie nie eine Rolle gespielt hatte: weil es die Jahre zwischen ihnen waren, die am schnellsten vergingen. Sich Bernhard mit sechzig vorzustellen, war beinahe leichter, als zu glauben, dass er selbst schon so alt sein sollte. Die Tränensäcke etwas schwerer, die Falten um die Augen tiefer. Im Nu ist es so weit, dachte er. Unten wurde die Haustür aufgeschlossen, oben standen Bernhard und er in der offenen Tür des Studios und umarmten einander.

Die Frau auf dem Foto lächelte still. Als könnte sie Gedanken lesen.

Die Autobahn folgt dem Verlauf der kantabrischen Küste. Rechts rollt und wogt das Meer, links ragen grüne Hänge empor, mit hier und da durchbrechenden Felsen. Obwohl Maria und er damals durch dieselbe Gegend gereist sind, sieht er alles wie zum ersten Mal. Die spanische Landschaft hat er als trocken, steinig und leer in Erinnerung, jetzt wirkt sie beinahe irisch kühl, mit grauer See und saftigen Weiden, auf die von oben dunkle Wolkenschatten fallen. Einmal wälzt sich neben der Straße eine Kuh auf der Wiese, als hätte sie einen Lachanfall. Das bekannte Ziehen im Rücken signalisiert ihm, dass es Zeit wird für eine Pause.

Weil die Rasthöfe entlang der Strecke ihm nicht gefallen, verlässt Hartmut die Autobahn und fährt aufs Geratewohl ins Land hinein. Durch eng gebaute Dörfer mit Häusern aus groben Steinquadern und dunklem Holz. Vor einer schlichten Finca empfängt ihn der Wirt mit über dem Bauch gefalteten Händen, als sei ihm der Besuch angekündigt worden. Den Namen des Ortes hat Hartmut schon wieder vergessen, als er sich über einem winzigen Emaillebecken die Hände wäscht. Er entscheidet sich für einen Tisch vor dem Haus, bestellt kalte Melonensuppe und Salat und atmet die salzige Fäulnis, die vom Meer her übers Land weht. Aus offenen Fenstern hört er die gepresste Stimme eines Fernsehkommentators. Offenbar eine Sportübertragung.

Wenige Autos sind auf der Straße unterwegs, an deren Rändern dicke braune Hühner nach Nahrung suchen. Hartmut beendet die Mahlzeit mit zwei Kugeln Eis, wird vom Hausherrn mit Handschlag verabschiedet und kehrt zurück auf die A 8. Inzwischen haben die Berge sich ihrer wolkigen Wimpel entledigt und ragen klar konturiert in den Himmel. Von einem Moment auf den anderen spürt er, wie seine Stimmung zu kippen beginnt. Das ganze Wochenende über hat er nichts von Maria gehört. Während sein Navigationsgerät ihn um Santander herum führt, erinnert er sich, wie sie damals anhalten mussten, um die große Michelin-Karte auf der Motorhaube auszubreiten. Einen Finger auf dünnen gelben Routen, Marias Haare in seinem Gesicht. Unterwegs hat sie manchmal die Hand auf seinen Oberschenkel gelegt und gelächelt. Für dich ist es Urlaub, sagte sie dann, aber nicht, was es für sie bedeutete, nach drei Jahren ihre Heimat wiederzusehen. Erst später ist er bei Max Frisch auf den Namen für die Stimmung im Auto gestoßen: die Melancholie der gemeinsamen Ortlosigkeit. Trotzdem, irgendwann auf dieser Reise muss ihm klar geworden sein, dass er mit niemandem sonst sein Leben teilen will.

Wenige Kilometer weiter endet die Autobahn und entlässt ihn auf eine schmale Küstenstraße. ›Camino de Santiago‹ steht auf großen blauen Schildern. Die ersten Pilger sieht er im Ortseingang von Llanes. Eine Gruppe junger Leute, nur durch die von prallen Rucksäcken baumelnde Jakobsmuschel zu unterscheiden von Wanderern auf dem Eifelstieg. Im Schritttempo rollt Hartmut an voll besetzten Cafés vorüber, bewundert die Fassaden alter Hotels und hört die mal gackernd lachenden, mal sehnsuchtsvoll schreienden Möwen, die über dem nahen Hafen kreisen.

Ohne anzuhalten, fährt er aus dem Ort hinaus. Die Dörfer beiderseits der Straße werden kleiner und scheinen die natürliche Deckung der Landschaft zu suchen. Schilder mit dem Hinweis ›playa‹ weisen in grünes Dickicht. Einmal glaubt er, sich verfahren zu haben in einem Labyrinth enger Gassen. Die lilafarbenen Blütendolden von Hortensien quellen über bröckelnde Steinmauern. Auf der Suche nach einer Wendemöglichkeit biegt er um die nächste Ecke und sieht das Hotel: dreistöckig, einladend und beinahe zu groß für den Ort. Wie ein auf Grund gelaufener Ozeandampfer sitzt es direkt am Strand und versperrt den Blick auf die Bucht.

Gefunden, denkt Hartmut und lenkt sein Auto auf den hauseigenen Parkplatz. Vor ihm erstreckt sich eine hufeisenförmige, von bewachsenen Felsen umschlossene Wasserfläche. Zwei Segelschiffe liegen vor Anker, wo die Bucht ins offene Meer übergeht. Vor dem Aussteigen wechselt Hartmut sein verschwitztes Hemd, danach bekommt er mit Hilfe von Einwortsätzen und einem freundlichen Lächeln ein Zimmer im zweiten Stock. Vom Balkon aus kann er das Panorama in seiner ganzen Schönheit überblicken: ein breiter Sandstreifen in derselben Vanillefarbe wie die Wolken am Horizont, dazwischen das verschwisterte Blau von Himmel und Meer. Rauschen und verzücktes Kindergeschrei wehen ihm entgegen. Wäre Maria bei ihm, würde sie beide Hände auf das Geländer legen und still die Aussicht genießen. Immer kann er in ihrem Gesicht erkennen, wenn ihr etwas so gut gefällt, dass Worte sich erübrigen.

Erst eine Dusche, beschließt er, dann einen starken Drink gegen die Melancholie ortloser Einsamkeit.

Zwanzig Minuten später nimmt er die Treppe nach unten. Die Bar soll den Eindruck erwecken, dass sich der Gast an Bord eines Schiffes befindet. Blinde Bullaugen und hölzerne Steuerräder säumen die Wände, durch die offene Terrassenfront weht Meeresluft herein, zusammen mit dem Lachen zweier Touristen. Drinnen teilt sich ein älteres Paar eine Zeitung, ein jüngeres schweigt über griffbereiten Handys. Hartmut wählt einen Platz in Thekennähe und lässt sich von einer Laune dazu verleiten, Mojito zu bestellen. Er weiß nicht mal genau, was das ist. Da nur spanische Zeitungen ausliegen, gibt er den alleinreisenden älteren Herrn ohne Deckung, lediglich darum bemüht, die anderen Gäste nicht zu auffällig zu mustern.

Von außen betrachtet wirke jede Ehe skurril, hat Maria einmal entgegnet, als er nach einem Essen mit Hans-Peter und Lori meinte, die beiden seien ein merkwürdiges Paar. Vor zwei Jahren in Bonn war das. Hans-Peter und er hatten eine anstrengende Konferenz hinter sich, Lori und Maria kamen von einem Ausflug nach Aachen zurück. Müde und ohne Lust auf Gespräche saßen sie auf der Terrasse des Hotels Königshof. Der Abend mündete in einen Streit, den Hartmut im Nachhinein als den ersten erkannt hat, der sich an Marias Umzug nach Berlin entzündete. Ein Plan, von dem er damals nichts wusste, weil seine Frau ihn im Stillen erwog und darüber so schweigsam wurde, als schmollte sie grundlos vor sich hin. Sie stritten, Hans-Peter und Lori schauten betreten auf den Rhein. Es endete damit, dass Maria im Taxi zurück auf den Venusberg fuhr und er alleine im Auto. Jetzt beobachtet er, wie die junge Frau nach ihrem Handy greift und zu tippen beginnt. Das hübsche, von kurzen blonden Haaren umrahmte Gesicht erinnert ihn an Bibi Andersson in *Persona*. Dieselben wachen, empfindsamen Augen. Ihr Mann oder Freund ist ein sportlicher, gut aussehender Typ, der sein Hemd über der Hose und weiße Turnschuhe trägt. Hartmut tippt auf viel Tennis und einen öden Beruf mit Aufstiegschancen. Wahrscheinlich spielt er gelegentlich eine Partie mit dem Chef und lässt ihn genug Ballwechsel gewinnen, um seine Karriere nicht zu gefährden.

Der Anlass ist ihm entfallen, aber irgendwann hat Maria ihm gesagt, warum seine Kommentare gelegentlich vom Ironischen ins Gehässige gleiten: Weil du selbst nicht mehr so jung bist, wie du gerne wärst. Solche Hinweise meint sie nicht vorwurfsvoll, sondern gibt ihm zu verstehen, dass er in ihrer Ehe nicht der einzige aufmerksame Beobachter ist. *Persona* haben sie vor zwei Jahren zusammen mit anderen Bergman-Filmen auf DVD gesehen, aber von diesem war Maria am tiefsten berührt. Hinterher lag sie in seinen Armen, als müsste sie warmgehalten werden, und meinte, sie könne sich mit beiden Frauen identifizieren. Der hoffnungslose Traum des Daseins. Dass er den ersten Mojito bereits ausgetrunken hat, muss am vielen Eis liegen. Hartmut hält sein Glas in die Luft, und der gelangweilte Barkeeper reagiert sofort.

Was würde er antworten? Wann, wenn je, ist er so jung gewesen, wie er gerne sein wollte? Seins war das typische Los des Spätentwicklers, dessen beste Zeit beginnt, wenn sie bei den Alterskollegen zu Ende geht. Die erste große Liebe mit Ende zwanzig, deren Ende mit Anfang dreißig, und als er mit Maria nach Portugal fuhr, ging er bereits auf die vierzig zu. Dazwischen lag das verbissene Bemühen nachzuholen, was er davor verpasst hatte. Vater wurde er, als die anderen über Ausgehzeiten debattierten, war bei jedem Elternabend der inoffizielle Alterspräsident und zeigte erst nach dem fünfzigsten Geburtstag die Symptome einer Midlife-Crisis. Jetzt schwebt die Sechzig über dem Horizont, und der Unterschied zwischen tatsächlichem und gefühltem Alter wird immer größer.

Beim zweiten Mojito weiß er: Es ist wieder ein Abend, an dem der Durst größer wird mit jedem Schluck. Mit leeren Gläsern in der Hand scheinen auch die beiden jungen Leute zu beratschlagen, ob sie nachordern sollen. Ein rücksichtsvoll fragendes Hin und Her der Augen. Was sie besprechen, kann Hartmut nicht verstehen, aber offenbar sind sie in einem Beziehungsstadium, in dem jeder sich nur mit Entscheidungen wohl fühlt, die vorher wortreich abgestimmt wurden. Mangelnder Begriff von der kommunikativen Erschöpfung, die das nach sich zieht. Das Ausbuchstabieren von Gründen, aus denen nichts weiter folgt als der nächste Begründungszwang. Denn das ist es, was Kommunikation tut, sie produziert die Notwendigkeit von noch mehr Worten.

Nein, würde er Maria antworten. Es passiert, weil niemand da ist, der mich auf andere Gedanken bringt.

Erst als der junge Mann in seine Richtung blickt, fällt Hartmut auf, dass er den Rest seines zweiten Drinks energisch und entsprechend laut durch den Strohhalm zieht. Danach bekommt er Hunger und entschließt sich zu einem für spanische Verhältnisse zu frühen Abendessen. Die Getränke lässt er auf seine Zimmerrechnung setzen und begegnet im Aufstehen dem Blick der jungen Frau. Erneut frappiert ihn die Ähnlichkeit mit Bibi Andersson. Die Fähigkeit, gleichzeitig schüchtern und ein wenig störrisch auszusehen. Die letzte Äußerung ihres Partners scheint weniger geistreich ausgefallen zu sein, als sie gehofft hat. Auf dem Bildschirm über der Theke trägt jemand einen Astronautenanzug, verziert mit den roten Arschbacken eines Pavians.

Dass er den falschen Entschluss gefasst hat, erkennt er schon beim Betreten des leeren Speisesaals. Die Kellner tragen noch Gedecke auf, aber statt kehrtzumachen, setzt Hartmut sich ans Fenster und sieht nach draußen. Die Sonne folgt der Flugbahn einer schweren Kugel, die von den vorspringenden Felszungen ins Wasser fällt. Es ist acht Uhr, am Strand brechen die letzten Familien auf. Er trinkt einen schweren Rotwein zur Vorspeise, einen zum Entrecot de buey und dazwischen einen zum Zeitvertreib. Gestern um diese Zeit hat Géraldine für Bernhard und ihn gekocht, Pilze und frisches Gemüse aus dem Garten ihrer Eltern. Eine äußerlich unscheinbare Person mit einer ansteckenden Freude an kleinen alltäglichen Dingen. Einen Tag später isst er alleine zu Abend und kämpft gegen den Drang, den teuren Wein in sich hineinzugießen wie Wasser.

Als der Kellner fragend auf das leere Glas blickt, schüttelt Hartmut den Kopf und bittet um die Rechnung. Widersteht dem Bedürfnis, das ihn zurück in die Bar zieht, und folgt dem Ruf der Vernunft hinauf ins Zimmer. Es dauert, bis er die spanischen Instruktionen auf der Homepage des Hotels entziffert hat und Zugang ins Internet erhält.

Drei E-Mails warten im Posteingang, keine von Maria. Katharina Müller-Graf schickt mehrere PDF-Dateien zum Thema Beurlaubung. Charles Lin hat eine ›Respektvolle Frage‹. Als Drittes und ohne Betreff erreicht ihn die Nachricht einer Studentin, die sich für die verspätete Abgabe ihrer Seminararbeit entschuldigt. Sie sei krank gewesen und könne notfalls ein Attest nachreichen. Herzliche Grüße, Anna Sowieso. Hartmut muss die Augen zusammenkneifen, um den osteuropäischen Nachnamen zu entziffern. Lang wie ein Satz. Ein Gesicht dazu will sich nicht einstellen.

Charles Lin erlaubt sich, ›in einer sehr respektvollen Weise die Frage zu richten an Sie, ob Sie schon Zeit gefunden haben für meine ganz niederrangigen Gedanken zu lesen und eine kritische Meinung sich dafür zu bilden‹. Falls ja, sei er ›begierig auf Sie‹ – gemeint ist wohl ›sie‹, die Meinung. Hartmut ringt den Impuls nieder, sofort zu antworten und seinen Doktoranden zu fragen, ob er noch alle Tassen im Schrank habe. Nach sechs Tagen die Bewertung einer über fünfhundertseitigen Arbeit zu verlangen, auf diese hinterfotzige Chinesen-Art! Außerdem glaubt er sich zu erinnern, dass er Herrn Lin für Donnerstag in seine Sprechstunde bestellt hat. Mit der Verschiebung beauftragt er Frau Hedwig.

Über dem kleinen Schreibtisch hängt das pseudoimpressionistische Ölbild einer Hafenmole im Abendlicht. Zwei verschwommene Kutter, deren rötliche Schatten auf dem Wasser zu tanzen beginnen, als Hartmut daraufschaut. Fünf starke Getränke innerhalb von anderthalb Stunden, und trotzdem hat er nicht das Gefühl, aufhören zu können.

Vor der Lektüre der dritten Mail tritt er hinaus auf den Balkon. Die Sonne ist verschwunden, auf dem Parkplatz unter ihm gehen die Laternen an. Rechter Hand führt ein Trampelpfad in die nächste Bucht. Die Person, die gerade dort entlanggeht, glaubt er als die blonde Frau aus der Bar zu erkennen, alleine jetzt und mit dem Handy am Ohr. Als Hartmut drinnen sein eigenes Mobiltelefon hervorholt, stellt er fest, dass der Akku fast leer ist. Trotzdem wählt er, lässt sich zweisprachig versichern, dass seine Frau sich freut über Nachrichten nach dem Signalton und schnellstmöglich zurückrufen wird, sucht nach einem Text, flucht und legt wieder auf.

Katharinas Mail ist entweder grün unterlegt, oder es stimmt

etwas nicht mit seinem Bildschirm. Jedenfalls hat sie recherchiert und kommt zu dem Schluss, es sei finanziell machbar, wenn ein paar blaue Flecken ihn nicht schmerzen. Im Internet gebe es Seiten, auf denen er sein Ruhegehalt selbst errechnen könne, zum Beispiel die des Landesamts für Besoldung und Versorgung in Düsseldorf. Bezüglich der Chancen auf Bewilligung wolle sie nicht spekulieren, sondern lieber mit einer Kollegin in der Drei-drei sprechen, die nächste Woche aus dem Urlaub zurückkomme. Es folgt der Hinweis auf eine neben ihrem Computer stehende Weinflasche und dass der Filius das Wochenende bei seinem Vater verbringt. Eigentlich habe sie ihm ihre Erkenntnisse telefonisch präsentieren wollen, aber von seiner Sekretärin die schnippische Auskunft erhalten, Herr Hainbach sei die gesamte Woche außer Haus. ›Darf man fragen, wo Du bist?‹ Den Tolstoi habe sie beiseitegelegt. Zu dick. Sie schließt mit herzlichen Grüßen und der Hoffnung auf ein baldiges Wiedersehen. ›Deine Katharina.‹

Hartmut klappt den Laptop zu und geht zurück auf den Balkon. Die letzten hellen Streifen leuchten am Horizont. In der nächsten Bucht glaubt er, den Widerschein eines Feuers zu sehen. Vom Wind verwischte Musik und rhythmisches Händeklatschen wehen von dort herüber.

Im nächsten Moment hört er den Ton. Ein metallisches Sirren wie damals und wieder auf der linken Seite. Hartmut drückt einen Finger auf sein Ohr und könnte nicht sagen, ob das Geräusch von drinnen oder draußen kommt. Ist das die Trunkenheit? Ein einziges Mal hat er sich auf eine Website verirrt, wo Tinnitus-Patienten ihre Erfahrungen austauschen. Seitdem weiß er, dass der Trick darin besteht, sein Ohrgeräusch nicht als von außen kommende Belästigung zu betrachten, sondern als Stimme des eigenen Selbst. Die dazu rieten, taten es mit dem triumphierenden Stolz der Eingeweihten und schienen tatsächlich eine Art Dialog im Sinn zu haben: Warte nicht auf das Geräusch, sondern wende dich ihm zu und lerne, es zu verstehen. Ruf es an! Sokrates' Daimon war vielleicht nichts anderes.

Sobald Hartmut die Augen schließt, wird der Ton lauter. Der Schwindel verstärkt sich. Mit einer Hand greift er nach dem Geländer, mit den Fingern der anderen drückt er auf seinem Ohr herum wie auf den Tasten eines Telefons. Irgendwas, das ihn normalerweise in der Bahn hält, ist auf einmal nicht mehr da. Er spürt sein Schwanken und kann nichts dagegen tun.

Guten Abend. Könnte ich bitte mit Hartmut Hainbach sprechen?

Mit einem schnellen Blick versichert er sich, dass der Nachbarbalkon leer ist. Er will das nicht, aber sein Wille stellt in diesem Moment keine relevante Größe dar. Wie ein inneres Vakuum empfindet er die Einsamkeit; die muss er ausmessen und sie ihrer Formlosigkeit berauben, damit sie hörbar und fühlbar wird und sich unterscheidet von einem Geräusch, das es nicht gibt.

»Es ist dringend«, sagt er halblaut. »Richten Sie ihm aus, der Anruf kommt von ihm selbst.« Seine Stimme klingt dünn gegen das Rauschen in der dunklen Bucht. Nur ein Spaß, sagt er sich und weiß, dass es sinnlos ist, mit sich selbst zu spaßen. Außerdem kennt er den zweifelnden Blick, mit dem Maria und Philippa sein Tun kommentieren würden. Eher peinlich berührt als genervt.

»Okay. Aber keine Provokationen. Fragen Sie ihn nicht nach seiner Frau, seiner Tochter, seinem Job oder sonst irgendwas, das mit seinem gegenwärtigen Leben zu tun hat.« Als sie einmal richtig böse auf ihn war, hat Philippa auf die Frage, was ihren Sinn für Humor von seinem unterscheide, geantwortet: dass ich einen habe.

»Verstanden. Und kann es sein, dass die Verbindung nicht besonders gut ist? Ich höre ein leises Sirren.«

»Sehr lustig. Wir stellen jetzt durch. Wenn Sie ein gewisses Buch erwähnen, wird die Verbindung unterbrochen.«

»Sie meinen *Die Semantik des Schweigens*. Ich hab viel davon gehört. War der Titel eigentlich ironisch gemeint?«

Hartmut nimmt die Hand vom Ohr und schüttelt sich, als

würde ihn frösteln. Nein, ihn fröstelt wirklich. Das Meer rollt unaufhörlich gegen den leeren Strand, und über den Widerschein des Feuers in der anderen Bucht ziehen tanzende Schatten, so als bewegten sich Leute dicht vor den Flammen. Im Bad wäscht er sich das Gesicht, dann steht er vor dem Spiegel und erwägt die nächsten Schritte. Zurück in die Bar? Raus ans Wasser? Erst einmal legt er sich aufs Bett und wartet auf das Abklingen des Schwindelgefühls. Hört den Ton in seinem Ohr und Stimmen im Treppenhaus des Hotels. Ohne es zu wollen, muss er an ein anderes Geräusch denken, das er gestern Abend in Bernhards Haus gehört hat. Süß und nah und nicht für ihn bestimmt. Schon beim Essen schienen die beiden gerne allein sein zu wollen, auch wenn ihr Verhalten den Wunsch eher verbarg als offenbarte. Géraldine war wie Maria in ihren besten Momenten, mit dieser sanften Zuneigung im Blick, die niemanden etwas angeht außer den, dem sie gilt. So kam es, dass er schon um kurz nach elf erklärte, er sei müde und ziehe sich nach oben zurück.

In Wirklichkeit wollte er nicht schlafen, sondern warten.

Das Zimmer hatte sich mit Wärme aufgeladen und roch nach Garten und altem Holz. Draußen erklang das geschäftige Klappern von Tellern und Besteck. Leise, hin und her wandernde Stimmen. Inzwischen erinnerte er sich deutlich an die telefonzellengroße Box, die Sandrine und ihm an einem Bahnhof ins Auge gefallen war und aus *Badlands* hätte stammen können. In solch einem Kasten hatte Martin Sheen sein akustisches Testament aufgenommen, bevor er mit der blutjungen Sissy Spacek durchbrannte. Ihren Vater hatte er erschossen und das Haus niedergebrannt, und man konnte sich nur wundern, dass seine Freundin trotzdem mit ihm ging. Nach Liebe sah es nicht aus, eher nach einer Skrupellosigkeit, die schierer Langeweile entsprang. ›Record your voice, it's fun‹ stand an der Tür; ob im Film oder in Wirklichkeit, wusste Hartmut nicht mehr. Es muss einer der ersten Filme gewesen sein, die sie im Varsity Theater zusammen gesehen haben. Mit der Schallplatte in der Hand saß er auf dem Bett und horchte.

Nach zehn Minuten huschten Schritte die Treppe hinauf. Im Flur wurde geflüstert, noch zwei Mal ging die Badezimmertür auf und zu, dann war alles still. Trotzdem wartete er weitere zehn Minuten, bevor er das Zimmer verließ und auf Zehenspitzen nach unten schlich. Das leise, von Géraldines eigenem Atem verschluckte Stöhnen drang kurz an sein Ohr und blieb hinter ihm zurück.

Essensgeruch stand noch im Raum, der ohne Licht größer wirkte. Hartmut versuchte, ruhig zu atmen, während er auf dem Tisch nach einer Kerze tastete und sie anzündete. Der Plattenspieler war ihm schon gestern aufgefallen, ein altes Grundig-Modell mit wenigen Knöpfen. Vor wie vielen Jahren hatte er zuletzt eine Vinyl-Scheibe in den Fingern gehalten? Das ölig glänzende Schwarz mit den feinen Rillen. Er wusste nicht, was ihn erwartete. Mit einem Geräusch, als risse ein dünner Faden, sprang das Gerät an, schlug ein roter Zeiger einmal aus und neigte sich wieder nach links. Hartmuts Finger zitterten. Die Platte drehte sich, und der Tonarm fand seinen Einsatz. Es dauerte eine Weile, bevor zwei fremde, vertraute Stimmen zu sprechen begannen. Wie hinter einer Wand aus knisterndem Feuer.
– So hello then, everybody.
– I think you have to move away from the microphone.
– Away from …
– No, this here. It says eighteen inches. Like that.
– Some minor problems with the equipment. And back we are. Hello! Don't you wanna say hello to our friends out there, Hartmut?
– I guess I'll let you do the talking. Like usually.
– Be my guest. So, folks, we are about fifty miles down the road from Hannibal, Missouri, where once again we were accused of Communist … uhm, well just Communism, you know. They do that a lot down here.
– I should have punched his face. This asshole!
– Some strong language from my friend. He's a gentle soul, though, don't judge him from this one comment alone. Actu-

271

ally, it was nothing really, just the usual Southern gentleman who's upset about Nixon. They keep thinking it was my hair that brought him down. Kind of far-fetched, I must say.

– See the light? Fifty seconds left.

– And doesn't time just fly, folks? I'm afraid we have yet to say something substantial. Over to you, Schopenhauer.

– I think this cop is staring at us.

– Looks more like a train conductor to me. Anyways, what do you think about the universe, Artmüt? A philosopher by both training and vocation, my friend here ...

– Thirty seconds.

– But it's not like you give him a nickel and out comes some unheard-of wisdom. He is more the reserved type, you know. Reading a lot. Lots of notes, too. Hey, let's hear your latest discovery.

– No, come on!

– Just say it, man. We're trying to turn your day around. Will you help?

– Check out Faulkner, everybody. Probably the best I've ever read.

– And there it is, the cherished piece of advice our fans have been waiting for. Probably. I hear cheering in the background. Eager young minds finally know what to do. (Ein Piepen ertönt.) Oh no, that was too fast. Can't we just put another coin in? Like, for a B-side.

– I have my doubts that there will really be a record coming out of this box.

– You shouldn't say ›have‹, you know, since it's more like you are being owned by them.

– Don't forget your wallet.

Es knackte. Die Nadel hob sich von der Platte und ließ eine Stille zurück, die ihm dichter und schwerer vorkam als zuvor. Als gäbe es Minusgrade der Tonlosigkeit. Hartmut saß vor dem Sofa auf dem Boden und war sicher, dass Bernhard und Géraldine alles mitgehört hatten vom Schlafzimmer aus. Ihm waren die Stimmen durch Mark und Bein gegangen. Genau so hatten sie damals im Auto gesessen: Sandrine vorwärtsgewandt, schwungvoll und optimistisch, er grübelnd, missmutig und kleinlich. Manchmal hatte sie sich anstecken lassen von seinen dunklen Launen, ohne sie ihm übel zu nehmen. Das verkniffene Gesicht tauchte wieder vor ihm auf, das ihn begleitete, seit sein Blick auf das Foto in Sandrines Wohnung gefallen war. Die Miene eines Jünglings, den er nicht sympathisch finden konnte und der ihn trotzdem anrührte. Ein kühler Lufthauch zog durch die gekippte Terrassentür, und Hartmut spürte seine ausgetrocknete Kehle. Als er aufstand, knarrten die Holzdielen unter seinen nackten Füßen.

Auf dem Weg in die Küche nahm er sich das Versprechen ab, Sandrine morgen keine Mail zu schreiben. Sie wollte nicht in Angelegenheiten hineingezogen werden, die sie nicht länger betrafen. Was sie tun konnte, hatte sie damals getan, und akzeptiert, was nicht zu ändern war. Seine mangelnde Begabung zur Unbeschwertheit war ihr nicht anzulasten.

Verstanden, dachte er.

Aus dem Küchenschrank nahm er ein Glas und ließ es über der Spüle vollaufen. Draußen schimmerte Mondlicht auf den Wiesen, wie draufgestrichen von unsichtbarer Hand. Zurück im Wohnzimmer, hob Hartmut die Platte vom Teller, steckte sie zurück in die Hülle und schaltete das Gerät aus. Horchte noch einmal nach oben, aber da war nichts mehr zu hören.

Er stellte sich in die offene Terrassentür und ließ seinen Tränen freien Lauf.

9 Am nächsten Morgen steht Hartmut fröstelnd auf dem Balkon. Möwen umkreisen die Felsen in der Bucht, und das Meer erstreckt sich reglos bis zum Horizont. Seine Uhr zeigt kurz nach neun. Sonnenlicht liegt über der Szenerie, von Wolken gedämpft und angenehm sanft für seine müden Augen. In der rechten Hand hält er ein Glas Wasser, in dem sich zwei Tabletten sprudelnd auflösen. Er ist aufgewacht, weil ein Traktor durch seine Träume ratterte, der draußen den Sand glatt schob. Jetzt sieht der Strand aus, als hätte kein Mensch ihn je betreten. Außer hämmernden Kopfschmerzen spürt Hartmut ein Brennen an der rechten Wade. Hört das Schreien der Möwen und die Stille dahinter. Ich Idiot, denkt er. Zu verkatert, um sich auf den Tag zu freuen, die Fahrt nach Santiago.

Nachdem er geduscht, gepackt und zugunsten von drei Tassen Kaffee auf sein Frühstück verzichtet hat, checkt er aus und geht zum Auto. Sein Magen grummelt. Vor dem hölzernen Kiosk warten zwei junge Frauen auf Strandbesucher, denen sie ihre Parktickets verkaufen können. In der Zwischenzeit schäkern sie mit dem Eisverkäufer, den die größere der beiden Frauen lachend ›mi niño‹ ruft. Den Rest versteht Hartmut nicht, als er den Kofferraum aufpiept, die Reisetasche hineinhievt und in gebückter Haltung überlegt, was er unterwegs zur Hand haben möchte. Darf er überhaupt schon fahren? Die Schritte in seinem Rücken bemerkt er erst, als sie in geringer Entfernung verharren. Ohne nach hinten zu sehen, richtet Hartmut sich auf und drückt die Kofferraumklappe zu. As a guest of the hotel I was told I don't need a ticket. Der Satz dürfte so wenig verstanden werden wie alles, was er seit seiner Ankunft auf Englisch gesagt hat, und im Übrigen ist er nicht sicher, ob er die Information am Empfangsschalter korrekt mitbekommen hat.

»Entschuldigung. Kommen Sie vielleicht aus Deutschland, ist das richtig?« Eine Frauenstimme mit leichtem Akzent.

Als Hartmut sich umdreht, gerät ein Schweißtropfen zwischen das Brillenglas und den an der Fassung befestigten Aufsatz, lässt seine Sicht verschwimmen und ihn so tun, als habe er die Anrede nicht gehört. Zum wiederholten Mal überzeugt er sich, dass er den Zettel mit Philippas Adresse eingesteckt hat. Schon vor der Abfahrt sind seine Schultern verspannt.

»Entschuldigung …?«

Nachdem er ein paar Mal geblinzelt hat, sieht er sich der jungen Frau gegenüber, die ihm gestern in der Bar aufgefallen ist. Ihr Akzent klingt holländisch. Mit vor der Brust verschränkten Armen steht sie neben dem Auto, als würde sie frösteln. Augenblicklich setzt er eine freundlichere Miene auf.

»Bitte?« Er nimmt die Brille ab und reibt sie am Saum seines Hemdes trocken.

»Ich hab mir gedacht, dass Sie aus Deutschland kommen. Das …« Sie deutet auf das Kennzeichen seines Wagens, scheint aber nicht auf das entsprechende Wort zu kommen. »Ist das für Bonn?«

»Bonn, ja. Kann ich was für Sie tun?«

»Marijke«, sagt sie unvermittelt und macht mit ausgestreckter Hand einen Schritt auf ihn zu. »Wir sind uns gestern kurz begegnet.«

»Hartmut Hainbach.« Ihr Händedruck ist angenehm fest, beinahe männlich. Hartmut setzt die Brille wieder auf und spürt einen Schweißtropfen sein Rückgrat entlanglaufen. Über dem Hosenbund verliert sich das Gefühl. »Ich erinnere mich.

Dort in der Bar.« Mit dem Kinn zeigt er zur Veranda, wo gerade rote und weiße Sonnenschirme aufgespannt werden.

»Und später noch mal, unten am Wasser.«

Das verletzliche, aber nicht ängstliche Lächeln steht ihr gut. Über ihrer knielangen Hose trägt sie ein rotes T-Shirt, die nackten Füße stecken in Espandrillos, wie auch Philippa sie im Sommer trägt. Ihre Tasche bemerkt er erst, als die Frau einen schnellen Blick zum Eingang des Hotels wirft und sich danach bückt. Eine Handtasche aus gelbem Kunstleder, prall gefüllt.

»Wohin fahren Sie?«, fragt sie.

»Nach Galicien. Santiago de Compostela.«

»Und fahren Sie jetzt sofort los?« Sie hat Sommersprossen im Gesicht und große blaue Augen. Könnte als Delphin-Trainerin arbeiten oder Wattwanderungen für Kinder anbieten, etwas Spielerisches und Zupackendes dieser Art. Schon in der Bar fand er ihren Begleiter zu konventionell für sie – aber der gestrige Abend liegt lange zurück, und an die Nacht erinnert er sich wie an einen unstrukturierten Traum. Feuer und warmer Sand. Getanzt hat er und musste durch brusthohes Wasser waten, weil kein anderer Weg mehr aus der Bucht herausführte. Hat sie ihn dabei beobachtet? Beim Aufwachen haben Sandkörner und Salzrückstände auf seiner Haut gescheuert, und die kleine Wunde an der Wade brannte höllisch. Nach dem Duschen hat er Jod draufgegeben, nun lässt das Brennen langsam nach. Wahrscheinlich ein scharfkantiger Stein im Wasser.

»Wohin wollen Sie?«, fragt er zurück, statt zu antworten.

»Egal, weg.«

»Ich muss noch mal kurz rein. Wenn Sie wollen, können Sie schon einsteigen.« Hartmut macht eine Geste zur Beifahrertür, die so viel besagt wie: Ihre Entscheidung. Dann geht er zurück in den klimatisierten Empfangsbereich. Die Dame hinter der Rezeption, bei der er eben seine Rechnung beglichen hat, lächelt ihm freundlich zu. Aus unsichtbaren Lautsprechern plätschert leise Klaviermusik, fließt über glänzende Bodenkacheln und den Lederbezug unbenutzter Sitzmöbel.

Auf der Herrentoilette wäscht sich Hartmut das Gesicht, knöpft das Hemd zur Hälfte auf und fährt sich mit nassen Händen über Brust und Nacken. Einerseits würde er lieber alleine weiterfahren und sich auf das Wiedersehen mit Philippa freuen, und andererseits gefällt es ihm, einer jungen Frau behilflich zu sein, die vor ihrem Mann davonläuft. Ritterlich und verwegen in einem. Gute Mischung.

Bei seiner Rückkehr sitzt sie angeschnallt auf dem Beifahrersitz, als könnte sie die Abfahrt kaum erwarten. Der Duft einer Frauenseife füllt den Innenraum. Nervös zupft sie an ihren feuchten Haaren.

»Sie sind Holländerin? Hab ich das richtig rausgehört?«, fragt Hartmut, nachdem er gewohnheitsmäßig einmal an den Rückspiegel gefasst hat, ohne dessen Einstellung zu verändern.

»Aus Enschede. Marijke Meulenbeld, und ich werde nicht von der Polizei gesucht, jedenfalls noch nicht. Volljährig bin ich auch schon eine Weile. Sie machen sich nicht strafbar, wenn Sie mich mitnehmen.«

»Okay.«

»Meulenbeld mit eu«, fügt sie hinzu, weil sie es Mölenbeld ausgesprochen hat. Im selben Moment, in dem Hartmut den Motor anlässt, erklingt in ihrer Tasche die Melodie von *Ain't no sunshine when she's gone*. Seufzend beugt sie sich nach vorne und zieht ihr Handy hervor.

»Sind Sie sicher, dass Sie das wollen?«, fragt er.

»Bin ich nicht.« Sie stellt den Ton aus. »Und die Melodie hab ich auch nicht ausgesucht.«

»Bis zum Ortsausgang können Sie es sich noch anders überlegen, dann kehr ich um und bringe Sie zurück. Danach nicht mehr.«

»Hab ich schon danke gesagt? Nein. Danke.«

Hartmut rollt vom Parkplatz und lenkt den Wagen zurück zur Hauptstraße. Vor einem Campingplatz wird frisches Obst verkauft, ansonsten hat das Leben auf den Straßen noch nicht begonnen. Kinder bolzen auf einem Platz mit zu hohem Rasen.

Am Ortsausgang biegt Hartmut links ab, ostwärts und zurück Richtung Llanes.

»Ich nehme an, Sie haben es nicht eilig«, sagt er und bekommt ein gleichgültiges Nicken zur Antwort. Spät am gestrigen Abend, bevor er aufgebrochen ist in die Bucht, hat er noch einmal die Karte betrachtet und Marias und seine damalige Route rekonstruiert. Quer durch die Picos de Europa sind sie gefahren, und auf der anderen Seite der Berge weiter nach León. Die Namen der kleinen Orte entlang der Strecke lösten ein vages Echo in seiner Erinnerung aus. Die will er heute auffrischen. Den dafür notwendigen Umweg nimmt er in Kauf.

»Obwohl ich seit vielen Jahren in Bonn lebe«, verkündet er gegen die Stille im Auto, »bin ich erst ein einziges Mal in den Niederlanden gewesen. In Rotterdam vor einigen Jahren. Amsterdam zum Beispiel kenne ich überhaupt nicht. Meine Tochter war dort, letztes oder vorletztes Jahr. Hat ihr gut gefallen.«

»Ich bin erst vor zwei Jahren dahin zurückgezogen«, antwortet sie, bevor ihr Handy das nächste Geräusch von sich gibt, diesmal einen leisen Gong, der Marijkes Blick aufs Display lenkt. Was sie auf Holländisch murmelt, versteht Hartmut nicht.

»Wo haben Sie davor gelebt, wenn ich fragen darf.«

»Eine Weile in Berlin, kurz in Birmingham. Hier und da. Die meiste Zeit war ich mit einer Band unterwegs, ohne festen Wohnsitz.«

»Sie machen Musik?«

»Ich war für die Planung zuständig. Transport, Unterkünfte und Gagen, wenn wir eine bekommen haben.«

»Also die Managerin.«

»So ähnlich. Der Bassist war mein Freund und die Band semiprofessionell. Punk eben.«

»Punk. Okay.« Auf Nachfrage erfährt er, dass sie Mitte der Neunzigerjahre ihr Studium abgebrochen hat, um sich auf Wanderschaft zu begeben. Zwei oder drei Jahre hätte das dauern sollen, dann seien es zehn geworden. Am Rand der Schnellstraße kommen ihnen Pilger entgegen, in kleinen Gruppen, zu zweit oder einzeln. Die Landschaft hat die Seiten gewechselt: links das Meer, rechts streckt sich ein Vordach aus dichten Wolken über die Berge. *Ain't no sunshine when* ... meldet Marijkes Handy, bevor sie den Anruf wegdrückt und das Gesicht in Hartmuts Richtung wendet, ohne den Kopf von der Sitzlehne zu lösen. Er riecht einen Hauch von Zahnpasta.

»Und Sie? Sie mögen Musik, hab ich gestern am Strand gedacht.«

»Ich mag Jazz und lebe vergleichsweise beständig. Als Professor für Philosophie. In Bonn, wie Sie bereits wissen.«

»Cool«, sagt sie nüchtern. »Was für Philosophie?«

»Sprachphilosophie hauptsächlich. Sie waren noch nicht fertig. Warum sind Sie zurückgegangen nach Holland, nach so vielen Jahren?«

»Ich war pleite und hatte keinen Job. Auch keine Lust, nach einem zu suchen. Die Band gab es schon eine Weile nicht mehr. Dann hab ich meinen Bruder besucht zu seinem vierzigsten Geburtstag, und er hatte Platz in der Wohnung. Ich hab mein Leben nie geplant, sondern einfach gemacht, wonach mir der Sinn stand. Das war meine Philosophie.«

»Und auf einmal stand er Ihnen nach Rückkehr.«

»Sie reden nicht gerne über sich, oder?« Sie drückt den Kopf weiter gegen die Lehne mit schräg nach oben gerichtetem Blick, als hätte sie Nasenbluten. »Außerdem sind Sie ein verrückter Tänzer. Das klingt wahrscheinlich negativ auf Deutsch, soll aber ein Kompliment sein. Mögen Sie Punk auch?«

»Ich weiß nicht mal genau, was das ist. Offen gestanden erinnere ich mich auch nicht allzu gut an das Geschehen von gestern Abend.« Im verschwommenen Bild der Nacht sucht er nach seiner Beifahrerin und glaubt, eine abseits im Sand hockende Frauengestalt zu entdecken. Dort, wo die Schatten der Felsen in Dunkelheit übergingen. Sicher ist er nicht.

»Hat man Sie schon vor holländischen Frauen gewarnt?«, fragt sie. »Frauen meiner Generation? Wir kennen keine

Scheu, ich meine im Gespräch. Was andere als zu privat oder intim empfinden, um es Unbekannten zu erzählen – wir nicht. Außerdem wissen Sie längst, dass ich vor meinem Freund weglaufe. Beziehungsweise vor meinem Verlobten. Kein Witz.« Mit einer schnellen Bewegung hält sie ihm die Hand mit dem Ring so dicht vors Gesicht, dass Hartmut erschrocken zur Seite ausweicht. »Kaum zurück in Holland, schon in Handschellen.«

Ihr Handy spielt *Ain't no ...*, und sie drückt energisch die Taste.

»Übrigens kann man die Dinger auch ausschalten«, sagt Hartmut, »jedenfalls konnte man es früher. Mit den neuen Modellen kenne ich mich nicht aus.«

Demonstrativ drückt sie einen Knopf an der Seite des Telefons und steckt es zurück in ihre Tasche. Dann sieht sie auf ihre leeren Handflächen und sagt: »Sofort fühle ich mich komisch. Sind Sie verheiratet?«

»Seit zwanzig Jahren.«

»Haben Sie es je bereut?«

»Nein.«

»Aber Sie reisen alleine.«

»Meine Frau hat in Kopenhagen zu tun. Beruflich. Ich bin auf dem Weg zu meiner Tochter.«

»Okay. Wie wär's mit Musik? Es gibt einen CD-Player.«

»CDs liegen im Handschuhfach.«

Kurz vor einem kleinen Ort namens Urunquera setzt Hartmut den Blinker und biegt von der Küste ab ins Landesinnere. Sofort wird die Straße schmal und beginnt, bergan zu führen. Eine Gitarre erklingt, dann die rauchige Stimme von Cesária Évora. Eine von Marias Favoritinnen. Hartmut schickt einen anerkennenden Blick zum Beifahrersitz.

»Gute Wahl. Wenn's Ihnen recht ist, fahren wir ein Stück durch die Berge. Es ist kein großer Umweg.«

Wieder nickt Marijke gleichgültig und ohne seinen Blick zu erwidern. Um ihren schlanken Hals liegt ein Kettchen mit mehreren Anhängern, die eher nach Talismanen als nach Schmuck aussehen.

»Was macht Ihr Verlobter beruflich?«, fragt er.

»Wenn Sie mir einen Gefallen tun wollen, sagen Sie Freund. Er betreibt eine Agentur für alles, was nur wenige Leute interessiert. Konzerte, Kleinkunst, Theater. Hauptsache, es ist randständig. Sie ahnen, wie wir uns kennengelernt haben. Randständiger als unsere Band war, ging es kaum. Danach kam eigentlich nur noch der Abgrund.«

Die Bemerkung, dass er ihren Freund gestern in der Bar für einen Büromenschen gehalten hat, verkneift er sich. Als hätten sie durch eine unsichtbare Tür ein anderes Zimmer der Welt betreten, verändert die Landschaft ihr Aussehen. Niedrige Steinwälle leiten die Straße durch Wiesen und Weiden, über denen schwarze Greifvögel kreisen. Wohin auch immer sich die Wolken verzogen haben, über ihnen glänzt der Himmel in ungetrübtem Blau. Kurve reiht sich an Kurve. Die Hauswände sind in kräftigen Farben bemalt, viele tragen das asturische Wappen auf der Frontseite.

»Wenn Sie sich selbst in drei Worten beschreiben sollten«, sagt Marijke, »Adjektive oder Substantive, ganz egal, aber nur drei. Welche wären es?«

»Das ist nicht leicht.« An manchen Stellen wird die Straße so schmal, dass Hartmut den Fuß vom Gas nimmt, wenn ihnen ein Auto entgegenkommt. »Also, erstens liberal hinsichtlich meiner politischen Einstellung. Was mir in meiner Jugend viel Ärger eingetragen hat. Scheiß Liberaler dürfte das Schimpfwort sein, das ich als Student am häufigsten gehört habe. Es bedeutete, dass ich in Debatten über die Frage ›Reform oder Revolution‹ für Erstere eingetreten bin. Für Sie muss das komisch klingen, wie ›Kugel oder Scheibe‹. Schlimmer als ›liberal‹ war damals nur ›reaktionär‹.«

»Und die anderen beiden?«

»Auch wenn es prätentiös klingt, ich bin nun mal Philosoph. Obwohl ich mir auch hätte vorstellen können, Literatur zu studieren. Oder Psychologie. Als Drittes vielleicht was Persönliches. Nachdenklich würde mir gefallen. Meine Frau fände negativ treffender.«

»Liberaler nachdenklicher Philosoph.« Sie schüttelt den Kopf. »Dass sie nachdenken, kann man von Philosophen erwarten. Und ›liberal‹ ist mir zu schwammig. Was ist mit der Homo-Ehe?«

»Sie haben kein Auge für Landschaften, oder? Sehen Sie das?« Nach der nächsten Biegung öffnet sich der Blick, und sie schauen auf hellgrünes Land und ein beinahe unwirklich blaues Meer. Er jedenfalls tut das. Marijkes Augen ruhen auf ihm.

»Sie sind dagegen. Da vorne können Sie mich rauslassen.«

»Bin ich nicht. Es ist zwar keine Herzensangelegenheit von mir, betrifft aber liberale Grundsätze. Gleiches Recht für alle.«

»Haschisch?«

»Hab ich nur ein Mal probiert. Meine Frau raucht es gelegentlich, und es scheint ihr nicht zu schaden. Würde meine Tochter es nehmen, wäre ich dagegen.«

»Atomkraft?«

»Ist keine Frage von Liberalität, sondern ein Kalkül von Nutzen und Risiken. Ich glaube, dass die Letzteren überwiegen.«

»Gut. Wir können jetzt Du sagen.« Seine Beifahrerin wirkt zufrieden und kippt die Lehne ihres Sitzes ein wenig nach hinten. »Meine drei Wörter sind: unabhängig, spontan und mitfühlend. Letzteres schließt Tiere und pflanzliche Lebewesen mit ein.«

»Nicht aber deinen Freund, der sich in diesem Moment ernsthaft zu sorgen beginnt, weil er dich nicht erreichen kann.«

»Du fährst zu schnell, willst du uns umbringen«, sagt sie, weil er auf einem geraden Straßenabschnitt in den vierten Gang schaltet.

Sie folgen dem Verlauf des Río Deva, fahren durch schiefergraue Schluchten und winzige, im Felsenschatten kauernde

Dörfer. Einmal zählt Hartmut zwischen zwei Ortsschildern genau drei Häuser. Cesária Évora singt von enttäuschter Liebe, Marijke erzählt von Punk-Musik und warum *Lipstick Traces* damals ein wichtiges Buch für sie war: weil sie geahnt hatte, dass es um mehr ging als um Krach und Verweigerung. Über einen Graben von zwanzig Jahren hinweg versucht Hartmut, die Landschaft wiederzuerkennen. Sind sie hier entlanggefahren? Gab es die Straße überhaupt schon? Er schaut aus dem Fenster und versucht, sich zurückzuversetzen in die damalige Stille im Auto, aber Marijke redet sich gerade in Rage über Pim Fortuyn, gegen den ihre Band einen Song geschrieben hat, der ein paar Mal im Radio zu hören war.

»Linke Kirche, wenn ich das höre!« Als Studentin habe sie seine Kolumnen nicht ungern gelesen oder sich jedenfalls herausgefordert gefühlt, aber dann sei alles außer Kontrolle geraten und nach dem Attentat immer schlimmer geworden. Das alte offene Holland, auf das sie stolz gewesen sei, gebe es nur noch in den Köpfen ihrer deutschen Freunde. In Berlin habe man sie komisch angesehen, wenn sie sagte, dass sie Deutschland für das gesündere Land halte. Bekümmert hält sie inne, zuckt mit den Schultern und sieht sich um.

»Bist du sicher, dass das der Weg nach Santiago ist?«

»Ein Weg. Wenn du willst, stell ich das Navigationsgerät an.«

»Nein«, sagt sie. »Es ist gut, unterwegs zu sein, ohne zu wissen, wohin.«

Gegen Mittag beginnt Hartmut zu bereuen, dass er das Frühstück hat ausfallen lassen. Außerdem würde er gerne die Landschaft betrachten, ohne auf den Verkehr achten zu müssen. Immer wieder rasen Motorräder mit halsbrecherischer Geschwindigkeit an ihnen vorbei. Am Straßenrand abgestellte Autos machen die Strecke gefährlich schmal. Bei der nächsten Abzweigung folgt er dem Hinweis auf eine Iglesia de Santa Maria Lebeña, zwei Minuten später hält er vor einem sandfarbenen Kirchengebäude. Von Bäumen halb verdeckt, liegt es unterhalb eines Dorfes, das wie Rapa aussähe, wäre es von weniger schroffen und steilen Berghängen umgeben. Nur zwei weitere Fahrzeuge stehen auf dem Parkplatz. Beim Aussteigen empfängt sie mittägliche Stille.

»Es stimmt, ich hab keinen Sinn für landschaftliche Schönheit. Schon gar nicht in den Bergen.« Marijke lässt den Blick über die Felshänge wandern. Der Himmel ist von einer strahlenden Tiefe, vor der die Berge wie ausgeschnitten wirken. Scharfkantig und nah. »Ich denke immer: Wie kann man hier leben? Landschaftlich bin ich total patriotisch.«

Neben dem Parkplatz steht eine zum Kiosk umfunktionierte Holzhütte, dessen Betreiber gebannt auf einen Fernseher starrt. Ein handgeschriebenes Schild verspricht Bocadillos. Hartmut bestellt eins mit Schinken, Käse und roter Paprika und setzt sich auf eine zwischen Feigenbäumen stehende Bank. Der Ruf eines Bussards hallt durch die Luft. Oben in den Gassen des Dorfes spielen Kinder. Seine Kopfschmerzen sind verschwunden, das fällt ihm erst jetzt auf.

Mit einem dampfenden Kaffeebecher in der Hand nimmt Marijke neben ihm Platz, rittlings auf derselben Bank. Durch die Blätter fällt geschecktes Sonnenlicht auf ihr Gesicht. Gerne würde er sagen, an wen sie ihn erinnert, aber er will nicht anzüglich klingen. Vermutlich hat sie den Namen Bibi Andersson sowieso nie gehört.

»Was willst du in Santiago machen?«, fragt er stattdessen.

»Nichts Bestimmtes. Ich hab meinem Freund schon häufiger gesagt, irgendwann lauf ich weg, und später komme ich wieder. Der Übergang war zu abrupt für mich. Ich kann nicht plötzlich nur noch sesshaft sein.«

»Das akzeptiert er?«

»Mark ist ein großzügiger und verständnisvoller Mensch. Reifer als ich.«

»Mark. Hast du vor, ihn irgendwann zu heiraten, oder willst du immer wieder weglaufen?«

»Hei-raten«, sagt sie, als könnte man das Wort wie eine Nussschale knacken und den faulen Kern bloßlegen. »Vor ein paar

Jahren hab ich mir eine Frage gestellt: Wie viele Männer werden sich noch in mich verlieben? Das war kurz nach der Trennung von dem Bassisten, wann sonst fragt man sich so was. Da wusste ich, dass ich älter werde. Meine Eltern haben nie versucht, mich zurückzuhalten, sondern nur gesagt, denk dran, eines Tages ist die Party vorbei.« Sie nippt an ihrem Kaffee und schaut Hartmut in die Augen. Ungeschützt und nicht so, als würden sie einander erst seit zwei Stunden kennen. »Alle Freunde, denen ich die Geschichte erzähle, stellen mir dieselbe Frage: Liebst du ihn? Du nicht, warum?«

»Es geht mich nichts an. Außerdem wählt man sich erst ein Leben und dann den Partner. Das Umgekehrte funktioniert nur in Ausnahmefällen. Auch wenn die meisten Leute es nicht einsehen wollen – Liebe konstituiert keine Ausnahme.«

»Gesprochen wie ein Philosoph«, sagt sie ohne Spott. »Hast du dich daran gehalten? An die Reihenfolge.«

»Ich ja, meine Frau nicht.«

»Deshalb lebt sie jetzt in Kopenhagen.«

»In Berlin. In Kopenhagen gibt ihre Theatergruppe ein Gastspiel. Wenn du selbst in Berlin gewohnt hast, sagt dir der Name Falk Merlinger vielleicht was?«

»Natürlich.«

»Für den arbeitet sie. Früher war sie sogar mal mit ihm zusammen.«

Marijke legt einen Arm auf den Tisch und stützt das Gesicht in die rechte Hand. Möglicherweise ist es eine Eigenart von ihr, Interesse mit Gesten zu zeigen, die auf den Betrachter gelangweilt wirken. Seitlich auf der Stirn sitzt eine kleine sichelförmige Narbe. Als Kind war sie bestimmt ein Wildfang.

»Ich mag seine Stücke nicht«, sagt sie, »aber in Interviews klingt er interessant. Alternde Rebellen haben was. Es ist ein Traum von mir, mit sechzig Jahren drauf zu sein wie Patti Smith. Notfalls alleine, das wäre es wert.«

Zum ersten Mal fragt er sich, wie es wäre, mit ihr zu schlafen. Es würde passen in die Poesie des Augenblicks, sich am helllichten Tag in einem Hotelzimmer zu lieben und danach das Kennenlernen fortzusetzen. Sonnenstrahlen fielen durch fadenscheinige Gardinen, Marijke könnte die Geschichte zu ihrer Narbe erzählen und er, warum es nicht rebellisch ist, ein Publikum zu bedienen, dessen selbstgerechte Weltsicht der eigenen entspricht. Eigentlich stellt er sich gar nicht den Sex vor, sondern wie es wäre, mit ihr geschlafen zu haben.

»Ich finde«, sagt er, weil sie ihn anschaut, als würden seine Gedanken ihr nicht verborgen bleiben, »du solltest deinen Freund wenigstens anrufen und ihm sagen, wo du bist. Das ist das Mindeste.«

Reflexartig öffnet sie den Mund, um gegen seine Einmischung zu protestieren. Dann klappt sie ihn wieder zu, nimmt das Handy aus der Tasche und geht Richtung Parkplatz. Hartmut sieht ihr nach und beschließt, dass es ausreicht, sich dem Reiz auszusetzen. Besser, als einen Schritt zu tun und zurückgewiesen zu werden. Bevor sie zu sprechen beginnt, dreht sie sich noch einmal nach ihm um, und er winkt ihr unbeholfen zu. Vermutlich wird sie ihrem Freund sagen, sie sei zu einem alten Mann ins Auto gestiegen, der ihr bisher nicht die Hand aufs Knie gelegt habe, und dass sie ihm eigenhändig die Nase brechen werde, sollte er's doch wagen. Neben einem Baum geht sie in die Hocke, lehnt mit dem Rücken gegen den Stamm und spricht ohne sichtbare Erregung.

Nachdem er sein Sandwich aufgegessen hat, geht er hinunter zur Kirche. Ein schlichtes Gotteshaus mit romanischen Bögen, umgeben von Steinmauern und wild wuchernden Brombeerhecken. Der rechteckige Turm steht etwas abseits, einige Stufen führen hinab zu einem winzigen Friedhof. Schlichte Gräber und frische Blumen. Die hier unter Kreuzen aus Stein oder Eisen liegen, haben lange Namen getragen und lange gelebt; der zuletzt Verstorbene wurde hundertdrei Jahre alt, und sein Name nimmt zwei Zeilen ein. Auf den Steinen stehen keine Grabsprüche, nur die Lebensdaten und wer der Toten gedenkt, meistens ›hijos y nietos‹, Kinder und Enkel.

Hartmut lehnt sich gegen die Steinmauer und schließt die Augen. Spürt um sich herum die flatternden, summenden und raschelnden Bewegungen in einem von der Sonne erwärmten Raum. Als er die Augen wieder öffnet, sieht er Maria um die Ecke kommen. Im langen Rock schlendert sie an Kirche und Turm vorüber, hat die Arme mußevoll verschränkt und erkundet mit den Augen das leuchtende Gemäuer. Hinterher streitet sie gerne ab, etwas Schönes gesehen zu haben, aber wenn sie sich unbeobachtet glaubt, liegt ein besonderer Ausdruck auf ihren Zügen. Unbeteiligtes Wohlwollen, falls es das gibt. Es muss hier gewesen sein, denkt er, genau hier. Langsam durchquert sie den Vorbau und bleibt vor der hölzernen Tür stehen, auf der die Besichtigungszeiten angeschlagen sind. Sie liest, und er erkennt das unmerkliche Nicken, mit dem sie geschriebenes Spanisch versteht. Die Straße und die Kirche waren in schlechterem Zustand damals, es gab weder einen asphaltierten Parkplatz noch den Kiosk, nur Stille und nach allen Seiten aufragende Felsen. Beim Weitergehen schaut Maria auf ihre Füße, weil sie weiß, dass sein Blick ihr folgt. Jetzt kann sie nur noch so tun, als wäre sie alleine und für sich. Hinter dem verrosteten Eisentor zu seiner Linken führt ein Weg hinunter zum Fluss, wo sie damals im Gras gelegen und dem Gespräch der Pappeln zugehört haben. Er lächelt, und sie lächelt zurück.

Fahren wir weiter?, fragt sie.

Kleine grüne Eidechsen flitzen über die Mauer und verschwinden in den Ritzen. Am Fluss wird sie ihn küssen und er sich fragen, was sie in ihm sieht. Nur zu gut erinnert er sich an die Überforderung durch die eigenen Gefühle. Zu stark, um die richtigen Gesten und Worte dafür zu finden. Im nächsten Moment ist die Vision vorbei, weil eine vierköpfige Familie sich der Kirche nähert. Die lauten Stimmen gemeinsamer Wohlgelauntheit. Fotos werden geschossen, der Vater bringt mit seinen Kommentaren Mutter und zwei Töchter zum Lachen, und Hartmut bleibt nichts anderes übrig, als Hola zu sagen und den Ort zu verlassen.

Marijke wartet neben dem Auto und bietet ihm eine frische Feige an.

»Gerade gepflückt. Probier.«

Hartmut piept die Türen auf, dann stehen sie neben dem Wagen, lassen die Hitze entweichen und essen die süßen Früchte. In Rapa wachsen sie entlang der Straße rauf zum Friedhof. Manchmal bringt Maria ihm welche mit, wenn sie ihre Mutter begleiten musste.

»Und?«, fragt er schließlich, um sich von der Enge in seiner Brust zu befreien.

»Der eine nennt es Freiraum, und dem anderen tut es weh«, sagt sie und schiebt nachdenklich die Unterlippe vor. »Der eine nennt es Liebe, und der andere fühlt sich seines Freiraums beraubt. Richtig?«

»Offenbar hast du schon eine sehr erfahrene geistige Stufe.« Ohne sich an ihrem Stirnrunzeln zu stören, steigt er ein.

Marijke wirft die Reste ihrer Frucht in die Wiese und tut es ihm nach.

»Wie lange noch bis Santiago?«

»Schwer zu sagen.« Hartmut lässt den Motor an und hört im Losrollen einen kurzen trockenen Knall. Zuerst glaubt er, über eine Glasflasche gefahren zu sein, aber das Aufblinken einer roten Warnleuchte lokalisiert das Problem im Motorraum.

»Stimmt was nicht?« Marijke leckt sich die Finger und wendet den Kopf.

»Hast du das auch gehört?«

»Plopp«, macht sie. »Was Ernstes?«

»Jedenfalls blinkt eine Lampe. Wenn wir Pech haben, ist der Keilriemen gerissen.«

»Ich weiß nicht, was das ist. Aber das Auto fährt.«

»Es fährt, aber die Batterie lädt sich nicht auf. Irgendwann springt es nicht mehr an. Ich hab befürchtet, dass so was passiert.«

Sie erreichen die Stelle, an der sie zuvor von der Hauptstraße abgebogen sind. Potes heißt der nächste ausgeschilderte Ort.

Bis auf ein leichtes Schleifgeräusch vorne rechts verhält sich das Auto normal. Nach wenigen Kilometern wird das Tal breiter, und die grünen Hänge fallen in sanftem Schwung zum Fluss hin ab. Ein sonniges Bergpanorama tut sich auf. Mehrere Hotels säumen die Straße, sie scheinen in einen Ferienort gekommen zu sein, aber zu dieser Tageszeit dauert es eine Weile, bis sie den ersten Fußgänger erblicken. Ein alter Mann mit Baskenmütze und Gehstock, der überrascht stehen bleibt, als Hartmut neben ihm an den Rand fährt. Marijke steckt den Kopf aus dem Fenster, grüßt höflich und erkundigt sich nach einer Werkstatt. Ihr Spanisch ist ziemlich flüssig. Der Mann grüßt zurück und wirft einen prüfenden Blick ins Wageninnere, bevor er schwungvoll die Straße hinabdeutet. Seine Antwort fällt lang aus und erfordert viele erklärende Gesten. Marijke nickt und bedankt sich mehrmals, nachdem er geendet hat.

»Wir haben Glück«, sagt sie und dirigiert Hartmut an einer Tankstelle vorbei, hinein in eine scharf von der Hauptstraße abzweigende Gasse. Die Werkstatt, die sie nach wenigen Minuten erreichen, ist auf den ersten Blick als solche zu erkennen. Ein längliches Schild mit zwei zum Piktogramm komprimierten Autos ziert die Stirnseite des Hauses. Es ist das letzte in der Straße, direkt dahinter verläuft der Fluss, an dessen gegenüberliegendem Ufer es steil bergauf geht.

Ein Schäferhund kommt bellend aus dem offenen Garagentor geschossen, als Hartmut den Wagen abstellt. Zum Glück ist er angekettet. Ihm folgt ein muskulöser junger Mann im blauen Overall, der beruhigend die Flanken des Tieres tätschelt, bevor er seinen Blick auf die beiden Ankömmlinge richtet.

»Hola. Buenos días«, sagt Marijke im Aussteigen.

Froh über seine sprachkundige Begleiterin hält Hartmut sich abseits, lauscht ihrer Imitation des Knalls und nickt bestätigend, wenn die dunklen Augen des Mechanikers sich auf ihn richten. Ein vollbärtiger Typ mit einem Gesichtsausdruck, als wäre er gerade aus dem Mittagsschlaf erwacht. In einiger Entfernung zeichnet sich das Relief der Stadt ab. Rote Dächer gleißen unter der hochstehenden Sonne. Dicke weiße Wolken schweben wie Zeppeline über dem Ort. Marijke befragt ihr Telefon und liest vom Display ein spanisches Wort ab, das vermutlich Keilriemen bedeutet. Der Mechaniker antwortet einsilbig.

»Ich glaube, du sollst mal die Haube öffnen«, sagt sie.

Hartmut tut, wie ihm geheißen, der Mann beugt sich kurz über den Motorblock und sagt »sí«.

»Der Keilriemen?« Im Innern der Werkstatt sind zwei Hebebühnen und das übliche Ensemble von Werkzeugen und technischen Geräten zu sehen. Ein kleines Transistorradio baumelt an einer Kordel und versorgt den Raum mit Musik. »Kann er's reparieren?«

»Er will nachschauen. Ich glaube, er ist nicht der Chef hier.«

Der Mechaniker verschwindet nach drinnen, von wo in regelmäßigen Abständen ein hydraulisches Zischen zu hören ist. Marijke schließt Freundschaft mit dem Hund, und Hartmut schaut ihr eine Weile zu, bevor er die schmale Einfahrt hinunter zum Fluss geht. Das diesseitige Ufer ist befestigt, ein Fußweg führt in den Ort hinein. Auf der anderen Seite halten Bäume ihre Äste ins Wasser, als wollten sie die Temperatur prüfen. Hartmut setzt sich auf eine steinerne Bank und denkt, dass es gut war, sich Philippa gegenüber nicht auf einen Ankunftstag festgelegt zu haben. Die Sonne scheint angenehm warm auf sein Gesicht, und die unvorhergesehene Pause stört ihn kaum, beinahe kommt sie ihm gelegen. Es ist ein schöner Tag geworden. Oben in der Einfahrt hört er Marijke Spanisch sprechen, dem Tonfall nach mit dem Hund. Nach ein paar Minuten leistet sie ihm auf seiner Bank Gesellschaft.

»Ein Guter«, sagt sie und wischt sich die Hände an den Hosenbeinen ab.

»Tut mir leid, dass wir jetzt hier festsitzen. Ich hätte früher eine Werkstatt aufsuchen sollen.«

»Hier oder anderswo. Für mich spielt es keine Rolle.« Sie steht auf, beugt sich übers Wasser und taucht beide Hände hinein. »Der Name Potes kommt mir bekannt vor. Jemand hat mir von einem verrückten Heiligen erzählt, den es hier im Mittelalter gab.«

»Warst du viel in Spanien unterwegs?« Hartmut legt eine Hand über die Augen und folgt einem in der Ferne aufsteigenden Berghang bis hinauf zum weißen Gipfelkreuz. Wenn sie damals bei der Kirche Halt gemacht haben, müssen sie durch diesen Ort gekommen sein, aber seine Erinnerung bleibt bruchstückhaft. Den Namen Potes findet er darin nicht.

»Ich war viel unterwegs. Ein paar Mal auch in Spanien, allerdings nie in dieser Gegend.«

»Dein Freund war nicht sauer gerade?«

»Du hast eine witzige Art, Fragen zu stellen. Als würdest du das Thema eigentlich lieber umgehen.« Sie lacht und scheint einen Moment lang versucht, ihm Wasser ins Gesicht zu spritzen. Dann richtet sie sich auf und setzt sich wieder zu ihm. »Er sagt, irgendwann muss ich zu meiner Entscheidung stehen. Und dass er nicht ewig warten wird. Nicht ewig heißt natürlich vorerst schon.«

»Die meisten Männer würden weniger verständnisvoll reagieren.«

»Weißt du, was ich versuche? Ihn zu lieben für das, was er ist. Nur ihn. Mir nicht zu sagen, dass es Zeit wird, an die Zukunft zu denken. Mich nicht von Ängsten treiben zu lassen. Ich glaube, ihm das schuldig zu sein, er hat es verdient, aber im Ergebnis führt es dazu, dass ich vor ihm weglaufe. Wie verrückt ist das?«

»So verrückt, wie wenn Männer sagen, ich muss dich verlassen, du bist zu gut für mich. Außerdem ist mir nicht klar, worin der Versuch besteht, jemanden zu lieben. Nach meiner Erfahrung geschieht es entweder von alleine oder gar nicht.«

Sie stützt beide Hände auf die Sitzfläche, drückt den Rücken durch und sieht ihn an.

»Du bist in Ordnung, Hartmut. Man kann mit dir reden. Trotzdem glaube ich, dass man versuchen soll, alles zu entdecken, was einen Menschen liebenswert macht. Es ist nicht immer offensichtlich.«

Bevor er eine Antwort findet, kommt der Mechaniker ums Haus, gefolgt von seinem Hund. Was er Marijke in wenigen Sätzen mitteilt, übersetzt sie Hartmut so: Vorrätig habe er einen neuen Keilriemen nicht. Wenn sie es eilig hätten, sollten sie ihm die Route sagen, dann werde er herausfinden, wo sie das Ersatzteil unterwegs bekommen können. Bis Santiago durchzufahren, halte er für riskant. Er könne den Keilriemen auch selbst bestellen und am späten Abend oder frühen Morgen einbauen. Das sei dann eine Expresslieferung und koste ein paar Euro extra. Während er auf die Antwort wartet, wischt er sich mit einem Lappen über die Finger und fragt sich vermutlich, was die hübsche Blonde und den alten Mann miteinander verbindet.

»Ich denke, wir suchen uns ein Hotel«, sagt Hartmut. So wie man einen Satz sagt, der keinen Hintergedanken verraten soll. »Was meinst du?«

Statt zu antworten, übersetzt Marijke seine Worte und deutet nach einem kurzen Wortwechsel den Fluss entlang.

»Wir sollen eine der Treppen hinter der nächsten Brücke nehmen. An Hotels besteht kein Mangel. Morgen um neun macht die Werkstatt wieder auf.«

Als der Abend in die Nacht übergeht, sitzen sie in einer Szenerie wie aus van Goghs *Café de Nuit*. Am Rand der Altstadt, unter freiem Himmel. Schwalben und Fledermäuse flattern durch die Lichtkegel gelb schimmernder Laternen. Aus zwei Lautsprechern über der Tür der Bar kommt leise Musik und vermischt sich mit den Gesprächen anderer Gäste. Was Marijke hierhergeleitet hat, muss die Witterung für ihresgleichen gewesen sein. Nach dem Abendessen auf der Plaza Mayor ist Hartmut seiner Begleiterin durch verwinkelte Gassen gefolgt, unter Brücken und mittelalterlich anmutenden Torbögen hindurch, hinter denen eher eine stille Abtei zu erwarten gewesen wäre als dieses schmale zweistöckige Backsteinhaus, von wildem Wein bewachsen und heimelig auf dieselbe lässige Weise wie das Volk, das sich davor versammelt hat. Die Boheme von Potes.

Seit einer Stunde sitzen sie nebeneinander auf einer Holzbank und trinken kantabrischen Rotwein. Um sie herum stehen Männer in verwaschenen Trikots und Bermudashorts, Frauen in eigenwilligen Kleidern, mit viel Schmuck in den Haaren und selbstgedrehten Zigaretten. Fast alle haben Hunde dabei. Zum Erzählen aufgelegt, ist Hartmut die Stationen seiner Reise durchgegangen, und seine Begleiterin scheint darauf zu warten, dass eine geheime Agenda sich enthüllt, das verschwiegene Ziel der Fahrt. Den geplanten Jobwechsel hat er nicht erwähnt, aus Angst, sie zu langweilen. Auf seine Frage, ob sie noch etwas essen oder trinken wolle, antwortet ihm entschiedenes Kopfschütteln.

»Einen Grappa vielleicht oder was immer man hier als Digestif trinkt?«, hakt er nach. Zum Abendessen hat er Chorizo in Apfelweinsauce gegessen, eine lokale Spezialität, deren intensiven Nachgeschmack er jetzt gerne neutralisieren würde.

»Danke. Ich bin bedient.« Marijke schiebt die Handflächen unter ihre Oberschenkel, betrachtet die Füße in den blauen Espandrillos und gefällt ihm immer besser.

»Schon den ganzen Tag«, sagt er, »halte ich Ausschau nach Dingen, die mir bekannt vorkommen. Vor über zwanzig Jahren bin ich durch diese Gegend gefahren, zusammen mit meiner Frau. Damals war sie noch nicht meine Frau. Hatte ich erwähnt, dass sie aus Portugal kommt?«

»Nein.«

»Wir waren auf dem Weg zu ihrer Familie. Im Sommer 86, unsere erste gemeinsame Reise. Wir kamen von der Küste und wollten weiter nach Salamanca. Von dort in die Serra da Estrela.«

»In dem Sommer hatte ich meinen ersten Freund. Er trug eine Zahnspange, und ich hatte Mitleid mit ihm. Aber nur einen Monat lang.« Sie schüttelt sich, als sei die Erinnerung ihr unangenehm. »Heißt das, du bist auf Spurensuche?«

»Nein. Ich erkenne dies und das wieder, die Kirche von heute Mittag zum Beispiel, aber die Gegend kommt mir weniger

bekannt vor, als ich erwartet hatte. Ehrlich gesagt bin ich enttäuscht von meinem Gedächtnis. Die Reise war ein einschnei-
dendes Erlebnis. Irgendwo unterwegs wurde unsere Tochter
gezeugt.«

Das lässt seine Gesprächspartnerin aufhorchen.

»Du weißt nicht genau wo?«

»Wir waren frisch verliebt, und hinterher gab es dringendere
Fragen zu klären. Es kommen verschiedene Orte in Frage, ich
weiß nicht mal welche.«

Als wäre die Musik aus den Lautsprechern nicht genug, beginnt neben ihnen jemand Gitarre zu spielen. Alle anderen Gäste scheinen einander zu kennen. Die Hunde auch. Marijke wirft
ihm einen kurzen Blick zu.

»Auf eurer ersten gemeinsamen Reise …«

»Ungeplant«, sagt er so lapidar wie möglich, »nicht unge-
wollt.«

Dass hinter ihrer Gesprächsführung psychologisches Ge-
schick steht, ist ihm schon beim Essen aufgefallen. Durch Nicken und kurze Bemerkungen zeigt sie ihr Interesse, ohne ihm
das Gefühl zu geben, sie wolle mehr herausfinden, als er von
sich aus preisgeben möchte. Dann hakt sie entweder nach, bis
ihre Neugierde befriedigt ist, oder sie macht es wie jetzt. Sagt
gar nichts, sondern betrachtet die Umgebung und wartet darauf, dass er von sich aus weitererzählt.

»Ich war lange mit einer anderen Frau zusammen«, sagt er.
»Einer Südamerikanerin. Meine Frau hatte damals einen festen
Freund, den erwähnten Falk Merlinger. Unsere erste Begegnung
war zufällig, bis zur zweiten ist über ein Jahr vergangen. Danach
haben wir angefangen, uns regelmäßig zu sehen. Merlinger war
zu der Zeit ein erfolgloser, frustrierter Dramatiker. Seine Familie lebte in der DDR, er war als Jugendlicher nach West-Berlin
gekommen. Ein schwieriger Typ. Es war leichter, Mitleid mit
ihm zu haben, als ihn auszuhalten. Meine Frau und er haben
in einer Hinterhofwohnung in Kreuzberg gehaust. Ein einziges
Zimmer, zu klein für seinen Frust. Ich bin ihm nur ein Mal be-

gegnet, in einer Theaterpause. Er war angewidert von der Insze-
nierung und hat im Foyer die anderen Zuschauer angepöbelt.
Dann ist er abgehauen. Maria und ich haben die Aufführung zu
Ende gesehen, so fing es an.«

»Maria«, sagt sie. »Das ist ihr Name?«

»Ja. Sie hat von Kaffee, Zwieback und Zigaretten gelebt. Ich
hab sie zum Essen eingeladen und mir die Klagen angehört.
Manchmal durfte ich ihre Hand halten, dabei ist es eine ganze
Weile geblieben. Damit es nicht nach nachträglicher Verklärung
aussieht, füge ich hinzu, dass es nicht einfach ist, jemanden so
zu lieben. Es kostet …«

»Ich weiß«, antwortet Marijke, bevor er das richtige Wort
gefunden hat. »Aber du hast sie bekommen. Happy End.«

»Als wir endlich dabei waren, ein Paar zu werden, musste
ich wegziehen aus Berlin. Ich dachte, damit wäre alles vorbei.
Sie saß noch an ihrer Magisterarbeit. Wir sind in Kontakt geblieben, haben uns ein paar Mal gesehen und im nächsten Jahr
die Reise gemacht.« Er lacht. »Man könnte meinen, ich hätte es
auf eine Schwangerschaft angelegt, aber es war ein glückliches
Versagen der Verhütung.«

Die Bedienung kommt mit einer offenen Flasche. Eine junge
Frau mit schwarzer Brille und so langen Haaren, dass sie ihr
bis über den Hintern reichen. Beim Einschenken behandelt sie
Marijke wie eine alte Bekannte, die diesmal ihren Onkel mitgebracht hat. Geht aufs Haus, sagt sie, wenn er es richtig versteht.
Um den Gitarristen haben sich unterdessen Leute versammelt
und zu singen begonnen. Zwanzig Jahre sind eine so lange Zeit,
dass der Versuch, gedanklich dahinter zurückzutreten, zwangs-
läufig zu Vermischungen führt. War er über die Nachricht von
der Schwangerschaft so froh, wie er jetzt glaubt, oder hat sich
das spätere Glück darübergelegt?

»Hast du dich nie eingeengt gefühlt?«, fragt Marijke, als sie
wieder alleine sind. »Ich frage aus persönlichem Interesse.«

»Ich habe zwar manches getan, was man so verstehen könnte,
aber, nein, ich hab mich nie eingeengt gefühlt. Die Geburt mei-

ner Tochter war die größte Bereicherung und das größte Glück in meinem Leben.«

»Mark will Kinder.«

Hartmut trinkt einen Schluck Wein und spürt die kühle Mauer in seinem Rücken.

»Lass mich raten. Er will Kinder, und du hast Angst davor.«

»Du hast gesagt, deine Tochter *war* die größte Bereicherung.«

»Sie ist zwanzig, und wir sehen uns zwei Mal im Jahr. Aber wie du siehst, durchquere ich den halben Kontinent, um ein paar Tage mit ihr zu verbringen.« Als er den Blick nach rechts wendet, sitzt Marijke vorgebeugt auf der Bank und starrt vor sich auf den Boden. »Die Angst kann dir niemand nehmen, falls du darauf gehofft hast.«

»Ich weiß nicht genau, worauf ich hoffe.«

»Der Freund, von dem ich dir erzählt habe, sagt: An einem gewissen Punkt muss man es einfach tun. Bei mir war es so, dass ich mit Ende dreißig keine Lust mehr hatte auf Beziehungen, die auf keinem Versprechen beruhten, weil ich mir nichts von ihnen versprochen habe. Was mir erst nach Philippas Geburt klar geworden ist.«

»Philippa ist ein schöner Name.«

»Wäre meine Frau nicht schwanger geworden, hätte ich mich vielleicht nie durchgerungen. Oder sie sich nicht. Die Angst, die man vorher hat, ist nicht der beste Ratgeber. Sie redet bloß am lautesten.«

Marijke erwidert kurz seinen Blick und zuckt mit den Schultern.

»Was glaubst du, weshalb ich aus dem Hotel abgehauen bin? Den Punkt, wo meine Ungebundenheit mir wie Leere vorkommt, habe ich noch nicht erreicht. Bin auch nicht sicher, ob es je so weit kommen wird.«

»Du hast in die Verlobung eingewilligt.«

»Mark hatte Champagner gekauft und Ringe, das volle Programm. Es hat mir imponiert. Sich so ungeschützt zu erklären, ich hätte mich das nicht getraut. Ich weiß, dass ich mich auf ihn verlassen kann. Das ist zwar nicht die Quintessenz von Punk, aber meine Mutter hat immer gesagt, jemand wird dich zu deinem Glück zwingen müssen, das ist die einzige Chance. In dem Fall war es nicht Zwang, sondern Überrumpelung. Kurz und gut, ich hab Ja gesagt.«

Eine Weile schauen sie schweigend dem Treiben zu. Gäste kommen und gehen, Hunde trotten zwischen den Bänken umher und lassen sich geduldig tätscheln. Es ist, wie Bernhard gesagt hat: Bei anderen sieht es leicht aus. Nicht zu viel nachdenken, einfach leben.

»Ich hab mich schon dabei ertappt«, sagt Marijke, »eine Pille auszulassen. Es ist aber schwierig, sich selbst zu überrumpeln. Oder eine ungeplante Schwangerschaft zu planen. Meist endet es damit, dass wir eine Woche lang keinen Sex haben.«

»Der erwähnte Freund würde dir zuraten. Ich bin nicht sicher.« Er sagt das tastend, um ihr nicht zu nahezutreten mit seinen väterlichen Ratschlägen. Dabei würde er sie gerne in den Arm nehmen. »Die Frau, mit der ich damals zusammen war, hieß Tereza. Wir hatten uns an der Uni kennengelernt. Sie war klug und verständnisvoll. Mit ihr gab es immer was zu lachen. Wir haben uns so gut verstanden, dass ich mich nicht gefragt habe, was ich für sie empfinde. Ich mochte sie, es war eine gute Zeit. Mein Fehler war, dass ich mich auch nicht gefragt habe, was sie für mich empfindet. Jedenfalls mehrere Jahre nicht. Bis sie eines Tages, du ahnst es, schwanger wurde.«

»Bingo.« Das Wort rutscht Marijke über die Lippen, und sie versucht, es mit einem Kopfschütteln zurückzunehmen. »Das wollte ich nicht sagen, tut mir leid.«

»Ich weiß, es klingt, als wäre mir das ständig passiert. Insgesamt aber nur zwei Mal. Einmal hat das Verhütungsmittel versagt und das andere Mal wir. Tereza hatte ab und zu von Kindern gesprochen, so beiläufig, dass ich ihr ohne Mühe ausweichen konnte. Ich war beschäftigt mit meiner Habilitation, von der natürlich das Überleben der Menschheit abhing. Unsere Beziehung schien keine Aufmerksamkeit zu erfordern. Alles lief ohne ernsthafte Auseinandersetzungen ab. Bis Tereza sagte: Ich glaube, ich bin schwanger. Sie war froh darüber, und mir ist plötzlich bewusst geworden, dass ich sie zwar mag und respektiere, aber nicht liebe. Und dass das ein größerer Unterschied ist, als ich gedacht hatte. Sie ist aus allen Wolken gefallen. Was glaubst du, was wir all die Jahre gemacht haben, meinte sie. Die Antwort war, wir hatten vier Jahre lang in einem perfekten Missverständnis gelebt. Sie wollte heiraten. Sie war katholisch, und ich hab Panikattacken bekommen bei dem Gedanken an ein Dasein, das ich nicht wollte. Ich hätte alles getan, um dieses Leben nicht führen zu müssen. Es war eine Horrorvorstellung.« Er ist so sehr in seine Erzählung vertieft, dass er aufschreckt, als Marijkes ihn fragt: »Was *hast* du getan?«

»Das war genau die Frage, die ich mir gestellt habe. Was hab ich getan, und was zum Teufel hab ich mir dabei gedacht?« Viele Jahre sind vergangen, seit ihm die Szenen zuletzt mit solcher Klarheit vor Augen standen. Sein Wohn- und Arbeitszimmer in der Kastanienallee. Über dem Sofa hing ein gerahmter Druck von de Chiricos *Gare Montparnasse*, daneben standen das Tonbandgerät und die Stapel selbst zusammengestellter Bänder. Tereza saß auf dem Boden und wiederholte in einem fort, dass man nicht akzeptieren könne, was man nicht verstehe. Ich kann nicht begreifen, dass du mich nicht liebst, sagte sie. Es war die beste Zeit meines Lebens.

»Die Geschichte hab ich noch nie jemandem erzählt«, sagt er. »Sie hat gefleht und geweint. Ich hab gesagt, dass ich ihr Unterhalt zahle, aber niemals mit ihr und dem Kind zusammenleben werde. Dass eine Abtreibung für sie nicht in Frage kam, wusste ich. Es war dieselbe Zeit, in der Maria und ich uns allmählich nähergekommen sind. Irgendwann musste ich Tereza sagen, dass es eine andere Frau in meinem Leben gibt. Das war der Punkt, an dem sie zusammengebrochen ist. Vorher hat sie sich geweigert zu akzeptieren, was ich ihr sagte, danach war sie wie gelähmt. Hat nur noch apathisch vor sich hin genickt. Ein paar Wochen lang haben wir nichts voneinander gehört, dann rief sie an. Wollte mich sehen, aber nicht bei mir zu Hause. Also haben wir uns in einem Café getroffen. Dort meinte sie, sie habe einen Arzttermin und ob ich sie begleiten könne. Ich dachte, es geht um eine Untersuchung. Erst in der Klinik hab ich erfahren, dass es sich um eine Abtreibung handelt. Die notwendigen Beratungen hatte sie schon absolviert und alles in die Wege geleitet. Warum sie mich dabeihaben wollte, weiß ich bis heute nicht. Wahrscheinlich, um mir vor Augen zu führen, was ich ihr antue. Oder sie hat gehofft, ich würde im letzten Moment einknicken. Vielleicht war es naheliegend, den Vater mitzunehmen. Keine Ahnung. Jedenfalls hab ich im Wartezimmer gesessen, gefühlte drei Tage lang. Was ich sonst gefühlt habe, weiß ich nicht mehr.« Das Einzige, woran er sich mit einiger Klarheit erinnert, sind die weißen Wände und das gedimmte Licht im Aufwachraum. Die stumme Anklage in ihrem Blick. Als eine Schwester hereinkam und mit ihr sprach, blieben Terezas Augen auf sein Gesicht geheftet, als wollte sie dafür sorgen, dass er diesen Moment sein Leben lang mit sich herumtragen würde.

»Verstehe«, sagt Marijke.

»Weder meine Frau weiß davon noch meine Schwester. Dir wäre es wahrscheinlich auch lieber, es nicht zu wissen. Bald danach bin ich aus Berlin weggezogen, und es gab keinen Kontakt mehr. Wo sie heute lebt, weiß ich nicht. Ich kann nicht ausschließen, dass ich ihr Leben zerstört habe. Oder sie hat die große Liebe getroffen und fünf Kinder bekommen, ich werde es nie erfahren.«

Um sie herum singen manche Leute das Lied aus den Lautsprechern mit, andere begleiten den Gitarristen. Das Nachbarhaus schaut aus zerbrochenen Fensterscheiben zu. ›Se vende‹ steht auf einem Schild im ersten Stock. Marijke sieht auf das Glas in ihren Händen und schweigt.

»Einerseits schäme ich mich«, sagt er, »und andererseits kann ich es nicht bereuen. Wie wäre mein Leben verlaufen, wenn ich das vermeintlich Richtige getan hätte? Ich weiß es nicht und will es nicht wissen. Auf jeden Fall wäre ich nicht mit Maria verheiratet, und es gäbe unsere Tochter nicht. Für mich reicht das. Das andere kommt manchmal hoch, wenn ich nicht einschlafen kann oder niemanden zum Reden habe. Ehrlich gesagt, nicht mehr allzu oft.« Das Taschentuch, das Marijke ihm reicht, will er zuerst ablehnen und nimmt es dann doch. Überrascht beobachtet er, dass sie sich ebenfalls schnäuzen muss. »Jetzt denkst du, dass ich ein gewissenloser Schuft bin. Ganz sicher hab ich mich damals so verhalten. Alles okay?«

»Geht schon.« Sie knüllt ihr Taschentuch zusammen und steckt es in die Tasche. Ein paar Mal nickt sie stumm vor sich hin. »Es ist merkwürdig, wie manche Konstellationen im Leben einander ähneln. Würde man deine und meine Geschichte übereinanderlegen, ich meine nicht die Geschichten, nur die Figuren – dann würdest du Bass spielen und ich wäre Tereza. Wenn auch ohne Schwangerschaft.«

Er braucht einen Moment, um zu verstehen, was sie meint. Den Bassisten hat sie am Nachmittag lediglich am Rande erwähnt, als einen früheren Freund unter mehreren. Beim Abendessen kam er noch einmal kurz vor. Jetzt schaut sie ihn an und lächelt tapfer.

»Das hab ich nicht gewusst«, sagt er betreten.

»Seinetwegen bin ich so lange unterwegs gewesen. Im ersten Jahr konnte ich die Band nur in den Semesterferien begleiten, das war wie Urlaub. Dann hab ich beschlossen, für ein ganzes Jahr zu reisen, und danach bin ich nicht mehr an die Uni zurück. Ich kann gut verstehen, wie man als Paar jahrelang dahinlebt, ohne zu besprechen, wohin es führen soll – bis man eines Tages feststellt, dass es nirgendwohin führt. Es gab Ärger in der Band, und er wollte aussteigen. Okay, hab ich gesagt, steigen wir aus und machen was anderes. Aber das war nicht sein Plan. Inzwischen hat er in Amsterdam einen Plattenladen mit dazugehörigem Café. Außerdem Frau und zwei Kinder. Letztes Jahr hab ich ihn getroffen. Er sah glücklicher aus als je zuvor.« Sie legt den Kopf in den Nacken und leert ihr Glas. Zieht noch einmal die Nase hoch und schüttelt den

Kopf. »Ich bin müde. Vielleicht sollten wir zurück zum Hotel gehen.«

Entschieden wehrt er ihr Ansinnen ab, für sich selbst zu bezahlen, und geht nach drinnen. Der Wirt, nicht viel älter und genauso langhaarig wie seine Kollegin, nimmt dankend das Geld entgegen und wünscht eine gute Nacht.

Mondlicht fällt auf die gepflasterten Gassen. Als Hartmut nach oben schaut, sieht er am Himmel ein leuchtendes weißes Kreuz stehen. Einen Moment lang glaubt er, betrunkener zu sein, als er gedacht hat, dann kommt er darauf, dass es sich um das Gipfelkreuz handeln muss, das er am Nachmittag vom Fluss aus gesehen hat. Er würde gerne etwas Tröstendes sagen, aber ihm fällt nichts ein. Sie ist jünger als er, aber alt genug, um zu wissen, dass manche Dinge im Leben nur ein Mal passieren.

Die schmalen Gassen setzen sich fort im engen Treppenhaus ihrer Pension. Der Nachtportier hat seine Begrüßung auf ein kurzes Nicken beschränkt und schickt ihnen einen abschätzigen Blick hinterher. Im ersten Stock gibt es vier Türen an jeder Seite des Ganges. Wie Zellentüren. Die letzten beiden gehören ihnen. Einen Moment lang stehen sie unschlüssig davor, halten die Schlüssel in der Hand und betrachten die ockergelbe Tapete.

»Soll ich dich morgen früh wecken?«, fragt er.

»Ich wache von alleine auf.« Marijke steckt den Schlüssel ins Schloss und dreht sich noch einmal zu ihm um. Er lächelt. Mit einem schnellen Schritt ist sie da, legt die Arme um seinen Hals und küsst ihn auf die Wange. Dann löst sie sich und huscht ohne ein Wort ins Zimmer.

»Bis morgen«, flüstert er durch die sich schließende Tür.

1991

Am ersten Morgen wacht er auf, sobald es draußen dämmert.
Durch die hölzernen Läden vor der Balkontür sickert ein blass-
blau beginnender Tag herein. Maria liegt wie immer auf der
Seite, zugedeckt bis zu den Ohren gegen die nächtliche Kühle,
und Philippa hat sich schnarchend auf den Rücken gedreht. Irgendwann wird man ihr die Polypen rausnehmen müssen, sagt
der Hausarzt in Bonn. Die Arme hat sie seitlich abgewinkelt,
als wollte sie sich im nächsten Moment strecken und mit hell-
wachen Augen fragen: Was machen wir heute? So vorsichtig wie
möglich steigt Hartmut aus dem Bett, zieht die Decke zurecht
und schleicht nach unten. Halb sechs zeigt die Küchenuhr.
Hinter großen Fenstern wölbt sich der Himmel wolkenlos über
die Landschaft, bedeckt vom letzten Nachtschatten, aus dem
durchsichtig und fahl der Mond herabschaut. Als würde die
Stille im Haus sich draußen fortsetzen.

Gestern Nachmittag sind sie angekommen. Müde nach der
fünfstündigen Fahrt von Lissabon herauf, weil Lurdes sie ge-
drängt hatte, den Umweg über Mealhada zu machen und ein
gegrilltes Spanferkel für den Abend zu kaufen. Das tut sie bei
jedem Besuch und vergisst nie zu versprechen, es sei das letzte
Mal. In einem gemieteten Renault sind sie über hitzeflimmern-
de Straßen gefahren, mit einem toten Schwein auf der Hutab-
lage, dessen Fett allmählich durchs Pergament tropfte. Je näher
sie Rapa kamen, desto größer wurde seine Vorfreude. Für ihn

wird die kommende Woche aus reichlichen Mahlzeiten und den trägen Stunden dazwischen bestehen. Seine Schwiegereltern lieben ihn dafür, dass er nie Nein sagt und alles köstlich findet, den grünen Wein, den Queijo da Serra und selbst das weiche Brot, das der fahrende Bäcker aus dem Kofferraum seines staubigen Ford verkauft. Maria dagegen muss den größten Teil des Tages in der Küche verbringen und sich die Klagen ihrer Mutter anhören: wer im Umkreis von zwanzig Kilometern gestorben ist, wann João endlich sein Motorrad verkaufen und heiraten wird, wie der neue Priester heißt, der zwei Mal in der Woche die Messe liest, und dass es besser war, als Rapa noch einen eigenen Priester hatte und sie täglich zur Beichte gehen konnte. Wenn Maria eine Auszeit braucht, leistet sie ihm auf dem Balkon Gesellschaft. Setzt sich mit einem Seufzer auf seinen Schoß und nickt ergeben, wenn er sagt: Nur eine Woche, dann fahren wir ans Meer. Dass ihm die erste Woche beinahe besser gefällt, weiß seine Frau und gönnt ihm die Ruhe. Sie findet sowieso, dass er zu viel arbeitet in Bonn.

Mit der dampfenden Tasse in der Hand schleicht er zurück nach oben. Aus Philippas leerem Bett glotzt ihm Ruca, die kulleräugige Schildkröte entgegen. Im aufgeklappten Kinderkoffer liegen Kleidungsstücke, Bilderbücher und eine grüne Metalldose für die schönsten Muscheln. Sobald Hartmut auf den Balkon tritt und an seinem Kaffee nippt, fühlt er sich so wach, als hätte er zwölf Stunden geschlafen. Auf der anderen Dorfseite startet der erste Wagen. Weit reicht der Blick über flache Kuppen und karge Täler, die Farben werden blasser, bis Himmel und Erde in einem neutralen Blauton ineinanderfallen. Das Auto ist längst außer Sicht, als der Motorenlärm schließlich verklingt und Hartmut nichts mehr hört außer den Glocken weidender Schafe. Magie, sagt er in Marias Kopfschütteln hinein, wenn sie wissen will, warum er sich an diesem reizlosen Ort so wohl fühlt.

Gestern nach der Ankunft hat er seinen üblichen Gang ins Café gemacht und den Beginn der Ferien mit einem kühlen

Sagres gefeiert. Zwei Ventilatoren drehten sich träge unter der Decke. Wie immer roch es nach Sommer, Tabak und starkem Kaffee. Nach viel Zeit. Nebenan im Laden tippte Philippa auf der alten Registrierkasse herum, und draußen erlosch der Himmel über den schwarz gewordenen Bergen. Binnen Minuten fiel die Anstrengung der Fahrt von ihm ab. Er trug bereits sein Outfit für die nächsten Tage, Sandalen und knielange Hosen, das Hemd halb offen und auf dem Kopf den ausgefransten Strohhut aus Óbidos, den Maria seinen Huckleberry-Finn-Hut nennt. Das Semester war hart, aber nun hat es ihn in die Freiheit entlassen. Zum ersten Mal seit Philippas Geburt wird er in diesem Sommer einen Roman lesen. Das ist sein Projekt.

»Hartmut, wie kann man sich seinen eigenen Eltern gegenüber so fremd fühlen?«

Es ist später Vormittag. Wieder sitzt er auf dem Balkon, hat ein Glas Wasser mit Zitrone neben sich stehen und könnte nicht sagen, was er in der letzten Stunde am meisten genossen hat, die entspannte Lektüre, die Stille über dem Ort oder das Wissen, dass Maria bald seinen Trost brauchen wird. Jetzt steht sie in der Tür und sieht ihn an, als erwarte sie tatsächlich eine Antwort. Trägt ein kurzärmeliges Kleid aus hellem Stoff, das über der Brust spannt.

»So schlimm?«, fragt er. Ob sie den Genuss ermessen kann, den es ihm bereitet, sie anzuschauen?

»Ich meine nicht erst jetzt, sondern immer schon, so weit ich zurückdenken kann. Diese liebenswerten Leute, zu denen ich Vater und Mutter sage.«

»Dein Vater auch?«

»Halb Don Quijote, halb Albert Schweitzer«, seufzt sie, »was ergibt das? Don Camillo? Onkel Wanja? Ich liebe ihn, aber manchmal spreche ich zu ihm wie zu Philippa.«

Er legt das Buch zur Seite und winkt sie zu sich heran. Das Bewusstsein, dass keine Verpflichtung ihn ruft, kommt in Wellen, und jedes Mal würde er am liebsten laut lachen. Die Sonne steht hoch, und Philippa absolviert an der Hand ihres Großvaters die üblichen Besuche bei der Verwandtschaft. Nickend setzt sich Maria auf seinen Schoß, und er fährt mit den Fingerspitzen über ihren Oberschenkel.

»Wieso Don Quijote?«, fragt er.

»Glaubst du vielleicht, dieses Altenheim wird jemals gebaut? Er schreibt Briefe an irgendwelche Leute, die er in Lissabon kennt. Seine politischen Kontakte nennt er sie. In Wirklichkeit sind es frühere Gäste aus dem Restaurant. Jetzt hat er jemanden gefunden, der zwanzig Jahre lang in Frankreich gearbeitet hat, als Koch, und sie setzen gemeinsam Schriftstücke auf und schicken sie an … keine Ahnung wohin. An die EG. Auf Französisch oder was sie dafür halten.«

»Merkst du, dass dein Deutsch perfekt geworden ist? Du machst überhaupt keine Fehler mehr.«

Maria sieht ihn an und legt ihre Hand auf seine. Sie ist anders in Portugal. Sanfter. Anlehnungsbedürftiger. Wahrscheinlich weiß sie nicht, wie gut das tut.

»Du meinst, ich soll dir dankbar sein?«

Lachend nimmt er ihre Hand und küsst sie.

»Ich meine, unterschätz deinen Vater nicht. Er macht nicht viele Worte, aber er weiß, was er tut. Wie alle Pereiras ist er ein ausgesprochener Dickschädel.« Der nach seiner Rückkehr aus der Hauptstadt zum Ortsvorsteher von Rapa gewählt wurde und sich in den Kopf gesetzt hat, sein Heimatdorf gründlich zu modernisieren.

»Meine Mutter sagt, wahrscheinlich muss ihm ein Bypass gelegt werden. Sie zündet so viele Kerzen an, es gibt in der ganzen Serra bald kein Wachs mehr, aber der Arzt glaubt, dass es spätestens nächstes Jahr unumgänglich wird.«

»Was sagt er selbst?«

»Dasselbe wie immer – nichts.«

Am Himmel kreisen die Adler so hoch, dass sie sich aufzulösen scheinen im gleißenden Licht. Wie betäubt liegt das Dorf unter ihnen, niemand arbeitet mehr auf den Feldern, alle Fensterläden sind geschlossen. Manchmal zerreißen das Knattern eines Mopeds oder ein bellender Hund die Stille, ansonsten sind nur Grillen zu hören. Das unaufhörliche Sirren des portugiesischen Sommers. Wieso gehen sie nicht einfach rein und schlafen miteinander?

»Es bricht mir das Herz, wie sie alt werden«, sagt Maria. »Obwohl sie gar nicht alt sind. Aber die Umständlichkeiten, die ständigen Sorgen um nichts, die Anflüge von bocksköpfiger Unvernunft. Meine Mutter will die ganze Verwandtschaft zum Essen einladen, das hat sie heute Morgen beschlossen. Zwanzig Leute. Hast du den Berg Kartoffeln in der Küche gesehen? Mit ihren arthritischen Fingern braucht sie eine halbe Stunde, um *eine* zu schälen. Wenn ich ihr helfen will, sagt sie: Schau nach deinem Mann, der langweilt sich. Tut er nicht, sage ich. Dann besuch Tante Aurora. Ich meine, die Verwandtschaft kann gerne kommen, aber das Essen wird erst im Oktober fertig. Und so ist es mit allem.«

»Ich liebe dich.«

»Was?«

»Ich hab's lange nicht gesagt. Du übrigens auch nicht.«

Manchmal machen Liebeserklärungen sie spröde, und in letzter Zeit hat sie ihn ein paar Mal auflaufen lassen, aber in Rapa ist auch das anders. Mit geöffneten Lippen lässt sie sich gegen ihn sinken, und er spürt überrascht, wie ihre Zungenspitze nach seiner tastet und wie heiß ihr Atem ist. Es war ein anstrengendes, nervenaufreibendes Semester, in dem viele Dinge zu kurz gekommen sind. Dann hält Maria sein Gesicht in beiden Händen und schaut ihn an, so nah, dass er blinzeln muss.

»Weiß ich, wer du bist? Weißt du, wer ich bin?«

»Ich hoffe schon. Warum sagst du das jetzt?«

»Und wenn nicht?«

»Maria, dein Vater ist ein Pferd, der wird auch mit Bypass hundert Jahre alt. Lass dich nicht von deiner Mutter anstecken. Sie hat einfach zu viel Zeit für ihre Sorgen.«

»Ich kann nicht atmen hier.« Mit der linken Hand fasst sie

an den Ausschnitt ihres Kleides, als wollte sie es sich vom Leib reißen. »Lass uns woanders hinfahren, nur für zwei Tage. Irgendwohin.«

»Nächste Woche fahren wir ans Meer. Valentin hat mir gestern die Fotos gezeigt. Wir werden ...«

»Vorher. Jetzt! Lass uns für zwei Tage dahin fahren, wo Menschen sind. Nach Coimbra ist es eine Stunde. Wir brechen morgen früh auf, nehmen uns ein Hotel und ... Bitte!« Erneut drängt sie sich gegen ihn, fährt mit der Hand über seine Brust und krallt sich in sein Hemd. Tatsächlich haben sie in diesem Haus noch nie miteinander geschlafen. Zu viele Kruzifixe, sagt Maria, und vor allem zu viele Fotos des zwei Jahre vor ihrer Geburt gestorbenen Bruders. Antonio. Das sommerliche Liebesleben muss warten bis zur zweiten Woche, das ist das große Plus der Algarve gegenüber Rapa, aber jetzt schmiegt seine Frau sich an ihn, als könnte sie nicht so lange warten. Eine Reminiszenz an frühere Nächte schwingt darin mit. Alles in allem ist der Sex nicht weniger aufregend als vor Philippas Geburt, nur seltener, und in den letzten Wochen war er besonders selten.

»Meinetwegen gerne«, bringt er zwischen zwei Küssen hervor. »Wenn deine Eltern uns gehen lassen. Wir wollten schon immer nach Coimbra.«

»Wir lassen ihnen Philippa hier.«

»Hey!«

»Warum nicht? Sie will sowieso bloß Schafe streicheln.«

Jetzt ist er es, der ihr Gesicht in beiden Händen hält. Was ihn erfüllt und erstaunt, ist die rätselhafte Bedeutung des Wortes Liebe in Momenten wie diesem. Wenn gemeinsam verbrachte Jahre sich zu dem Glauben verdichten, dass es immer so bleiben wird. Dass sich etwas in ihm und ihr dem ständigen Wandel entzieht. Oder spürt er bloß einen Rest jener alten Verwunderung, dass sie tatsächlich seine Frau geworden ist?

»Du weißt doch, sie schläft wie ein Stein.« Er streicht mit einer Hand über ihre Brust, aber es ist zu spät. Nicht mehr von

Lust verschleiert, sondern klar und ein bisschen spöttisch richtet sich Marias Blick auf ihn. Die Macht der kleinen Tyrannin, hat sie es neulich genannt.

»Du hast recht.« Sie sieht auf ihre Armbanduhr. »Jetzt muss ich runter, sonst wird das Mittagessen nie fertig. Gegrillte Sardinen. Zwei Kilo für viereinhalb Personen.«

»Du magst keine Sardinen.«

»Spielt keine Rolle, ich bin nur die Tochter. Du magst sie, hast du gestern behauptet. War mir auch neu.«

»Weil ich wusste, dass deine Mutter schon eingekauft hatte. Was ist los, Maria? Irgendwas bedrückt dich, und es ist nicht dein Vater.«

Sie nickt geistesabwesend und greift nach seinem Buch auf dem Beistelltisch. Ein bisschen schwerer ist sie geworden, aber sie sitzt selten auf seinem Schoß, also verlagert er unauffällig das Gewicht und zieht sie dichter zu sich heran. Drückt das Gesicht an ihren Hals.

»Was heißt Montauk?«, fragt sie.

»Ein Ort an der äußersten Spitze von Long Island. Was der Name bedeutet, weiß ich nicht. Irgendwo steht, dass er indianisch ist.«

»Gut?«

»Ziemlich. Ich bin noch am Anfang. Zwischendurch denke ich, dass Lesen eigentlich zu anstrengend ist. Dass ich nur hier sitzen und auf die Hügel schauen sollte.«

Maria überfliegt den Klappentext und legt das Buch zurück. Gegen seinen Willen denkt er, dass Sandrine jetzt gesagt hätte: Tell me about it. Professor zu werden war ein hart erarbeiteter Triumph, und in manchen Momenten glaubt er zu spüren, dass ein Teil der Erschöpfung ihn nie mehr verlassen wird. Dass etwas sich aufgezehrt hat, was nicht ersetzt werden kann. Mit anderen Worten, dass er kein junger Mann mehr ist, unwiderruflich.

»War ich sehr unausstehlich in den letzten Wochen?« Sie fragt mit dem Blick in der Ferne, und er schüttelt den Kopf.

»Es war eine Enttäuschung. Aber so wie die Dinge im Moment in Bewegung sind, bei den vielen Neuberufungen, die es gibt, stehen die Chancen nicht schlecht, zumindest mittelfristig. Wer hätte damals gedacht, dass ich die Stelle in Bonn bekomme.«

»Jetzt hast du sie.«

»Ja. Es wird nie wieder so sein wie davor. Keine Zeitverträge, keine Miesen auf dem Konto. Ich bin Professor, das können sie mir nicht mehr nehmen.«

»Und ich bin undankbar.«

»Wir müssen einfach Geduld haben.« Soll er ihr sagen, dass er gelegentlich die Immobilien-Angebote im *Generalanzeiger* studiert und zu dem Schluss gekommen ist, ein Haus lasse sich finanzieren? Als Professor kriegt er überall Kredit, außerdem hat Artur in einem Gespräch unter Männern versichert, vom Verkauf der Restaurants sei noch Geld übrig. Seit der Bundestag den Umzug beschlossen hat, sind die Preise in Bewegung geraten. Jetzt wäre der perfekte Zeitpunkt.

»Wir sollten uns nicht zu sehr unter Druck setzen«, sagt er. »Die Warterei das ganze Frühjahr über hat uns nur zusätzlichen Stress gebracht. Dabei sind wir gar nicht abhängig.«

»Geduld haben«, flüstert sie, als gelte es, in einem Text die wichtigsten Wörter zu unterstreichen. »Mittelfristig.«

»Unsere eigenen Entscheidungen treffen. Zum Beispiel eine, die wir schon lange aufgeschoben haben.« Darauf will sie etwas erwidern, aber er legt ihr einen Finger auf die Lippen und hält sie fest. »Ich weiß! Wir haben gesagt, wir warten, bis wir da sind, wohin wir wollen, aber … warum eigentlich? Was spricht jetzt dagegen? Philippa ist vier.«

»Es ist nie schwerer als beim Warten. Ich meine, Geduld zu haben.«

»Wenn die Wohnung zu klein wird, ziehen wir eben um.«

»Ist das ein spontaner Gedanke?«

»Neulich meinte sie selbst, alleine Memory spielen ist langweilig. Sie will jemanden, gegen den sie gewinnen kann.« Er lacht und küsst seine Frau auf den Hals. Ihr Ton könnte ein bisschen heiterer sein, findet er. »Merkst du, wie sie Carla und Luisa beneidet? Wo ist sie eigentlich?«

Mit dem Kinn weist Maria über das Dorf. In der neuen Hälfte stehen einige halb fertige Häuser, heller und größer als die Bauten im alten Teil. Leute kommen aus Lissabon oder dem Ausland zurück und errichten ihre Alterssitze, jedes Jahr ein paar mehr. In Arturs Fall war es das Elternhaus, das er ausgebaut hat zum größten Gebäude diesseits der Brücke. Viel zu groß für zwei Personen. Irgendeine alte Familienfehde steckt dahinter, über die Maria nicht sprechen will. Im Übrigen ist er nicht sicher, ob seine Frau die Verbundenheit von Artur und Lurdes mit ihrer alten Heimat wirklich so schlecht nachvollziehen kann, wie sie behauptet. Manchmal denkt er, dass sie ein bisschen übertreibt. In vielen Dingen.

»Gib mir Zeit«, sagt sie.

»Natürlich. Ich will nur sichergehen, dass wir es sind, die unser Leben bestimmen. Nicht die Umstände.«

Maria nickt und lächelt.

»Selbstbestimmung. Verstanden.«

»Klär es mit deiner Mutter, und dann fahren wir morgen los nach Coimbra.«

»Vielleicht ist es nur die Hitze oder die lange Fahrt gestern. Meine Haare riechen immer noch nach Schweinefett.«

»Du riechst wunderbar«, sagt er. Sie hat sein Verlangen angefacht, und nun lodert es vor sich hin. »Vor allem seit du nicht mehr rauchst.«

»Willst du später mit Valentin wandern?«

»Das war der Plan. Wenn ich in der Küche helfen soll, kann ich auch hierbleiben.«

»Geh wandern. Ich hab's nie gesagt, aber wo wir schon dabei sind: Das Schönste an den Tagen in Rapa ist, dass du sie so genießt.« Bevor er sie noch einmal an sich drücken kann, ist sie aufgestanden und im Haus verschwunden. Er hört ihre Schritte auf der hölzernen Treppe. Auf dem Platz vor der Kirche erklingt

Philippas Lachen, dann beginnen die Glocken zu läuten. Alle halbe Stunde ein *Ave Maria*, nur an Heiligabend spielen sie *Jingle Bells*. In Portugal ist das ein religiöses Lied.

Dass es riskant war, sich nach so kurzer Zeit erneut zu bewerben, ist ihm natürlich klar gewesen. Kaum ein Jahr in Bonn, hat er seine Unterlagen trotzdem an die FU geschickt und gehofft, dass die Kollegen am Rhein vorerst nicht davon erfahren würden. Für jemanden mit seinen Schwerpunkten bot die Bonner Uni kein kongeniales Umfeld. Sprachanalytische Philosophie galt als Disziplin derjenigen, denen die nötige Bildung fehlte, um richtige Philosophie zu betreiben, so sahen das jedenfalls die beiden Tonangeber am Institut, Grevenburg und Riemann, selbstherrliche Ordinarien alten Stils. Die Uhus, nannte Hartmut sie insgeheim. Als er in ihrem Beisein einmal die Habilitation als Hemmschuh für innovative Forschung bezeichnete, begegneten ihm Blicke, als hätte er ein Plädoyer für die Vielehe gehalten.

Sie waren angekommen, als sich in Bonn der Blues breitmachte, die bange Erwartung des baldigen Exodus. ›Bonn muss Hauptstadt bleiben‹, flehten Aufkleber auf Heckklappen und Ladentüren. In Berlin tobte der Bär, und am Rhein sollte bleiben, was längst nicht mehr war. Irgendwie ist es komisch hier, sagte Maria, als in den Räumen im Bonner Talweg noch unausgepackte Kartons standen. Schon bei ihrem Umzug nach Dortmund hatte sie ihm das Versprechen abgenommen, sich auf jede frei werdende Stelle in Berlin zu bewerben, und seitdem waren vier Jahre verstrichen, ohne dass er Gelegenheit gehabt hätte, es zu halten. Also jetzt, sagte er sich. Der Schritt kam zu früh, war forsch und ein wenig undankbar gegenüber der Bonner Uni, aber das Anforderungsprofil entsprach seinen Qualifikationen so genau, dass sogar Ernst Simon anrief und fragte, ob er es nicht versuchen wolle. Außerdem würde er als C4-Professor rund tausend Mark mehr verdienen und dürfte sich Ordinarius nennen. Wie die Uhus. Der letzte Schritt, der noch fehlte.

Dass man ihn nach dem Vorsprechen auf Platz eins der Berufungsliste setzen würde, hatte er in seinen kühnsten Träumen

nicht erwartet. Hatte er die eigenen Fähigkeiten zu niedrig ein-
geschätzt? War er im gewohnten Glauben, er verkürze bloß den
Rückstand, an der Konkurrenz vorbeigezogen? Grevenburg und
Riemann meinten, woran er arbeite, sei offenbar sozusagen ›in‹
und er daher gut aufgehoben in der neuen Hauptstadt. Das war
zu Beginn des Sommersemesters. An schönen Abenden saßen
Maria und er auf dem Balkon, erinnerten sich an ihren ersten
gemeinsamen Besuch in Ost-Berlin und phantasierten von
Zweihundert-Quadratmeter-Wohnungen mit bröckelndem
Stuck. Seine Frau meinte das sogar ernst.

Dann geschah – nichts. Der Ruf schien nur eine Frage der
Zeit zu sein, aber die zog sich hin. Das Verfahren musste lediglich noch durch die Instanzen gehen, doch deren gab es viele.
Von Kollegen an der Spree hörte Hartmut von Verzögerungen.
Dann von Komplikationen. Schließlich wurde von verdeckten
Widerständen gesprochen. In ihren abendlichen Unterhaltun-
gen fiel das Wort Geduld desto häufiger, je weniger sie davon
aufbrachten. Möglicherweise habe es einen Verfahrensfehler
gegeben, hieß es aus der Berliner Gerüchteküche. Telefonate
endeten in Warteschleifen, die Verantwortung lag mal hier und
mal da, schien es aber nirgendwo lange auszuhalten. Mehr als
nur ein Streit zu Hause ging auf das Konto des großen Unbekannten, der Sand ins Getriebe seiner Berufung streute. Das
Sommersemester neigte sich dem Ende zu. Es war Freitag-
abend, Maria brachte Philippa ins Bett, und Hartmut saß am
Schreibtisch, als das Telefon klingelte.

Dietmar Jacobs.

»Wow«, sagte Hartmut. »Das ist lange her.«

»Alter Junge.« Dietmars Stimme hatte immer noch den ein-
geübt wirkenden Klang von früher. Als spräche er in ein Mikrofon. Damals an der TU, wenn sie mit den anderen im Café Har-
denberg gesessen oder sonntags vor dem Reichstag Volleyball
gespielt hatten, war er Hartmut wie ein Ehrgeizling erschienen,
der so tat, als stünde er über den Dingen und würde nur zum
Spaß mitmachen.

»Von wo rufst du an?«, fragte Hartmut.

»Aus dem Auge des Orkans: Berlin-Wilmersdorf.«

»Richtig, du bist noch in Berlin.« Bei seinem Berufungsvortrag hatte er einem Aushang am Institut entnommen, dass Dietmar Jacobs dort als Privatdozent unterrichtete, aber über den Weg gelaufen waren sie einander nicht.

»Seit es die Mauer nicht mehr gibt, kommt man hier noch schwerer raus.«

»Weil der Gegenverkehr zu stark ist?«

»Du sagst es, mein Freund. Du sagst es.«

Während der nächsten zehn Minuten hörte Hartmut mit einem Ohr die *Anita*-Geschichte, die Maria ihrer Tochter vorlas, mit dem anderen den kurzen Abriss von Dietmars akademischer Laufbahn. Er habe einen Zeitvertrag und immer ein paar Bewerbungen laufen, sagte er. Nächstes Jahr komme ein viel zu dickes Buch von ihm raus, und irgendwie werde es danach schon weitergehen. Es entstand die Art von Pause im Gespräch, die einen beabsichtigten Themenwechsel anzeigt.

»Ich wollte unbedingt kommen, als du hier vorgesungen hast«, sagte Dietmar, »aber ich musste mein Seminar geben. Sorry.«

»Kein Problem. Ich hätte mich gemeldet, aber ich war nur einen Nachmittag in der Stadt. Hier wächst mir die Arbeit über den Kopf.«

»Du hast ein Kind, hört man.«

»Hab ich. Meine Tochter ist vier geworden.« Die übliche Bemerkung über die immer schneller vergehende Zeit lag ihm auf der Zunge, aber er ließ sie dort liegen. Nebenan wurden Küsse getauscht. Als Hartmut das Klicken des Lichtschalters hörte, wusste er, dass Dietmar mit Neuigkeiten zu seiner Bewerbung anrief. Wahrscheinlich keinen guten.

»Wir kriegen im Herbst ein Kind. Manchmal frage ich mich, ob Berlin der richtige Ort dafür ist.«

»Wilmersdorf«, sagte Hartmut. »Du meinst, dem Kind könnte langweilig werden?«

Dietmar ließ sich Zeit, bevor er mit einem kühlen Lachen antwortete. Maria steckte den Kopf herein und bedeutete ihm, dass er noch mal rübergehen und gute Nacht sagen solle. Mit der freien Hand signalisierte Hartmut ein ›Ich komme sofort‹, aber sie blieb mit verschränkten Armen in der Tür stehen. Hatte das Stichwort ›Wilmersdorf‹ aufgeschnappt und wollte mehr wissen. Ihre Freude über seinen Ruf nach Bonn war beinahe schneller verflogen, als seine hatte ins Bewusstsein sinken können.

»Was verschafft mir eigentlich die Ehre deines Anrufs?«, fragte er.

»Ich dachte, ich setze dich mal ins Bild. Du weißt schon. Es hat mich niemand beauftragt, ich tu's aus alter Freundschaft.«

»Okay. Danke.«

»Der Widerstand kommt aus dem Dekanat«, sagte Dietmar ohne lange Einleitung. »Kein offenes Nein, natürlich. Eher überflüssige Nachfragen, formale Haarspaltereien und so weiter. Du weißt, auf Platz zwei der Liste steht eine Frau. Der Frauenanteil am Fachbereich ist nicht hoch, man könnte auch sagen skandalös niedrig. Das ist zunächst mal ein Faktum.«

»Wenn auch keins, das ich …«

»Warte, warte. Ute Cramer ist nicht dein Problem. Du hast Fürsprecher am Institut. Dein Vortrag kam hier gut an. Dazu schon mal meinen Glückwunsch. Well done. Aber es sind, wie soll ich sagen – es sind keine bedingungslosen Fürsprecher. Wenn ein Kompromiss ihnen nützt, denken sie pragmatisch. Alle rechnen damit, dass sich hier bald einiges ändern wird. Zusammenlegungen, Einsparungen. In so einer Situation können kleine Guthaben an Wohlwollen nicht schaden. Die Kollegen verhalten sich wie Eichhörnchen im Herbst.«

»Und an einem Kompromiss mit dem Institut arbeitet … was heißt eigentlich ›das Dekanat‹? Der Dekan?«

»Die Dekanin.«

»Verstehe. Die will eine Frau.« Er hätte gerne auf sein Bücherregal geschaut, aber Marias Blick hing an ihm mit einer stummen Frage, die sich wie von selbst in ungute Gewissheit verwandelte. Hatte er nicht längst selbst etwas geahnt? War es ihm nicht merkwürdig vorgekommen, auf einmal auf Platz eins der Bewerbungsliste zu stehen für eine C4-Professur dort, wo alle hinstrebten? Hartmut Hainbach aus Arnau. Er wollte ihn nicht zulassen, aber der Gedanke war da, ungerufen.

»Vor allem will sie dich nicht«, sagte Dietmar.

»Oh, ist das so? Was hab ich ihr denn getan?«

»Keine Ahnung. Hast du dich nicht informiert über die Verhältnisse hier?«

»Informiert? Die Bewerbung fiel mitten in meinen Start hier in Bonn. Ich hab die Ausschreibung gesehen, hab einen Anruf von Simon bekommen und meine Sachen losgeschickt. Ohne große Hoffnung, ehrlich gesagt. Was für Verhältnisse?«

Dietmar seufzte, aber betrübt wirkte er nicht, im Gegenteil. Ein Anflug von Schadenfreude hatte sich in seine Stimme geschlichen.

»Die Dekanin ist Frau Professor Anne Saalbach.« Kurze Pause. »Du hast das nicht gewusst, oder?«

»Nein.« Hartmut versuchte zu lächeln, aber es gelang ihm nicht. Maria konnte ihm bestimmt ansehen, dass er bemüht war, sich nichts anmerken zu lassen. Anne Saalbach. Er hätte schwören können, dass ihm der Name zum ersten Mal seit Jahren durch den Kopf ging. Es dauerte eine Weile, bis das Gesicht Konturen annahm und einen Ausdruck bekam. Nach dem Ende der Affäre waren sie einander mehrmals pro Woche im Flur aus dem Weg gegangen. Bis Anne die Stelle gewechselt und das Telefunken-Hochhaus verlassen hatte.

»Bist du noch dran?«, fragte Dietmar.

»Dachtest du, ich springe aus dem Fenster? Was heißt das jetzt? Ich meine, es gibt eine Kommission, es gibt die Liste, es gibt ein geordnetes Verfahren, oder nicht? Ist in Berlin plötzlich die Clan-Herrschaft ausgebrochen?« Seine Stimme klang ärgerlich, und beinahe wunderte ihn das. In der Kehle saß ihm ein Lachen, das er nicht rauslassen wollte. Anne Saalbach. Für dich gibt es wichtigere Dinge als mein Unglück. Gab es für sie nichts Wichtigeres, als ihm die Karriere zu vermasseln?

»Du bist Professor, Hartmut. Muss ich dir erklären, wie Universitäten funktionieren? Anne weiß, dass ihre Macht nicht ausreicht, um einfach die Nummer zwei durchzusetzen, aber vermutlich kann sie die Stelle neu ausschreiben lassen. Irgendein Verfahrensfehler findet sich immer. Dann hat sie Zeit gewonnen, und du hast ... tja. Du musst dir überlegen, was für dich das Beste ist. Natürlich wird hier gemauschelt, was ist da los, was steckt dahinter? Anne ist nicht gerade berühmt dafür, sich für die Frauenquote zu engagieren, und jetzt setzt sie Himmel und Hölle in Bewegung für Mrs. Nobody aus Münster? Wenn du dich bei einer Neuausschreibung wieder bewirbst ...«

»Moment – es ist schon sicher, dass die Stelle neu ausgeschrieben wird?« Er konnte sehen, wie Marias Gesicht zur Maske erstarrte. Aus dem Nebenzimmer rief Philippa.

»Neulich hab ich sie in der Mensa getroffen und gefragt: Anne, ist das politisch, fachlich oder persönlich? Es ist, was es ist, hat sie gesagt. Typische Anne-Antwort. Tut mir leid, Mann. Ich hab das Gefühl, dass sie selbst nicht glücklich ist über das, was sie tut. Aber sie kann nicht anders. Sie will dich hier nicht haben.«

Maria hatte genug gehört und ging zurück zu ihrer Tochter.

»Hab ich noch eine Chance?«, fragte Hartmut.

»Wie gesagt, kommt drauf an, wie weit du bereit bist zu gehen. Vielleicht sollte ich besser sagen, was du dir antun willst.«

»Hat Anne dich darum gebeten, hier anzurufen?«

»Nein. Hier will keiner den Kopf aus dem Fenster stecken. Ich glaube, es ist allen ein bisschen peinlich. Aber ich dachte mir, du möchtest es vielleicht vor den Ferien wissen. Dir in Ruhe überlegen, was du machst.«

»Okay.«

»Hey, du bist auf der Erfolgsspur, das merkt man. Ein kleiner Umweg wirft dich nicht aus der Bahn.«

»Ich muss Schluss machen, Dietmar, meine Tochter ruft.
Danke für deinen Anruf.«

»Wenn du mehr Informationen brauchst, melde dich.«

»Ich hoffe, du kriegst auch bald deine Professur.«

»Man tut, was man kann.«

»Mach's gut.« So sanft und langsam, als wollte er sich selbst
provozieren, legte Hartmut den Hörer auf die Gabel. Horchte
auf die Geräusche im Nebenzimmer und unten auf der Straße.
In der Südstadt begann das Wochenende. Mit gereizter Stimme
befahl Maria ihrer Tochter, endlich Ruhe zu geben. Irgendwo
hatte Philippa von einem Baby gehört, das nachts gestorben
war, seitdem wehrte sie sich mit allen Mitteln gegen das Einschlafen. Das arme Kind, hatte er anfangs gedacht. Inzwischen
war er unsicher. Verfügt man mit vier Jahren wirklich über einen Begriff vom Sterben, oder hatte ein Instinkt ihr signalisiert,
dass die Sache sich in ihrem Sinn verwenden ließ? Trotzdem
würde er sich heute Abend zu ihr legen, ihre Hand halten und
Beruhigungen vor sich hin flüstern, bis sie eingeschlafen war.

Bis er wusste, was er Maria sagen sollte.

Die Sommerabende in Rapa sind lang und gesellig. Auf Bänken
sitzen alle um eine große Tafel herum, die zusammengestückelt
wurde aus verschiedenen Garten-, Küchen- und Beistelltischen.
Nur für die Alten gibt es Stühle. Jedes Mal, wenn jemand mit
einer neuen Schüssel aus der Küche kommt, werden Teller bei-
seitegerückt, um Platz zu schaffen für den nächsten Gang. Kleine Schalen mit Chips und weißen Bohnen, große Schüsseln mit
Salat und Kartoffeln, riesige Platten mit gegrilltem Fleisch. In
Valentins garagengroßem Grill knistern die Kohlereste. Es geht
auf elf Uhr zu, Hartmut spürt die Sonne des Tages auf der Haut
und in den Beinen die angenehme Müdigkeit nach körperlicher Anstrengung. Mit einem Ohr folgt er der Unterhaltung
am Tisch und schaut den Faltern zu, die wie besoffen gegen das
Licht unter der weißen Stoffplane flattern. Soweit er es versteht,
wird das Für und Wider der großen Windräder debattiert, die

bald auf den Hügelketten der Serra stehen und die Gegend mit grünem Strom versorgen sollen. Meinungen fliegen über den Tisch, alle lieben einander und lieben es, zu streiten, ohne südländische Theatralik, nur mit einem verschwenderischen Überfluss an Wörtern.

Jenseits des Gartens liegt die Nacht wie ein schwarzes Kissen über dem Tal. Durch Zitronenbäume hindurch kann er die Lichter auf der anderen Seite des Dorfes erkennen.

»Wie hast du's geschafft, deine Mutter zu überzeugen, dass wir hier essen, nicht bei euch?«, flüstert er in Marias Ohr; mehr um des Flüsterns als um der Frage willen. Sie sitzen im Garten von Arturs Schwester. Valentin ist deren ältester Sohn, Cristina seine Frau, Carla und Luisa heißen die Töchter. Die anderen zehn Personen zählen ebenfalls zur Verwandtschaft – im portugiesischen Sinn, in dem Cousins dritten Grades immer noch zur Familie gehören.

»Nach fünf Kartoffeln hat sie sich selbst überzeugt«, sagt Maria. »Aber morgen! Morgen kommen alle zu uns. Freu dich drauf!«

»Also fahren wir nicht nach Coimbra?«

»Doch. Übermorgen, gleich nach dem Frühstück.«

»Unsere Tochter nehmen wir mit. Richtig?« Am Kindertisch beobachtet Philippa mit Argusaugen jede Geste von Carla und Luisa, zwei und drei Jahre älter als sie, ihre Rollenvorbilder während der großen Ferien.

Maria lächelt, wie sie es manchmal tut, wenn sie ihn damit aufzieht, dass Valentin und er einander ähnlicher sind, als er wahrhaben will. Im letzten Sommer haben sie ein Männerwochenende am Atlantik verbracht; drei Tage lang fischen, grillen, Bier trinken und über Frauen reden, meistens die eigenen. Im Auftrag eines internationalen Mineralölkonzerns durchquert Marias Cousin das Land, um den Bau des einen Typs von Tankstelle zu überwachen, den er vor Jahren entworfen und damit sein Auskommen gesichert hat. Seitdem verwendet er den größten Teil seiner Energie auf die Sorge um die hübsche Frau und die beiden Mädchen mit den Engelsgesichtern, die ihn zu Hause erwarten. Auf abgelegenen Rastplätzen greift er zum Telefon und lässt sich versichern, dass zu Hause alles in Ordnung ist. Manchmal macht sich Hartmut darüber auf ebenso harmlose Weise lustig, wie Maria im Gegenzug über seine Vernarrtheit in Philippa spottet.

»Er meinte, ich sollte öfters Gedichte für dich schreiben«, sagt er und trinkt einen Schluck Wein.

»Bitte?« Maria ist dem Gespräch am Tisch gefolgt und wendet fragend den Kopf.

»Es sei gut, meint er, ab und an die eigenen Gefühle in Worte zu fassen.«

»Meint wer? Wessen Gefühle?«

»Oh. Ich hab … Entschuldigung. Valentin sagt das. Hat es gesagt, letztes Jahr bei unserem legendären Männerwochenende.«

Ironisch zieht sie die Augenbrauen nach oben und deutet auf sein Glas. »Hast du vielleicht ein bisschen zu viel getrunken?«

»Überhaupt nicht. Würde es dir gefallen, wenn ich Gedichte für dich schriebe?« Unter dem Tisch sucht seine Hand nach ihrer.

»Ich glaube, ich würde die Gedichte lieber sehen, bevor ich das beantworte. Geht ihr nachher noch ins Café?«

»Wir?«

»Du und die anderen Männer.«

»Ich weiß nicht, ob ich es damals gesagt habe, aber das Wochenende war eigentlich … nicht langweilig. Ich hab bloß gedacht, dass ich meine Ferien lieber mit euch verbringen würde. Ich hab sowieso zu wenig Zeit für meine Familie.« Jetzt hat er die Hand gefunden. Ihre Finger sind überraschend kalt und ein wenig feucht. Maria ist schon am Nachmittag hergekommen, damit die Mädchen miteinander spielen konnten, während Valentin und er auf den üblichen Wegen gewandert sind. Steil bergauf und dann den Kamm entlang, mit Blick auf das Tal des Rio Mondego, der sich wie ein grünes Band durch die

Landschaft zieht. Auf der anderen Seite liegt Guarda, ein weißer Mauerrand von Häusern auf einem fernen Plateau. Sein Begleiter hat ihm die Namen für Brombeeren, Ginster und andere Pflanzen vorgesagt, Hartmut ist ihm gefolgt und hat sich gefragt, wie er Marias ausweichende Reaktion am Vormittag verstehen soll. Will sie wirklich kein zweites Kind? Unter ihnen nestelte sich Rapa in die bereits schattige Schlucht. Wind flanierte über die Hänge. Bei seinem ersten Besuch hatte die neue Dorfhälfte aus einer staubigen Straße mit halbfertigen Rohbauten bestanden. Jetzt sah er dort den üppigen Garten von Arturs Schwester, konnte den kleinen blauen Punkt des Planschbeckens ausmachen und die noch kleineren Punkte, die drum herum sprangen. Außerdem das Vordach, unter dem Maria lag und nicht wusste, ob sie sich von den Gesprächen mit ihrer Mutter erholte oder nur noch unzufriedener wurde. Warum ist das so, hat sie ihn neulich gefragt. Warum behalten Männer ihren Ehrgeiz, während die Frauen zu Hausmütterchen und Leserinnen von Illustrierten werden? Cristinas jüngste Schwester ist ihr bevorzugtes Beispiel.

Eine halbe Stunde später brechen sie auf. Philippa will bei ihren Freundinnen übernachten, Artur und Lurdes sind schon gegangen, und Hartmut wehrt die Versuche der männlichen Verwandtschaft ab, ihn zu einem letzten Getränk im Café zu überreden. Es folgt das übliche Palaver. Lachen und Necken, Wangenküsse und Schulterklopfen. Weitere zwanzig Minuten später gehen sie wirklich und steigen die steile Gasse hinab zum Fluss. Im Sommer ist er nur ein schmales brackiges Rinnsal. Auf der Brücke beginnt das Kopfsteinpflaster der älteren Dorfseite. Fledermäuse flattern um die wenigen Laternen, Grillen zirpen. Vor ihnen drängen sich die Häuser aneinander, den Hang hinauf, unter einem Himmel aus tausend Sternen.

»Ich wollte noch mal …«, setzt er an, aber Maria unterbricht ihn.

»Ich weiß. Ich auch.«

Hinter ihnen steht die kleine Marienfigur und daneben eine

Vase mit frischen Blumen. Wenn Philippa die Stelle ein paar Mal zusammen mit ihrer Großmutter passiert hat, beginnt sie sich im Vorbeigehen zu bekreuzigen und signalisiert damit ihren Eltern, dass es Zeit wird, an die Küste zu fahren. Jedenfalls sagen sie das einander so.

Maria bleibt stehen, legt die Arme um seine Taille und flüstert: »Es ist ganz einfach. Ich hab Angst, dass es sich wiederholt.«

»Und ich weiß nicht, wie ich dir die Angst nehmen soll.« Sie festzuhalten und ihr Haar zu küssen wird nicht reichen. »Die Umstände waren alles andere als günstig, aber das wäre beim nächsten Mal anders. Wir suchen eine größere Wohnung oder gleich ein Haus. Wir planen. Wenn die Geburt auf den Beginn der Semesterferien fällt, hab ich Zeit. Ich muss nicht mehr jedem Lehrauftrag hinterherfahren nach Bochum oder Wuppertal.« Oben im Dorf bellt ein Hund, und sofort stimmen andere ein. Manchmal glaubt Hartmut, dass die Hunde von Rapa lauter bellen in den ersten Nächten nach der Ankunft von o Alemão, dem Fremden aus dem Norden. »Weißt du, ich will nicht nur ein zweites Kind, sondern die ganze Erfahrung noch einmal machen. Unter besseren Bedingungen, so dass wir beide sie genießen können. Beziehungsweise wir alle drei.«

»Meine Mutter hat früher schon gesagt: Du bist kein Familienmensch, Maria. Du kannst das nicht.«

»Du bist eine wunderbare Mutter. Eine viel bessere, als deine war.«

»Dich liebt sie mehr. Ich meine Philippa, und ich kann's ihr nicht verdenken.«

»Es ist eine Phase. Ich bin seltener da, ich muss nicht so oft Nein sagen. Das ist die leichtere Rolle. Wir werden das alles ändern.«

Maria lacht ein kraftloses Lachen.

»Was für ein Optimist du geworden bist. Oder spielst du's nur für mich?«

»Sag mir, was ich tun kann, Maria.«

»Ich hab mich mir selbst nie so fremd gefühlt.« Ihr gemeinsamer Schatten fällt bis in die Mitte der Brücke. Hartmut weiß, was kommt, er hat es oft gehört. »Alle sind in Verzückung geraten, wenn sie nur ihre Hände gesehen haben. Und das Lächeln, und die Augen. Und ich? Stell dir vor, wie es ist, wenn jemand alle Wärme aus dir rauszieht. Auf nichts kannst du mit Empathie und Liebe reagieren. Nicht mal auf dein eigenes Kind. Wenn das die milde Form ist, dann …«

»Es war nicht deine Schuld. Außerdem sehe ich nicht, dass es für Philippa die geringsten Folgen gehabt hätte. Wenn du sicher wüsstest, dass es beim nächsten Mal anders wird – würdest du's dann trotzdem nicht wollen?«

»In Bonn?«, fragt sie.

Hartmut presst die Lippen zusammen, um den Seufzer nicht herauszulassen, der ihm in der Kehle sitzt. Heute Vormittag auf dem Balkon hat sie sich selbst undankbar genannt, und er wollte nicht denken, dass er sie insgeheim genau dessen bezichtigt. Nach dem Ende seiner Dortmunder Vertretung sind sie ins Umland gezogen, in ein kleines Häuschen mit Garten, wie junge Familien es in Werbespots für Schwäbisch-Hall tun. Weiße Wände und grüner Rasen, aber um die gestiegenen Kosten zu stemmen, musste er jeden Lehrauftrag annehmen, der im Umkreis von zweihundert Kilometern angeboten wurde. Maria kannte keinen Menschen da draußen. Verstand das komische Deutsch nicht, in dem Mütter am Spielplatz nach ihren Kindern riefen. Als ein arbeitsloser Lehrer aus der Nachbarschaft ihr nachzustellen begann, wurde es unerträglich. Ein triefäugiger Jammerlappen mit einem Kind in Philippas Alter. Auch seinetwegen war der Ruf nach Bonn eine Erlösung. Endlich entkamen sie den finanziellen Zwängen und der beruflichen Ungewissheit. Philippa ging in den Kindergarten, Maria erholte sich – und begann prompt, jeden verfügbaren Artikel über die neue Hauptstadt zu lesen. Während er sich noch zwicken musste morgens vor dem Spiegel, weil er nicht glauben konnte, dass er es wirklich geschafft hatte, wartete seine Frau schon auf den

Tag, an dem er nach Hause kommen und sagen würde: Schatz, wir packen, ich hab eine Professur in Berlin.

Wenn es nicht Undank ist, dann ein naher Verwandter.

»Ist es wirklich so schlimm in Bonn?«, fragt er jetzt. »Ich meine, es liegt an uns, die Mittel zu genießen, die wir haben. Im Moment leben wir unter unseren Verhältnissen. Warum eigentlich?«

»Ja.«

»Ja – als Antwort worauf?«

»Es ist, als würde ich mehr und immer noch mehr von dir verlangen. Dabei will ich das gar nicht. Es hat mir nichts ausgemacht, wenig Geld zu haben. Ich hatte mein ganzes Studium über nichts. Das ist nicht der Punkt.«

»Sicher? Jede Mark umdrehen müssen, bevor man sie ausgibt. Jeden Morgen das Bett in den Schrank klappen. Mein Traum sieht anders aus.«

»Wie sieht er aus?« Sie legt den Kopf in den Nacken und schaut ihn an. Offenbar hat sie geweint, ohne dass es ihm aufgefallen ist.

»Wie du«, sagt er. »Wie du und ich und Philippa. Und vielleicht noch ein zweites Kind, das uns nachts den Platz im Bett streitig macht. So sieht er aus.«

Kurz stellt sie sich auf die Zehenspitzen und küsst ihn.

»Hab ich heute Mittag gesagt, dass ich dich liebe?«

»Ich will nicht kleinlich sein, aber, nein, hast du nicht.«

»Tu ich aber.«

»Stattdessen hast du gefragt, ob du weißt, wer ich bin, und ob ich weiß, wer du bist. Und hast dabei dreingeschaut, als wäre was Schlimmes passiert.«

»Du hast ein schwieriges Weib geheiratet.«

»Es wird weitere Stellen geben, Maria. Der ganze Osten braucht neue Professoren, auch der Osten von Berlin. Und ich werde mich bewerben, wie versprochen. Ich kann bloß weder hellsehen noch zaubern. Okay?«

»Okay.«

Dabei belassen sie es. Gehen den Weg hinauf ins alte Dorf, in dem seit Stunden niemand mehr unterwegs ist. Selbst die Glocken der Kirche werden erst morgen um sieben wieder läuten. Sie schlendern Hand in Hand, jeder den Blick auf die eigenen Füße gerichtet. Warum fühlt er sich, als würde er ihr etwas schulden? Es war ein merkwürdiges Gefühl, als er zu seinem Bewerbungsvortrag nach Berlin reiste. Sein erster Besuch seit damals, und er hat sich ganz aufs Berufliche konzentriert. Ist vom Bahnhof Zoo direkt nach Dahlem gefahren. Am Institut hat er seinen Vortrag gehalten, das Gespräch mit der Berufungskommission absolviert und vielleicht deshalb eine so gute Figur gemacht, weil etwas ihn davon abhielt, die Stelle mit letzter Konsequenz zu wollen. Als er eine Zeitung für die Rückfahrt kaufte, blickte ihn vom Titelblatt der *Zitty* das neue Enfant terrible des deutschen Theaters an. Mit seinem rötlichen Fusselbart und einer an Brecht erinnernden Lederjacke. *Sprech/Akte/Ost* lief sei Monaten vor ausverkauftem Haus. Jahrelang hatten sie in einer Kreuzberger Schublade gelegen, nun schlug ihre Stunde. Sprechende, singende, tanzende Stasi-Akten, die ihr Gift versprizten gegen jene, die sie geschrieben hatten, und jene, derentwegen sie angelegt worden waren, sowie gegen alle, die vom Westen aus zugeschaut hatten. Ein wütendes, intelligentes und böses Spektakel. Da es alle beleidigte, wurde es von allen geliebt, außer von denjenigen, auf deren Abneigung es ankam. Ein CDU-Politiker nannte das Stück eine Verhöhnung der friedlichen Revolution, das stand zwei Tage später auf den Plakaten. In Talkshows saß Falk Merlinger mit verschränkten Armen auf seinem Platz und sagte sinngemäß – ein Mal auch wörtlich –, dass alle ihn am Arsch lecken könnten. In Bonn meinte Maria, sie freue sich für ihn. Und dass man ihm leider ansehe, wie der jahrelange Misserfolg ihm zugesetzt hatte. Wie bemüht seine coole Pose wirkte und wie schlecht ihm die Jacke stand. Ansonsten sprachen sie darüber nicht, wenn ihre abendlichen Berlin-Phantasien zum Wettstreit gerieten: Wer will es mehr? Wessen Wunsch ist dringlicher? Dann kam der Anruf von

Dietmar Jacobs, und man hätte meinen können, dass die Fragen sich fortan erübrigten. Das Gegenteil war der Fall, sie ließen sich bloß nicht mehr stellen. Vielleicht hat er das nicht gewusst, aber geahnt an jenem Abend, als er seiner Frau nicht ins Gesicht sehen konnte. Als er sich zu seiner Tochter legte und hörte, wie Maria in der Küche den Abwasch erledigte, bevor sie die Wohnung verließ. Als sie zwei Stunden später zurückkam, lag er im Ehebett auf dem Rücken und fragte sich, was er fühlte. War er wütend, enttäuscht oder erleichtert? Er horchte auf ihr Tun im Bad und die Schritte im Flur. Roch den Tabakgeruch, noch bevor seine Frau unter die Decke schlüpfte und ihm den Rücken zukehrte. Er wollte sich entschuldigen und tat es nicht, weil er keinen Grund dazu hatte – nur den Wunsch. Außerdem das Bedürfnis zu wissen, dass weiterhin alles in Ordnung war. Dass nicht der Fluch seiner bösen Taten an Tereza ihn plötzlich einholte.

»Weißt du noch, was du heute Morgen gesagt hast?« Sie sind angekommen vor dem Haus seiner Schwiegereltern, und Maria sucht in ihrer Handtasche nach dem Schlüssel.

»Was hab ich gesagt?«, fragt er.

»Wer hätte damals gedacht, dass ich diese Stelle in Bonn bekomme. Damals! Dabei ist es erst anderthalb Jahre her. Das macht mir auch Angst, weißt du. Was ist plötzlich mit der Zeit los? Ich verstehe das nicht.«

»Wir leben«, sagt er. »Das ist los. Nicht mehr nur in Träumen, Büchern und Ideen, sondern wirklich und mit Kind. So fühlt sich das an. Es ist normal.«

»Und dass es mir Angst macht?«

»Das auch, jedenfalls zeitweise. Du könntest es erkennen und dich langsam davon befreien.«

Sie hat den Schlüssel gefunden und öffnet die Tür. »Es ist komisch. Immer wenn wir darüber sprechen, hab ich den Eindruck, dass du besser verstehst, wo die Probleme liegen. Sogar wo meine liegen.« Statt einzutreten, hält sie inne und dreht sich zu ihm um. »Trotzdem. Nichts von dem, was du sagst, kann mich wirklich überzeugen. Du hast bloß recht, das ist alles.«

10 Hartmut schlägt die Augen auf und ist sofort hellwach. Durch zugezogene Gardinen dringt Sonnenlicht ins Zimmer und gibt ihm das Gefühl, verschlafen zu haben. Die nackten, nur von einem bronzenen Kruzifix gezierten Wände schimmern in der Farbe zu dünnen Kakaos. Ungeduldig tastet er auf dem Nachttisch nach seiner Brille, findet sie und richtet sich im Bett auf. Viertel vor neun, nicht so spät wie befürchtet. Er lässt sich aufs Kopfkissen zurücksinken und erhascht die Reste eines wirren Traums, vage erotisch und so reich an Wendungen wie der gestrige Tag. Marijke schläft sicherlich noch. Sechs bis sieben Stunden Fahrt liegen vor ihnen, hat er überschlagen, vielleicht mehr. Die ungeplante Pause gestern war angenehm, aber heute will er so schnell wie möglich aufbrechen. Hinter den grünen Vorhängen wartet ein freundlicher Tag. Irgendwo schnattern Gänse.

Unter der Dusche versucht er sich an das Wenige zu erinnern, das er über Santiago de Compostela weiß. Gallego heißt die von Portugiesisch kaum zu unterscheidende Sprache, die dort gesprochen wird. Warum Philippa ausgerechnet in dieser Stadt ihr Spanisch vervollkommnen will, ist ihm ein Rätsel. Via Skype hat er letzte Nacht mit ihr gesprochen und eine Verabredung für den Nachmittag getroffen. Um Zeit zu sparen, verzichtet Hartmut auf seine morgendliche Rasur und beschließt, das Auto zu holen, während seine Mitfahrerin frühstückt.

Den gefalteten Zettel unter der Tür entdeckt er erst beim Verlassen des Badezimmers. Sofort fällt ihm Marijkes gestrige Umarmung ein und dass er gedacht hat, so verabschiedet man sich nicht für eine Nacht. Jetzt stehen zwei Zeilen unter dem schlichten Briefkopf der Pension und bestätigen seine Befürchtung: Ich bin sicher, du wirst das verstehen. Es war schön mit dir. Vielen Dank und alles Gute, M.

Sonst nichts.

Enttäuscht setzt er sich aufs Bett und widersteht dem Impuls, ans Fenster zu stürzen, um nach ihr zu sehen. Vielleicht lag der Zettel schon länger dort. Die nach rechts geneigte Handschrift erinnert ihn an seine eigene. Nicht hastig, aber entschieden. Weder E-Mail-Adresse noch Handynummer hat sie ihm hinterlassen, erst recht keinen Hinweis darauf, wohin sie aufgebrochen ist. Nachdem er die Nachricht ein paar Mal überflogen hat, findet er die Geste nicht mehr schnöde, sondern angemessen. Spurlos zu verschwinden passt zu ihr. Außerdem schuldet sie ihm nichts und muss selbst wissen, was sie tut.

Dir auch alles Gute, denkt er, knüllt den Zettel zusammen und packt seine Sachen. Gestern in der Werkstatt hat er die Utensilien für eine Nacht in seinen schwarzen Rucksack gestopft, den er sich jetzt lässig über die Schulter hängt, als er nach unten geht, um die Rechnung zu begleichen. Auf den morgendlichen Kaffee verzichtet er. Um zwanzig nach neun tritt er hinaus auf die Straße.

In der Altstadt sind um diese Zeit nur Lieferanten unterwegs. Fässer werden gerollt und Kisten geschleppt. Hartmut überquert die leere Plaza Mayor und steigt die Stufen hinab zum Fluss. Schwalben schwirren durch die kühle Morgenluft, dann die blechernen Schläge einer Kirchturmuhr, die er auch in der Nacht gehört hat. Nach der Rückkehr aus der Bar konnte er nicht einschlafen. Eine halbe Stunde lang hat er sich hin und her gewälzt und mit sich gerungen, dann war der Kampf entschieden. Er stand wieder auf und schaltete den Computer ein. Ging auf die Google-Seite. Tereza Ortez hieß sie. Unzählige

Treffer erschienen, aber nachdem er den ersten zwanzig nachgegangen war, ohne einen Hinweis auf seine frühere Freundin zu erhalten, brach Hartmut die Suche ab. Sagte sich, dass sie längst ihr Glück gefunden und den Nachnamen geändert hatte. Gewissensberuhigung gehört zu den wenigen Dingen, die man nicht übers Internet beziehen kann. Unter Marijkes Namen stieß er auf Kolumnen, die sie für ein Online-Magazin namens *kras* geschrieben hatte. Eine klickte er an, verlor auf halbem Weg das Interesse und legte die Finger unschlüssig auf die Tastatur. Sollte er sich wieder anziehen und einen Spaziergang machen? Zurück in die Bar gehen? Im nächsten Moment erschien am oberen Bildrand die Meldung ›Philippa ist online‹. Seit Neuestem informierte ihn der Computer, wenn einer seiner beiden Skype-Kontakte erreichbar war, und jetzt konnte er nicht widerstehen.

Er klickte zwei Mal, dann ertönte wie von weit her ein Freizeichen. Mitternacht war vorüber, und je länger es klingelte, desto mehr fühlte er sich wie ein Störenfried. Gerade wollte Hartmut auf den roten Hörer klicken, als sich der Bildschirm umbaute. Die rechte Hand zum Gruß erhoben, saß Philippa in einem dämmrigen Zimmer, trug den blauen Kapuzenpulli ihrer Hamburger Uni und sagte: »Hola Papá.«

Sein eigenes Gesicht hockte in einem Fenster am Bildrand. Zaghaft winkte er in die Kamera. »Hallo. Stör ich dich?«

Seine Tochter schüttelte den Kopf. Die neuerdings kurzen Haare standen ihr gut, betonten das hübsche Gesicht mit Marias grünen Augen und passten zu seinen eigenen, ins Weibliche gewendeten Zügen: der großen Nase und dem relativ starken Kinn. Insignien einer willensstarken Person. Statt das Gespräch in Gang zu bringen, lächelte er sie ein paar Sekunden in stummem Vaterstolz an. Forschend näherte sich Philippa dem Bildschirm.

»Du bist nicht in Bonn.«

»Schon lange nicht mehr, ich bin in Spanien. In den Picos de Europa, genauer gesagt.«

»Was machst du plötzlich in Spanien?«

»Eigentlich wollte ich schon in Santiago sein, aber leider hatte das Auto eine kleine Panne. Also müssen wir eine Nacht hier verbringen. Sieh dich vor, morgen bin ich bei dir.«

»Wir?«

Nebenan wurde das Fenster geöffnet und wieder geschlossen. Wahrscheinlich dachte Marijke darüber nach, wie sie es schaffen könnte, ihren Verlobten nur um seinetwillen zu lieben und den Bassisten zu vergessen. Am liebsten hätte er sich auf die Zunge gebissen.

»Ich.«

»Du hast ›wir‹ gesagt.«

»Eine unserer liebenswerten, rückwärtsgewandten Schrullen. Aber sprecht selbst, Philippa von Compostela, wie geht es Euch?«

»Dreh mal bitte den Laptop.«

»Flippa …« Mit einem Seufzer gehorchte er und verfolgte im kleinen Fenster seine Kameraführung. Die schmale Tür zum Bad, der winzige alte Fernseher. Weil Marijke sich nicht hatte einladen lassen und er ihr Budget nicht kannte, wohnte er so spartanisch wie lange nicht mehr. Konnte von Glück sagen, dass es einen funktionierenden Internetanschluss gab, obwohl dieses Glück sich gerade gegen ihn wendete.

»Andere Seite«, befahl seine Tochter.

Kurz verharrte er bei dem schmalen Einzelbett, dann stellte er den Laptop wieder ab und bemühte sich um eine vorwurfsvolle Miene. Eigentlich gefiel ihm diese Loyalität zur elterlichen Ehe – falls er Philippas Detektivarbeit so verstehen durfte.

»Zufrieden? Ich hab eine Frau mitgenommen, die mich am Morgen auf dem Parkplatz angesprochen hat. Eine junge Holländerin, die bald heiraten wird und keine Abenteuer mit älteren Männern sucht.«

»Du machst also Urlaub«, sagte sie, als würde er ständig vom Thema abkommen.

»Ja. Ich brauchte eine Auszeit von der Uni und hab endlich

Bernhard Tauschner besucht. Schöne Grüße übrigens. Dann dachte ich, jetzt kann ich auch durchfahren bis Santiago. Freust du dich?«

Darauf antwortete Philippa nicht, sondern drehte an ihrem Nasenring und schien einen Blick zu wechseln mit jemandem, der hinter dem Laptop stand.

»Ist das dein Zimmer?«, fragte er.

»Yep.« Klein, aber mit hoher Decke, wenn er es richtig erkannte. Ein Bett, eine Fensterbank, mehr war nicht auszumachen. Das wenige Licht fiel durch eine offene Tür herein.

»Sieht hübsch aus.«

»Billig ist es. Du solltest das Bad sehen.« Sie schüttelte sich und musste lachen.

»Ich weiß, es ist schon spät, aber ich wollte mich wenigstens ankündigen. Wenn der Automechaniker seine Zusage hält, könnte ich am späten Nachmittag ankommen. Morgen Nachmittag.«

»Ausgerechnet morgen geht mein Unterricht länger.«

»Notfalls beschäftige ich mich ein paar Stunden selbst. Keine neue Situation für deinen Vater.« Nebenan glaubte er, Marijke telefonieren zu hören.

»Okay, wie du meinst«, sagte Philippa. »Wie ich dich kenne, hast du schon ein Hotel gebucht.«

»Du hast angedeutet, du kennst eins in deiner Nähe.«

»Nicht in meiner Nähe, in der Altstadt. Du willst auf jeden Fall in der Altstadt wohnen. Ich bin ein paar Kilometer außerhalb untergebracht, am Nordcampus.«

»Was auch immer am praktischsten ist«, sagte er.

»Warte einen Moment.« Philippa stand auf und gab den Blick frei auf das schemenhafte Stillleben ihres Zimmers. Unverkennbar war es ein auf Zeit bezogenes Domizil, karg und – der Ausdruck schoss ihm durch den Kopf – konspirativ. Was er für die Bettkante gehalten hatte, entpuppte sich als Umzugskiste vor einer auf dem Boden liegenden Matratze. Daneben stapelte sich ein halbes Dutzend Bücher. Der Anblick erinnerte ihn an Marias Wohnung in Pankow.

Aus dem Lautsprecher rauschte und pfiff es. Jemand lief so dicht an der Kamera vorbei, dass Hartmut nicht erkennen konnte, ob es sich um Philippa oder eine andere Person handelte. Wartend saß er vor dem Bildschirm, betrachtete seine eigene missmutige Miene und horchte auf Gesprächsfetzen im Hintergrund. Im ersten Semester hatte er seiner Tochter den einen oder anderen Tipp zur Studienplanung geben können, ohne dass sie es aufdringlich fand. Mittlerweile schien seiner väterlichen Anteilnahme ihrerseits das nachlassende Bemühen zu entsprechen, den alten Mann in Bonn auf dem Laufenden zu halten. Maria mochte beschwichtigend von Abnabelung reden, er spürte die stärker werdende Drift. Sein Verdacht war, dass Maria ihrer Tochter von dem großen Streit erzählt hatte und Philippa auf Abstand ging zu dem brüllenden Tyrannen, der in ihm schlummerte. Aus Angst, Groll oder weiblicher Solidarität, vielleicht unbewusst.

»Da bin ich wieder«, sagte sie und nahm vor dem Bildschirm Platz. »Hast du was zu schreiben? Das Hotel und ein Café, wo wir uns treffen können.« Die Vorfreude, die aus ihrer letzten Mail gesprochen hatte, war der kühlen Umsicht gewichen, mit der sie sein Kommen vorbereitete.

»Danke. Kommt mein Besuch dir sehr ungelegen?«

»Nein. Hab ich doch geschrieben. Ich muss halt zum Unterricht, vier Stunden am Tag. Ansonsten hab ich meistens Zeit. Sogar ein Parkhaus hab ich für dich aufgetrieben. Du kannst nicht direkt vors Hotel fahren, da ist gesperrt.«

»Wer ist bei dir?«, fragte er, weil wieder ein Schatten über die Wand huschte.

Philippa drehte den Kopf, als müsste sie erst nachschauen.

»Es mi amiga. Wir wohnen zu dritt.«

»Okay. Ich hab einen Stift.«

Philippa diktierte ihm zwei Namen und Adressen, dann war alles gesagt. Aus Kopenhagen habe sie in den letzten Tagen nichts gehört, antwortete seine Tochter auf Nachfrage, wahrscheinlich drehten da oben alle durch.

»Bis morgen.« Wie ein weiser Indianerhäuptling hob sie die Hand.

»Gute Nacht.«

Nach dem Gespräch kam ihm das Zimmer noch enger vor. Eine Kirchturmuhr schlug ein Mal. Hartmut reservierte ein Zimmer im Hotel San Miguel, las dies und das zur Geschichte von Santiago und klappte seinen Laptop zu. Aus Marijkes Zimmer war kein Geräusch mehr zu hören. Jedes Mal, wenn andere auf Distanz zu ihm gingen, befiel ihn dasselbe merkwürdige Gefühl, als hätte er es weder anders erwartet noch besser verdient. Noch einmal tauchte Terezas Gesicht vor ihm auf. Offenbar wisse er gar nicht, wonach er suche, hatte sie beim Abschied gesagt. Im Aufwachraum, als er schon in der Tür stand. Wenn ich's finde, werde ich's wissen, glaubte er geantwortet zu haben. Das war die letzte Unterredung, und genau so ist es gekommen. Wie sonst könnte er jetzt solche Angst haben, alles wieder zu verlieren?

Dass der galicische Regen bereits in mittelalterlichen Reiseberichten erwähnt wird, gehört zu den Dingen, die er letzte Nacht im Internet gelesen hat. Ein feiner Sprühregen, der die Kutten der Pilger durchnässte und sich heute mit einem leisen Knistern auf Hartmuts Windschutzscheibe absetzt. Gesichtslose Ortschaften reihen sich entlang der N 547, an deren Rändern ein endloser Strom von Menschen unterwegs ist. Eine wahre Völkerwanderung, denkt er. Bunte Regencapes wölben sich über prallgefüllte Rucksäcke und lassen die Pilger aussehen wie zweibeinige buckelige Zugvögel mit Wanderstöcken. Vor Cafés und Geschäften lagern sie auf dem Bürgersteig, zwei oder drei Tagesmärsche entfernt von der Stadt, die Hartmut eine Stunde später erreicht. Er folgt den Hinweisen auf das Zentrum und dem blauen P von La Salle, einem Parkhaus am östlichen Rand der Altstadt. Beim Aussteigen erfüllt ihn die Benommenheit des Weitgereisten. Über eine in Wolken gehüllte Passhöhe ist er am Morgen nach Kastilien gefahren, dann sind die Berge in seinem Rückspiegel geschmolzen, um in Galicien wieder vor ihm aufzutauchen. In León waren es am Mittag über dreißig Grad, jetzt ist es vier Uhr nachmittags, ein kühler Wind weht, und die Gassen von Santiago werden enger und voller, je weiter er ihnen folgt.

Überall Granitstein in großen Quadern. Ein dumpfes Summen schwebt über den Köpfen, geschäftig, ausgelassen und erwartungsfroh. Überrascht stellt Hartmut fest, dass es ihn ins Zentrum zieht, als würde die Rastlosigkeit der Fahrt sich ungebrochen fortsetzen. Hätte er nicht seine schwere Reisetasche dabeigehabt, wäre er ohne anzuhalten an seinem Hotel vorbeigelaufen.

Zwanzig Minuten später steht er mit einem an der Rezeption erhaltenen Stadtplan auf der Praza de San Miguel dos Agros. Seinen Durst beschließt er vorerst zu ignorieren. Vom Zimmerfenster im vierten Stock aus hat er die braunen Doppeltürme der Kathedrale gesehen, zwei von vielen Turmspitzen über den roten Dächern der Stadt. Erneut setzt leichter Regen ein. Touristen und Pilger ziehen an ihm vorbei. Cafés locken mit dem Hinweis ›zona WiFi‹, und in den Schaufenstern türmt sich Nippes. ›Camino de Santiago‹ steht auf T-Shirts, Mützen und Krügen, o-beinige Comicfiguren stapfen frohgemut über den Jakobsweg. Wenn Hartmut seinen Blick die Fassaden hinauf- und die Gassen hinablenkt, fühlt er sich von der Allgegenwart der Fotomotive überfordert. Es ist wie bei eitlen Menschen, denen jede Geste zur Pose gerät. Überall Laternen und Treppen, schmucke Gauben und die unvermutete Stille eines Hinterhofs. Sein Weg führt ihn zur Längsseite der Kathedrale, deren Ausmaße aus der Nähe nur zu erahnen sind. Obwohl er Kirchen gegenüber gemischte Gefühle hegt, passiert er zügig die Verkaufsstände für Gehstöcke, Regenschirme und anderen Pilgerbedarf und lässt sich hineinziehen in das steinerne Herz der Stadt.

Dämmerlicht empfängt ihn. Die gedämpfte Lautstärke hundertfachen Flüsterns. Links schimmert der mattgoldene Bombast des Altarraums, nach rechts öffnet sich ein hoch aufragendes Mittelschiff. Kamerablitze zucken wie fernes Wetterleuchten über die Menge. In jeder Kirche riecht es anders, aber nach nichts anderem als Kirche; früher in Arnau hat er geglaubt, es seien die durchgesessenen Sitzkissen. Bei Nooteboom heißt es kirchenförmige Luft, aber genau genommen riecht Hartmut nichts, weder Weihrauch noch Kerzenwachs noch das alte Holz der Bänke. Ein anderer Sinn, der ihm anerzogen wurde und den er bis heute nicht abgelegt hat, nimmt die sakrale Aura auf. Sie ruft das kindliche Gefühl zurück, beobachtet zu werden von jemandem, der zu mächtig ist, als dass auf seine Güte Verlass wäre. Wie bei früheren Mutproben spürt er einen Druck auf der Brust, der ihn zu denken herausfordert, was zu denken ihm die Chuzpe fehlt. Allmählich gewöhnen sich seine Augen an die Lichtverhältnisse. Die Säulen sehen aus, als hätte die Ewigkeit Beine bekommen. Gegen seinen Willen stört es ihn, wenn in der Nähe jemand in normaler Lautstärke spricht.

In den hinteren Rängen findet er eine freie Bank und setzt sich. Durch die Fenster über dem Hauptportal fällt diffuses Licht, das Hartmut an die Alte Kathedrale von Coimbra erinnert. Sein Blick wandert eine Reihe von Beichtstühlen entlang, kleine Holzbuden mit spitzen Dächern. Ein rotes Lämpchen über der Tür zeigt an, ob sie besetzt sind oder nicht. In katholischen Kirchen fühlt er sich eher als in evangelischen berechtigt, seine mangelnde Demut durch Neugierde zu ersetzen. Weihrauch, goldene Putten, Rosenkränze – fremde Dinge, von denen Maria früher umgeben war wie er von der Nüchternheit des Arnauer Gotteshauses. Beim Besuch in Coimbra, fällt ihm ein, war Philippa noch klein genug, um an seiner Hand zu gehen und sich Geschichten erzählen zu lassen, die auf den hohen Wandgemälden abgebildet waren; sofern ihr Vater sie kannte und für kindgerecht hielt. Über Jahre hinweg hatte ihre religiöse Erziehung sich als ökumenischer Eiertanz vollzogen, aufgeführt von Eltern, deren Unglaube auf wackeligen Füßen stand. Da Philippa außerdem fromme protestantische Großeltern und in Portugal eine erzkatholische Oma besaß (was Artur glaubt, weiß er allein), konnte das Problem weder umgangen noch rational behandelt werden. Sie wurde katholisch getauft und durfte später selbst entscheiden, welchen Religionsunterricht sie besuchen wollte. Dass sie sich der besten Freundin wegen für den evangelischen entschied, wurde in Rapa nie bekannt. Lurdes bemühte sich bei jedem Besuch, das Kind auf Rechtgläubigkeit zu trimmen, und aus Arnau kamen zu Weihnachten Abreißkalender mit 365 Tageslosungen, für die Philippa eine Box einrichtete, worin sie säuberlich geordnet verstaubten. Auf kindliche Fragen, wo Gott wohnt, erhielt sie Antworten, die eine Abiturientin überfordert hätten. Nachdem Ruth ihr eine illustrierte Kinderbibel geschenkt hatte, stellte sie sich den Himmel vor wie Sommerferien auf der Arche Noah, aber woran sie wirklich glaubte oder heute glaubt – keine Ahnung. Auf interessante Weise ist das Thema Religion für Maria und ihn so peinlich wie für die Generation zuvor die Sexualität. Nicht aus der Welt zu schaffen, man kann nur die Augen schließen.

An jenem Nachmittag waren Philippa und er alleine in der Kathedrale. Maria brauchte eine Auszeit, in der sie ungestört Kaffee trinken und die Umgebung beobachten konnte. Die wachsende Entfremdung von Zuhause ließ bei ihr ein Verlustgefühl zurück, für das es nicht das richtige Wort gab. Lass mich ein bisschen sitzen und schauen, sagte sie nur. Also machte er mit seiner Tochter einen Rundgang um den Platz und führte sie hinein in die Kirche. Versuchte, ihre Aufmerksamkeit fernzuhalten von Kruzifixen und anderen Grausamkeiten. An ein düsteres Gemälde des heiligen Sebastian glaubt er sich zu erinnern, gefesselt und bereit zum Märtyrertod. Im Weitergehen suchte er nach harmloseren Darstellungen und sah auf der anderen Seite des Kirchenschiffs eine attraktive Frau aus dem Beichtstuhl treten. Nervös nestelte sie an den Knöpfen ihres Kleides, als habe sie sich bekreuzigt und wolle die Bewegung ins Profane überführen. Reflexartig begann seine Phantasie, die Verfehlungen zu ersinnen, die sie begangen und gebeichtet hatte, da erkannte er staunend ihr Kleid. Dann die Frisur und die gerade Haltung.

Einen Moment lang war er gefangen zwischen Phantasie und Wirklichkeit. Ungläubig sah er die Tür zufallen, durch die Maria verschwunden war. Philippa hatte nichts mitbekommen und zog an seiner Hand. Später, wenn er sich recht erinnert, hat er seiner Tochter ein Eis gekauft, und sie trafen Maria wie verabredet in dem kleinen Café. Weder war er schockiert, noch alarmiert, trotzdem lief die Szene den ganzen Tag vor seinem inneren Auge ab. Ihr gesenkter Blick. Die Haltung mädchenhafter Verschämtheit, so anders als in der Nacht zuvor im Hotel. Nach dem Inhalt der Beichte hat er nie gefragt.

Ein Gong reißt ihn aus seinen Gedanken, darauf folgt eine Ansage auf Spanisch. Eine Gruppe Asiaten geht an ihm vorbei, die Erwachsenen andächtig und ein paar Kinder sichtlich gelangweilt. Auf der anderen Seite des Mittelgangs nehmen sie Platz und falten wie auf Kommando die Hände. Nur die Reiseführerin bleibt stehen und zählt mit stummen Lippen die Reihen durch. Offenbar beginnt in Kürze die nächste Messe.

Als Hartmut die Kathedrale verlässt, hat der Regen aufgehört, und der Himmel wird heller. Er zieht den Stadtplan aus der Tasche, auf dem er den Standort des Cafés markiert hat. Es befindet sich ganz in der Nähe seines Hotels, im Erdgeschoss eines Hauses, das einmal zur angrenzenden Kirche San Martino gehört haben muss. Auf dem abschüssigen Platz davor wird Fußball gespielt. Ein Stück der Außenmauer dient als Tor. Was die jungen Akteure einander auf Gallego zurufen, kann Hartmut größtenteils verstehen, als er auf die Tischgruppe zugeht, die vor dem Eingang des Cafés auf Besucher wartet. Drinnen empfangen ihn braune Bodenkacheln und ockergelb getünchte Wände, eine Bilderserie zeigt weltliche Helden: John Belushi, Peter Falk, Lee Van Cleef und andere. ›Tus muertos favoritos‹ steht als Titel über den Porträts. Die weibliche Bedienung hinter der Theke trägt einen Haarschopf, der mühelos für zwei Köpfe reichen würde – und ein großes Kissen, denkt Hartmut, grüßt freundlich und entscheidet sich für einen Ecktisch, von dem aus er den Kirchplatz im Blick behält. Bis zu Philippas Eintreffen bleibt ihm eine Stunde.

Der Druck auf seiner Brust ist verflogen. Der Wechsel der Atmosphäre tut ihm gut. Außer ihm befinden sich nur drei Gäste im Café. Ein junger Mann sitzt konzentriert vor seinem MacBook, und zwei Mädchen in Philippas Alter räkeln sich plaudernd in tiefen Ledersesseln. Auf Portugiesisch fragt Hartmut nach der Karte und hat Mühe, nicht den schwarzen Wischmopp anzustarren, der auf dem Kopf der Bedienung hin- und herwippt, wenn sie nickt. Rastalocken sprießen aus einem gemusterten Tuch und fallen seitlich herab. Das Gesicht ist blass und durchschnittlich, trotz der stark geschminkten Augen. Noch bevor er die Karte aufschlägt, bestellt er einen großen Milchkaffee.

Da es keine warme Küche gibt, wählt er den hausgemachten Schokoladenkuchen, unterdrückt die Lust auf ein alkoholisches Getränk und lehnt sich in seinem Stuhl zurück. Im Hintergrund spielt John Coltrane Saxophon. Die trichterförmige Zigarette, die eins der beiden Mädchen dreht, erinnert ihn an Marias Behauptung, dass es ihm guttun würde, wenn er sich hin und wieder einen Joint reinzöge. Wie oft sie selbst es tut, wollte sie nicht sagen. Das sei unter Theaterleuten nichts Besonderes. Manchmal fragt er sich, warum in ihrem Fall die Ehe nicht bewirkt, was ihm wie eine natürliche und beinahe zwangsläufige Folge langjähriger Zweisamkeit erscheint: dass die Partner gemeinsame Interessen und Gewohnheiten ausbilden. Liegt auch das in ihrer unterschiedlichen Herkunft begründet? Als er die Frage seiner Frau gestellt hat, sah er sich sofort dem Verdacht ausgesetzt, das sei ein versteckter Vorwurf an sie. Statt zu antworten, bedrängte sie ihn mit einer Reihe von Gegenfragen. Ob er vielleicht einen etwas kleinbürgerlichen Begriff von der Ehe habe? Ob er es vorzöge, wie Ruth und Heiner zu leben? Schwierige Frage, dachte er und schüttelte entschieden den Kopf. Nach zwanzig Jahren hört er, wenn das Eis unter seinen Füßen knackt.

Sein Schokoladenkuchen kommt.

Die Diskussion fällt ihm ein, weil er auch damals an den Aufenthalt in Coimbra denken musste. An den rätselhaften Kitzel des Nichtwissens. Einige Jahre später hat Maria von sich aus erzählt, wie sie zur Beichte gegangen war, als Philippa und sie einmal in Rapa Ostern feierten, ohne ihn. Was sie motiviert hatte, wusste sie nicht, und musste lachen über die seltsame Eingebung. Sie habe es einfach getan, ohne Grund. Zwei Rosenkränze seien ihr aufgebrummt worden, entweder habe sie nicht viel verbrochen oder nicht alles gestanden.

Als Hartmut nach draußen schaut, sieht er Philippa über den Kirchplatz radeln. Unerwartet, fast eine Stunde früher als verabredet. Sie trägt einen grünen Parka und hat sich ihre Tasche quer über den Oberkörper gehängt. Wie früher in Bonn steht sie auf den Pedalen, bremst spät und fährt am Café vorbei aus seinem Blickfeld. Durchs Fenster hört er das metallische Klicken eines Fahrradschlosses, kurz darauf geht die Tür auf, und obwohl Hartmut sich freudig von seinem Platz erhebt, steht er in der nächsten Sekunde unsichtbar in ihrem Rücken. Mit ein paar schnellen Schritten ist Philippa zur Theke geeilt, begrüßt die Bedienung wie eine alte Bekannte, und Hartmut lächelt ins Leere.

›Hola‹ versteht er und ›qué tal?‹. Lachend tauschen die beiden Wangenküsse und streichen einander über die Oberarme. Mit dem, was sie sagt, bringt Philippa den schwarzen Wischmopp ihrer Freundin in schaukelnde Bewegung. Dass sie aus alltäglichen Begebenheiten witzige Geschichten machen kann, weiß er, und dennoch berührt ihn der Anblick schmerzlich. Philippas rechte Hand fährt Slalom durch die Luft, die linke nähert sich im spitzen Winkel. Ein Vorfall unterwegs, der gut ausgegangen sein muss, jedenfalls brechen die beiden erneut in Lachen aus, als die Hände sich treffen. John Coltrane ist zum nächsten Stück übergegangen. Vertieft in ihre Erzählung, zieht Philippa den Parka aus und legt ihn über einen Barhocker. Hartmuts Wiedersehensfreude schwebt, folgt dem Saxophon auf eine

Warteschleife und lässt ihn von der Bedeutung des Moments nur einen Teil erfassen. Einen Zipfel, nicht das Ganze.

Dann erst schaut Philippa sich im Raum um.

»Hallo«, sagt Hartmut und spürt, wie alle Augen im Café sich auf ihn richten. Seine Stimme wird laut, wenn er nervös ist.

»Papa …« Einen Moment lang verharrt sie ebenso überrascht wie er. Lacht unsicher, bevor sie ihm entgegenfliegt, ihn auf die Wange küsst und etwas fragt, das er sie bitten muss zu wiederholen. Ihren Duft erkennt er sofort, und die flüchtige Süße der Umarmung.

»Warum du schon so früh hier bist?« Die grünen Augen kommen ihm jedes Mal größer vor. »Wir hatten gesagt sechs Uhr, oder nicht? Frühestens.«

»Du kennst meine Gründlichkeit«, sagt er. »Ich wollte die Location in Augenschein nehmen. Mich einstimmen auf das Event unseres Wiedersehens.« Damit entlockt er ihr ein mildes Kopfschütteln, und mehr wollte er nicht. Noch einmal springt Philippa zurück an die Theke, holt ihre Jacke und wechselt ein paar Worte mit der Freundin. Im nächsten Moment sitzt sie ihm gegenüber, stützt beide Ellbogen auf den Tisch und bedient sich von seiner Schokoladentorte.

»Dich hab ich so früh nicht erwartet«, sagt er. »Sonst hätte ich zwei Stücke bestellt.«

»Hm, hm«, macht sie mit vollem Mund und schluckt. »Extra deinetwegen hab ich auf die zweite Stunde verzichtet.«

Hier sitzen wir, denkt er. In einem Café in Santiago, Philippa flunkert und isst ihm den Kuchen weg, und er ist einen Moment lang wunschlos glücklich. Sie trägt Turnschuhe, Jeans und außer ihrem Nasenring fast keinen Schmuck, nur ein von der portugiesischen Oma geschenktes Kettchen. Früher einmal hat ihr alles am besten geschmeckt, wenn sie es von seinem Teller stibitzen konnte.

»Hast du schon was gesehen?«, will sie wissen.

»Nur die Kathedrale und ungefähr zehntausend Pilger. Ich wusste nicht, dass so viele Menschen den Jakobsweg laufen.«

»Auswüchse des Massentourismus«, sagt sie verächtlich. Oder ironisch? Beinahe geht es ihm wie kurz nach der Ankunft, beim ersten Gang durch die Gassen. Mehr Eindrücke strömen auf ihn ein, als sein Gehirn verarbeiten kann. Emotionen in kleinen Teilen, die zu ordnen ihn überfordert. Lieber will er einfach sitzen und schauen, seiner Tochter zuhören und reden.

»Und du bist wirklich die ganze Strecke mit dem Auto gefahren?«, fragt Philippa. »In Mamas letzter Mail hieß es, ihr überlegt, ob ihr zusammen fliegen wollt, hierher oder nach Lissabon. Normalerweise überlegt ihr länger.«

»Diesmal ist meine berühmte Spontaneität mit mir durchgegangen. Stell dir vor, Montagabend fiel der Entschluss, Dienstagmittag war ich unterwegs. Für mein Alter nicht schlecht, oder?«

Philippa schaut ihn an, als überlege sie, ob das, was er verschweigt, sie genug interessiert, um nachzuhaken.

»War's schön?«, fragt sie lediglich.

»Ungewohnt. Ich bin seit Jahren nicht mehr alleine durch die Gegend gefahren. Genauer gesagt, seit ich mit deiner Mutter zum ersten Mal nach Portugal gereist bin. Das war kurz nach den Kreuzzügen. Habe ich dir schon Bernhards Grüße bestellt?«

Nickend schiebt sie ihm das halb gegessene Stück Kuchen zu und lehnt sich zurück. Ihr Körper ist immer noch so schlaksig wie während der Wachstumsjahre, aber sie bewegt sich selbstbewusst und entschieden. Vielleicht des Jiu-Jitsu-Trainings wegen, mit dem sie in Hamburg begonnen hat. Vielleicht aus keinem bestimmten Grund. Die tausend Fragen, die er stellen möchte, haben sich hinter die Grenzen des Augenblicks zurückgezogen und warten. Falls sein Besuch ihr ungelegen kommt, lässt Philippa sich das nicht anmerken, und da dies nicht ihrer Art entspräche, liegt die Vermutung nahe, dass seine Tochter sich freut, ihn zu sehen. Vielleicht hätte sie sich sogar über einen Besuch in Hamburg gefreut.

»Avô geht's nicht gut«, sagt sie plötzlich. Für ihre Großeltern in Rapa benutzt sie die portugiesischen Bezeichnungen, auch wenn sie Deutsch spricht. Avô für Artur und Avó Lu für Lurdes.

»Was heißt ›nicht gut‹ – das Herz?«

»João hat gestern eine SMS geschickt. Sie überlegen, ihn nach Guarda zu bringen.«

»Verstehe. Aber wenn João sich einschaltet …«, muss es ernst sein, verbietet er sich hinzuzufügen.

Philippa zuckt betrübt die Schultern und blickt zu den beiden rauchenden Mädchen. Eindeutig das würzige Aroma von Haschisch, das von dort zu ihnen herüberweht. Draußen hat die Sonne das Kopfsteinpflaster vor der Kirche getrocknet. Weiter oben ziehen Touristen und Pilger scharenweise über die Rúa da Porta da Pena.

»*Ist* es das Herz?«, fragt Hartmut.

»Vor einigen Tagen hat er über Schmerzen in der Brust geklagt und sich am späten Nachmittag ins Bett gelegt. Seitdem verbringt er die meiste Zeit auf dem Balkon, hat eine Hand auf der Brust und verzieht das Gesicht. Wenn Avó Lu ihn fragt, antwortet er, es dauert nicht mehr lange.«

»Das sagt er, seit ich ihn kenne. Das sagt er, so wie andere sagen: Morgen regnet's.«

»Manchmal regnet's wirklich.« Eine für seine Tochter untypische Bemerkung. Sie mag keine pessimistischen Anspielungen auf Krankheit und Tod, alles Morbide erregt ihren Abscheu. Draußen besetzen Gäste die Tische vor dem Fenster. Muschelträger natürlich. Seit sie in solchen Massen auftreten, sind sie ihm suspekt. Eine Fraktion unter anderen in der globalen Spaßgesellschaft. Philippas Augen schimmern feucht.

»Machst du dir Sorgen?«, fragt er.

Lächelnd zieht sie die Nase hoch und sieht aus wie Maria als junge Frau. Genau wie ihrer Mutter wäre es ihr lieber, sie würde weniger leicht weinen.

»Wahrscheinlich ist es falscher Alarm.«

»Bestimmt. Mach dir keine Gedanken.«

Als ihr Milchkaffee kommt, nutzt Philippa die Gelegenheit,

ihren Vater und die Bedienung einander vorzustellen. Marta heißt sie und ist eine von Philippas Mitbewohnerinnen. Sie fragt, ob der Kuchen schmeckt und noch etwas, das Hartmut nicht versteht. Dann lässt sie die Gäste wieder alleine.

Aus der Ecke der beiden Mädchen ertönt anhaltendes Kichern.

»Tust du das auch gelegentlich?«, fragt Hartmut. »Haschisch rauchen.«

»Ich mag keinen Tabak.«

»Nie probiert?«

»Doch. Aber mir wird schlecht davon.«

»Deine Mutter raucht ab und zu. Ich meine Joints.«

»Alle im Ensemble tun es. Mama noch am wenigsten.«

»Merlinger?«

»Keine Ahnung. Der ist ein Freak und nimmt wahrscheinlich härtere Sachen.« Verächtlich winkt Philippa ab und dreht an ihrem Nasenring. Bei aller Nähe zu ihrer Mutter macht sie keinen Hehl daraus, dass ihr diese Berliner Konstellation nicht gefällt. Maria erzählt, dass ihre Tochter sie regelrecht grille, wenn die beiden einander sehen. Ohnehin ähnelt Philippa in Marias Erzählungen mehr dem früheren Papakind als der distanzierten jungen Frau, die er erlebt. Jetzt schaut sie ihn an, als sei sie in Gedanken noch in Rapa. Ihre Liebe zu den Großeltern und dem Onkel in Lissabon hat etwas von der schicksalhaften Wucht des Wortes ›Blutsbande‹, auch darin ähnelt sie ihrer Mutter. Im Gegensatz zu Maria tut sie allerdings nicht so, als wäre es ihr anders lieber.

»Wenn es ernst sein sollte, fahren wir hin«, sagt er, um sie aufzumuntern. »Nach Rapa oder Guarda. Sind ja nur ein paar Stunden.«

»Und Mama?«

»Ich hab in den letzten Tagen nicht mit ihr sprechen können. Mein Telefon ist tot, und das Ladegerät liegt in Bonn. So oder so müsste sie nachkommen.«

»Weiß sie, dass du hier bist?«

»Bisher nicht.«

»Was ist eigentlich los mit euch?« Ihr verständnisloses Kopf-schütteln kennt er nur zu gut. »Seit wann fährst du quer durch Europa, ohne ihr das zu sagen? Stattdessen fragst du mich bei jedem Gespräch, ob ich mit ihr gesprochen habe und was es Neues gibt.«

»Wie häufig *das* vorkommt!«

»Redet ihr überhaupt noch miteinander?«

»Fernmündlich meistens. Da entstehen immer mal wieder Pausen und tote Winkel. Wie du weißt, hält deine Mutter sich gerade in Kopenhagen auf.«

»Ja? Wenn ich sie fragen würde, wo *du* bist, würde sie sagen: Der sitzt in Bonn an seinem Schreibtisch, wie immer.«

Die Bedienung wirft ihnen Blicke zu, als Philippas Stimme energisch wird. Vielleicht weiß sie um die schwierigen Verhält-nisse im Hause Hainbach und Pereira. Beziehungsweise in den drei Häusern.

»Ich hab mich spontan auf den Weg gemacht, ohne es dei-ner Mutter zu sagen, weil ich eine Entscheidung treffen muss.« Hartmut macht eine Kunstpause und leert seine Tasse. Um kei-ne Rast einlegen zu müssen, hat er unterwegs wenig getrunken, jetzt glaubt er, eine feine Staubschicht in seiner Kehle zu spüren. »Nämlich diese: Soll ich unser Haus verkaufen und meine Pro-fessur aufgeben, um eine Stelle in Peter Karows Verlag anzuneh-men? Ja oder nein? Keine leichte Entscheidung, wie du zugeben wirst. Also wollte ich in Ruhe nachdenken.«

Philippa bläst die Backen auf, hält still und entlässt die Luft mit einem ploppenden Geräusch. »Und warum?«

»Ich will die Sache nicht dramatisieren, aber ich finde es zu-nehmend unerträglich, alleine zu leben. Ich bin zu alt dafür. Das ist der Hauptgrund.«

»Also ihretwegen«, sagt Philippa. »Wegen Mama.«

»Jedenfalls nicht aus Liebe zu Peter Karow, wenn du ver-stehst, was ich meine. Kennst du ihn?«

»Flüchtig. Er war damals bei der Premierenfeier.«

»Wenn ich es tue, dann für sie und mich. Aber nur, wenn ich sicher sein kann, dass sie es auch will. Beruflich wäre es ein Rückschritt. Finanziell sowieso.«

»Du bist nicht sicher?«

Die Nachfrage führt ihm vor Augen, wie bezeichnend es für den Zustand ihrer Ehe ist, dass er darauf nicht mit einem entschiedenen ›Doch!‹ antwortet. Draußen unterhalten sich die Muschelheinis im gebrochenen Englisch des europäischen Südens. Soweit Hartmut etwas verstehen kann, wird mit Kilometern geprotzt. Offenbar gibt es auch bei Pilgerwegen Routen für Weicheicher und welche für echte Kerle.

»Ich verstehe immer noch nicht, warum sie nach Berlin gegangen ist«, sagt er.

»Um zu arbeiten.«

»Schon klar. Aber war das wirklich der einzige Job im Umkreis von fünfhundert Kilometern? Sie hat es mir erklärt, wir haben darüber gesprochen. Verstehen kann ich es nicht. Also lebe ich damit, aber es wird nicht leichter.«

Philippa verschränkt die Arme und sieht zur Theke. Wahrscheinlich ahnt sie, dass er ihre Ermutigung sucht und kann sich nicht überwinden zu sagen, was sie gerne sagen würde: Macht das gefälligst unter euch aus. Auf einmal schaut sie so wie kurz vor den Ausbrüchen, die ihre Pubertät geprägt und Maria in die Verzweiflung getrieben haben. Ihn nicht, weil er seltener die Zielscheibe war und die Wut ihm vertraut vorkam.

»Das Beste wäre, ihr würdet endlich Schluss machen mit den Geheimnissen.«

»Wir haben keine Geheimnisse.«

»Gib mir dein Handy, ich lade es auf, und morgen rufst du sie an.«

»Okay«, sagt er beschwichtigend. »Ich will dich da nicht reinziehen. Bloß betrifft es dich letztlich auch. Zum Beispiel der Verkauf des Hauses. Es ist zu groß für mich alleine.«

»Mir egal. Ich wohne da nicht mehr.«

»Es ist das Haus, in dem du aufgewachsen bist.« Er dreht sich nach der Bedienung um, aber die wechselt gerade die CD. Die beiden Mädchen in der Ecke haben ihren Joint aufgeraucht und unterhalten sich leise und einvernehmlich. In den Gesprächspausen halten sie einander lächelnd an den Händen. Vielleicht sollte Maria ihm wirklich mal was mitbringen von dem Zeug. Es könnte helfen, ihn in der Balance zu halten. Im Moment allerdings braucht er Wasser. Dringend! Seine Kehle ist vollkommen ausgetrocknet.

»Vielleicht hättest du in die andere Richtung fahren sollen«, sagt Philippa resigniert. »Nach Kopenhagen. Ein Treffen auf neutralem Boden würde euch guttun.«

»Ich wollte dich sehen.«

»Um mich über Mama auszufragen?«

»Um dich zu sehen. Um mir ein Bild zu machen, wie du hier lebst und wie's dir geht. Auch um dir von meinen Plänen zu erzählen. Ich dachte, es interessiert dich. Aber in erster Linie …« Er macht eine hilflose Geste mit den Händen und hätte beinahe etwas Theatralisches gesagt: Du bist mein Ein und Alles! Warum musst du schon wieder so distanziert sein! Sieht sie nicht, dass die Entfernung zu Maria nicht die einzige ist, unter der er leidet?

»Ich wollte dir auch was erzählen«, sagt sie. »Schon lange.«

»Okay. Sehr gut.« Sein Nicken wirkt zu wissbegierig, das spürt er. »Wollen wir vorher noch was bestellen? Ich hab furchtbaren Durst.« Es wäre ihm lieber, die Bedienung würde weniger Sorgfalt auf die Auswahl der nächsten CD verwenden und sich stattdessen um ihre Gäste kümmern. Kann doch nicht so schwer sein! Notfalls den Coltrane noch mal.

»Für mich nichts.«

»Außerdem bekomme ich schon wieder Hunger. Was heißt ›schon wieder‹, ich hab kaum was gegessen heute. Wenig gegessen, fast nichts getrunken.« Er lacht und hat das Gefühl, als würde die Erschöpfung der langen Fahrt ihn plötzlich einholen. Wie ein Schwindelanfall. Oder droht ihm, was Sandrine im Seminar widerfahren ist? Es war ein Fehler, durch halb Spanien zu brettern, als säße ihm der Teufel im Nacken. Entlang leerer Straßen, durch schlafende Dörfer, in den toten Stunden des frühen Nachmittags. Ab León ist er über eine vor Hitze verschwimmende Autobahn gefahren, ohne Musik und meistens zu schnell. Philippa scheint auf einmal weit weg zu sitzen. Er muss sich zusammenreißen, nicht laut Richtung Theke zu rufen: Ich verdurste!

»Also«, er reibt sich die Hände, »gibt es Neuigkeiten?«

»Ist dir nicht gut?«

»Alles bestens. Ich glaube, ich ahne schon, was du mir sagen willst.« Er weiß noch, wie sie rumgedruckst hat bei ihrem ersten Freund. Behauptete immer, sie gehe zu einer Freundin, wenn sie abends das Haus verließ, und wartete draußen auf der Straße, wenn er sie abholen kam. Michael, das Phantom, nannte Maria ihn, nachdem sie ihrer Tochter wenigstens den Namen entlockt hatte. Hartmuts Brust fühlt sich eng an. Ich werde doch jetzt nicht schlappmachen, denkt er. Auf dem letzten Streckenabschnitt, kurz nach dem Verlassen der Autobahn, hat er einen Laster überholt auf der dafür eingerichteten mittleren Spur. War schon halb vorbei, als ihm auffiel, dass rechts von ihm eine durchgezogene Linie verlief. Rechts! Er befand sich auf der Überholspur der Gegenfahrbahn, mitten in einer unübersichtlichen Kurve. Das hektische Bremsmanöver hätte ihn beinahe von der Straße katapultiert, und als er daran zurückdenkt, beginnt er innerlich zu zittern. Wäre ihm in dem Moment ein Wagen entgegengekommen, dann …

»Ich bin lesbisch«, sagt Philippa.

Die Musik hat eingesetzt. Wie von alleine trommeln seine Finger den Takt auf der Tischplatte mit. Eine leise Snare Drum, ein flüsterndes Becken. Er sieht seine Tochter an. Ein vertrautes Bild, dessen Rahmen gerade auseinanderfliegt.

»Hast du verstanden, was ich gesagt habe?«, fragt sie.

»Natürlich.« Er spürt das Lächeln auf seinem Gesicht und weiß, dass er beinahe debil ausschaut in diesem Moment. Seine Finger können nicht stillhalten. Hinter Philippas Kopf hängen weitere Porträts aus der Reihe der toten Favoriten. Namen und Gesichter, die er nicht kennt. Wer war Vincent Price?

Philippa holt tief Luft, aber er kommt ihr zuvor.

»Weiß es deine Mutter?«

»Ja.«

»Gut. Das ist gut. Ich meine ... ja.«

Hörbar zieht Philippa die Nase hoch, aber ihre Augen bleiben starr auf ihn gerichtet. In manchen Disziplinen sind seine beiden Frauen ihm haushoch überlegen. Er weiß in diesem Augenblick bloß nicht, in welchen.

»Vorhin«, sagt sie, »auf dem Weg hierher, hab ich gedacht: Egal, wie du reagierst, ich komme aus dem Treffen raus und fühle mich besser. Erleichtert, so oder so. Das heißt aber nicht, dass mir deine Reaktion egal ist.«

»Du bist eben reifer und klüger, als dein alter Vater immer denken will.«

»Es war ein Fehler, so lange zu warten. Jetzt kann ich dir nur versichern, dass viel davon abhängt, wie du damit umgehst.«

»Ich weiß«, sagt er. »Es ist gut, dass das Versteckspiel vorbei ist.«

»Du hast es gewusst, oder? Insgeheim hast du's längst gewusst.«

»Nein.« Er hat Mühe, sich aus seinem Stuhl zu stemmen. »Aber es ist gut, dass ich es jetzt weiß. Glaub mir, ich werde mir Mühe geben.«

»Okay. Ich bin nicht sicher, ob das reicht.«

»Unterschätz deinen Vater nicht«, sagt er so entschlossen wie möglich. »Aber jetzt musst du mich einen Moment entschuldigen. Ich bin sofort wieder da.«

Er steht auf und geht dorthin, wo er die Toiletten vermutet. Ein paar Stufen hinunter in den hinteren Teil des Cafés. Ein alter Computer steht auf einem Holztisch und dürfte eher zur Dekoration gedacht sein als zur Benutzung. Es sind keine Kabel zu sehen. Hartmut schließt die Tür hinter sich, dreht den Wasserhahn auf und trinkt in gierigen Schlucken. Trotz des metallischen Geschmacks kommt das Wasser ihm vor wie die erste Wohltat seit langem. Er lässt es in beide Hände laufen und saugt es ein. Spürt einen kühlen Strahl bis hinunter in den Magen. Dann richtet er sich auf und schaut in den Spiegel. Fühlt tatsächlich eine Art von Entschlossenheit, ohne zu wissen, wozu. Zur Verstellung wahrscheinlich. Zur Wiederholung einer Erfahrung, die er in seinem Leben oft gemacht hat – dass man sich so lange verstellen kann, bis das Wissen darum verschwindet und die gewünschte Haltung zurückbleibt. Was man Habitus nennt, ist im Grunde nichts anderes, nur die spitzfindigen Franzosen mussten es ›mauvaise foi‹ taufen und ein existenzielles Drama draus machen. Vor langer Zeit hat Sandrine ihm die Bedeutung erklärt: Eine Unaufrichtigkeit, die von Ehrlichkeit nicht zu unterscheiden ist, weil sie sich deren Ziele zu eigen macht. Wenn es kein deutsches Wort dafür gibt, meinte sie, dann seid ihr eben geschickter darin.

Er nickt seinem Spiegelbild zu. Es ist nichts passiert, er fühlt sich schon besser. Noch einen Schluck trinken und dann wieder zurück. Vor allem kommt es darauf an, die Spuren zu tilgen.

11 Vorsichtig, als hätte er an einem Abgrund geparkt, öffnete Hartmut die Fahrertür. Aus dem Tal stiegen Verkehrsgeräusche auf, fernes Geschrei aus dem Freibad und laute Kirchenglocken. Die grüne Kuppel des Schlossbergs ragte in den Sommerhimmel. Sich von seinem Harndrang nicht zur Eile treiben zu lassen war die einzige Disziplin, die er im Moment aufbrachte und die seine gesamte Person zusammenzuhalten schien. Alles andere erlebte er wie einen bösen Traum. Statt auszusteigen, hätte er in Tränen ausbrechen oder laut lachen, nach seiner Frau rufen oder die Tür wieder schließen und davonfahren können. Den Rest des Tages mit Maria auf einer Hochzeit zu verbringen war von allen Optionen die abwegigste. Sein eigenes Gebrüll lag ihm wie ein schmerzhafter Druck auf den Ohren. Ist das wirklich geschehen?, fragte er sich. Wie hatte er derart die Kontrolle verlieren können?

Die blühende Brombeerhecke, vor der er sich erleichterte, wurde von Hunderten Bienen umschwirrt. Hartmut blickte nach rechts und links, ob Spaziergänger auftauchten. Maria vermutete er oben bei der Waldhütte, wo sie hoffentlich alleine war, nicht in der neugierigen Gesellschaft von Leuten, die nach dem gestrigen Polterabend dort aufräumten. Reden mussten sie, aber was er sagen sollte, wusste er nicht. Der Streit hatte ihn herauskatapultiert aus der Normalität, und nun kannte er sich nicht aus. Betrachtete seine Finger wie auf der Suche nach

Hinweisen. Als hätte er sich in sich selbst verirrt. Nur eine leise Stimme im Kopf beharrte darauf, dass sie zu dieser Hochzeit mussten. Gemeinsam und sehr bald.

Mit langsamen Schritten folgte er dem Waldweg, der im ansteigenden Bogen um die Hütte führte und auf dem oberen Parkplatz endete. Eine grün gestrichene Torwand stand im zertretenen Gras. Daneben ein Kühlwagen mit dem Schriftzug ›Bosch Pils‹. Gestern Abend war der Ort von hundertfünfzig Gästen bevölkert gewesen, jetzt sah er leer und verlassen aus. Maria saß auf einer der massiven, aus halbierten Baumstämmen gehauenen Bänke ohne Lehne. Seine zögerlichen Schritte hatte sie gehört und sich kurz umgesehen, ansonsten zeigte sie keine Reaktion. Nach vorne gelehnt, blickte sie ins Tal und rauchte.

Hallo, wollte er sagen und tat es nicht.

Der Platz vor der Hütte war mit bläulichem Splitt aufgeschüttet und kürzlich frisch geharkt worden. Aus einem gemauerten Brunnen tröpfelte Wasser. Es kostete ihn Überwindung, in den Bannkreis ihres Schweigens einzutreten und neben seiner Frau Platz zu nehmen. Zigarettentabak roch er und seinen eigenen Schweiß. Was bis vor kurzem der Beginn der Ferien gewesen war, eröffnete nun einen anderen Ausblick: auf ihr gemeinsames Schweigen in Rapa und die Unmöglichkeit, einander aus dem Weg zu gehen. Von der Terrasse würden sie auf wenige Lichter zwischen den dunklen Hügelketten schauen. Wie jetzt, bloß nachts. Würden sich bange fragen, ob sie ans Ende gelangt waren, und wenn nicht, wohin sonst.

Schließlich holte er tief Luft, aber Maria kam ihm zuvor.

»Ich zuerst.« Sie trat auf ihre Zigarette und atmete blauen Rauch aus.

»Okay.«

»Nie wieder, brüll mich nie wieder so an. Ich meine es ernst. Noch ein einziges Mal, und ich bin weg für immer.« Sofort nahm sie die nächste Zigarette aus der Schachtel. Aus den Augenwinkeln beobachtete er, wie sie mehrmals auf ihr Feuerzeug drücken musste, bevor die Flamme blieb. Der Ausblick vor ihnen reichte weit in die Ferne und bis zu Dörfern, deren Namen ihm vor langer Zeit entfallen waren.

»Es tut mir leid, Maria.«

»Mach's dir nicht zu leicht.« Eine Handbewegung, als wollte sie sich die Ohren zuhalten. Nichts hören von seinem anstrengenden Semester, dem Reformchaos oder der zeitaufwendigen Summer School. Ihr heftiges Kopfschütteln sagte: Das hier ist von anderer Art. Sie hatte Merlinger verlassen, damals, weil sie seine Wutausbrüche nicht länger ertragen konnte. Überrascht stellte Hartmut fest, dass er nicht mehr wusste, was er ihr im Auto an den Kopf geworfen hatte. Weniger als eine Viertelstunde war es her, aber hätte er nicht Marias Ohrfeige auf der Wange gespürt, ein zu bloßer Wärme geronnenes Brennen, hätte er glauben können, der Streit läge Jahre zurück.

»Ich weiß nicht, was ich sagen soll.«

»Dann lass es. Sag nichts.«

»Außerdem weiß ich nicht, wie wir durch diesen Tag kommen wollen.«

Darauf antwortete sie mit einem sarkastischen Schnauben, eine Art ›Was du nicht sagst!‹. Trotzdem war es das erste kleine Zeichen von Zustimmung, und er konnte nicht anders, als Hoffnung zu schöpfen. Als wäre die Wirklichkeit in unzählige Stücke zersprungen und zwei davon hätte er soeben wieder zusammengefügt.

»Hast du schon mal bereut, mich geheiratet zu haben?«, fragte er. »Jetzt oder früher.«

»Ich weiß, was du hören willst. Wie schlimm es *nicht* war, aber das ...«

»Ich weiß, dass ich mich wie ein Idiot benommen habe.«

»Wie ein Idiot benimmt sich jeder mal. Du warst ein außer Kontrolle geratener Irrer! Zum ersten Mal im Leben hatte ich Angst vor dir. Auf der Gegenfahrbahn! Was zum Teufel ist mit dir los? Bist du krank?« Sie schüttelte sich und presste die Lippen aufeinander.

Wieder öffnete er den Mund, und erneut schnitt sie ihm das Wort ab, bevor er zu sprechen begann.

»Es ist Unsinn, jetzt reden zu wollen. Es gibt nichts zu sagen. Also lass es. Bitte!«

»Ich hab es nie bereut, keine einzige Minute, keine Sekunde. Nie.«

»Und – soll ich mich jetzt gut fühlen? Wenn du's nicht aushältst, dann warte im Auto auf mich.«

Alle zwei Sekunden musste er die angespannten Muskeln seiner Arme und Beine lockern, wie im Flugzeug nach dem Abheben. Maria wühlte in ihrer Handtasche, die brennende Zigarette im Mundwinkel. Eine merkwürdige Pose, in der sie sich nicht ähnlich sah. Auf der anderen Talseite verlief die Umgehungsstraße, und wenn er hinhorchte, konnte er das Rauschen einzelner Wagen hören. Den Ruhepuls der Provinz am frühen Samstagnachmittag. Braut und Bräutigam putzten sich gerade heraus für das große Ereignis. Letztes nervöses Richten der Frisur. Ein Zupfen an der Krawatte. Erfolglos versuchte Hartmut, sich an die Minuten vor seiner und Marias Trauung zu erinnern. War er alleine, war jemand bei ihm gewesen? Gefeiert hatten sie in der zum Restaurant umfunktionierten Olivenpresse von Celorico. Jetzt blickte er auf die von Asche befreite Feuerstelle, neben der einige auf Meterlänge geschlagene Buchenstücke an das gestrige Fest erinnerten. Wann hatte er sich zuletzt mit solcher Intensität gewünscht, aus dem Lauf der Zeit aussteigen zu können? Wie sollte er den ganzen Tag neben Ruths strahlendem Gesicht und der versteinerten Miene seiner Frau verbringen, ohne den Verstand zu verlieren? Vielleicht wäre es besser, nach Bonn zu fahren und Ruth später zu erklären, was geschehen war.

»Erinnerst du dich an unser Gespräch vor ein paar Wochen?« Marias Stimme klang plötzlich anders. Gefasst und beinahe gespenstisch ruhig. »Als Philippa mit ihren Freunden in Amsterdam war? Über Pfingsten.«

»Ich weiß, dass sie in Amsterdam war. Welches Gespräch?«

»Darüber, ob sie Drogen nimmt oder schon mal genommen hat.«

»Okay.«

»Dass wir in dieser Hinsicht wenig wissen über sie. Vielleicht genauso wenig, wie unsere Eltern über uns wussten. Erinnerst du dich?« Sie sprach, als wäre nichts geschehen. Buchstäblich nichts, weder Schlimmes noch Gutes, keine Vorgeschichte, obwohl sie genau davon redete.

»Du hast gesagt: Und wenn schon, wir haben alle schon mal einen Joint geraucht. Richtig?«

»Und du hast gesagt, du nicht.«

»Ich nicht. Nein. Wie kommst du darauf?«

»Daraufhin hab ich gesagt, dass das eigentlich nicht geht, wenn man dein Alter bedenkt und aus welcher Generation du kommst. Keinen einzigen Joint, ich fand das merkwürdig. Du kannst dich dagegen wehren, aber irgendwie bist du trotzdem ein Achtundsechziger.«

»Nicht in den Augen der Achtundsechziger. Und in meinen auch nicht. Ich …«

Maria unterbrach ihn mit einer Handbewegung. Nahm einen tiefen Zug und drückte die Zigarette aus, obwohl sie erst zur Hälfte aufgeraucht war. Auf einmal musste Hartmut sich vorstellen, wie es wäre, wenn Maria nie wieder lachen oder ihn zärtlich berühren, sondern ihre Ehe fortsetzen würde in einem Modus, der im Arbeitsleben ›Dienst nach Vorschrift‹ heißt. Wie das zum Beispiel im Bett aussähe, lustlose Fünfminutenakte, runterrollen und einschlafen – grotesk, aber für einen Moment sah er es als reale Möglichkeit seiner eigenen Zukunft. Er war nah davor, sich vor Angst zu übergeben.

»Eigentlich dachte ich, wir machen das morgen in Bonn«, sagte Maria. »Setzen uns auf die Terrasse und feiern den Beginn unseres Urlaubs. Deine verspätete …, wie nennt man das? … Initiation.«

»In was?«, fragte er, obwohl er es wusste.

Aus ihrer Handtasche holte sie ein metallenes Pfefferminz-

353

schächtelchen und entnahm ihm eine selbstgedrehte Zigarette. Sie machte kein Aufhebens darum, und Hartmut verstand, dass es jetzt besser war, möglichst wenige Einwände zu erheben.

»Wo hast du das her?«

»Du kannst mitrauchen oder es bleibenlassen. Wie du willst.«

»Wir müssen zu der Hochzeit. Ob wir wollen oder nicht.«

Sie hatte das spitze Ende des schmalen Kegels bereits im Mund und griff nach dem Feuerzeug. Ihre Hände zitterten immer noch.

»Von wollen kann keine Rede sein. Das hier ist die einzige Möglichkeit, für mich jedenfalls. Du hast wahrscheinlich vor, später ordentlich zu trinken.«

»Seit wann rauchst du … solche Sachen?«

Zum ersten Mal sahen sie einander an, er fragend und sie streng. Das neue Kleid stand ihr gut, die ernste Miene und sogar die getrockneten Spuren ihrer Tränen. Alles, was dem Eindruck dieser unheimlichen Gefasstheit zuwiderlief. Sie hob die Hände, als wollte sie ihn am Kragen fassen und schütteln, und er wünschte, sie würde es tun: ihn anschreien und notfalls noch einmal schlagen, stattdessen beschützte sie mit einer Hand die Flamme, zündete die kleine Tüte an und nahm den ersten tiefen Zug. Ließ den Mund halb offen und wartete einige Sekunden, bevor sie ausatmete. Dann hielt sie ihm den Joint hin.

Ohne sich zu zieren, nahm Hartmut ihn und zog, so tief er konnte. Spürte ein Klopfen im Hals, als besäße der Qualm festere Konsistenz als Luft. Der Geschmack entsprach dem, was er gerochen hatte, Tabak versetzt mit Räucherstäbchen und Gewürzen. Beim Ausatmen hatte er das Gefühl, nach hinten zu sinken. In den Fingerspitzen kribbelte es.

»Noch mal«, sagte Maria.

«Machst du das oft in Berlin? Mit deinen Theaterleuten.«

»Versuch, ihn länger drinzubehalten und an was Schönes zu denken.«

»Sonst komme ich auf einen schlechten Trip?«

»Es ist Gras, Hartmut. Versuch, dich zu entspannen. Den

schlechten Trip hatten wir gerade.« Vielleicht war es bereits die Wirkung des Rauschgifts, dass ihre Stimme um einige Grade wärmer klang. Der Geschmack wurde intensiver, nicht im Mund, sondern tiefer in seinem Kopf. Außer einem Brötchen zum Frühstück hatte er nichts gegessen, und er spürte einen Anflug von Schwindel. Oder war es der Wind? Zwischen Daumen und Zeigefinger reichte er ihr den Joint zurück.

»Ziemlich stark«, flüsterte Maria nach dem nächsten Zug.

Eine Weile rauchten sie schweigend und im Wechsel. Empfindungen reihten sich aneinander, leichte Übelkeit, die Sorge, zu spät in die Kirche zu kommen, Lust auf einen Kuss und der stärker werdende Drang zu lachen. Darum also gab es Drogen, dachte Hartmut, und dass sie eigentlich in den Erste-Hilfe-Kasten jeder Ehe gehörten. Er war nicht berauscht, nur ein wenig entrückt, und der Wind in den Bäumen flüsterte lauter als zuvor. Einzelne Wolken zogen über die Landschaft, ihre Schatten glitten wie Rochen über den Boden, das Lahntal hinab und über den Schlossberg. Als Maria sich eine Haarsträhne aus dem Gesicht strich, konnte er ihre Hand an seiner Wange spüren. Das meiste fühlte sich gut an. Das langsame Aufkommen einer Nähe, die unmerklich Gestalt annahm. Wie zum Beweis ihrer selbst.

»Gut«, sagte er, um zu testen, ob Gedanken ohne Mühe herausfanden aus seinem Kopf. Er spürte den Weg, den sie zurücklegen mussten, und überhaupt die räumliche Voraussetzung von Gedanken: der Abstand, dessen sie bedurften. Wie schön die Braut ausgesehen hatte gestern Abend, deren Name ihm nicht einfallen wollte. Irgendwas mit K. Dass Philippa sich schicker hätte anziehen können für den Anlass. Ein Gedanke gab den anderen, sie hingen zusammen wie die Glieder einer Kette. Seinen Anzug hatte er vor zwei Wochen in die Reinigung gegeben und sich eine neue Krawatte gekauft. Zuletzt getragen, den Anzug, auf Stan Hurwitz' Beerdigung vor drei Jahren. Weit über ihnen kreiste ein Bussard. Als er zum ersten Mal betrunken gewesen war, hatte er nicht gewusst, ob er wirklich so heftig lachen musste oder sich bloß verhielt, wie er es von einem Betrunkenen erwartete. Manchmal war es schwierig, sich selbst bei einer klaren Empfindung zu ertappen. Gefühle sind bewegliche Ziele. Man hat sie nicht, sie reisen bloß durch.

»Jetzt sind wir bekifft.« Er dachte, er hätte das halblaut vor sich hin gesagt, aber es klang eindringlich, beinahe beschwörend.

»Schsch …« Maria streckte eine Hand aus und legte sie ihm sanft auf die Lippen. Er küsste ihre Fingerspitzen. Am liebsten hätte er sich die ganze Hand in den Mund gesteckt.

Der letzte Zug brannte in seiner Kehle, dann trat Maria den Stummel auf dem Boden aus. Lehnte sich zur Seite und legte ihr Gesicht an seinen Oberarm. Immer neue Wolken glitten über den Himmel, und Hartmut zwang sich, die Augen offenzuhalten. Er fragte sich, ob es ein schöner Moment war, den sie gerade erlebten. Was dafür sprach und was dagegen, obwohl er zu wissen glaubte, dass die Gründe in keiner Beziehung standen zu dem, was den Moment ausmachte. Der führte ein Eigenleben, unbehelligt von den Gründen. Irgendwo in dem Gedanken steckte etwas, das mit seinem Leben zu tun hatte.

»Glaubst du, dass wir in völliger Verwirrung leben?« Maria hob den Kopf, und Hartmut erinnerte sich, wie sie ihn auf der S-Bahn-Fahrt nach Ost-Berlin gefragt hatte, ob seiner Meinung nach *Endstation Sehnsucht* ein gutes Theaterstück sei. 1985, wenige Stunden vor ihrem ersten Kuss. Wie damals meinte sie es nicht beiläufig.

»Du und ich?«

»Wir alle. Unsere Art zu leben.«

»Wahrscheinlich.«

»Ich will das nicht.« Genau wie er war sie einem Gedanken auf der Spur, der sich nicht direkt angehen, sondern nur umkreisen ließ. »Es muss auch anders gehen.«

»Wenn ich ehrlich bin«, sagte er, »will ich nur wissen, dass es für dich und mich nicht zu spät ist. Dass Philippa glücklich wird und ich im Alter keinen Krebs bekomme oder so was.

Ansonsten können wir meinetwegen in Verwirrung leben. Aber zusammen, wie jetzt.«

»So wie jetzt. Langsam bergab.«

»Wir sollten öfter einen Joint rauchen. Es gefällt mir.« Er setzte sich ihr rittlings gegenüber. Unterhalb der Hütte liefen zwei Jogger den Waldweg entlang, Hartmut sah ihre Köpfe auf und ab tanzen zwischen den Ästen der Bäume. Maria nahm sein Gesicht in beide Hände und küsste ihn. Im Spaß hatte sie mal gesagt, jede Ehe stelle einen Fall von Stockholm-Syndrom dar, aber jetzt meinte sie es ernst. Er zog sie dichter zu sich heran, bis sie auf seinem Schoß saß und er seine Erektion spürte. Ein warmer Wind fuhr durch die Bäume, und Hartmut wusste, dass sie aufbrechen mussten. Maria schmeckte wie damals, nach Tabak, gesüßtem Kaffee und noch etwas, für das es kein Wort gibt. Ein wenig herb. Wie sie immer geschmeckt und ihn schon lange nicht mehr geküsst hat. Seine Erleichterung ist so groß, dass der Moment seine Konturen verliert und durchlässig wird. Stimmen erklingen, die nicht vom Waldweg kommen. Sie sprechen eine fremde Sprache. Seine Hände fahren über Marias Rücken, über den Träger ihres BHs, und er denkt, dass es nur ein Traum gewesen ist. Fühlt er Erleichterung oder Bedauern? Die Stimmen werden lauter, Schritte nähern sich, und um sie herum wächst die Lichtung. Wir müssen gehen, will er sagen, aber bevor er den Mund aufmachen kann, fährt ein schriller Ton dazwischen. Erklingt und erlischt, erklingt und erlischt. Es ist keine Trillerpfeife, sondern wie in einem Film, den er vor langer Zeit gesehen hat. Das alles durchdringende Läuten der Welt in seinem Ohr ...

... Hartmut liegt auf dem Rücken und öffnet die Augen. Ein Zimmer mit weißen Wänden und einer schrägen Decke aus Holz. Nichts als verschwommene Flächen für seine kurzsichtigen Augen. Das Dachfenster steht einen Spaltbreit offen, so dass Stimmen und Schritte von der Straße hereinwehen. Sohlen auf Granit vor der Kirche San Miguel. Er ist in Santiago de Compostela, und das Telefon klingelt. Träge streckt sich Hartmut über die unbenutzte Seite des Doppelbettes zum Nachttisch. Der Tag beginnt wie ein Puzzle mit fehlenden Teilen. Weckt ihn die Rezeption, weil er verschlafen hat? Hat er gestern um einen Weckruf gebeten?

»Hallo?«, sagt er, noch bevor er sich aufgestützt und den Hörer ans Ohr gehalten hat. Dann »Hello?« und schließlich »Hola?«, während draußen die energische Stimme eines Reiseführers Erklärungen vorträgt. Wo liegt seine Brille?

Aus der Leitung kommt ein knapper Wortwechsel, dann zitiert Philippa einen Spruch aus ihrer Kindheit, der alles noch komplizierter macht: »Sie müssen aufstehen, Fürst, wir haben heute Großes vor.«

»Guten Morgen.« Im Liegen zieht er das Telefon übers Bett. Zu Tagesbeginn will nichts einen Sinn ergeben, solange das Milchglas seiner Kurzsichtigkeit über der Welt liegt. Er tastet nach seiner Brille und findet sie, endlich nimmt das Zimmer Gestalt an. »Wie spät ist es, und was haben wir heute Großes vor?«

»Halb zehn. Als Erstes wird gefrühstückt.«

»Okay. Von wo rufst du an?«

»Von der Rezeption. Wir hatten halb zehn vereinbart, falls du dich erinnerst. Offenbar hast du gut geschlafen.«

»Ich glaube schon.« Sein Traum steht ihm vor Augen, und er ist nicht sicher, welcher Welt er den Vorzug gäbe, könnte er zwischen ihnen wählen. Der angebrochene Tag übernimmt das schwierige Erbe seines Vorgängers und wie um das zu unterstreichen, fügt Philippa hinzu: »Wenn's dir nichts ausmacht, frühstücken wir zu dritt.«

»Okay, klar«, sagt er, so schnell er kann. Automatisch hat er sich im Bett aufgesetzt. Die Unordnung in seinem Kopf kontrastiert mit der Aufgeräumtheit des Zimmers, den ordentlich neben der Tür platzierten Schuhen und seinen über die Stuhllehne gehängten Kleidern. »Gib mir eine Viertelstunde.«

»Wir sitzen im Frühstückssaal. Hast du Continental Breakfast oder das Büfett gebucht?«

»Hab ich was?«

»Hallo!«, sagt sie lachend. »Schläfst du noch, oder bist du nervös?«

»Nervös«, antwortet er, bevor er sich was anderes überlegen konnte.

»Ich auch. Wenn wir uns beide Mühe geben, wird alles gut. Gabriela ist sowieso ein Engel.«

Ein Engel. Das sagt er gelegentlich über Maria, allerdings nicht in ihrem Beisein. An der Art, wie Philippa es gerade ausgesprochen hat, kann er hören, dass besagte Gabriela neben ihr steht. Von der war gestern lange Zeit keine Rede, bis Philippa gefragt hat, ob er gar nichts wissen wolle über ihre Freundin. Sie studieren beide dasselbe Fach, Ernährungswissenschaft, aber Gabriela schreibt bereits an ihrer Diplomarbeit. Kommt aus Galicien und versteht folglich Portugiesisch. Einzelkind wie Philippa. Soweit die Fakten.

»Ich glaube, es war Büfett«, sagt er nach einer Pause. »Bestellt einfach, was ihr wollt. Ich beeile mich.« Vor dem Auflegen glaubt er die Stimme der Freundin zu hören, wie sie ›Okay‹ oder etwas dergleichen sagt. Draußen stoßen Möwen spitze Schreie aus. Über die weißen Vögel hat er sich bereits bei der Ankunft gewundert, schließlich liegt Santiago nicht an der Küste. Fast hundert Kilometer sind es bis zum Cabo Finisterre, wo den Kelten zufolge die Welt zu Ende war. Hat Philippa gestern erzählt. Wer dort anlangte, verbrannte am Abend einen Gegenstand, der das eigene Ich repräsentiert, und badete am nächsten Morgen im Meer, als Zeichen der Erneuerung. Wäre wahrscheinlich das Richtige für ihn. Ein Mal die keltische Runderneuerung.

Er stellt sich in die offene Luke des Dachfensters und schaut hinaus. Der Blick reicht bis zu den Hügeln hinter der Stadt, von deren höchster Kuppe zwei riesige Fernsehtürme aufragen. Seine Erinnerung an den Traum ist deutlicher als die an den Tag von Florians Hochzeit, aber dass sie seitdem nicht noch einmal zusammen geraucht haben, spricht dafür, dass er eine geschönte Version geträumt hat. Haben sie sich wirklich geküsst? Unten auf der Gasse sieht Hartmut eine Touristengruppe und hört die Stimme der Englisch sprechenden Führerin.

Statt sich zu beeilen wie versprochen, atmet er die kühle Luft des Morgens und lauscht. Eine heitere Verwirrung entsteht, weil die Frau ›truth‹ wie ›truce‹ ausspricht. Gerne würde er Kaffee trinken und den Morgen am Fenster verbummeln. Den florentinischen Charme dieser roten Dächer genießen. Kaum fünf Meter neben ihm gehört die Spitze von San Miguel dem Moos und den Tauben. Schweren Herzens reißt Hartmut sich los und geht ins Bad.

Als er gestern im Café von der Toilette zurückkam, hat er kein weiteres Porzellan zerschlagen, sondern seiner Tochter erklärt, dass er sich kurz schwach gefühlt habe nach der langen Fahrt, weshalb Philippa seine erste Reaktion nicht überbewerten solle. Er sei froh, endlich in Kenntnis gesetzt worden zu sein. Das mag ein wenig steif geklungen haben, aber Philippa hat es akzeptiert; wahrscheinlich war ihr seine Förmlichkeit lieber als die gekünstelte Saloppheit vorher. Später sind sie essen gegangen, und Philippa hat wiederholt gesagt, es sei dumm gewesen, so lange gewartet zu haben. So weit ist alles in Ordnung. Jetzt muss er runtergehen und Gabriela kennenlernen, dann ein paar Mal drüber schlafen und über seinen eigenen Schatten springen – Variationen einer Disziplin, in der er seit Jahren trainiert und eine gewisse Routine ausgebildet hat. Er ist weder geschockt noch entsetzt. Eigentlich ist er gar nichts Bestimmtes, nur überrascht. Maria soll ziemlich verkrampft reagiert haben, also auch nicht besser als er. Wahrscheinlich besteht die Möglichkeit, rückwirkend eine bessere Zensur zu bekommen, wenn er das heutige Frühstück nicht verbockt. In mündlichen Prüfungen wischt er das nervöse Anfangsstottern seiner Studenten gerne mit einem Lächeln beiseite und sagt, ab jetzt, okay?

Okay, erwidert sein Spiegelbild. Weil er sich gestern Morgen nicht rasiert hat, liegt ein dunkler Bartschatten auf seinen Wangen, dessen Beseitigung er auf später verschiebt. Die ausbedungene Viertelstunde ist um.

Im Fahrstuhl fährt Hartmut nach unten und betritt den Frühstückssaal. Leer, bis auf eine vierköpfige Familie und ein jüngeres Pärchen. Schon will er sich in die andere Richtung wenden, zurück in den Korridor, als er die offene Tür am verglasten Ende des Saals bemerkt. Ein schmaler Steg führt über den Innenhof auf eine reich begrünte Terrasse, etwas höher gelegen und von hellen Mauern eingefasst. Von dort winkt Philippa ihm zu, über die Schultern von jemand anderem hinweg und mit beiden Händen, als stünde sie am Heck eines ablegenden Schiffes. Er winkt zurück und geht hinaus.

Angenehm frische Morgenluft empfängt ihn. Erst als die Frau im weißen T-Shirt sich erhebt, stellt Hartmut fest, dass er keine Vorstellung von ihrem Äußeren hatte.

»Bom día«, sagt er in ein freundliches und gleichzeitig ernst blickendes Gesicht. Umrahmt von einer Kurzhaarfrisur, mit der sie sich morgens nicht lange aufzuhalten scheint. Dunkler Teint, schöne braune Augen und ein schmaler, auch beim Lächeln kaum geschwungener Mund. Es muss der feste Händedruck sein, der Hartmut glauben lässt, einer entschlusskräftigen und energischen Person gegenüberzustehen. Auf Ende zwanzig schätzt er sie, jedenfalls älter als Philippa.

»Bom día«, sagt Gabriela und fügt etwas hinzu, das Hartmut nicht sofort versteht. Vier große Schirme und ein Ahornbaum spenden Schatten, obwohl die Sonne noch nicht hoch steht. Aus den Augenwinkeln sieht er kleine Orangenbäume, deren Früchte wie Tennisbälle im dünnen Geäst hängen, und hört das leise Plätschern von Wasser.

»Wieso stehen wir?«, fragt Philippa auf Deutsch. Sie trägt dieselben Klamotten wie gestern, und es dauert eine Weile, bevor Hartmut bemerkt, was sich verändert hat: Der Nasenring fehlt. Proper sieht seine Tochter aus, voller Elan und, tja, eigentlich gar nicht lesbisch.

Kaum haben sie Platz genommen, kommt ein junger Kellner, um ihre Getränkewünsche entgegenzunehmen. Hartmut spürt Philippas Blick auf sich, ein stummes Forschen, das es ihm schwer macht, eine nichtssagende Miene zu wahren. Einer der letzten Romane, die er gelesen hat, handelte von einem älteren Mann, der die Freundin seiner lesbischen Tochter ziemlich scharf fand und dadurch in eine Bredouille geriet, von der Hartmut sich nicht bedroht fühlt. Alle entscheiden sich für Kaffee und Orangensaft. Möwen schweben so tief über die Dächer, dass ihre aufgerissenen Schnäbel zu erkennen sind, wenn sie schreien.

»Welche Sprache sprechen wir?«, fragt Philippa, weil alle einen Moment lang stumm an Sets und Servietten gezupft haben.

»Mein Deutsch ist nicht gut.« Gabriela macht eine entschuldigende Handbewegung, die zwar Hartmut gelten muss, sich aber nicht an ihn richtet. Was ihm gefällt. Gleichzeitig beginnt er zu ahnen, dass das ein langes Frühstück werden wird. Eigentlich hat er keinen Hunger.

»Sie sprechen Deutsch?«, fragt er und fängt sofort einen tadelnden Blick von Philippa.

»Nicht diese Siezerei, bitte!«

»Keine Siezerei, verstanden. Du sprichst Deutsch?«

»Aber sehr schlecht.«

Jedenfalls mit starkem Akzent. Auf Nachfrage erfährt er, dass sie es während eines Austauschsemesters gelernt habe, in Hamburg natürlich. Letzten Sommer war das. Philippa lächelt, und Hartmut muss an sich halten, ihr nicht gebieterisch eine Hand auf die mit dem Besteck spielenden Finger zu legen.

»Verstehe«, sagt er. »Mein Portugiesisch ist in zwanzig Jahren nicht gut geworden. Jeden Sommer frische ich es auf und habe dann genug Zeit, es wieder zu vergessen. Ein ewiger Kreislauf.«

Die Getränke kommen. Die Rückseite des Hotels besteht ab dem ersten Stock aus Glas und der weißen Holzverkleidung, die man in Santiago häufig sieht. Drinnen bewegen sich Schemen, vor allem um das Büfett herum. Der Betrieb nimmt zu.

»Hat Ihnen … hat dir Hamburg gefallen?«, überwindet er sich zu fragen.

»Sehr.«

»Ob du es glaubst oder nicht, ich war erst einmal dort. Vor vielen Jahren. Meine Tochter hat mir bisher keine Besuchserlaubnis erteilt.« Dieses Wort kennt Gabriela nicht, und Philippa tut, als habe sie es nicht gehört. Sein Satz baumelt ins Leere, Hartmut trinkt Kaffee und spürt dessen Hitze durch seinen Brustkorb strömen. Die Stadt scheint verschwunden zu sein, er hört keine Autos oder Schritte, weder Kirchenglocken noch die Stimmen der allgegenwärtigen Touristenführer.

»Ist es nicht so?«, fragt er.

»Ich hab dich gehört«, sagt Philippa. »Vielleicht besprechen wir das ein andermal.«

Um die erneute Pause zu füllen, gehen sie zum Büfett. Hartmut entscheidet sich für eine fettig aussehende Tortilla und mehrere Scheiben roter Wurst und trägt seinen Teller zurück auf die Terrasse. Die hintere Mauer bildet zugleich die Rückwand des angrenzenden Hauses, verborgen hinter einer Reihe schlanker Bambus-Stämme. Zwei Männer, die am Nebentisch Platz genommen haben, geben sich durch ihre Begrüßung als Amerikaner zu erkennen und erinnern Hartmut an die Gruppe, die gestern Abend neben Philippa und ihm saß, junge Männer mit Pfadfindertüchern, die von Jesus sprachen, als hätten sie neulich eine CD von ihm entliehen. Philippa meinte später, er müsse sich verhört haben, aber er könnte schwören, dass einer gesagt hatte: God is doing a tremendous job in China. Das war in einer der Gassen zwischen seinem Hotel und der Kathedrale, inmitten einer Volksfeststimmung, die sich in rhythmischem Klatschen und Schlachtgesängen entlud. Philippa aß Salat und Käse und erzählte, dass jener Michael kein Phantom gewesen sei, sondern ihr letzter Versuch, die Wahrheit zugunsten eines abwegigen Wunsches zu verdrängen. Hartmut hörte zu und nickte, aber in Wirklichkeit war er überfordert. Am Nebentisch die fünf Amerikaner, die sich an wachsenden christlichen Gemeinden in Fernost berauschten, in seinem Rücken ein unbegabter Saxophonist, und vor ihm saß Philippa und erzählte eine schwierige Lebensgeschichte, die angeblich die ihre war.

Unbarmherzig warfen die granitenen Hauswände alle Echos zurück. Ohne es zu merken, musste er eine leidende Miene aufgesetzt haben, jedenfalls legte Philippa ihr Besteck beiseite und sagte: »Gehen wir woanders hin.« Sie schob ihr Fahrrad neben ihm her, durch ruhigere Gassen und aus der Altstadt hinaus, in die wohltuende Stille der Alameda.

Jetzt nimmt sie mit breitem Grinsen neben ihm Platz, deutet auf seinen Teller und sagt: »Kleine Nährwertanalyse gefällig?«

»Lass dir dein Obst schmecken. Sieht lecker aus.«

»Körperliches und geistiges Wohlbefinden haben mehr mit richtiger Ernährung zu tun, als die meisten Leute glauben.«

»Was du nicht sagst. Übrigens steht dir der fehlende Nasenring sehr gut.«

»Ich weiß, findet Gabriela auch. Dein Telefon hab ich aufgeladen.« Sie greift in ihre Tasche und will das Handy auf den Tisch legen, überlegt es sich aber anders. Kichernd macht sie ein Foto seines Frühstücks und beginnt zu tippen. »Wenn ihr schon nicht zusammen esst, dann zeigt euch wenigstens eure kleinen fettigen Geheimnisse.«

»Was Neues aus Rapa?« Hartmut blickt durch die offene Tür in den Frühstückssaal und sieht Gabriela vor dem Toaster warten.

Die triumphierende Miene verschwindet aus Philippas Gesicht.

»Ich hab João angerufen. Der Arzt in Celorico sagt, es war ein leichter Infarkt. Oder könnte einer gewesen sein. Avô behauptet, er fühle sich schon viel besser, trotzdem bringen sie ihn heute nach Guarda. Da soll er richtig untersucht werden. Danach wissen wir hoffentlich mehr.«

»Wer ist ›sie‹?«

»Irgendwer aus dem Dorf. João kann vor dem Wochenende nicht weg aus Lissabon.« Sie seufzt und sieht ihn an. »Warum weiß man bei alten Leuten nie, ob sie sagen, was sie sagen, weil es wirklich so ist, oder bloß, weil sie in Ruhe gelassen werden wollen?«

»Weil sie in Ruhe gelassen werden wollen.« Tröstend legt er ihr den Arm um die Schulter und fragt sich, was sie Marias Bruder über den gestrigen Abend erzählt hat. So vertraut wie die beiden sind, ist er sicher, dass João längst weiß, was Philippa ihm bis gestern verschwiegen hatte. »Lass uns hinfahren. Heute ist Mittwoch. Am Freitag können wir losfahren. Am Wochenende hast du vermutlich keinen Unterricht?«

»Wir müssen nicht länger so tun, als wäre ich nach Santiago gekommen, um Spanisch zu lernen.« Sie hat fertig getippt und gibt ihm das Telefon. Über die Bande irgendeines Satelliten saust in diesem Moment das Bild einer angebissenen Tortilla von Santiago nach Kopenhagen. Das nennt man Kommunikation, von lateinisch communicare: gemeinsam machen, teilen, mitteilen, Anteil haben. Optimisten sprechen auch von Zwischenmenschlichkeit, ohne die beängstigende Größe dessen zu beachten, was dazwischen liegt.

»Okay«, sagt er. »Gehst du überhaupt zum Unterricht?«

»Meistens. Kann ja nicht schaden. Wir können aber auch morgen fahren. Die zwei Stunden am Freitag ...« Werden mit einem Fingerschnipsen für überflüssig erklärt.

»Ihr seid also schon länger zusammen? Seit sie in Hamburg war. Richtig?«

»Sie heißt Gabriela.«

»Gabriela.« Manche sagen auch Engel zu ihr. Jedenfalls steht sie mit einer Engelsgeduld vor dem Toaster, und wahrscheinlich ist sie überhaupt ein strukturierter, ruhig handelnder Mensch. Das passende Gegenstück zu Philippas quirligem Temperament. Sorgfältig und mit der dafür vorgesehenen Zange zieht sie zwei Toastscheiben aus der Maschine und legt sie auf ihren Teller.

»Morgen also?«, fragt Philippa.

»Bitte? Ja, wann immer du willst.« Kurz schauen sie einander an, dann wendet seine Tochter sich ihrer Freundin zu, die wieder auf die Terrasse kommt und bei ihnen Platz nimmt.

»Der Toaster«, sagt Gabriela. »Ein Jahr Wartezeit.«

Hartmut murmelt etwas von den Tücken der Technik und

isst weiter. Gestern im Café hat er in seiner ersten Verwirrung geglaubt, dass jene Marta hinter der Theke Philippas Freundin sei. Vielleicht wegen der Art, wie die beiden einander zwischendurch ansahen und ihm das Gefühl gaben, sie verständigten sich mit geheimen Zeichen. Jetzt glaubt er, dass es ihm lieber wäre, er hätte recht gehabt.

»Ich weiß nicht, wie ich darauf komme«, sagt er, um sich von dem Gedanken loszureißen, »vielleicht wegen des Bambus da hinten an der Mauer. Jedenfalls fällt mir diese Geschichte ein, die ein Doktorand von mir im Seminar erzählt hat. Tut mir leid, aber ich kann sie nur auf Deutsch wiedergeben.« Er lächelt und Gabriela lächelt, Philippa knabbert konzentriert an einem Apfel. »Die Geschichte handelt von einem weisen Eremiten im alten China, der sich auf einen Berg zurückgezogen hat. Manchmal kommen Schüler zu ihm, um sich vom Meister unterweisen zu lassen. Was schwierig ist, weil er nicht spricht. Er ist ein großer Schweiger. Wie auch immer, als eines Tages eine Gruppe Schüler in seine Höhle kommt, stellt er ihnen die Aufgabe, den Mond zu malen. Das heißt, er legt Pinsel und Tusche und ein paar Stücke Stoff auf den Tisch und zeigt auf den Mond am Himmel. Die Schüler verstehen, was er meint, und machen sich ans Werk. Als alle fertig sind, entlässt der Meister sie, wie immer ohne ein Wort zu sagen. Die Schüler gehen, um sich am nächsten Tag wieder in die Höhle des Meisters zu begeben und die Unterweisung fortzusetzen. Allerdings treffen sie ihn nicht an, er ist über Nacht verschwunden. Das Einzige, was er zurückgelassen hat, ist ein Stück Stoff. Fast vollständig bemalt, nur in der Mitte hat der Meister ein kleines Stück in der Form des Mondes freigelassen.« Hartmut zuckt mit den Schultern und fühlt Schweiß aus seinen Achseln rinnen. »Das ist die Geschichte. Sie heißt: Die andere Art, den Mond zu malen.«

»Das ist alles?« Philippa sieht nicht beeindruckt aus.

»Wenn ich mich richtig erinnere, ja. Der letzte Satz lautet: Und die Schüler verstanden. Deine Mutter mochte sie.«

»Meine Mutter hat bekanntlich ihren eigenen Geschmack.

Soll das ein Gleichnis sein?« Mit bohrendem Blick schaut sie ihn an. »Will der Meister vom Venusberg uns was Bestimmtes sagen?«

»Mein Doktorand wollte folgern, dass es im chinesischen Altertum Formen von dialektischem Denken gab. Das fand ich etwas überinterpretiert. Aber die Geschichte hat was, oder nicht? Keine Ahnung, was sie bedeutet. Es gibt immer zwei Arten, etwas zu betrachten oder auszudrücken. Die direkte und die andere.«

Statt weiter mit ihm zu kabbeln, wiederholt Philippa die Geschichte noch einmal auf Portugiesisch und mit kurzen Seitenblicken zu ihm.

»Mit so was beschäftigt mein Vater sich nämlich beruflich«, fügt sie hinzu. Gabriela scheint die Geschichte zu mögen, aber auf Deutsch fällt ihr nichts dazu ein. Hartmut isst den letzten Bissen Tortilla und lehnt sich in seinem Stuhl zurück. Wird er sich eines Tages unbefangen freuen, wenn Philippa mit ihrer Freundin zu Besuch kommt? Es ist die Frage selbst, die ihm ein entmutigendes Gefühl von Entfernung vermittelt. Die Frage, die Stille und dann die Erleichterung, als sein Telefon vibriert und Marias Name auf dem Display erscheint.

Hartmut greift danach und steht auf.

»Das ist unhöflich jetzt, aber du hast es selbst zu verantworten.«

»Schönen Gruß«, antwortet Philippa nur.

Er geht in den hinteren Bereich der Terrasse, setzt sich auf die kniehohe Mauer und drückt den grünen Knopf.

»Hallo«, sagt er möglichst unbefangen, »guten Morgen.«

»Guten Morgen.« Marias Tonfall schwankt zwischen besorgt und vorwurfsvoll. »Ich weiß nicht genau, wie ich das zu verstehen habe. Erst hinterlässt du mir eine Nachricht, die im Wesentlichen aus Flüchen besteht, dann gehst du zwei Tage lang nicht ans Telefon. Das Erste, was ich schließlich von dir höre beziehungsweise sehe, ist was? Ein Stück Kuchen? Willst du das erklären? Ich komme mir ein bisschen …«

»Das Bild hat Philippa geschickt. Es ist ein Stück Tortilla.«

»Die Nachricht kam von deinem Handy.«

»Ja. Sie hat es von meinem Handy geschickt. Ich bin in Santiago.« Damit macht er Marias Verwirrung komplett und kann einen Moment durchatmen. Die Mauer ist angenehm kühl. Durch den Stoff des Schirms blickt Hartmut in das gleißende Auge der Sonne. »Mein Akku war leer, ich meine der von meinem Telefon. Meiner auch. Jedenfalls konnte ich zwei Tage nicht telefonieren. Was für eine Nachricht mit Flüchen?« Er dachte, er hätte wortlos aufgelegt in seinem Strandhotel an der Costa Verde.

»Seit wann bist du in Santiago? Was ist mit meinem Vater? João schickt mir eine SMS und schreibt was von Krankenhaus, seitdem ist er nicht zu erreichen. In Rapa geht niemand ans Telefon. Was zum Teufel ist los?«

»Beruhig dich, Maria. Dein Vater hatte Herzbeschwerden. Ein Arzt sagt, es könnte ein leichter Infarkt gewesen sein. Artur behauptet, es gehe ihm wieder gut. Heute soll er in Guarda untersucht werden. Mehr weiß ich auch nicht. Nach einem Notfall hört es sich nicht an.«

»Seit wann bist du in Santiago?« Sie ist immer noch zu besorgt und verwirrt, als dass ihre Stimme den gewohnten Klang annehmen könnte.

»Seit gestern. Mir ist in Bonn die Decke auf den Kopf gefallen, also bin ich losgefahren.«

»Gefahren? Du bist mit dem Auto unterwegs?«

»Ich war in Paris und bei Bernhard Tauschner in Südfrankreich. Jetzt bin ich hier. Mit dem Auto, ja.«

Maria zündet sich eine Zigarette an und macht zwei schnelle Züge. In seiner Erinnerung sind der Traum von letzter Nacht und jener Nachmittag in Bergenstadt kaum zu unterscheiden. Gemeinsam einen Joint zu rauchen, sieht im Rückblick wie ein Akt der Versöhnung aus, in Wirklichkeit war es das, was sie stattdessen gemacht haben. Nicht der Beginn einer Aussprache, sondern der Weg um sie herum. Wenige Tage später sind sie in den Urlaub gefahren, und es ging einfach weiter: Harmonie auf Zehenspitzen, eine nervöse Verliebtheit, der sie beide nicht widerstehen wollten. Es war beinahe wie in den ersten Tagen. Irgendwann erschien es überflüssig, noch einmal auf den Vorfall zurückzukommen. Wie hoch der Preis dafür war, haben sie erst später gemerkt, jeder für sich, und seitdem stottern sie ihn ab.

»Wo warst du bei unserem letzten Telefonat?«, fragt Maria.

»Auf einer Autobahnraststätte, auf der Höhe von Tours oder Poitiers. Auf dem Weg zu Bernhard.«

»Und jetzt – bist du in Santiago, und ihr frühstückt zusammen, und es geht euch gut? Oder was? Ich verstehe das alles nicht. Wieso hast du nichts gesagt?« Sie spricht an gegen den Druck ihrer Tränen, das kann er hören. Sogar Philippa scheint es zu hören, jedenfalls wirft sie ihm einen fragenden Blick zu, den er ignoriert. Die beiden Amerikaner beenden ihre Mahlzeit und gehen ins Haus.

»Wir frühstücken zu dritt.«

»Zu dritt.«

»Ja. Ich wurde aufgenommen in den Club der Eingeweihten.« Der Satz macht ihn traurig, aber das ist ihm lieber als die falsche Unbekümmertheit, die er sich schon den ganzen Morgen auferlegt. Unter ihrem Sonnenschirm stecken Philippa und Gabriela die Köpfe zusammen und reden miteinander, ruhig und sachlich und wahrscheinlich über ungesättigte Fettsäuren.

»Sind wir so was wie die Parodie unserer selbst?«, fragt er. »Manchmal kommt es mir so vor.«

»Ich weiß nicht, was das heißt.« Maria schnäuzt sich und zieht an ihrer Zigarette. Normalerweise raucht sie so früh nicht.

»Wann hat sie's dir gesagt?«

»Vor knapp einem Jahr. Ich hab sie mehrfach gebeten, es dir auch zu sagen, aber ich konnte es nicht an ihrer Stelle tun. Es ist ihre Entscheidung. Ihr Leben.«

»Warum, glaubst du, hat sie's dir zuerst erzählt?«

»Hartmut, ich hab Angst, dass du was kaputt machen wirst. Tu's nicht.«

»Sag einfach. Was glaubst du, warum?«

»Wahrscheinlich weil sie dachte, dass es für mich ein kleineres Problem darstellt. Falls es dich tröstet, ich bin nicht sicher, ob das stimmt. Ich wünschte, es wäre anders, aber ich habe ein Problem damit. Es ist schäbig, und ich schäme mich, aber ich habe ein Problem. Mein erster Gedanke war: Warum tust du mir das an? Und der zweite: Sag es niemals deinen Großeltern! Den zweiten hab ich sogar ausgesprochen.«

»Ja, wir sind eine Parodie unserer selbst.«

»Tu's nicht, Hartmut. Ich bitte dich. Sie ist dir ähnlicher, als du glaubst. Wenn du sie in die Ecke drängst, wird sie wild. Alles andere als vollständige Akzeptanz ist ihr zu wenig.«

Philippa scheint zu ahnen, dass es um sie geht und blickt erneut in seine Richtung. Dann stehen sie und Gabriela auf, die leeren Teller in den Händen.

»Du hast gesagt zu dritt«, sagt Maria. »Mit Gabriela?«

»Du kennst sie?«

»Die beiden waren einmal zusammen in Berlin. Sie ist nett, oder?«

»Keine Ahnung. Wahrscheinlich.« Hartmut schaut den beiden hinterher und zuckt mit den Schultern, als ob Maria ihn sehen könnte. »Übrigens habe ich letzte Nacht davon geträumt, wie wir zusammen den Joint geraucht haben. Wieso haben wir das nur ein Mal gemacht?«

»Ich hatte nicht den Eindruck, dass du es wiederholen willst.«

»Will ich aber. Nur den Joint, nicht das davor.«

»Dann tun wir's. Wie geht's jetzt weiter? Bleibst du in Santiago? Was wird aus unserer Reise?«

»Philippa und ich fahren morgen nach Lissabon. Dann wahrscheinlich weiter nach Rapa. Entweder geht es deinem Vater besser und wir machen Urlaub, oder es kann nicht schaden, wenn jemand da ist. Am besten du kommst nach. Wir bleiben ein paar Tage bei deinen Eltern und fahren durch Spanien und Frankreich zurück. Wie damals. Wie lange musst du in Kopenhagen bleiben?«

»Noch zwei Tage, wenn alles glattgeht. Bis jetzt ist nichts glattgegangen.«

»Wie wurde die erste Aufführung aufgenommen?«

»Höflicher Applaus«, sagt sie. »Es ist schrecklich hier, ich kann nicht mehr.«

»Mach's wie ich. Hau einfach ab.«

»Du weißt, dass das nicht geht. Es gibt ein Ensemble.«

»Hier auch, und was für eins. Wir kennen nicht mal das Stück, das wir spielen.« Damit bringt er Maria zum ersten Mal zum Lachen. Philippa und Gabriela tragen die nächste Portion Vitamine auf die Terrasse. »Such nach einem Flug und melde dich. Wenn es irgendwo auf der iberischen Halbinsel ist, hole ich dich ab.«

»Halt mich auf dem Laufenden über meinen Vater. Ich hab mein Handy in der Tasche. Und sei vorsichtig, was du zu Philippa sagst. Sie verlangt nichts, was ihr nicht zusteht, aber das andere will sie ohne Abstriche.« Marias Tonfall lässt erkennen, dass Verpflichtungen sie rufen.

»Sehr verliebt wirken sie nicht auf mich«, sagt er. »Philippa ist die flippige kleine und Gabriela die vernünftige große Schwester. Gesunde Ernährung wird großgeschrieben. Auf mich wirkt es ein bisschen langweilig.« Der vielleicht nicht langweilige Teil liegt hinter einer roten Linie, von der er seine Gedanken fernzuhalten versucht.

»Ich hab dich gewarnt, mehr kann ich nicht tun. Du bist hinterher derjenige, der am meisten leidet.«

Damit beenden sie das Gespräch, aber statt sein Telefon einzustecken und zum Tisch zurückzukehren, bleibt Hartmut auf der Mauer sitzen. Behält das Handy am Ohr und nickt vor sich hin. In elegantem Segelflug ziehen Möwen über die Terrasse. Irgendwann sind Maria und er aufgestanden und schweigend zurück zum Auto gegangen. Gerade noch rechtzeitig haben sie es zur Kirche geschafft, die er zum ersten Mal ohne Weihnachtsdekoration sah. Familie, Freunde, andächtig lächelnde Koreaner füllten die Bänke. Eine wahnsinnig laute Orgel spielte. Ruth tupfte sich die Augen, und er saß in der zweiten Reihe zwischen Maria und Philippa. Zwischen Rausch und Klarheit, Hoffnung und Verzweiflung. Aufstehen, hinsetzen, singen und beten. An guten wie an schlechten Tagen. Bis dass der Tod euch scheidet. Das volle Programm. Ohne den Joint hätte er's nicht ausgehalten.

»Und trotzdem«, flüstert er in sein totes Telefon. »Am Ende war's ein guter Tag.«

1998

Die Vergangenheit erreicht ihn in Form eines länglichen Briefumschlags. Air Mail steht neben der Marke, die das Konterfei eines jungen Mannes mit Lederhelm und Fliegerbrille zeigt. Optimistisch dreinblickend, obwohl er den Lebensdaten zufolge nur achtunddreißig Jahre alt geworden ist. Auf der Rückseite die bekannte Adresse in der University Avenue, in einer eckig gewordenen, wie mit großem Kraftaufwand ins Papier gedrückten Version von Hurwitz' Handschrift. Der zweite Brief kommt aus Lissabon und scheint eine gefaltete Karte zu beinhalten. Den Werbekatalog eines Weinversands lässt Hartmut ungeöffnet in die Altpapiertonne fallen, danach steht er unschlüssig vor dem Briefkasten, hört durchs gekippte Küchenfenster die Espressomaschine fauchen und dreht die beiden Kuverts in der Hand. Es ist ein Freitagmorgen spät im September. In der Robert-Koch-Straße werden die letzten Parklücken in Kliknähe geschlossen, und vor Hartmuts innerem Auge erscheint das taubenblaue Haus, das er seit zwanzig Jahren nicht betreten hat. Beinahe nicht vorstellbar ohne den Duft von Muffins und Kerzenwachs. Soll er noch mal reingehen, den einen Brief lesen und den anderen Maria geben? Philippa ist bereits zur Schule aufgebrochen, und ihn erwartet an der Uni nichts außer Frau Hedwigs fragendem Blick.

Dreißig Minuten später bittet er seine Sekretärin um eine Tasse Kaffee und schließt die Tür hinter sich. Autoschlüssel und

Portemonnaie legt er auf die Fensterbank. Das Jackett wandert auf den Kleiderhaken neben der Tür. Obwohl er sich die gesamte Woche freigenommen hat, ist er seit Dienstag jeden Morgen im Büro erschienen. Für Außenstehende mag es nach Pflichtbewusstsein oder einer verdächtigen Härte gegen sich selbst aussehen, aber die Wahrheit lautet: Zurzeit fühlt er sich in der stillen Gesellschaft seiner Bücher am wohlsten. Sich und seinen Gedanken überlassen.

Er zieht den Brief aus der Tasche und nimmt Platz. Gleich im ersten Satz entschuldigt sich Hurwitz dafür, dass er nicht länger mit der Hand schreibe. Nach einigen gesundheitlichen Rückschlägen sei seine Schrift kaum noch zu entziffern und er fühle sich nachträglich darin bestätigt, niemals geglaubt zu haben, dass das Alter eine Zeit von Beschaulichkeit und Seelenfrieden sei. Man habe nicht bloß die Kämpfe und Nöte hinter sich, sondern »well, pretty much everything«. Eine Sache allerdings stehe ihm noch bevor, und dies bringe ihn zum Anlass seines Schreibens. Die typisch Hurwitz'sche Art, zur Sache zu kommen. Nachdem Hartmut die drei Seiten gelesen hat, schnürt er seine Schuhe auf, dreht den Stuhl zum Fenster und sieht draußen die ersten Blätter fallen. Mit Verzögerung wird ihm bewusst, dass er befürchtet hat, von Marshas Tod zu erfahren.

Als Frau Hedwig den Kaffee bringt, dreht er sich um und schiebt die drei Briefbögen beiseite. Sieht seiner Sekretärin entgegen, als wollte er sagen: Sehen Sie, ich tue gar nichts. Ich bin bloß da. Seit einer Woche ist es, als wäre er auf der Autobahn auf die rechte Spur gewechselt und bummelte zwischen Lastern und Bussen dahin, ohne sich um den Zeitverlust zu scheren. Die wachsende Zahl nicht korrigierter Seminararbeiten und unbeantworteter E-Mails in seinem Posteingang amüsiert ihn lediglich.

»Herr Breugmann war schon hier«, verkündet sie beim Abstellen der Tasse. »Wollte sich nach Ihnen erkundigen.«

»Sich nach mir erkundigen?«

»So hat er's ausgedrückt. Er sei im Haus und stehe zur Verfügung.« Die Benutzung des Milchkännchens überlässt sie ihm. Lauter eingespielte Rituale, das beruhigende Alles-wie-immer des täglichen Lebens. Dazu der Veilchenduft von Frau Hedwigs Parfüm, stets ein wenig zu stark, genau wie der Kaffee.

»Nämlich zu welcher Verfügung?«

»Das hat er nicht gesagt.« Sie sieht ihm zu, wie er den gewohnten Schuss Milch zugibt, und nickt dabei, als versuche sie, sich die genaue Dosierung einzuprägen. »Eigentlich sieht der Kollege putzig aus, wenn er versucht, Wärme auszustrahlen. Als wüsste er genau, dass es da einen Knopf gibt, nur hat er vergessen, wo. Er meinte, er weiß, wie Ihnen zumute ist.«

»Wenn er sich da mal nicht täuscht.«

»Soll ich Anrufe durchstellen oder abwimmeln?«

»Abwimmeln, danke. Es sei denn, meine Tochter ruft wieder an.«

»Die süße Kleine. Tut sie bestimmt.« Mit dem Kännchen in der Hand will Frau Hedwig gehen, aber ihr Blick bleibt an den ausgebreiteten Briefbögen hängen, und ein zuverlässiges Gespür verrät ihr, dass er danach gefragt werden möchte. Neben Philippas Anrufen gehören die kurzen Unterredungen mit seiner Sekretärin zu den angenehmsten Zerstreuungen dieser Woche. Ihr kräftiges, auf dem Kragen der hellen Bluse wie aufgepfropft sitzendes Kinn macht eine träge Bewegung.

»Mein Doktorvater aus Amerika«, sagt er. »Keine Kondolenz, er will mich besuchen. Das heißt, genau genommen will er begleitet werden an den Ort, wo sein Bruder ums Leben gekommen ist. Im November vierundvierzig, Sie verstehen. Kennen Sie sich in der Eifel aus?«

»In Monschau hab ich eine geschiedene Schwägerin. In besseren Tagen bin ich dort gewandert.«

»Er schreibt, es sei vermutlich die letzte Gelegenheit, den Ort mit eigenen Augen zu sehen. Obwohl er selbst nicht genau zu wissen scheint, warum er das will.«

»Hürtgenwald?«

Hartmut nickt. »Wussten Sie, dass der Name von den Amerikanern geprägt wurde? Für ihre Ohren klang es wie ›to hurt‹ mit deutscher Endung. Wir haben damals viel Zeit damit verbracht, die Todesumstände seines Bruders zu rekonstruieren. Weit gekommen sind wir nicht.« Mit den Augen überfliegt er ein paar Zeilen und liest die Worte ›Individual Deceased Personnel File‹. Marsha lässt ihn grüßen und hofft, ihn noch einmal in Amerika bewirten zu können wie damals. Die Reise mitzumachen sei für sie ausgeschlossen. Auch in Stans Fall ist der Arzt nicht angetan von der Idee – was den alten Mann natürlich nicht abhält. »Ich wusste, dass das eines Tages auf mich zukommt. Merkwürdig, dass es jetzt geschieht.«

»Können Sie's nicht aufschieben?«

»Letzte Gelegenheit, so was sagt der Mann nicht leichtfertig. Von der Reise hat er schon gesprochen, als ich sein Student war. Im November will er kommen, zum Todestag des Bruders. Nein, ich kann's nicht aufschieben. Will ich auch nicht. Ich schulde ihm mehr als das.«

»Geben Sie Bescheid, wenn ich helfen soll.«

»Danke, ein Hotel werden wir brauchen. Und wenn sie kommt, sagen Sie Frau Ulrich bitte, sie möchte in der Uni-Bibliothek … nein. Nein, das mache ich heute Nachmittag selbst. Das erledige ich, nachdem ich geschlagene zwei Stunden lang gar nichts getan habe. Was meinen Sie? Komme ich Ihnen verändert vor?«

Frau Hedwig holt Luft, um zu antworten, aber nebenan fährt das Klingeln des Telefons dazwischen.

»Ich setz noch mal Kaffee auf«, sagt sie nur und verlässt gemächlichen Schrittes sein Büro.

Hartmut nimmt seine Tasse in die Hand und dreht den Stuhl wieder zum Fenster. Das lichter werdende Blattwerk gibt den Blick frei auf die Schlosskirche und den Gebäudeflügel entlang der Franziskanerstraße. Noch mehr Büros, in denen unter langen Neonröhren Wissen erworben, gesichtet, geordnet und verwaltet wird. In einer Zeit, deren Zeichen auf Pragmatismus stehen, derweil die Theorie in Ehren ergraut. Verstehen heißt korrekt anwenden können. Der Kanzlerkandidat der SPD heißt Schröder und hatte in den letzten Umfragen die Nase vorne. Glaubt man ihm, gibt es hier das Machbare und dort Gedöns. Eine Welt ohne Pathos. Letztes Wochenende, im Anschluss an die Beerdigung, hat Hartmut sich von seinem Neffen Felix erklären lassen, warum jetzt der ideale Zeitpunkt sei, um ein nutzloses Politikstudium hinzuschmeißen und auf den Dotcom-Zug aufzuspringen. Reich werden im Handumdrehen, nicht des schnöden Mammons wegen, sondern weil es das Ding ist, das man nicht verpasst haben will, wenn man sich eines Tages zurücklehnt und von früher erzählt. »Wie bei euch Woodstock oder die APO.« Zusammen mit Freunden tüftelt er an der Idee, übers Internet Zubehör für vermögende Haustierhalter zu vertreiben. Sachen, die kein Mensch braucht, und Tiere schon gar nicht, aber wenn sie es richtig anstellen, wird es ein Erfolg. Das kann man nicht begründen, es ist so. Gesetze regieren die Welt, die niemand aufgestellt hat und die folglich nicht zu ändern sind. Rund hundertachtzig Jahre später, als Hegel glaubte, ist die Geschichte tatsächlich zu Ende.

Langsam trinkt Hartmut seinen Kaffee. Und er? Mit fünfzig, hat er kürzlich jemanden sagen hören, beginne das Niemandsland des Alterns, das freie, leicht abschüssige Gelände vor den Fallgruben der ernsthaften Gebrechen. Bisher beschränkt es sich auf Rückenschmerzen und die gelegentliche Frage, ob das alles war. Ab und an nickt sein Arzt ihm aufmunternd zu und empfiehlt Bewegung im Freien. Gedanken an Sex begleiten ihn ständig, wenn Maria und er ihn haben. Seine Tochter ist unterdessen elf geworden und schließt seit einigen Wochen die Badezimmertür hinter sich ab. Sitzt kaum noch auf seinem Schoß, und wenn, dann fühlt es sich komisch an. Das rasende Dahinschleichen der Zeit. Erstaunter als über die Wehmut ist er über die Erleichterung, mit der er die Zäsur herannahen spürt. Ein Mal ist es schon vorgekommen, dass er vor dem Melbbad gefragt wurde, ob er auch auf seine Enkel warte.

Und jetzt Stan Hurwitz.

Am frühen Nachmittag geht er in die Uni-Bibliothek und ist erstaunt über die geringe Ausbeute, als er nach dem Schlagwort ›Allerseelenschlacht‹ sucht. Auf Deutsch gibt es zu dem Thema wenig Literatur; das war schon damals so und einer der Gründe, weshalb seine Mitwirkung an Hurwitz' Projekt vor allem im Zuhören bestanden hat. Aus der ebenfalls überschaubaren englischsprachigen Literatur entscheidet sich Hartmut für einen Titel, den er in Minneapolis glaubt gelesen zu haben: *The Battle of the Huertgen Forest* von Charles B. MacDonald. Zwei weitere Bände muss er vorbestellen, weil sie entliehen sind und er keine Lust hat, im Historischen Seminar vorbeizuschauen. Mit dem Buch in der Hand geht er den Rhein entlang. Es ist ein warmer Tag geworden, das richtige Wetter für Jogger und Hundehalter, für junge Eltern und ihre Kinder. Mit vollbesetztem Deck zieht die *Filia Rheni* flussaufwärts.

Zurück im Büro blättert er durch die Einleitung und das beigefügte Kartenmaterial und hört nebenan Frau Hedwig telefonieren. Ortsnamen kehren zurück aus der Vergessenheit von zwanzig Jahren. Die kriegerisch düsteren Bezeichnungen für Landstriche und Flurgebiete: Ochsenkopf, Todtenbruch und das riesige Minenfeld namens Wilde Sau. Beim Lesen sieht er Hurwitz über eine Straßenkarte gebeugt, worauf sie die Positionen der verschiedenen Regimenter markiert hatten und vergebens versuchten, den Frontverlauf zu rekonstruieren. Zu viele enge Täler, zu viel Hin und Her, oft war eine Dorfhälfte in deutscher und die andere in amerikanischer Hand. Vossenack, das eigentliche Zentrum der Kämpfe. Es dauert eine Weile, bis Hartmut bemerkt, dass er in dem Bibliotheksexemplar herumstrichelt, als wäre es sein eigenes. Am schlimmsten hatte es die 28. Division erwischt, in deren 112. Regiment Joey Hurwitz die letzten drei Tage seines Lebens verbrachte. Über die Angehörigen eines anderen gefallenen GI ist Stan an eine Skizze gekommen, die den Fundort der Leichen verzeichnet. Wann er sie erhalten hat, schreibt er nicht. An den entscheidenden Stellen klingt sein Brief ungewohnt zurückhaltend, beinahe ängstlich.

Als wollte er die Reise gar nicht unternehmen, sondern hätte bloß die letzte Entschuldigung verloren, sie weiter aufzuschieben.

Kurz nach halb drei, als nebenan die Stimme seiner Sekretärin einen ungewöhnlich herzlichen Klang annimmt, weiß Hartmut, dass sie mit Philippa spricht. Eine Minute später klingelt das Telefon auf seinem Schreibtisch. Er legt das Buch beiseite und hebt ab.

»Professor Doktor Faulenzer hier, was kann ich für Sie tun?«

Seine Tochter stutzt nur kurz.

»Du konntest nicht wissen, dass ich es bin«, sagt sie streng. »Es hätte der Präsident sein können.«

»Ich hab's aber gewusst.«

»Wie?«

»Durch sogenannte Intuition. Das bedeutet, dass …«

»Ich weiß, was Intuition heißt. Deswegen rufe ich nicht an.« Seit einiger Zeit gefällt es Philippa, den Eindruck zu erwecken, sie sei vielbeschäftigt und daher kurz angebunden. Maria meint, es sei ihr schleierhaft, von wem sie das habe.

Hartmut schiebt seinen Stuhl zurück und legt die Füße auf den Tisch. Vom Cover des Buches blickt ihn die Besatzung eines amerikanischen Sherman-Panzers an, der über einen matschigen Waldweg rollt. Er dreht es um und hört seiner Tochter dabei zu, wie sie nachdenkt über die beste Weise, ihr Anliegen vorzutragen. An bisher jedem Tag der Woche hat sie im Büro angerufen, um sich nach seinem Befinden zu erkundigen, auf ihre halb kindliche, halb erwachsene Art, auf die richtig einzugehen nicht leicht ist. Jeden Tag schwankt ihr Alter zwischen sieben und vierzehn, wie ein Pendel, bloß ohne Takt.

»Ich hab mir überlegt, dass du etwas tun solltest, was dir guttut«, sagt sie schließlich.

»Das tue ich gerade. Ich telefoniere mit meiner Tochter.«

»Ich meine eine Unternehmung. Etwas, das du dir erst vornimmst und dann tust.«

»Das ist sehr fürsorglich von dir, aber leider geht es dieses

Wochenende nicht. Morgen muss ich nach Arnau, wie du weißt. Hat deine Mutter sich schon geäußert, ob ihr beide mitkommt?«

»Ich äußere hiermit, dass ich mitkomme. Kommt Felix auch?«

»Bestimmt. Und deine Mutter?«

»Im Moment liegt sie im Bett.«

»Verstehe.« Er blickt auf seine Armbanduhr: Zwanzig vor drei.

»Also, du solltest ins Kino gehen«, sagt Philippa, bevor er sich nach Marias Befinden erkundigen kann. »Das könntest du heute noch machen.«

»Hm. Ich war lange nicht im Kino. Was sollte ich deiner Meinung nach sehen?«

»Etwas, das dich ablenkt und … Ich weiß nicht. Auf jeden Fall was Positives.«

»Zuerst müsste ich mich erkundigen, was im Moment läuft. Ich bin überhaupt nicht informiert. Am besten frage ich Frau Hedwig.«

»Am besten fragst du mich. *Der Pferdeflüsterer* ist gerade angelaufen.«

»Nie gehört. Worum geht's?«

»Na ja, um Pferde.«

»Das ist alles? Dem Titel nach müsste mindestens noch ein Mann vorkommen.«

»Es ist eine Liebesgeschichte, okay?« Bei der Intonation bestimmter Wörter verzieht sich Philippas Gesicht zu ironischen Grimassen, das weiß er, ohne es sehen zu können. »Außerdem geht es darum, wie jemand ein Trauma überwindet. Weißt du, was ein Trauma ist?«

»Ich denke schon, doch.«

»Es würde dir wirklich guttun.«

»Lass mich raten. Deine Mutter würde sich so was vermutlich nicht anschauen, oder?«

»Du kennst sie«, sagt Philippa besonnen. »Amerikanische

Filme sind nicht ihr Ding. Außerdem hat sie später ihren Unterricht.«

»Richtig. Hätte ich fast vergessen.«

»Wenn du willst, begleite ich dich. Gegen Abend könnte ich's einrichten.«

Es dürfte das letzte Mal sein, dass seine Tochter ihm anträgt, mit ihr gemeinsam einen Liebesfilm anzuschauen, also sagt er zu. Im Frühjahr war sie erstmals ohne elterliche Begleitung im Kino, um mit zwei Freundinnen *Titanic* zu sehen. Das entsprechende Poster über dem Bett lässt auf eine allmähliche Verlagerung ihrer Interessen schließen, hin zu dem, was außerhalb des Tierreichs süß ist. Heute hat sie bereits alles arrangiert und schlägt vor, dass sie sich um Viertel nach sechs vor dem Sternkino treffen. Die Vorstellung beginne um halb sieben, und die Tickets seien auf den Namen Hainbach bestellt.

»Ich komme mit dem Bus, du kannst laufen. Das Sternkino ist Am Markt acht.«

»Ich weiß, Schatz. Ich wohne schon genauso lange in Bonn wie du.«

»Aber nicht genauso viel«, sagt sie weise und ein wenig kryptisch und wünscht ihm einen schönen Nachmittag.

Um zwanzig nach sechs erwartet sie ihn mit den Karten in der Hand und einer bunten Schirmmütze auf dem Kopf. Im letzten Jahr ist sie sieben Zentimeter gewachsen und schlenkert manchmal mit den Armen, als wäre sie in deren Handhabung noch unsicher. Was vorne fransig unter der Mütze hervorlugt, scheint nicht ihr Pony, sondern das Ende eines Zopfs zu sein. Zur Begrüßung breitet sie theatralisch die Arme aus und ruft: »Du bist es wirklich!« Eins der vielen unbekannten Zitate, mit denen sie unentwegt um sich wirft. Die Persönlichkeit seiner Tochter ist ein Produkt verschiedener Einflüsse, und manchmal verhält sie sich wie ein Chamäleon, das knallrot leuchtend auf der Wiese sitzt und seiner Umwelt signalisiert – ich kann auch anders. Bei der Umarmung riecht sie nach Kaugummi und Marias Parfüm und sagt: »Ich hab die Karten geholt, du kaufst Popcorn.«

»Von welchem Geld hast du die Karten bezahlt?«

»Haushaltskasse. Noch fünf Minuten bis zum Film.«

Er tut wie ihm geheißen und findet seine Tochter in der Mitte der vierten Reihe, für seinen Geschmack zu weit vorne. Der Saal ist um diese Zeit nur zur Hälfte gefüllt, größtenteils von jungen Pärchen. Kaum hat er Platz genommen, gehen die Lichter aus. Hartmut lehnt sich zurück und würde lieber Philippa anschauen als die Leinwand. Von der Seite sieht sie älter aus, scheint ihm. Nicht mehr lange, bis sie ihre Tage bekommen und zickig werden wird. Von Anfang an entspricht der Film seinen Erwartungen, vereint schöne Landschaftsaufnahmen und gute Schauspieler, kraftvolle Klischees und eine Dramaturgie, die das Publikum schluchzen und seufzen lässt. Montana ist die Heimat von Carson Becker, fällt ihm ein. Philippa sitzt wie hypnotisiert auf ihrem Platz und mag entweder kein gesalzenes Popcorn, oder sie hat vergessen, dass welches neben ihr steht. Es gibt ein verletztes Pferd und ein Mädchen in ihrem Alter. Dass man auch jenseits der fünfzig eine gute Figur machen kann, beweist Robert Redford, dessen Hintern ein wenig zu oft im Bild ist, aber Hartmut stört sich nicht daran. Sechs Jahre sind vergangen, seit er zuletzt in Amerika war; eine Tagung in Seattle, zu der auch Stan erschien, sichtlich gealtert und immer noch ein Riese von Mann. Wann wird er selbst das nächste Mal über den Atlantik fliegen? Nie wieder? Überrascht stellt Hartmut fest, dass es ihn nicht kaltlässt, als das Pferd und seine Besitzerin wieder zueinanderfinden. Er ist sogar ausgesprochen empfänglich für diese musikunterlegte Form von Sentimentalität. Alles wird gut, fast wie vorher. Sobald die Lichter angehen, zieht Philippa beide Schultern nach oben und sagt mit einem Anflug von Enttäuschung: »Ich dachte wirklich, dass sie sich mehr küssen.«

»Der Film ist ab sechs Jahren freigegeben, da soll man nicht zu viel erwarten.«

Um sie herum strecken Leute die Arme und greifen nach ihren Jacken. Hartmuts Blick fällt auf einen allein sitzenden jungen Mann mit Brille, der ihm nicht bekannt vorkommt, aber diskret in seine Richtung nickt. Vermutlich ein Hinterbänkler aus dem letzten Wittgenstein-Seminar.

»Was meinst du, wie wurde Küssen erfunden?« Mit angezogenen Knien hockt Philippa auf ihrem Platz und schaut nachdenklich auf die leere Leinwand. »Bei einem schweren Unfall?«

»Mütter haben es mit ihren Kindern gemacht«, sagt er. »Früher, als es noch keine Babynahrung gab. Alles musste vorgekaut und dem Baby eingeflößt werden, von Mund zu Mund. Ich glaube, so ist es entstanden.«

»Uuh …« Seine Tochter verzieht das Gesicht und sinkt in ihren Sitz zurück. »Wann früher? Als du ein Kind warst?«

»Noch früher. Männer haben es sich angeschaut und wurden neidisch. Irgendwann kam einer auf die Idee, es ohne Essen zu versuchen.«

»Eigentlich ist es wie Schwimmen auf dem Trockenen. Ich meine ohne Essen. Aber mit Essen ist es voll eklig.«

»Du wirst deine Meinung ändern, glaub mir. Jedenfalls über die Variante ohne Essen. Noch Popcorn?«

»Danke, mir ist schon schlecht.«

Sie verlassen das Kino und schlendern zurück zur Uni. Die Tage werden spürbar kürzer und die Abende kühler. An sämtlichen Laternenpfählen hängen Wahlplakate. Übermorgen könnte eine Kanzlerschaft zu Ende gehen, an deren Beginn das Parlament in Bonn tagte und er in Berlin an seiner Habilitation gearbeitet hat. An den Tag von Schmidts Vertrauensfrage erinnert er sich gut, wie er zu Hause vor dem Fernseher saß statt am Schreibtisch. Sauer auf die FDP, außerdem unzufrieden mit sich, der Arbeit und seinem Leben. Damals wurde die Beziehung mit Tereza allmählich kompliziert. Seit einiger Zeit erblickt er überall Perioden und Phasen, die Anfänge von etwas und was aus ihnen geworden oder nicht geworden ist, und jedes Mal befällt ihn leises Bedauern, beinahe angenehm in seiner Unauffälligkeit. Wie jetzt: Der Tag ist fast vorbei, und erst im Rückblick bemerkt er, dass er ihn trotz allem genossen hat. Was bleibt, ist ein schlechtes Gewissen und die Hoffnung, dass Maria seine Lust auf ein Glas Wein teilen wird. Unbedingt muss er daran denken, sie nach dem Unterricht zu fragen. Schweigend durchqueren Philippa und er das Stockentor und betreten die Tiefgarage.

Weil an der Nordunterführung gebaut wird, nimmt er die Adenauerallee und schlägt vor, unterwegs eine Kleinigkeit zu essen. Mit Sorge beobachten Maria und er, wie dünn ihre Tochter geworden ist und mit welcher Gründlichkeit sie neuerdings die Inhaltsangaben von Lebensmitteln studiert. Leuchtende Warnsignale für Anorexie. Jetzt will sie lieber nach Hause.

Vor einer roten Ampel spürt er ihren forschenden Blick. Als falle ihr wieder ein, was auch er vergessen hatte: dass der Kinobesuch einen therapeutischen Zweck erfüllen sollte. Den ganzen Tag und die ganze Woche hat ihn das Wissen begleitet wie ein unauffälliger Beschatter. Mal zeigt er sich, mal bleibt er verborgen, diskret und aufdringlich zugleich. An seinen Vater zu denken ist so ungewohnt für ihn, dass er es zwischendurch einfach vergisst.

»Bist du sehr traurig?« Philippa dreht an ihrem Armreif.

Die Ampel schaltet um, und Hartmut legt den ersten Gang ein. Der WDR-Sendemast blinkt in der Dunkelheit. Es gefällt ihm, dass sie auf einem Berg wohnen und er seinen Arbeitstag mit einer Fahrt nach oben beschließen kann. Eine gleichzeitig kindgerechte und ehrliche Antwort auf ihre Frage fällt ihm nicht ein.

»Es fühlt sich an, als wäre ich auf dem Weg dorthin. Als wäre die Trauer irgendwo und ich käme nicht ran. Jedenfalls noch nicht.«

»Du hast nicht geweint auf der Beerdigung.«

Er wendet den Kopf, aber jetzt blickt seine Tochter geradeaus. Obwohl noch nicht zwölf, sitzt sie neuerdings vorne, und Hartmut muss sich daran gewöhnen, ihr Gesicht nicht im Rückspiegel zu sehen, sondern neben sich.

»Es ist merkwürdig, weißt du, wie man überrascht werden kann von etwas, das unausweichlich war. Nicht nur, weil es ohne Vorankündigung passiert ist. Ich meine, überhaupt. Ich hab mich nie mit der Möglichkeit beschäftigt. Vielleicht weil es das erste Mal war, dass ein Mensch gestorben ist, der mir nahestand.«

»Ruth hat geweint.«

»Ruth ist eben … Ruth. Menschen unterscheiden sich in vielen Dingen, auch Geschwister. Deine Mutter und João sind so unterschiedlich, wie zwei Menschen nur sein können. Verglichen damit …«

»Eben«, sagt sie mit Nachdruck. »Verglichen damit seid ihr wie Zwillinge.«

»Offen gestanden, kann ich mich nicht erinnern, wann ich das letzte Mal geweint habe. Ich weiß nicht warum.«

Darauf erwidert Philippa nichts, wiegt nur den Kopf und beginnt, in ihren Jackentaschen nach etwas zu suchen.

Vor vier Tagen hat er vor dem offenen Grab gestanden und glauben wollen, dass von nun an alles eine andere Grundierung bekommen werde. »Unser Leben währet siebzig Jahre«, sagte der Pfarrer mit den müden Augen, »und wenn es hoch kommt, so sind es achtzig Jahre, und wenn es köstlich gewesen ist, so ist es Mühe und Arbeit gewesen.« Die Quintessenz jenes asketischen Protestantismus, den Wilhelm Hainbach bis ins siebenundsiebzigste Jahr gelebt hat und auf seinem Grabstein verewigt wissen wollte. Für ihn scheint das Ende weniger unerwartet gekommen zu sein als für die Familie. Sogar eine Liste der Lieder, die bei der Beerdigung gesungen werden sollten, hatte er zusammengestellt und zu den wichtigen Dokumenten gelegt. *O Haupt voll Blut und Wunden* und andere Zeugnisse des Dreißigjährigen Krieges. Später im Bonhoeffer-Haus ist so oft das Wort vom ›schönen Tod‹ gefallen, dass selbst Ruth meinte, sie könne den Ausdruck nicht mehr hören.

»Das dürfte ein Gefühl sein, das du nicht kennst«, entgegnet er dem skeptischen Schweigen seiner Tochter. »Weinen zu wollen, aber nicht zu können.«

»Ich kenne das Umgekehrte.«

»Wahrscheinlich fühlt sich beides gleich schlecht an.« Damit biegt er links ab und fährt im Schritttempo auf ihr Haus zu. Auf einmal kommt ihm die Atmosphäre draußen herbstlich vor. Er stellt den Motor ab, löst mit einem entschlossenen Nicken den Gurt und sieht seine Tochter an. »Hey, das war eine richtig schöne Unternehmung. Sollten wir häufiger machen.«

Philippa schnallt sich ebenfalls ab und sieht merkwürdig klein aus auf dem Beifahrersitz.

»Es ist nicht der richtige Zeitpunkt für einen Witz, oder?«

»Einen Witz?«

»Ich hab einen neuen. Ruth fand ihn lustig.«

»Wann hast du mit ihr gesprochen?«

»Heute Nachmittag.«

»Hat sie angerufen?«

»Nein, ich. Um ihr zu sagen, dass Mama und ich mitkommen.« Am Sonntag wird im Fürbittengebet seines Vaters gedacht, und Ruth legt Wert auf die Anwesenheit der ganzen Familie. Da er keine Briefwahl mehr beantragen konnte, werden sie zeitig zurückfahren müssen, was seine Schwester hoffentlich verstehen wird. Für ihre Grünen könnte es ein historischer Tag werden.

»Deine Mutter kommt mit?«

»Natürlich kommt sie mit.«

Er hat die Fahrertür schon geöffnet, nun schließt er sie wieder und kann trotzdem das Herbstaroma riechen, das von der Casselsruhe her über die Grundstücke weht. Kurz taucht Marias Schemen hinter dem erleuchteten Flurfenster auf. Am frühen Abend hat sie ihre dritte Unterrichtsstunde gegeben. Portugiesisch für Anfänger. Die Schüler sind allesamt Frauen über fünfzig, die *Das Buch der Unruhe* gelesen oder eine Fado-Aufführung gesehen haben und sich seitdem leidenschaftlich für Portugal interessieren. So wie letztes Jahr für die Türkei. Ob er sich darüber lustig machen darf, muss noch entschieden werden. Sie sind wieder mal in der Probephase. Obwohl ihm bis zum Erreichen der offiziellen Berufungsgrenze noch ein

Jahr fehlt, hat er im Frühjahr seine zunehmend masochistischen Bemühungen um einen Wechsel woandershin eingestellt. FU, HU, Potsdam, dann in immer weiteren Kreisen um die Hauptstadt herum, bis Breugmann eines Tages in sein Büro kam und meinte: Herr Kollege, ich appelliere an Ihren Stolz! Allenfalls ein Wechsel innerhalb Nordrhein-Westfalens käme noch in Frage, aber was sollen sie in Wuppertal? Statt hochfliegender Pläne haben sie Nägel mit Köpfen gemacht und dreißigtausend Mark in die Erneuerung des Hauses gesteckt. Küche, Schlafzimmer und das obere Bad, wo jetzt weiß-blaue Kacheln maurisches Flair verbreiten. Ihre Muttersprache zu unterrichten ist nicht Marias Traum, aber wenn sie sich erst einmal zurechtgefunden hat in der Rolle? Für ihn war es auch nicht leicht, auf das zu verzichten, was er als die Vervollständigung der Familie empfunden hätte. Mittlerweile ist er beinahe froh darum. Wir drei hier, hat er zu ihr gesagt. Neuerdings steht er in Kontakt mit Kollegen von der Romanistik, vielleicht tut sich dort, in der portugiesischen Sprachausbildung, eine Möglichkeit auf.

»Doch, ich glaube, ich könnte einen Witz gebrauchen«, sagt er. Den neuen Außenanstrich haben sie vorläufig zurückgestellt, obwohl das verwitterte Grau der Hauswände ihm düster vorkommt. Hurwitz' Brief fällt ihm wieder ein. Die Eifel im November, zusammen mit einem gebrechlichen alten Mann, der sehen will, wo sein Bruder gefallen ist. Weil man manchmal nur weiß, was man anderen schuldet, nicht warum.

»Wieso kommt Helmut Kohl nicht in den Himmel?« Philippa zieht die Schultern nach vorne, als wollte sie in Deckung gehen. In der Hand hält sie das abgerissene Kinoticket, das sie später an ihre Pinnwand heften wird.

»Keine Ahnung«, sagt er. »Wegen der Spendenaffäre? Nein.«

Sie schüttelt den Kopf und schaut ihn an mit der undurchdringlichen Miene ihrer elf Jahre. Das Kind, das er immer zuerst in ihr sehen wird, noch vor der anderen Person, die sich dahinter zu formen beginnt.

»Er passt nicht durchs Ozonloch«, sagt sie.

Er hört sein eigenes Lachen, ein wenig angestrengt und gleichzeitig erleichtert darüber, dass er den Witz lustig findet. Sie will ihn zum Lachen bringen, weil sein Vater tot ist, und kann nicht wissen, dass er lieber traurig wäre. Wie soll man das einem Kind erklären? Wahrscheinlich stellt sie sich vor, wie es für sie wäre, wenn er stürbe. Gerne würde er länger lachen, heftiger und lauter, aber sein Gesicht spielt nicht mit.

»Ich weiß, er ist nicht so lustig«, sagt Philippa resigniert.

»Doch, ich finde ihn ziemlich gut. Besser als neulich den mit dem Bernhardiner.«

»Über den hast du mehr gelacht.«

»Sagen wir, der hier ist intelligenter.«

»Ich kenne auch Witze von João, aber nur auf Portugiesisch.«

»Ein andermal, okay?« Weil er sie im Auto nicht an sich drücken kann, streichelt er ihre knochige Schulter. »Geh schon mal rein und sag deiner Mutter, ich komme sofort.«

Er sieht ihr nach, wie sie ums Auto herum und ins Haus läuft. Im Wohnzimmer brennt Licht. Hinter ihm geht jemand die Robert-Koch-Straße entlang und spricht mit seinem Hund. Knapp eine Woche liegt es zurück. Ein Samstagmorgen, als dem Sommer allmählich die Kraft ausging. Sie hatten zusammen gefrühstückt, dann war er nach oben gegangen, um ein paar Mails zu schreiben. Als das Telefon klingelte, versuchte er zuerst, es zu ignorieren, in der Hoffnung, dass unten jemand drangehen würde, aber schließlich nahm er selbst ab.

Ruth. Obwohl der veränderte Klang ihrer Stimme ihm sofort auffiel, brauchte er ein paar Sekunden, um seine Aufmerksamkeit von dem Text auf dem Bildschirm abzuwenden.

»Bist du allein?«, fragte sie. Samstagvormittag war nicht ihre Zeit.

»Ich bin im Arbeitszimmer. Was gibt's?«

Manche Nachrichten sind so beschaffen, dass sie bereits in der Sekunde, bevor sie ausgesprochen werden, beim Empfänger eintreffen. In jener kurzen Pause, die plötzlich nur einen Schluss zulässt. Im Rückblick glaubt er sogar, über das merkwürdige

Phänomen nachgedacht zu haben, alles in dieser einen Sekunde. Je schwerer zu glauben die Nachricht, desto größer die Wahrscheinlichkeit, dass sie gar nicht ausgesprochen werden muss.

Mein Vater ist gestorben, dachte er.

»Unser Vater ist letzte Nacht gestorben«, sagte Ruth.

Langsam lehnte er sich im Schreibtischstuhl zurück. Aus Philippas Zimmer kamen die aufgeregten Stimmen eines Hörspiels. Was er zuerst spürte, war die betäubende Wirkung des Schocks. Den Blick aus seinem Arbeitszimmer hatte er schon immer gemocht, über Baumspitzen und das Klinikgelände hinweg, endend und doch nicht endend in der farblosen Leere über dem Rheintal.

»Woran?«, fragte er.

»Sein Herz hat einfach aufgehört zu schlagen. Mutter ist gegen sechs aufgewacht und …« Jetzt erst merkte er, dass seine Schwester um Fassung rang. »Es war alles wie immer. Dann fiel ihr auf, dass sie ihn nicht atmen hörte.«

Alles wie immer. Mechanisch streckte er die Hand aus und klickte die zuletzt gelesene Mail weg. Wie unheimlich es wirkt, wenn zur Normalität nur eine Winzigkeit fehlt. Der Tod als Mangel an Geräusch.

»Wie geht's ihr?«, fragte er. »Mutter.«

»Sie ist ruhig, du kennst sie. Sie fragt, wann du kommst.«

»Wie geht's dir?« Er hatte das Gefühl, dass Maria in seiner Nähe stand, obwohl er sie im selben Moment unten im Flur hörte. Kürzlich erst hatten sie über die von Krieg und Diktatur geprägte Generation ihrer Eltern gesprochen, für die Entbehrungen so selbstverständlich waren wie für die Kinder der Anspruch auf Glück. Schwer zu erklären, meinte Maria, warum wir von ihnen nicht stärker beeindruckt sind.

»Kannst du sofort kommen?«, fragte Ruth, ohne seine Frage zu beantworten.

»Natürlich.«

Vielleicht bleibt er im Auto sitzen, weil es ihn an die Fahrt vom letzten Samstag erinnert, und weil die Erinnerung guttut.

An einem bewölkten Tag zwischen den Jahreszeiten fuhr er nach Hause, um sich in einer ungewohnten Rolle zu bewähren. Wenig Verkehr auf der Sauerlandlinie. Philippa war auf der Stelle in Tränen ausgebrochen, also hatten Maria und er vereinbart, dass er zunächst alleine fahren solle. Bis Dillenburg auf der Autobahn, dann über die bekannten Dörfer. In der Küche in Arnau saßen alte Leute, die schon unzählige Tode erlebt hatten und in deren Kreis er sich wie ein Anfänger vorkam. Eine Totenwache gab es nicht, der Leichnam war bereits abgeholt worden. Hartmut führte Telefonate mit Cousins, denen er sich mit vollem Namen vorstellen musste, bevor sie ihn erkannten. Immer die gleichen Floskeln: Wenn man schon sterben muss, dann so. Irgendwann erwischt es uns alle. Er hat sein Leben gelebt. Die Hilflosigkeit von Worten fiel ihm auf, und die Wortlosigkeit dessen, was wirklich half. Eine Umarmung im Flur, die Gefasstheit seiner Mutter. Ruths stilles, von ihr selbst unbemerktes Lächeln.

Jetzt reißt ihn eine Bewegung in der Haustür aus seinen Gedanken. Als er aufblickt, steht Maria gegen den Türrahmen gelehnt und sieht ihn mit verschränkten Armen an. Ihr amüsierter Gesichtsausdruck lässt darauf schließen, dass sie schon längere Zeit dort steht und ihn beobachtet.

Er fährt das Seitenfenster runter und legt einen Ellbogen in den Rahmen. Die Luft auf dem Venusberg riecht nach Laub und reifen Pflaumen.

»Guten Abend.«

»Guten Abend«, sagt sie. »Kommst du alleine raus aus dem Auto oder soll ich die Feuerwehr rufen?«

»Bin sofort da. Wollte bloß noch einen Moment an nichts Bestimmtes denken.«

»Lass dir Zeit.« Zögerlich macht sie einen Schritt aus der Tür und blickt zur Straße. Sie trägt einen schwarzen Rollkragenpullover, den er noch nie an ihr gesehen hat. Passt gut zu den neuerdings kürzeren Haaren.

»Es wird kühler«, sagt er und denkt, dass der Tod seines Vaters in Wahrheit nichts geändert hat. Das ist es, womit er sich abfinden muss.

»Ja.« Maria nickt. »Obwohl wir in Deutschland leben.«

»Wie war dein Unterricht? Sind die Damen so unbegabt wie ich?«

»Ich hab ein paar echte Talente.« In Hausschuhen macht sie drei schnelle Schritte zum Auto, beugt sich herab und küsst ihn durchs offene Fenster. Sie hat sich die Zähne geputzt, damit er nichts riecht. Bevor er antworten kann, verschwindet sie wieder im Haus. Die Tür bleibt offen stehen und gibt den Blick frei auf das übliche Chaos im Vorflur. Schuhe und Jacken. Warmes Licht. Hartmut greift nach seiner Tasche auf der Rückbank und vergewissert sich, dass der Brief darin steckt. Gleich morgen wird er Stan antworten. Dann steigt er aus, schließt die Tür ab und spürt die Nähe einer in den Tresor gesperrten Angst. Beinahe eine Lockung, ähnlich der, die Menschen dazu treibt, eines Tages ins Auto zu steigen und fortzufahren. Raus aus ihrem geheimnislosen Leben.

Aus dem Nachbarhaus kommt leise Musik. Laternenlicht fällt auf die Straße, und das Kopfsteinpflaster glänzt, als hätte es kürzlich geregnet.

12 Anderthalb Stunden sind sie der Autopista del Atlántico nach Süden gefolgt, aber das Meer haben sie nur ein Mal gesehen. Auf der Höhe von Pontevedra, als sie über eine große Brücke fuhren, lagen links Segelboote im Hafen, und rechts öffnete sich der Ausblick auf endloses Wasser. Seitdem bietet die Landschaft kaum Anlässe, um das Schweigen im Auto zu brechen. Je näher sie der Grenze kommen, desto heißer wird es. Philippa hat den Beifahrersitz nach hinten geschoben und die Lehne gekippt und stützt ihre nackten Füße gegen das Handschuhfach. Das Steuer übernehmen will sie nicht. Nach drei gemeinsamen Tagen hat sich die Wiedersehensfreude gelegt, und was an ihre Stelle getreten ist, wüsste Hartmut nicht zu sagen. Irgendwie gar nichts, scheint ihm.

Eine langgezogene Brücke führt über den Rio Minho. Auf der anderen Seite heißt sie ein Schild willkommen. Jede Ankunft in Portugal fühlt sich wie eine Heimkehr an. Die hochstehende Sonne brennt auf Hartmuts Oberschenkel, sein Blick streift kleine Baumgruppen, die nicht dicht genug sind, um sie Wälder zu nennen, und über allem wölbt sich das Azurblau des portugiesischen Himmels. Entschlossen wendet er den Kopf nach rechts.

»Hey! Bem-vinda a Portugal!« Insgesamt dürfte er zwei volle Jahre in Lissabon, Rapa und verschiedenen Küstenorten zugebracht und in dieser Zeit mehr Sonnenlicht abbekommen haben als in seinem gesamten restlichen Leben. Seine Tochter antwortet lediglich mit einem knappen Nicken.

»Nenn mir drei Dinge«, sagt er unverdrossen, »die dir spontan zu Portugal einfallen. Substantive oder Adjektive, ganz egal, aber ohne lange nachzudenken.«

»Du zuerst.«

»Sommer, Rapa, grüner Wein.«

»Avó Lu, Avô und João.« Philippa schaut aus dem Seitenfenster, das Mobiltelefon hält sie in der Hand. Den jüngsten Meldungen zufolge hat das EKG den Verdacht auf Herzinfarkt bei Artur zwar nicht bestätigt, aber seine Blutwerte sind auffällig. Weder Notfall noch Entwarnung, so lautet die Zusammenfassung, die Hartmut vor der Abfahrt auf Marias Mailbox gesprochen hat. Der alte Mann soll für einige Tage im Krankenhaus bleiben. Lurdes ist derweil alleine in Rapa und verbringt mehr Zeit in der Kirche als zu Hause. Man erreicht sie nur abends.

»Du machst es einem auch nicht leicht, weißt du.« Hartmut versucht seiner Tochter einen vorwurfsvollen Blick zuzuwerfen. »Dinge, hab ich gesagt.«

»Ich muss aufs Klo.«

»Jawohl. Du musst aufs Klo, und dein gehorsamer Fahrer beeilt sich. Sogar das Tempolimit werde ich für dich missachten.«

Kurz nach vier Uhr zeigt die Anzeige am Armaturenbrett, aber nach portugiesischer Zeit ist es eine Stunde früher. Auf der Straße herrscht wenig Verkehr, und wenn Hartmut in den Rückspiegel blickt, begegnet er einer verfremdeten Version seiner selbst. Als er heute Morgen im Bad stand, den Rasierer kurz in die Hand genommen und wieder beiseitegelegt hat, fiel ihm der Turiner Kollege ein, der auf der letzten Summer School einen Gastvortrag gehalten hatte. In geschliffenem, beinahe aristokratischem Englisch und mit einem sorgfältig ungepflegt aussehenden Dreitagebart, der auf Hartmut größeren Eindruck machte als Professor Mancinis Ausführungen. Dass Philippa spöttisch fragen würde, wen er mit seinem neuen Look beeindrucken wolle, war vorauszusehen. Ihm gefällt die Veränderung.

Gleich nach dem ausgiebigen Frühstück hat er das Hotel verlassen und den Rest des Vormittags in der Altstadt verbracht. Er wollte sich die Füße vertreten und ein wenig bummeln, vielleicht ein Museum besuchen, aber sobald er losgegangen war, schlugen seine Füße dieselbe Richtung ein wie zwei Tage zuvor. Es war ein sonniger und erfrischend kühler Morgen, an dem es guttat, sich im Freien aufzuhalten. Philippa wollte ihn um zwei Uhr abholen. Die Gassen von Santiago lagen noch im Schatten und erwachten nur langsam zum Leben.

Durch denselben Seiteneingang wie zwei Tage zuvor betrat er die Kathedrale. Sonnenlicht fiel durch die oberen Fenster und hüllte alles in einen silbrig weißen Glanz. Hinter dem Altarraum erkannte Hartmut schemenhaft Leute, die die Statue des Apostels umarmten. Langsam durchquerte er das Hauptschiff, setzte sich auf eine Bank und beobachtete das Treiben bei den Beichtstühlen. Statt durch das seitlich angebrachte Gitter zu sprechen, kniete ein junger Mann frontal vor dem Priester und bewegte die Schultern, als würde er von Krämpfen geschüttelt. Ein anderer erhob sich lächelnd und nahm seine wartende Begleiterin bei der Hand. Europäer und einige Asiaten füllten die Kirche, Kinder und Alte, die Andächtigen, die Unbeteiligten und feixende Jugendliche. Touristen fotografierten trotz der Verbotsschilder, Gläubige falteten die Hände, und zwischendrin schritten katholische Eliteschüler in blauen Kutten, blickten streng und zischelten vernehmlich, wenn es ihnen zu laut wurde.

Man könnte es sein Kirchengefühl nennen: fremd zu sein auf vertraute Weise. Beinahe sicher, dass nur Hirngespinste ihn bedrängten. Zwei Mal seit Marias Umzug hat er nachts die Schlafzimmertür verschlossen, aus Angst vor unerwünschten Epiphanien. Um nicht zu enden wie der glatzköpfige Mann, den er gelegentlich auf dem Bonner Marktplatz sieht. In einer abgetragenen Windjacke verteilt er Pamphlete und wettert gegen die Verderbtheit der Welt, ignoriert, belächelt oder verhöhnt von der geschäftigen Umwelt. Hartmut saß auf der Kirchenbank und konnte den Blick nicht vom Beichtstuhl Nummer fünf abwenden. Der Priester darin war jünger als seine Kollegen, und statt zu lesen oder vor sich hin zu dämmern, legte er beide Hände auf das schmale Fensterbrett, als wollte er eine Plauderei beginnen. ›Pro Linguis Germanica et Hungarica‹ stand in Holz eingraviert über der Tür. Im Aufstehen spürte Hartmut Schweiß auf seine Stirn treten. Ein Gefühl, als wäre er durchsichtig nur für andere, nicht für sich selbst. Hatte Sandrine nicht etwas Ähnliches gesagt? Wenn das stimmt und nicht nur für Kirchen gilt, dachte er, wozu dann das Versteckspiel?

»Vielen Dank«, sagt Philippa ironisch. »Mein gehorsamer Fahrer.«

Hartmut schaut auf und sieht die Ausfahrt rechts aus dem Blickfeld verschwinden. Ein Schild gibt die Entfernung zum nächsten Rastplatz mit vierzig Kilometern an.

»Tut mir leid, ich war unaufmerksam. Wieso hast du nicht eine halbe Minute früher Bescheid gesagt?«

»Weißt du, dass du manchmal die Lippen bewegst, wenn du nachdenkst? Als würdest du leise Selbstgespräche führen. Ich wollte dich nicht stören.«

»Deine Blase«, sagt er ruhig, obwohl er ebenfalls aufs Klo muss und ihren mokanten Tonfall nicht mag. »Jetzt dauert es wieder zwanzig Minuten.«

»Als Kind hab ich dich manchmal am Schreibtisch beobachtet. Wenn deine Tür offen stand, konnte ich dich durch das Schlüsselloch von meiner hindurch sehen. Immer einen Ellbogen aufgestützt und mit dem Kinn auf dem Handrücken. Da hast du auch manchmal vor dich hin geredet, aber was, das konnte ich nicht verstehen.«

»Hm-m.«

»Damals war mir nicht klar, was für einen Beruf du eigentlich hast. Ich hätte es besser gefunden, du wärst Tierarzt.«

»Das ist deine markanteste Erinnerung an mich aus deiner Kindheit: wie ich am Schreibtisch vor mich hin murmele?«

»Jedenfalls die erste, die mir einfällt, wenn du neben mir sitzt und vor dich hin murmelst. Wer ist Sandrine Baubion?«

»Bitte?«

Ohne sich ihm zuzuwenden, deutet Philippa auf einen zusammengefalteten Zettel in der Mittelkonsole. Sandrines Name, die Adresse und der Code ihrer Haustür stehen darauf. Es ist ein gutes Beispiel für seine Gründlichkeit, dass er in einer Notiz für sich selbst den Namen ausgeschrieben hat. Wahrscheinlich hat Philippa beim letzten Stopp an der Tankstelle daraufgeschaut.

»Eine alte Freundin«, sagt er. »Genauer gesagt, war sie meine erste große Liebe. Damals in Amerika. Ich hab sie vor einer Woche besucht, auf dem Weg zu Bernhard Tauschner.«

»Weiß Mama das?«

»Nein, aber sie kann es ruhig wissen. Sandrine und ich haben sporadischen Kontakt, und ich hatte Lust, sie zu sehen. Du würdest sie übrigens mögen. Sie hat auch so was Entschiedenes. Wir haben geredet und zusammen zu Abend gegessen, dann bin ich in mein Hotel gefahren.«

Philippa kratzt sich an der Wade. Sie trägt ein T-Shirt der Universität von Santiago und Bermudashorts, die möglicherweise für Männer gefertigt wurden. Hartmut wechselt auf die linke Spur und zieht an einem Lkw vorbei. Inzwischen sind es draußen neunundzwanzig Grad. Grün und braun und hügelig liegt das Land unter der Sonne. Weiße Dörfer schlafen in den Mulden.

»Du weißt nicht viel über mein Leben vor deiner Geburt, richtig?«, fragt er.

»Jedenfalls weiß ich seit gestern etwas mehr über deinen Drogenkonsum.«

»Mein Drogenkonsum, ein großes Thema. Ich glaube erwähnt zu haben, dass es der erste Joint meines Lebens war. Mit Ende fünfzig.«

»Darf ich fragen, warum wir das erfahren mussten? Erst sprichst du in chinesischen Gleichnissen, dann folgen wilde Geschichten über Joints im Wald. Sollte Gabriela daraus schließen, dass du in anderen Fragen ebenso liberal denkst? Ist das ein Achtundsechziger-Ding oder was? Schaut her, wie locker ich bin!«

»Wirf nicht mit Begriffen um dich, die du nicht verstehst. Es ist nicht so, als hätte ich damit geprahlt. Ihr zwei wart nicht besonders gesprächig, also ...«

»Du hast erzählt, wie ihr beide bekifft in der Kirche gesessen habt, während Florian geheiratet hat. Und es klang nicht, als wäre es dir peinlich.«

»Hab ich deine religiösen Gefühle verletzt? Sorry. Ich wusste nicht, dass es die gibt. Deine Großmutter wird sich freuen.« Beschwichtigend will Hartmut sich nach rechts wenden, aber Philippa kommt ihm zuvor.

»Erstens mag ich's nicht, wenn du sie Großmutter nennst. Das klingt, als würde sie gleich vom bösen Wolf gefressen. Zweitens: Es hat Gabriela befremdet. Wie kamst du dazu, ausgerechnet vor Florians Trauung deinen ersten Joint zu rauchen?«

»Ich wollte niemanden befremden oder verletzen. Außerdem hat Gabriela gelacht über die Geschichte. Befremdet hast du ausgesehen. Ist deine Freundin religiös? Seit wann ...« In letzter Sekunde und trotzdem zu spät hält er inne. Selbst schuld, wenn sie ihn so provozieren muss.

»Ja, bitte? Seit wann sind Lesben religiös? War das deine Frage?«

»Weißt du, Eltern von heute haben es nicht leicht. Wir dürfen auf keinen Fall zu konservativ sein und Einstellungen mit uns rumschleppen, die nicht mehr zeitgemäß sind. Aber sobald wir uns liberaler zeigen, gilt das entweder als anbiedernd oder aufgesetzt oder als grundsätzlich verdächtig.«

Darauf reagiert seine Tochter nicht.

»Offen gestanden, verstehe ich deine ganze Generation nicht. Wie seid ihr drauf? Politik interessiert euch nicht, aber Robbenbabys schon. Niemals würdet ihr für *Brot für die Welt* spenden, aber wenn ein Journalist mit Rastalocken eingesperrt wird, richtet ihr ihm eine Facebook-Seite ein. Auf Ideologien fallt ihr nicht rein, dafür seid ihr zu ausgebufft, aber über neue Handys geratet ihr in religiöse Verzückung. Offline zu sein muss sich für euch anfühlen, wie unter Sauerstoffmangel zu leiden.«

»Du hyperventilierst«, sagt Philippa kalt.

»Hast du auch so eine Seite, wo draufsteht, welchen Film du dir vorgestern als Raubkopie aus dem Internet gezogen hast? Wozu soll das gut sein, was ist der Sinn?«

»Du weißt, was der Sinn eines Briefkastens ist, oder? Meine Frage war, warum du ausgerechnet vor Florians Hochzeit deinen ersten Joint rauchen musstest.«

Tatsächlich hat er sich in eine Erregung hineingesteigert, die er nicht gleich wieder abschütteln kann. Sie ähnelt dem Gefühl während des großen Streits mit Maria, dem Wissen, recht zu haben, aber nicht recht bekommen zu können. Ein Missstand, der niemanden sonst zu kümmern scheint.

»Würde es dir was ausmachen«, sagt er, »dich aufrecht hinzusetzen, so dass ich sehe, mit wem ich spreche.«

»Ich bin's, Philippa. Was du mir sagst, wird vertraulich behandelt.«

»Hat deine Mutter dir nie davon erzählt? Von dem Streit.«

»Nein.«

»Wir haben uns – gestritten. Genauer gesagt, hab ich mich wie ein Irrer aufgeführt und ihr alle möglichen Dinge an den Kopf geworfen. Danach mussten wir einen Joint rauchen, um durch den Tag zu kommen. Meinen ersten und bisher einzigen. Als dein ehemaliger Erziehungsberechtigter verurteile und bereue ich mein Verhalten zutiefst. Sag das bitte Gabriela.«

»Wie sieht es aus, wenn du dich wie ein Irrer aufführst?«

»Nicht gut. Ich bin nicht sicher, ob ich dir die Einzelheiten erzählen will.«

»Worum ging es?«

»Um alles. Darum, dass deine Mutter in Berlin lebt und ich alleine in Bonn. Dass es mir nicht passt, dass sie für Falk Merlinger arbeitet. Ist das so schwer nachzuvollziehen? Und ihrerseits, dass ich mich nicht bemühe, die Gründe für ihre Entscheidung zu verstehen, und ihre Arbeit nicht ernst nehme. Und so weiter, im Rückblick kommt es mir vor wie ein schlechter Film.«

Zum ersten Mal verändert Philippa ihre Sitzhaltung, nimmt die Füße von der Ablage, stellt die Lehne gerade und sagt: »Es ist nicht gerade deine größte Stärke, Dinge durch die Augen anderer Menschen zu sehen.«

»Ist das so?« Noch zehn Kilometer bis zur Raststätte zeigt ein Schild mit den entsprechenden Piktogrammen für Toiletten, Gastronomie und Tankstelle. Sobald Hartmut es erblickt, verspürt er das dringende Bedürfnis, das Auto zu verlassen. »Vielleicht kannst du mich mit einem Beispiel überzeugen.«

»Die Einweihung des Altenheims in Rapa? Das Altenheim, für das Avô sich eingesetzt hat, als er noch Ortsvorsteher war. Nach Jahren wird es endlich eröffnet, es ist sein großer Tag. Der neue Ortsvorsteher hält eine Rede und zählt voller Stolz auf, wie das Dorf in den letzten Jahrzehnten modernisiert wurde. Telefon, Elektrizität, Straßen, die ganze Geschichte. Dass mit dem Altenheim Rapa endgültig zur Ersten Welt gehört, sagt er. Und du – stehst irgendwo in der Menge und murmelst vor dich hin: eins minus.« Sie sieht ihn an, aber diesmal verweigert er den Blickkontakt. »Wahrscheinlich merkst du es nicht. Andere schon. Mama und ich hätten dich am liebsten gewürgt.«

»Ich weiß nicht, ob ich das wirklich gesagt habe, aber …«

»Ich weiß es! Ich stand neben dir und hab es gehört.«

»Gut, dann war es ein Witz. Wieso darf ich nicht eine spöttische Bemerkung machen, wenn jemand salbungsvolle Reden schwingt? Tue ich in Deutschland auch. Ich fand es übertrieben, bei der Einweihung eines Altenheims von Erster Welt und dergleichen zu sprechen.«

»Während es nicht übertrieben war zu bemerken, dass am Ende sowieso deine Steuern in dem Gebäude stecken. Nein, sag nichts! Wir alle wissen, du findest diese Unterstützung richtig und gut. So hart wie in Deutschland arbeitet man in Portugal zwar nicht, aber es sind nette Menschen, und wenn sie sich weiter Mühe geben, kann man das Minus vielleicht eines Tages in Klammern setzen. Richtig?«

»Philippa, bei allem Respekt, es ist albern, mir solchen Schwachsinn zu unterstellen.«

»Du findest es richtig und gut, vor allem aber musst du deiner Umwelt fortwährend mitteilen, dass du es richtig und gut findest. Um nicht zu sagen, es allen unter die Nase reiben. Ohne zu merken, wie herablassend das ist. Denn dafür müsste man ja die Perspektive wechseln. Ausgerechnet im Urlaub.«

Eigentlich ist es schade, dass seine Tochter ihr rhetorisches Talent in einem drögen Fach wie Ernährungswissenschaften verkommen lässt, statt etwas damit anzufangen. Er könnte sie sich als Sprecherin der Grünen vorstellen. Die nötige Selbstgerechtigkeit bringt sie mit und verfügt außerdem über genug Witz, um Zuhörer nicht zu verprellen. Man kann ihr eine Weile folgen, ohne sich zu langweilen, und irgendwann bemerken, wie einseitig sie die Dinge betrachtet.

»Darf ich deine Aufmerksamkeit auf ein anderes Faktum richten?«, fragt er. »Nämlich die Tendenz meiner Tochter, eine Trennungslinie zu ziehen zwischen mir und dem portugiesischen Teil unserer Familie. Vor allem, wenn wir in Rapa sind. Weder verstehe ich die Sprache noch die Mentalität, meine Fragen sind naiv, und mein harmloser Spott zeugt von deutscher Überheblichkeit. Egal, woran ich Anteil nehme, du signalisierst mir, dass ich mich vergeblich bemühe. Als wolltest du mich in dem Kreis nicht drinhaben.«

»Damit wir uns richtig verstehen, Anteilnahme nennt man es, wenn jemand lesend auf dem Balkon sitzt, bis er zum Essen gerufen wird. Sie drückt sich darin aus, mit großer Geste Weinflaschen zu entkorken, nachdem man allen vorgelesen hat, was auf dem Etikett steht. Übrigens in einem grottigen Portugiesisch.«

»Danke. Ich meinte jedenfalls nicht, dass ich mich in alle Debatten im Hause Pereira einmische. Die sind irrational genug auch ohne mein Zutun.«

»Wie viele Geschwister hat Avó Lu?«

»Was?«

»Simple Frage.«

Diesmal kann er ein Schnauben nicht unterdrücken. Was soll das? Kein Mensch vermag das weltumspannende Netz einer südeuropäischen Großfamilie zu überblicken. Dafür wiederholen sich die Vornamen zu oft und werden Bezeichnungen wie Onkel, Tante, Cousin und Cousine zu großzügig gebraucht. Der Teil der Familie, der im südlichen Massachusetts eine Reihe preiswerter Restaurants betreibt, könnte auf einen Bruder von Lurdes zurückgehen oder auf einen gemeinsamen Vorfahren. Wichtig ist alleine, dass alle zusammengehören; zu jeder Tages- und Nachtzeit könnte er an eines dieser Häuser klopfen, ohne dass jemand ihm inquisitorische Fragen stellen würde wie die, über deren ausbleibende Antwort seine Tochter sich diebisch zu freuen scheint.

»Wie viele sind es?«, fragt er, um den Prozess abzukürzen.

»Null. Sie war das einzige Kind und zwei Jahre alt, als ihre Eltern gestorben sind.«

Sobald Philippa es sagt, fällt es ihm wieder ein. Lurdes kommt aus der Serra da Estrela, wurde aber irgendwo im Süden von Nonnen aufgezogen und hat Artur erst kennengelernt, als sie zu einer Familienfeier in die Heimat fuhr.

»Bist du zufrieden?«, fragt er, statt mit seiner verspäteten Kenntnis der Verhältnisse aufzuwarten. Die Feier war eine Beerdigung. Wen interessiert's.

»Was meinst du mit Anteilnahme, wenn du nicht mal das weißt?«

»Ich meine, liebe Philippa, dass die schönsten Erinnerungen meines Lebens fast alle mit Portugal zu tun haben. Mit den Besuchen in Rapa und den gemeinsamen Abenden auf der Terrasse, mit Urlaub am Meer und einer Zeit, als meine Tochter nicht ständig versucht hat, mich zu einem arroganten Miesepeter zu stempeln, der alle Menschen vor den Kopf stößt. Es steht dir frei, dich an der Schärfe deines Urteils zu erfreuen oder an der Mühelosigkeit, mit der du dich in zwei Sprachen und Ländern bewegst. Klug wie du bist, wirst du eines Tages einsehen, dass du dabei von Voraussetzungen profitierst, die du nicht alle selbst erbracht hast.«

Einen Moment lang klingt die Stille im Auto wie die Ruhe vor dem Sturm, dann sieht Philippa ihn kurz an und wendet den Blick wieder geradeaus. Hartmut weiß nicht, ob er sie beschämt, verärgert oder davon überzeugt hat, dass mit ihrem Vater nicht zu reden ist. Jedenfalls schweigen sie wieder. Philippa zieht Charles Lins Doktorarbeit aus dem Fach der Beifahrertür, wo er sie am Mittag verstaut und vergessen hat. Gedankenverloren blättert sie darin herum, ohne ihm eine Möglichkeit zu geben, das Gespräch wiederaufzunehmen. Sein Blick richtet sich auf das nächste blaue Schild: Porto, Aveiro, Coimbra. Immer noch sind es knapp drei Stunden bis in die Hauptstadt. Den Schlüssel wird João beim Pförtner der Saldanha Residence abgegeben haben und sie am Abend zum Essen ausführen. Bis dahin ist seine Wohnung groß genug für zwei Personen, die einander aus dem Weg gehen wollen.

Noch einmal kehren Hartmuts Gedanken zurück zum Vormittag. Hastig hat er die Kathedrale verlassen, nachdem er dem Blick des Priesters begegnet war. Erst draußen wurde sein Herzschlag wieder langsamer. Kühle klare Luft und heller Granit, die beruhigende Eindeutigkeit unbelebter Dinge. Er ist geradewegs in eine Bar gegangen und hat ein Glas Wein getrunken. Davon zum Beispiel würde er Philippa gerne erzählen. Sie fragen, ob sie solche Anwandlungen verstehen kann und wie sie selbst es mit der Religion hält. Ihr erklären, dass es Dinge gibt, die man nie wieder los wird, egal wie sehr man es wünscht. Noch ein Kilometer bis zum Rasthof. Seine rechte Hand liegt auf dem Lenkrad, mit der linken fährt er über sein kratziges Kinn.

»Was mir schon die ganze Zeit auf der Seele liegt«, sagt er. »Wieso hast du eigentlich diese Kiste mit alten DVDs im Keller versteckt?«

Philippa schüttelt den Kopf.

»Ich habe keine Ahnung, wovon du sprichst.«

»Die Kiste im Keller. Ich hab sie gefunden, weil ich ein Teil für den Rasenmäher gesucht habe. Amerikanische Serien und Filme, portugiesische Telenovelas und solche Sachen. Größtenteils ziemlicher Schund.« Er zuckt mit den Schultern. »Hast du dich deines früheren Geschmacks geschämt?«

Vor ihnen taucht die Ausfahrt zur Raststätte auf, und Hartmut nimmt den Fuß vom Gas.

»Ich besitze genau drei DVDs«, sagt Philippa ruhig. »*Before Sunrise*, weil ich früher Ethan Hawke toll fand. *Before Sunset*, weil mir irgendwann klar geworden ist, dass ich eigentlich Julie Delpy toll finde. Und *Lisbon Story*, ein Geschenk meines Vaters, weil er Wim Wenders toll findet, was ich eines Tages auch noch verstehen werde. Klug wie ich bin.«

Hartmut setzt den Blinker und ist froh, dass ihr Groll sie nicht mehr so einsilbig macht wie früher.

»Wir stehen also vor einem Rätsel.«

»Wäre ich eine Detektivin und sollte den Besitzer einer Kiste mit alten Filmen finden, dann wäre meine Ausgangsthese: Ich suche eine ältere Person, die sich nicht besonders gut im Internet auskennt. Oder jemanden mit antiquierten Vorstellungen von geistigem Eigentum.« Obwohl sie verstimmt ist, kann Philippa sich ein Kichern nicht verkneifen. »Mein erster Verdächtiger, wenn ich das sagen darf, wärst du.«

»Sehr witzig.«

Sie rollen an einer rot-weißen Tankstelle vorbei, hinter der sich linker Hand ein Restaurant anschließt. Weil die Parkplätze davor besetzt sind, fährt Hartmut nach rechts. Ein paar Holzbänke auf einem ausgedörrten Rasenstück liegen in der prallen Sonne. Die Temperaturanzeige im Auto zeigt einunddreißig Grad.

»Siehst du irgendwo Schatten?«, fragt er. Ein einziges Fahrzeug steht auf diesem Teil des Geländes, ein kastenförmiges Wohnmobil mit Bremer Kennzeichen. Die Inhaber haben sich mit ihren Campingstühlen unter eine Gruppe schlanker Pinien verzogen. Ein älteres Paar, wenn er's aus der Distanz richtig erkennt.

»Gleich hier«, sagt Philippa. Parkbuchten sind keine markiert, und Hartmut hat das Gefühl, dass der Bremer Camper missmutig über den Rand seiner Zeitung blickt, als er den Wagen links ranfährt. Im Schatten einer jungen Platane stellt er den Motor ab. Unter der Haube tickt es leise.

»Also noch mal«, sagt er. »Die Kiste wurde ja nicht dorthin gezaubert.«

»Es sind Mamas DVDs. Wem sollten sie sonst gehören?«

»Deine Mutter schaut so was nicht. Sie hat einen sehr anspruchsvollen, um nicht zu sagen elitären Geschmack. Warum sie trotzdem Falk Merlingers Stücke erträgt, kann ich zwar nicht erklären, aber …«

»Wenn es nicht deine sind, müssen es ihre sein!«

»Die Kiste stand im Keller unter der Treppe, bei dem anderen Gerümpel. Jemand hatte eine Decke darübergebreitet, und darauf lagen noch mal Sachen, es war reiner Zufall, dass ich darauf gestoßen bin.« Obwohl sie im Schatten stehen, sickert die Hitze von draußen ins Wageninnere, sobald die Klimaanlage nicht mehr läuft. Nach wenigen Sekunden klebt ihm das Hemd am Körper.

Philippa zuckt mit den Schultern und sagt: »Wie viel ist zwei und zwei?«

»Bitte?«

»Beziehungsweise, wie lange braucht ein Philosoph, um das auszurechnen?«

»Was soll das wieder heißen? Flippa, wenn ich dich verärgert habe, dann sag es. Ich wollte weder den Stolz der Einwohner von Rapa noch die religiösen Gefühle deiner Freundin verletzen. Sollte ich es entgegen meiner Absicht getan haben, tut es mir leid! Wie lange willst du mich dafür büßen lassen?«

»Du bildest dir ja so viel auf deine Anteilnahme ein. Wahrscheinlich auch auf dein Einfühlungsvermögen – vom Balkon aus. Bestimmt hältst du das für einen Logenplatz.«

»Kannst du bitte diesen sarkastischen Ton abstellen!«

»Kannst du bitte deine verdammten Augen aufmachen!« Von einem Moment auf den anderen beginnt Philippa zu brüllen. »Es sind Mamas DVDs, okay? Sie hat es mir erzählt. Dir nicht, warum auch immer, aber mir. Ihr war so langweilig in Bonn, dass sie nichts Vernünftiges mehr lesen konnte. Ein Gefühl, wie hirntot zu sein, hat sie gesagt. Also hat sie sich diesen Scheiß reingezogen, nachmittags, während du an der Uni warst und ich nicht im Haus. Und hat die Kiste im Keller versteckt, damit du sie nicht findest. Schlau von ihr, was?«

»Ich verstehe kein Wort«, sagt er. »Aber du kannst mir das auch sagen, ohne zu brüllen.«

»Verschon mich mit deiner Sachlichkeit! Auf dem Wohnzimmertisch lag Ibsen, und im Schlafzimmer stand Brecht, und das war kein Zufall. Sie hat sogar daran gedacht, die Lesezeichen zu verschieben, jeden Tag um ein paar Seiten. Oh, so schlau! Sie konnte nicht mehr in den Spiegel schauen, und du hast es nicht gemerkt, weil nachmittags fünf Leute in deiner Sprechstunde saßen. Oder weil eine Sitzung eine halbe Stunde länger gedauert hat. Ich hab's auch nicht gemerkt, weil ich einen Freund hatte, von dem ich nicht angefasst werden wollte. Wahrscheinlich wäre es mir damals sowieso egal gewesen.«

»Okay«, sagt er, um ihren Redefluss zu unterbrechen.

»Gar nicht okay. Du verstehst bis heute nicht, warum sie nach Berlin gegangen ist. Weil du alles auf dich beziehst. Sie hatte Angst vor dem Schritt, und sie hat immer noch Angst, aber sie musste raus. Geht das in deinen Kopf? Was für eine verdammte Scheiße! Warum ist es mein Job, dir das zu sagen? Ich hab damit nichts zu tun!« Sie macht ihren Gurt los und schlägt mit der flachen Hand so hart auf die Ablage, dass Hartmut befürchtet, der Beifahrer-Airbag werde aufgehen. Schweiß läuft ihm über beide Schläfen. Die Doktorarbeit pfeffert sie in seine Richtung und öffnet die Tür.

»Warte«, sagt er.

»Warte selbst. Bleib einfach sitzen und warte.«

Er schnallt sich ab und stürzt aus dem Auto, als hätte es zu brennen begonnen. In Wirklichkeit brennt es draußen. Heiße trockene Luft füllt seine Lungen, als er den Schatten der Bäume verlässt, um seiner Tochter den Weg abzuschneiden.

»Warum hat sie mir das nicht gesagt?«

»Frag nicht mich!«, brüllt sie. »Frag verdammt noch mal nicht dauernd mich!«

Der Bremer Camper legt die Zeitung beiseite und folgt dem Schauspiel mit unverhohlener Neugier. Einen Steinwurf entfernt sitzen er und seine Frau auf ihren Stühlen, glotzen herüber und verstehen jedes Wort. Hartmut fasst Philippa am Oberarm, um sie am Weitergehen zu hindern.

»Du kannst nicht davon anfangen und dann nicht darüber reden wollen.«

»Es ist euer Problem!« Wütend entzieht sie ihm den Arm, und als er noch einmal versucht, sie festzuhalten, reißt sie sich mit einer heftigen Bewegung los. Dann verschwindet sie in Richtung des Toilettenhäuschens.

Einen Moment lang scheint die Hitze ihm die Luft abzuschnüren. Keuchend steht Hartmut zwischen den Sitzbänken und bemerkt erst jetzt, dass er in der linken Hand die Doktorarbeit hält. Rot eingebunden und verknickt an der oberen Ecke, weil Philippa sie als Wurfgeschoss verwendet hat. *Die Rückkehr des Weltgeistes nach China.* Als Betreuer wird ein Professor Dr. Hainbach angegeben. Hartmut starrt auf seinen Namen und weiß nicht, ob er lachen oder weinen soll. Unter den Pinien wird gestikuliert. Trotz der sengenden Sonne nimmt Hartmut auf einer der Bänke Platz und legt die Arbeit vor sich auf den Tisch. Sein Auto steht mit offenen Türen am Straßenrand.

Was jetzt?

Bedächtig leert er seine Taschen, holt Handy, Portemonnaie und Autoschlüssel hervor und breitet alles vor sich aus, als hielte er Inventur. Was an einem Leben sind die veränderbaren Teile? Wo fängt man an? Es ist kein Plan, sondern eine Verlockung seiner Vorstellungskraft, die ihn schließlich zum Telefon greifen und wählen lässt. Erst funktioniert es nicht, weil er die 0049 vergessen hat, dann klickt es ein paar Mal und das Freizeichen ertönt. Vielleicht überbrückt er bloß die Zeit, bis er sich ausmalen kann, wie Maria im Wohnzimmer sitzt, auf die Fernbedienung drückt und ohne Erwartung zum Bildschirm blickt. Den DVD-Spieler hat er gekauft, als er für sein Buch ein paar alte Bergman-Filme anschauen wollte, die sie dann zusammen gesehen haben. Schöne Abende, dachte er. Hat seine Frau tatsächlich die Lesezeichen ihrer Bücher verschoben, um ihn zu täuschen?

Es klingelt eine Weile. Hohler als sonst, wie ein Echolot. Im Übrigen hat Maria mehr als einmal gesagt: Ich halte diese leeren Nachmittage nicht mehr aus, ich muss was tun. Wer Ohren hat zu hören, der höre. Wer hingegen zu beschäftigt ist …

»Weinrich.« Sie meldet sich wie Frau Hedwig. Nur mit dem eigenen Namen, als wäre es ihr Büro.

»Tag, Frau Weinrich«, sagt er. »Hainbach hier. Es sind zwar Semesterferien, aber ist Herr Breugmann zufällig im Haus?«

»Sie kennen ihn. Er betrachtet es ja gewissermaßen als sein Haus.« Frau Weinrich ist seit dem Sommer Breugmanns neue Sekretärin. Eine resolute Person mit tiefen Dekolletés, langen roten Fingernägeln und einer scharfen Zunge. Wehe dem, der aus ihrer grellen Aufmachung die falschen Schlüsse zieht. Sie bringt jedem Menschen die Menge an Respekt entgegen, mit der sie selbst bedacht wird. Im Zweifelsfall ein Gran weniger.

»Übrigens hatte er gestern Geburtstag«, fügt sie hinzu. »Vierundsechzig ist er geworden und beantwortet Komplimente für sein jugendliches Aussehen auf Latein. Ich hab's versucht zu googeln, leider ohne Erfolg.«

»Wozu klagen wir über die Natur? Sie hat sich doch gütig gezeigt. Ich glaube von Seneca.« Breugmann zitiert den Spruch jedes Jahr.

»Nächstes Mal weiß ich Bescheid. Jetzt stelle ich Sie durch.«

»Danke.«

Hinter dem Restaurant erkennt Hartmut einen armseligen Spielplatz, wo ein einzelnes Kind auf der Schaukel sitzt. Er

vermutet, dass Philippa weint vor Wut und deshalb nicht zu-
rückkommt. Die Bremer Camper scheinen zu beratschlagen, ob
einer von beiden sich in die Nähe des ominösen Kerls auf der
Bank wagen soll, um etwas aus dem Wohnmobil zu holen. In
der Leitung klickt es.

»Ja, Breugmann.« Wie stellen solche Leute es an, dass sie
schon mit der Nennung ihres Namens Autorität ausstrahlen?

»Tag, Herr Breugmann. Hainbach hier.«

»Herr Hainbach. Freue mich, von Ihnen zu hören.«

Denkste, denkt Hartmut. Die Hitze umgibt ihn wie eine unsichtbare Hülle. Schweiß läuft ihm über die Haut, und er fühlt
sich frei auf eine etwas riskante Weise. Am Nullpunkt, wo alles
gleichermaßen möglich erscheint. Oder schlicht egal.

»Haben Sie ein paar Minuten Zeit?«, fragt er.

»Für Sie immer.« Seit über fünfzehn Jahren sind sie Kollegen und haben in dieser Zeit kein privates Wort gewechselt, das
nicht unter den Begriff ›Floskel‹ fiele.

»Ich fasse mich kurz, es geht um einen Doktoranden, den ich
gerne in Ihre Obhut geben würde«, hört Hartmut sich sagen,
als wäre das ein alltäglicher Vorgang. »Ein Chinese, der über
Hegel arbeitet. Nicht mein Fachgebiet, wie Sie wissen. Es geht
um Geschichtsphilosophie und Metaphysik. Eher Ihr Metier.«

»Das, ähm …« Sind offenbar nicht die Glückwünsche, die
der Kollege erwartet hat. »Handelt es sich um jemanden, der
gerade in Bonn anfängt?«

»Er ist seit sechs Jahren hier.«

Hartmut hört Breugmann in den Hörer atmen.

»In welcher Zeit er von wem betreut wurde?«

»Genau genommen von niemandem. Er hat mein Kolloquium besucht und war einige Male in der Sprechstunde, aber Sie
verstehen, die Sprachbarrieren, die fachlichen Hürden. Darf ich
kurz abschweifen, bevor ich's vergesse? Ich soll Sie herzlich von
Bernhard Tauschner grüßen.«

»In der Tat.«

»Er hat mir das ausdrücklich aufgetragen.«

»Das kommt überraschend. Demnach sind Sie ihm begegnet? Wie geht es ihm?« Tatsächlich hat Breugmann sich bereits wieder gefangen, und Hartmut fühlt den wachsenden Widerstand, gegen den er spricht. Einen wie Breugmann kriegt man nur in die Knie, indem man ihm von hinten auf den Rücken springt. Er sieht ihn vor sich an seinem breiten Schreibtisch. Altes Familienerbstück, Massivholz, wiegt eine halbe Tonne.

»Es geht ihm hervorragend. Nächstes Jahr will er heiraten.«

»Das freut mich aufrichtig«, sagt Breugmann ungerührt. »Der Doktorand, von dem Sie sprachen …?«

»Ein Herr Lin. Ich will offen mit Ihnen sein, Herr Breugmann. Ich frage deshalb, weil ich erwäge, meine Professur niederzulegen. Ordnung des Nachlasses, würde man in anderen Fällen sagen. Die Sache soll so wenig Wellen schlagen wie möglich.« Damit hat er sich erneut einen kleinen Vorsprung verschafft, das hört Hartmut sofort.

»Ich verstehe nicht. Ihre Professur?«

»Machen wir uns nichts vor. Es gibt Dinge, die funktionieren nicht, wenn man sie in Module einteilt. Oder vielleicht haben sie nie funktioniert, und es gab sie einfach, weil es sie schon so lange gegeben hat. Aber heute? Die Suche nach der Wahrheit, ich meine, wen versuchen wir eigentlich zu täuschen?« Er kann sich nicht helfen, es ist befreiend, so zu sprechen. Als ginge es um Leute, die ihr Geld unterm Kopfkissen bunkern oder versuchen, ohne Elektrizität zu leben. Spinner, von denen man sich gerne lossagt.

»Ich hatte in den letzten Jahren häufiger den Eindruck, dass bei Ihnen eine gewisse Ernüchterung Einzug hält.«

»Sie sind nicht ernüchtert?«

»Doch, schon«, antwortet Breugmann entgegen seinem dem Pathos zuneigenden Temperament. »Aber Sie wissen ja, was man vom Orchester auf der Titanic berichtet. Altmodisch wie ich bin, wäre es mir übrigens lieber, dieses Gespräch von Angesicht zu Angesicht zu führen. Sind Sie im Haus?«

»Ich bin in Portugal.«

»Das macht es schwierig. Darf ich fragen, wie Sie sich Ihren Ausstieg vorstellen?«

»Ich würde ihn gerne möglichst geräuschlos gestalten.«

Breugmann räuspert sich. Wer ihn kennt, weiß, dass jetzt ein längeres und wohlabgewogenes Statement folgt.

»Da Sie gerade von ihm gesprochen haben: Wir hatten den Fall ja bereits einmal. Wobei Herr Tauschner zum Zeitpunkt seines Ausstiegs lediglich Juniorprofessor und erst seit zwei Jahren in Bonn tätig war. Ich meine, nicht nur in Bezug auf institutionelle Involviertheit wiegt Ihr Fall ungleich schwerer. Sie haben von *einem* Doktoranden gesprochen, aber deren dürfte es mehrere geben, nicht wahr. Als Beamter müssten Sie Ihre Beurlaubung außerdem zwingend begründen können. Das Ende der Philosophie auszurufen, wird nicht reichen. Ohnehin erscheint mir das voreilig und, mit Verlaub, auch etwas anmaßend. Und schließlich, Herr Hainbach, Sie sind eine Kraft, auf die unser Institut nicht verzichten kann.«

Sie sind einer meiner besten Männer, Hainbach, also kneifen Sie gefälligst die Arschbacken zusammen!

»Ich trage auch Verantwortung außerhalb des Instituts«, erwidert Hartmut lapidar. »Ohne in die Einzelheiten zu gehen, es ist in erster Linie eine private Entscheidung.«

Im Eingang des Toilettenhäuschens taucht Philippa auf.

»Verstehe. Trotzdem.«

»Ich werde Frau Hedwig bitten, Ihnen ein Exemplar der Arbeit zukommen zu lassen.«

»Ein Exemplar der … Die Arbeit ist fertig?«

»Sie ist fertig und annähernd unverständlich. Sie sind der Einzige am Institut, der es sich leisten kann, so was einem Promotionsausschuss vorzulegen. Der Mann hat sechs Jahre lang hart gearbeitet, und wahrscheinlich ist er in seiner eigenen Sprache fähig, lesbare Texte zu produzieren. Bestimmt sogar.«

»Habe ich Grund, mich erpresst zu fühlen?«

»Womit? Ich sitze auf einer portugiesischen Autobahnraststätte und verfüge über keinerlei Druckmittel.« Philippa kommt auf ihn zu. Zögerlich, weil sie glaubt, er spreche mit Maria. »Ich bitte Sie einzig und allein um seinetwillen. Herr Lin hat Frau und Kind zurückgelassen, um in Bonn zu promovieren. Außerdem, wer weiß, der Mann ist Chinese. Vielleicht wird er eines Tages Vizegouverneur von Nordrhein-Westfalen und zeigt sich bei Ihnen erkenntlich.«

»Ich schätze Sie, Herr Hainbach, und hätte mir in manchen Dingen eine engere Zusammenarbeit vorstellen können. Ihren Humor habe ich nie verstanden. Bisweilen bekommt man den Eindruck, Sie stoßen andere nicht ungern vor den Kopf.«

»Das höre ich in letzter Zeit häufig.«

»Wie auch immer. Den Gefallen werde ich Ihnen tun, und den Regelverstoß nicht gegen Sie verwenden – vorbehaltlich einer kritischen Lektüre der Arbeit, versteht sich. Über Ihren Ausstieg allerdings ist das letzte Wort noch nicht gesprochen. Es tut mir leid, aber das riecht nach Fahnenflucht. Vielleicht geht unser Fach tatsächlich den Weg von Alchemie und Mantik. Daraus folgt für uns nichts, das zur Entschuldigung taugt. Wir gehen dann eben mit.« Breugmanns stolze Retourkutsche für die erlittene Überrumpelung. Der sitzt jetzt in seinem Büro zwischen dreitausend Büchern und weiß nicht, ob er sich verarscht vorkommen soll. Gut so. Bernhard wird lachen, wenn er die Geschichte hört.

»Vielen Dank«, sagt Hartmut. »Die Arbeit geht Ihnen umgehend zu. Oh, und nachträglich herzlichen Glückwunsch zum Geburtstag! Vierundsechzig. Wie sagt Seneca an einer Stelle: Wir haben keine knappe Zeitspanne, wohl aber viel davon vergeudet. In diesem Sinne.«

»Angenehmen Urlaub«, erwidert Breugmann säuerlich, bevor er auflegt.

Philippa hat ihm gegenüber Platz genommen. Die Sonne scheint so hell, dass sie einander anblinzeln wie auf einem Schneefeld. Ob sie tatsächlich geweint hat, kann er nicht erkennen. Jedenfalls hat sie sich das Gesicht gewaschen. Alles würde er dafür geben, sie wie früher in den Arm nehmen zu können.

Stattdessen wischt er das Telefon an seinem Hosenbein ab, bevor er es zusammenklappt.

»Wer war das?«, fragt sie.

»Breugmann, mein geschätzter Bonner Kollege. Er mag's nicht, auf seinem eigenen Feld geschlagen zu werden.«

»Hat er dich angerufen?«

»Ich ihn.«

»Um über eine Doktorarbeit zu sprechen?«

Unter den Pinien wird Geschirr zusammengeräumt. Hartmut erkennt die Handbewegung, mit der die Frau den Deckel einer Tupperschüssel zudrückt und gleichzeitig den Rand anhebt, um Luft entweichen zu lassen. Philippa mustert ihn still.

»Egal, was deine Mutter denkt«, sagt er »ich werde es tun.«

»Ohne es mit ihr zu besprechen?«

»Ja.« Er nimmt die Doktorarbeit, rollt sie zusammen, so gut das bei fünfhundert Seiten geht, und zwängt sie durch die Öffnung des nächsten Mülleimers. Sie landet mit einem hohlen Plopp. »Hättest du mir nicht zugetraut, was?«

»Sie kommt übermorgen, hat sie gerade geschrieben. Aber sie hat nur noch einen Flug nach Porto bekommen. Was machen wir jetzt?«

»Wie gehabt, wir fahren nach Lissabon. Übermorgen hole ich sie am Flughafen ab. Du kannst mitkommen oder mit João nach Rapa fahren. Da treffen wir uns, wie jedes Jahr.«

Philippa steht auf, als hielte sie es nicht länger aus unter der gnadenlosen Sonne. Tatsächlich spürt man sie wie ein Gewicht auf den Schultern.

»Ich muss auch noch mal aufs Klo.« Hartmut nimmt die restlichen Sachen vom Tisch und steht auf. Im Toilettenhäuschen riecht es beißend nach Ammoniak. Verblichene Armaturen und Risse in den weißen Kacheln. Obwohl es nicht klug war, Breugmann in seine Pläne einzuweihen und ihn obendrein zu verärgern, kann Hartmut nichts tun gegen das aufkommende Triumphgefühl. Wenn er den Kollegen nicht falsch einschätzt, wird der die Arbeit überfliegen und einmal kurz aufstöhnen, dann Charles Lin zum Rapport bestellen und ihn anschließend in Rekordzeit durchs Verfahren drücken. Vielleicht sogar mit Summa cum laude, um Hartmut zu zeigen, wie man es macht, wenn man über die entsprechenden Mittel verfügt. Dann käme immerhin einer gut aus der Sache heraus. Charles Lin ist zu autistisch, um zu argwöhnen, dass etwas anderes als seine überlegene geistige Stufe ihn so weit gebracht hat. Breitbeinig stellt sich Hartmut vor das Pissoir und versucht, flach zu atmen. Sein Gesicht glüht, wahrscheinlich hat er sich schon einen Sonnenbrand geholt. Die Kiste mit den Filmen fällt ihm wieder ein. Als Maria gelangweilten Diplomatengattinnen Portugiesisch beigebracht hat, wurden ihr die unmöglichsten Geschenke gemacht. Warum nicht portugiesische Telenovelas? Durch ein winziges Fenster hört er den Verkehr auf der Autobahn, spärlich, wie meistens im August. In zwei Tagen werden sie einander wiedersehen.

Hartmut wäscht sich die Hände und sieht in den Spiegel. Dieses schwarz-weiße Gekräusel entspricht ihm eher als die propere Erscheinung früher. Noch einmal dreht er das Wasser auf, dann hört er von draußen Philippas zornbebende Stimme: »Kümmert euch gefälligst um euern eigenen Scheiß!«

Vom anschließenden Wortwechsel versteht Hartmut nichts, weil er augenblicklich aus der Tür stürzt. Unter den Pinien stehen drei Figuren in einem bizarren Dreieck: Die Frau hält sich mit beiden Armen eine Tupperschüssel vor die Brust, als hätte ihr die jemand rauben wollen. Ihr Mann trägt ein offenes, kurzärmeliges Hemd über dem weißen Unterhemd und wirkt jünger, als Hartmut auf den ersten Blick geglaubt hat. Ein drahtiger Typ um die fünfzig. Philippa steht zwei Meter entfernt und mit erhobenen Händen, als wollte sie sich entweder die Haare raufen oder dem Kerl an die Gurgel springen. Zwischen ihnen auf dem Campingtisch stehen Plastikflaschen mit Saft und Wasser, liegt benutztes Geschirr und Besteck. Die Zeitung muss vom Tisch gefallen sein, als der Kerl aufgesprungen ist.

»Was ist hier los?«, fragt Hartmut mit einer für den Anlass zu ruhigen Stimme.

»Was los ist? Sie sollten ihr Flittchen besser an die Leine nehmen«, bellt der Typ zurück. Seine Lesebrille hängt an einer Kette um den kurzen Hals. »Uns hier einfach anzubrüllen.«

Hartmut nickt. Das Herz klopft ihm bis in die Kehle, und gleichzeitig durchströmt ihn eine andere, namenlose und beinahe angenehme Empfindung. Der Kerl hat ›Flittchen‹ gesagt. Zu Philippa.

»Sie vergreifen sich im Ton«, sagt er. Philippa neben ihm beißt sich schweigend auf die Unterlippe.

»Ich vergreife mich im Ton? Ich vergreif mich gleich noch ganz anders.« Der Mann hält die Arme, als stünde eine beladene Schubkarre vor ihm. Hat sein ganzes Leben lang gearbeitet, um sich diesen Kasten zu kaufen und mit seiner angetrauten Küchenhilfe durch Europa zu touren. Hartmut steht in der Sonne, es müssen über fünfzig Grad sein. Der Typ bleibt vorerst im Schatten.

»Alles okay?« Hartmut legt Philippa eine Hand auf die Schulter. Ihre schmale knochige Mädchenschulter. Tränen laufen ihr übers Gesicht, aber sie sagt nichts.

Zum ersten Mal schaut er dem Mann direkt in die Augen. Nicht die grobschlächtige Visage, die er erwartet hat, auch kein norddeutscher Zungenschlag, das irritiert ihn kurz, obwohl es keine Rolle spielt.

»Sie werden sich bei meiner Tochter entschuldigen«, sagt er.

»Ach ja?« Ein selbstsicheres Kopfschütteln. »Sie sind zu bedauern, wenn das Ihre Tochter ist. Oder vielleicht ist es ja Ihre eigene Schuld. Und jetzt …« Er macht einen drohenden Schritt auf Philippa zu, aber Hartmut kommt ihm zuvor. Sonnenlicht fällt durch die Pinien und spiegelt sich im Besteck auf dem Tisch, das blendet schon die ganze Zeit. Tu's nicht, denkt er, als nehme er innerlich Anlauf. Seine Fußspitze trifft die Tischplatte unterhalb der Kante und schickt das Gestell mit einem halben Salto durch die Luft. Der Schrei der Frau übertönt den Aufprall auf dem trockenen Gras. Halbvolle Flaschen rollen über den Boden.

Nichts für ungut, will Hartmut sagen. Nehmen Sie's nicht persönlich. Leider hat er seinen Gegner unterschätzt. Ohne Schrecksekunde springt der Kerl ihm entgegen. Eine Faust streift Hartmuts Ohr, und eine kleine kräftige Hand krallt sich in sein Hemd. Hektisch versucht sein Verstand, die Situation zu erfassen, aber die Wucht des Angriffs reißt ihn mit. Der Boden fühlt sich abschüssig an, als Hartmut nach hinten taumelt.

Seine Hände fassen Stoff und harte Muskeln. Im Kampf um seine Balance greift er nach allem, was Halt verspricht, und versucht gleichzeitig, den Schlägen des anderen auszuweichen. Nie in seinem erwachsenen Leben hat er jemandem einen Faustschlag versetzt. Es gab Kämpfe auf dem Schulhof, den längst vergessenen Rausch aus tierhafter Wut und Angst. Schweiß und Rotz und manchmal Blut. Bis hierher musste er kommen, um das noch einmal zu erleben. Ein stechender Schmerz in den Fingerknöcheln sagt ihm, dass er getroffen hat. Hart auf hart. Der andere stöhnt. Hartmut weiß nicht genau, was er zuletzt getan hat, aber er tut es noch einmal. Diesmal trifft er am Hals.

»Nicht!«, ruft Philippa.

Trotz der Verwirrung entgeht ihm das Absurde der Situation nicht. Vielleicht hat der andere auch nur darauf gewartet, dass jemand ihm querkommt. Sobald man begonnen hat, spielen die Gründe keine Rolle mehr. Vor allem darf er nicht fallen oder die Brille verlieren. Der Kerl ist zwar kräftig, aber einen Kopf kleiner. Riecht nach billigem Rasierwasser. Mit einem Ausfallschritt bekommt Hartmut sicheren Stand, hält den Gegner mit beiden Händen fest, dreht sich, stößt und lässt los. Der Mann verliert das Gleichgewicht und fällt zu Boden. Ausgestreckt bleibt er im Gras liegen.

Einen Moment lang ist alles ruhig. Vorne bei der Tankstelle hört Hartmut einen Laster starten. Philippa und die Frau haben dem Kampf reglos zugesehen, jetzt erwacht Letztere aus ihrer Erstarrung.

»Verbrecher sind das!«, ruft sie. Eine mit den Füßen stampfende Figur, die immer noch ihre Plastikschüssel festhält. Trotz der Hitze trägt sie eine Strickjacke und weiß offenbar nicht, was sie tun soll. Hartmuts Blick geht zwischen ihr und dem Mann hin und her, der keine Anstalten macht aufzuspringen, um den Kampf fortzusetzen. Sein Gesicht glänzt in einem unnatürlichen Rot. Drüben auf dem Spielplatz haben die Eltern das Kind von der Schaukel genommen.

»Gehen wir«, sagt Philippa.

»Uns einfach zu überfallen!« Schwerfällig wie ein angeschlagener Boxer stützt der Mann sich auf. »Schämen sollten Sie sich.«

»Selber schuld.« Es klingt wie eine hämische Erwiderung, aber Philippa scheint es mehr zu sich selbst zu sagen. Immer noch kaut sie auf ihrer Unterlippe, eine Geste von früher, die jenen ersten, von Zorn vernebelten Moment der Einsicht begleitet, dass sie sich hat hinreißen lassen. So hat sie einmal vor ihm gestanden, nachdem ein Junge am Strand ihr die Schippe hatte entreißen wollen und sie stattdessen ins Gesicht bekam. Eine vom Arnauer Großvater geschenkte Metallschippe. Das hätte schlimm ausgehen können.

»Ja. Lass uns gehen.« Was er ihr damals über die Verhältnismäßigkeit der Mittel gesagt hat, könnte heute auch auf ihn zutreffen. Unter seinem linken Auge spürt er ein Brennen, das schnell stärker wird, weil ihm Schweiß übers Gesicht läuft. »Wir gehen«, sagt er in Richtung des Mannes, als müssten sie sich ordnungsgemäß verabschieden, nachdem sie einander so nahe gekommen sind.

Wie ein geschocktes Unfallopfer lässt sich Philippa zum Wagen führen. Die Türen stehen immer noch offen.

»Verbrecher!«, ruft ihnen die Frau in hilfloser Empörung hinterher.

»Was ist passiert?«, fragt er.

»Später.«

Die Hitze im Auto ist erdrückend. Hartmut steckt den Schlüssel ins Zündschloss und tastet seine Taschen ab. Als er im Rückspiegel die blutige Schramme inspizieren will, drängt Philippa ihn zur Eile.

»Lass uns bitte losfahren.«

»Der Aufsatz von meiner Brille ist hin.« Hartmut nimmt ihn ab und lässt den Motor an. Ihr Weg führt sie im Bogen um die kleine Pinienschonung herum, wo das Ehepaar sich ungläubig umsieht. Campinggeschirr liegt in einem beachtlichen Radius um sie verteilt. Die Frau hat endlich die Schüssel abgestellt und streicht ihrem Mann übers Gesicht. Der schüttelt drohend die Faust und scheint nach etwas zu suchen, das er ihnen hinterherschleudern kann. Als er eine Flasche vom Boden aufhebt, beobachtet Hartmut ihn bereits im Rückspiegel, biegt ab auf den Zubringer zur Autobahn und schaltet nach oben. Triumph und Beschämung halten sich die Waage. Philippa zieht die Nase hoch und schnallt sich an.

»Das ist dir wahrscheinlich lange nicht passiert. Dass du dich prügelst.« Sie bricht in ein nervöses Lachen aus und schüttelt den Kopf. Noch einmal blinkt er, dann sind sie zurück auf der A 1, die dreispurig durch die Landschaft führt. Bis Porto sind es nur wenige Kilometer. Noch immer klopft ihm das Herz wie ein eingesperrtes Tier in der Brust. Seine Hände auf dem Lenkrad zittern.

»Also?«, fragt er.

»Er hat angefangen«, sagt Philippa. »Lief an mir vorbei und meinte irgendwas von wegen: Das ist zwar Portugal, trotzdem kann nicht jeder parken, wo er will. Wieso müssen Deutsche andere Leute immer belehren? In diesem furchtbaren Ton.«

»Deshalb hast du ihn angebrüllt?«

»Ich hab gesagt, es geht ihn einen Dreck an, wo wir parken. Daraufhin meinte er, ich müsste wohl mal was hinter die Ohren bekommen. Da bin ich hingelaufen und wollte den Tisch umschmeißen oder so was. Hab mich aber nicht getraut. Mein Training in Hamburg war zur Selbstverteidigung. Attackieren ist schwieriger.« Sie sieht auf ihre Hände und nickt. »Du kannst es ganz gut. Platzierter Kick.« In ihrem Hals sitzt ein erschrecktes Schlucken, das in Weinen oder Lachen umschlagen könnte. Allmählich kühlt die Luft im Wagen ab.

»Du könntest in deiner Tasche nach einem Pflaster suchen, falls du so was hast«, sagt Hartmut.

»Ich hab eine Mullbinde. Soll ich dir einen Turban drehen wie früher?«

»Jedenfalls wirst du kein Foto machen und deiner Mutter schicken.«

»Nein. Mit dem Bart würde sie dich sowieso nicht erkennen.« Kurz ruht ihr Blick auf ihm, bevor sie sich zur Rückbank umdreht. Was er wirklich fühlt, ist weder Triumph noch Beschämung, sondern etwas von der Art, das man heute nicht mehr gut sagen kann. Dass er getan hat, was er tun musste. Wenn jemand deine Tochter ein Flittchen nennt, musst du kräftig hinlangen, um ihretwillen und damit das Wort dich nicht jahrelang verfolgt. Worte können das, er weiß es aus eigener Erfahrung. Diesmal hat er die Gefahr abgewendet. Alles andere ist nicht so wichtig.

13 João nennt es sein Arbeitszimmer, obwohl er als Zahnarzt nicht zu Hause arbeitet und der kleine Raum einer Abstellkammer gleicht. Kartons stapeln sich in den Ecken, und der Schreibtisch ist so voll, dass Hartmut einige Minuten räumen musste, um Platz zu schaffen für seinen Laptop. Durch die offene Balkontür hört er, wie auf dem Dach des benachbarten Einkaufszentrums gearbeitet wird. Einen Taschenrechner hat er gefunden und seinen Computer eingeschaltet, aber vorerst trinkt er Kaffee und lässt den Blick über das Wandregal schweifen. Ein paar Bücher aus der Science-Fiction- und Fantasy-Abteilung stehen dort, Bildbände über Rockbands, viele Krummsäbel und Dolche, maßstabsgetreue Modelle von Motorrädern, dazu Aktenordner und zahnmedizinische Fachliteratur. Das gerahmte Foto auf dem obersten Regalboden zeigt ein junges Paar am Hochzeitstag. Schön, ernst und bereit zum Glück. Die feine Staubschicht auf dem Glas lässt Maria und ihn merkwürdig entrückt erscheinen.

Es ist halb zehn am Morgen. Träge wendet Hartmut den Kopf und betrachtet die vertraute Kulisse von Saldanha. Hinter dem Einkaufszentrum erhebt sich ein unscheinbares Bürogebäude mit getönten Scheiben, daneben leuchtet der Schriftzug des América Diamond's Hotel. Über den Palmen entlang der Avenida Fontes Pereira de Melo tauchen in regelmäßigen Abständen Flugzeuge auf. Sie schweben herab aus tiefblauem

Himmel und verschwinden Richtung Norden, wo der Flughafen von Lissabon liegt. Fünfunddreißig Grad wurden vorausgesagt und werden in Kürze erreicht sein.

»Não te atrevas!«, ruft João im Wohnzimmer. Wag es nicht! Philippa lacht triumphierend und antwortet zu schnell, als dass Hartmut sie verstehen könnte. Schon am Frühstückstisch haben die beiden das Sortiment inspiziert und sich für ein Videospiel namens *Martial Arts Duel* entschieden. Seit einer halben Stunde gehen sie aufeinander los. Marias jüngerer Bruder ist für Philippa immer noch der große Kumpel aus Lissabon, der nie langweilige Fragen nach der Schule gestellt, sondern zur selben Zeit und mit derselben Begeisterung wie sie *Harry Potter* gelesen hat. Außerhalb seiner Praxis verzichtet João darauf, sich wie ein Erwachsener zu benehmen. Seit gestern Abend ziehen die beiden einander unentwegt auf und sind so vergnügt und streitlustig wie es die Bergenstädter Zwillinge früher waren.

Im Posteingang klickt Hartmut Katharinas letzte Mail an, stützt beide Ellbogen auf die Tischplatte und liest.

Wichtig seien zwei Dinge, betont sie. Erstens die individuelle Absenkung seiner Rentenansprüche aufgrund des vorzeitigen Ausscheidens; je nachdem, wann er gehen wolle, wären das vier bis fünf Jahre, die von seiner Dienstzeit abgezogen würden, ergänzt um etwaige Rentenansprüche aus der neuen Tätigkeit. Darüber könne sie nichts sagen, solange sie das entsprechende Gehalt nicht kenne. Übrigens sei ihr auch die Gesamtzahl seiner Dienstjahre nicht bekannt gewesen, sie habe das auf der Basis seines akademischen Lebenslaufs überschlagen und sei auf achtundzwanzig gekommen, die frühere Angestelltenzeit mitgerechnet. Zweitens bitte sie, die allgemeine Absenkung des Versorgungsniveaus für Beamte seit Inkrafttreten des entsprechenden Gesetzes von 2001 zu beachten. Er solle sich nicht davon blenden lassen, dass im angehängten Hinweisblatt von ›Erhöhung‹ gesprochen werde. Der Anpassungsfaktor trage eine Null vor dem Komma, folglich komme am Ende weniger heraus. Kurz gesagt, wenn man von fünf wegfallenden Dienstjahren ausgehe, mindere sich sein Ruhegehalt um rund zehn Prozent. Bei achtundzwanzig Dienstjahren würde er achtundzwanzig mal 1,80391 Prozent seines letzten Bonner Bruttogehalts bekommen. Plus Familienzuschlag. Das ist, als Hartmut es ein Mal aus- und zwei Mal nachgerechnet hat, erstaunlich wenig. Dass er nach scharfem Nachdenken auf neunundzwanzig Dienstjahre kommt, macht die Sache nur unwesentlich besser. Bleibt das Haus, die von Herrn Meier in Aussicht gestellte und nicht eben fürstliche Summe. Außerdem die Frage, ob das Ganze genehmigt würde. Mit welcher Begründung will er eigentlich aussteigen?

Hartmut klickt die Berechnungstabellen weg und bittet Frau Hedwig in wenigen Sätzen, ein Exemplar der Doktorarbeit von Herrn Lin an den Kollegen Breugmann weiterzuleiten. Dann klappt er den Computer zu und stellt sich auf den Balkon. Die umliegenden Häuser mit ihren heruntergelassenen Rollläden sehen aus wie fensterlose weiße Silos. Das Einkaufszentrum bekommt eine neue Belüftungsanlage. Dicke Aluminiumrohre glänzen in der Sonne, und über allem liegt ein Leuchten, für das es hier ein eigenes Wort gibt: luminosidade. Es füllt den Raum unter dem Himmel wie das Innere eines Ballons. Maria hat nur noch einen Flug über Genf bekommen, morgen Abend um zwanzig nach neun wird sie in Porto landen. Was soll er ihr sagen? Wieder hört er Joãos Stöhnen und Philippas Lachen. Durch die andere Balkontür geht er ins geräumige, nach Tabak riechende Wohnzimmer. Hinter dessen zugezogenen Gardinen ist es wohltuend schattig.

»Deine Tochter macht mich alle«, ruft sein Schwager ihm entgegen. Den Tisch haben die beiden beiseitegeschoben, sitzen nebeneinander vor dem riesigen Flachbildschirm und sind vor allem damit beschäftigt, den anderen bei der Bedienung der Spielkonsole zu behindern. Fünf zu zwei lautet der Score von ›Flippa‹ gegen ›Big Joe‹. Obwohl nur die Figuren auf dem Bildschirm kämpfen, ist João in seinem ärmellosen Shirt bereits schweißgebadet. Früher hat er viel trainiert, jetzt geht er auf die fünfzig zu und wird füllig um die Hüften. Mit der Schulter versucht er Philippa zu stören, aber deren Figur setzt zum Sprung an, steigt hoch in die Luft und streckt den Gegner mit einer Reihe schneller Tritte nieder. Eine triumphierende Melodie zeigt das Ende des Kampfes an. João tut es seiner Figur nach und rollt schwerfällig auf den Rücken.

»Little bitch«, keucht er auf Englisch und streckt die Arme von sich.

Im Sitzen deutet Philippa eine Verbeugung an und sieht ihrer Figur auf dem Bildschirm merkwürdig ähnlich. Shorts und weißes Unterhemd, schlanker als Hartmut sie vom letzten Urlaub in Erinnerung hat. Weil sie keinen BH trägt, drücken die Spitzen ihrer kleinen Brüste gegen den Stoff.

»Du kämpfst wie ein Teddybär.« Sie steht auf, trinkt einen Schluck Wasser und lässt sich nicht anmerken, dass die Anwesenheit ihres Vaters sie stört. Früher in Rapa haben João und sie ganze Nachmittage an der Tischtennisplatte verbracht, und nicht nur hat ihr Onkel sie nie gewinnen lassen; keinen Punkt hat er ihr geschenkt. Wenn Philippa weinen musste vor Frustration, ist sie nach oben gegangen, und João setzte sich auf die Terrasse und rauchte eine Zigarette. Im richtigen Leben werde ihr schließlich auch nichts geschenkt, meinte er. Maria hat ihn gehasst dafür, aber Philippa ist nach zehn Minuten wieder hinuntergegangen, um Revanche zu fordern. Im Tischtennis hat sie bis heute nicht gegen ihren Onkel gewonnen. Den ersten Sieg, sagt sie, peile sie für das Jahr 2010 an.

»Ich muss in die Praxis.« Im Liegen wischt sich João den Schweiß von der Stirn.

»Feigling.«

»Verklopp deinen Vater. Lass ihn nicht noch mal davonkommen wie gestern.« Am Abend waren sie zu dritt in den Docas, haben gegrillten Fisch gegessen, und João hat gelacht über den Zwischenfall auf dem Rastplatz. Zwei ältere Herren prügeln sich, einer davon Professor! Ob man das neuerdings unter angewandter Philosophie verstehe? Mit einer abwehrenden Geste setzt sich Hartmut aufs Sofa. Die halbe Nacht hat er wach gelegen und die Szene im Kopf durchgespielt, und noch immer findet er kein Wort für sein Befremden. Wie die Frau ihrem Mann tröstend übers Gesicht gestrichen hat. Ihre hilflose Empörung. Ballt er die rechte Hand zur Faust, schmerzt es wie von einer inneren Schwellung, aber wenn er ehrlich ist, gilt sein Befremden weniger dem, wozu er sich hat hinreißen lassen, als der stillen Genugtuung, die er empfindet.

Philippa setzt ihrem Onkel den nackten Fuß auf die Brust und macht ein ernstes Gesicht.

»Ich hab gewonnen. Du hast verloren. Weil du zu fett bist.«

João nickt.

»Wann kriegst du endlich richtige Titten?«

Nicht zu fest und nicht zu locker tritt sie ihn in die Seite und lässt sich aufs zweite Sofa fallen. Die beiden Figuren auf dem Bildschirm verharren reglos. Draußen rufen die Arbeiter einander Anweisungen zu. Die Sonne steigt höher, die Luft wird wärmer, und Hartmut hofft, dass die beiden nicht seinetwegen ihr Spiel beendet haben.

»Ich hab einen Tisch in deinem Lieblingsrestaurant reserviert«, sagt João so langsam wie immer, wenn er sich auf Portugiesisch an seinen Schwager wendet. Manchmal sprechen sie Englisch.

»Das mit den Kacheln?«

»Das mit den Kacheln, dessen Namen du dir nicht merken kannst. Für halb neun. Wie wird man Professor mit so einem Gedächtnis?«

»Man braucht gute ...« Mitarbeiter, will Hartmut sagen und muss eine Weile nach dem portugiesischen Wort suchen. »... Assistência.«

»Vermutlich.« João wirft Philippa einen Blick zu, aber statt diesen zu erwidern, zielt sie mit einem Kissen nach ihm und sagt: »Geh duschen. Du stinkst.«

»Ich rieche wie ein Mann«, sagt João im Aufstehen. »Das ist ein Unterschied.«

»Nicht für mich.«

Was ihr Onkel aus dem Flur antwortet, scheint eine Grobheit zu sein, die Philippa stutzen lässt, bevor sie lachend die Augen verdreht. Die Badezimmertür wird geräuschvoll geschlossen. Philippa betrachtet ihre Hände, und Hartmuts Blick fällt auf weitere Stücke aus Joãos Sammlung alter Messer. Im Wohnzimmer hängen sie in einem vergoldeten Rahmen über dem Kamin, ansonsten sind die Wände kahl. Was die Räume wohnlich macht – weinrote Vorhänge und japanische Papierlampen – geht auf die Initiative der lebenslustigen Physiotherapeutin zurück, mit der João seit vielen Jahren zusammenlebt, ohne ans Heiraten zu denken. Da kann Lurdes noch so viele Rosenkränze beten.

»Wieso sammelt er eigentlich diese hässlichen Dinger?«, fragt Hartmut. Maria und ihr Bruder haben nicht viel mehr gemeinsam als den Nachnamen und die anhaltende Verwunderung darüber, wie eng sie miteinander verwandt sind. Das war schon so, als sie noch in zwei benachbarten Zimmern über dem elterlichen Restaurant gewohnt haben. Unten in der Mouraria, in deren verfallende Häuser jetzt die Chinesen aus Macau ziehen.

»Keine Ahnung.« Philippa sieht nicht hin. »Du wolltest wahrscheinlich ›assistente‹ sagen eben. Assistência heißt Beistand oder Hilfe. Assistência médica, assistência religiosa und so weiter.«

»Richtig. Obwohl man nicht wissen kann, welchen Beistand ich künftig brauchen werde. Gerade habe ich mein zu erwartendes Ruhegehalt ausgerechnet und bin etwas ernüchtert. Ich dachte, es würde mehr rauskommen.«

Unter der Dusche beginnt sein Schwager zu singen. Hartmut fährt sich mit einer Hand übers Gesicht. Seinen neuen Bart findet João cool, und so verschieden wie die beiden sind, lässt das für Marias Reaktion nichts Gutes erwarten. Nervosität macht sich in ihm breit. Sobald er still sitzt, spürt er den ungerichteten Drang, etwas zu tun.

»Der Typ hat angefangen, oder?«, sagt Philippa, ohne auf seine Worte einzugehen. »Gestern auf dem Rastplatz.«

»Er hat angefangen, und wir haben es ihm nicht leicht gemacht, wieder aufzuhören. Ich jedenfalls nicht.«

»Ich auch nicht.« Mit einem Seufzer legt sie sich auf das Sofa und stützt den Kopf in die linke Hand. »Ich hab die ganze Nacht drüber nachgedacht. Manchmal werde ich wütend innerhalb von zwei Sekunden. Seit ich Gabriela kenne, ist es besser geworden, aber ...«

»Das hast du von mir.«

»Es sitzt hier.« Mit zwei Fingern zeigt sie auf die Höhe ihres Zwerchfells. »Von dir hab ich es bestimmt nicht. Du hast immer gesagt, man kann in Ruhe über alles reden. Notfalls durch geschlossene Türen.«

Sein Blick bleibt an dem kleinen Körbchen mit Gummiknochen und Bällen hängen. Den dazugehörigen Hund hat Fernanda mitgenommen, als sie für drei Tage zu ihrem Vater gefahren ist. Ein nervöser Kläffer mit Rattenzähnen, der jedes Mal Amok läuft, wenn das Telefon klingelt. Durch die geschlossene Tür mit seiner Tochter zu sprechen war während ihrer Pubertät eine vielgeübte Praxis.

»Hast du noch Erinnerungen an deine Arnauer Großeltern?«, fragt er.

»Natürlich. Wieso?«

»Was für Erinnerungen?«

»Diese und jene. Wie es unten in der Werkstatt gerochen hat. Ich weiß noch, wie du gesagt hast: Dein Opa kann eher was mit Enkelsöhnen anfangen, der will jemanden zum Heimwerken. Was ich gerne gemacht hätte, aber das hat wohl nicht in sein Weltbild gepasst. An die Arnauer Oma denke ich häufiger. An den süßen Tee. Sie war überhaupt süß.« Philippa lächelt über ein Bild, das offenbar vor ihrem inneren Auge vorbeizieht. Schweiß oder ein Deostift haben eine glänzende Spur in ihrer Achselhöhle hinterlassen. Schon oft hat er sich vorgestellt, ihr davon zu erzählen; hat sich gefragt, wie es ihr Bild von ihm verändern würde. Will man als Tochter so etwas wissen?

»Mein Vater hat nie gebrüllt«, sagt er, »oder auch nur die

Stimme erhoben. Wenn es so weit war, hat er gesagt, Strafe muss sein. Das war alles.« Hartmut zuckt mit den Schultern, als wären seine Worte ohne Belang. Eine Weile ist lediglich Joãos Singen aus dem Bad zu hören. Das Duschwasser rauscht schon nicht mehr, und auf dem Bildschirm prangt noch immer das Stillleben zweier weiß gekleideter Kämpfer. Es ist ihm nicht unangenehm, darüber zu reden, es macht ihn bloß traurig.

»Strafe für was?«, fragt sie.

»Er hat schon mit dreizehn oder vierzehn Jahren seinen Vater verloren. Menschen sind Sünder, das hat er früh gelernt, und deshalb müssen sie gezüchtigt werden. Zu ihrem eigenen Besten, damit sie nicht abfallen vom rechten Weg. Das gilt insbesondere für heranwachsende Jungs und den verdorbenen Inhalt ihrer Köpfe.« Ohne es zu merken, hat sich Hartmut im weichen Sofa zurücksinken lassen, das Kinn auf der Brust. Philippas Blick richtet sich auf die CDs und DVDs in den Regalen. Bevor er Halbwaise wurde, hatte sein Vater gewiss auch ordentlich eingesteckt. Gesprochen wurde darüber nicht, aber es kann nicht anders gewesen sein. »So waren die Zeiten«, sagt er.

»Okay.« Philippa klingt ratlos.

»Deine Mutter glaubt, dass es viel erklärt. Sie ist ja auch überzeugt, dass ihre seltsamen Schuldgefühle mit dem Bruder zu tun haben, der vor ihrer Geburt gestorben ist. Klingt abwegig, könnte wahr sein – wie will man das im Nachhinein beurteilen? Wir alle möchten wissen, wer und wie wir sind. Trotzdem empfinden wir die meisten Erklärungen als anmaßend, jedenfalls wenn sie von anderen kommen. Wenn dir zum Beispiel jemand sagt, dass du dich zu Frauen hingezogen fühlst, weil …«

»Ich fühle mich nicht zu Frauen hingezogen, ich bin lesbisch.«

»Das meinte ich.«

»Aber du sprichst es nicht aus. Wahrscheinlich wirst du irgendwann zu Ruth sagen, dass ich eigenwillig sei oder unangepasst oder schwer zu durchschauen.«

»Bist du auch. Früher nicht, jetzt schon. Obwohl, eigenwillig warst du immer.«

»Du wirst es sagen, um nicht das Wort ›lesbisch‹ zu gebrauchen.«

»Mein Punkt war, jede Erklärung würde dich stören. Egal, ob jemand vermutet, dass du als Kind ein zu enges Verhältnis zu deiner Mutter oder zu deinem Vater gehabt oder zu viele Filme mit Jodie Foster gesehen hast. Du würdest immer sagen: Da gibt es nichts zu erklären. Ich bin einfach so.« Seinem Versuch, sie zum Lachen zu bringen, ist kein Erfolg beschieden.

»So ist es«, antwortet Philippa knapp.

»In meinem Fall gilt dasselbe. Es mag dies und das erklären, aber ich will mich nicht definieren über etwas, das vor fünfzig Jahren passiert ist. Vor allem will ich nicht, dass jemand anderes das tut, schon gar nicht deine Mutter. Es ist gutgemeint und trotzdem entwürdigend.«

Schon immer hat er es gemocht, wenn seiner Tochter anzusehen ist, dass ein Gedanke in ihr arbeitet. Wenn sie ihn dreht und wendet und durch die Instanzen ihres wachen Verstandes führt. Als sei sie selbst gespannt auf das Resultat. Vorläufig allerdings schweigt sie, also spricht er weiter. Froh über ihre Aufmerksamkeit.

»Es ist schwer zu akzeptieren, was man nicht verstehen kann. Manchmal muss man es trotzdem. Die Suche nach einer Erklärung lässt wenig übrig, das nicht irgendwie dazugehören könnte. Es ist endlos. Letzte Nacht fiel mir das wieder auf. Wie du hab ich wachgelegen und mich gefragt, was auf dem Rastplatz passiert ist. Wie konnte es dazu kommen, dass ich mich mit einem wildfremden Menschen prügele? Ich könnte jetzt von dem Entschluss anfangen, den ich vor vierzig Jahren gefasst habe, mir bestimmte Dinge nie wieder gefallen zu lassen, aber wenn ich ehrlich bin – es hat gutgetan, dem Kerl eine zu verpassen. Ich hätte es nicht tun müssen, ich wollte es. Das ist die bündigste Erklärung. Gestern dort auf dem Parkplatz wollte ich es.«

»Ich auch. Das mit dem Tisch hätte ich gerne selbst gemacht.

Pau!« Im Liegen tritt Philippa kräftig in die Luft. Vielleicht gilt die Attacke nicht dem Campingtisch, sondern dem Bild ihres Vaters als geprügelter Junge. »Einen Moment lang hab ich dich bewundert wie früher. Wenn du mein Fahrrad repariert oder eine Spinne mit der Hand gefangen hast. Mein Papa.«

»Wahrscheinlich wollte ich das auch«, sagt er. »Viele Möglichkeiten, mir deine Bewunderung zu verdienen, gibt es nicht mehr. Trotzdem, ich hab's dir schon vor drei Tagen im Café gesagt, unterschätz deinen alten Vater nicht.«

»Das tue ich nicht.« Sofort wird sie wieder ernst. »Ich wollte dir bloß klarmachen, dass du keine mildernden Umstände bekommst.«

»Früher hätte ich gesagt, warte, bis du selbst Kinder hast.«

»Und jetzt, worauf soll ich jetzt warten? Stell dich notfalls jeden Morgen vor den Spiegel und sag es zehn Mal vor dich hin. Was glaubst du, wie lange ich gebraucht habe.«

»Wie lange?«

»Jahre.«

»Okay. Dann wirst du mir auch ein bisschen Zeit geben.«

Bevor sie antworten kann, kommt João aus dem Bad und riecht, als wäre er in ein Fass mit Rasierwasser gefallen. Drei Hemdknöpfe stehen offen, die Lederhandschuhe fürs Motorrad hält er in den Fingern. Er wirft einen Blick auf den Bildschirm und schüttelt missbilligend den Kopf.

»Hast du Angst vor deiner Tochter?«, fragt er. »Kein Vorwurf, ich kann es verstehen. Sie ist eine Furie.«

»Ich bring dich zur Tür.« Hartmut steht vom Sofa auf.

»Danke. Ich weiß, wo die Tür ist. Ich wohne hier.« Er versucht, Philippa einen Blick zuzuwerfen, aber die beachtet ihn nicht. »Hab ich was verbrochen? Hilfe! Darf ich heute Abend wiederkommen?«

An der Schulter schiebt Hartmut ihn in den Flur. Er hat es nie geschafft, mit seinem Schwager in dieser Mischung aus Coolness und Flapsigkeit zu kommunizieren, und inzwischen versucht er es nicht mehr. Ob João ihn dafür belächelt oder respektiert, weiß er nicht. Sie kommen gut miteinander aus. Für seinen Schwager gehört er zur Familie, und für ihn gehört João zum Sommer in Portugal. Das reicht.

»Philippa und ich werden was unternehmen heute Nachmittag«, sagt Hartmut. »Wann und wo treffen wir uns?«

»Hier. Es sei denn, du findest das Restaurant alleine. Deine Tochter müsste es finden.«

»Wir kommen hierher. Spätestens um acht.«

Nebeneinander stehen sie im Flur. Ohne darauf zu achten, hat Hartmut die Glastür zum Wohnzimmer zugezogen. Langsam schüttelt sein Schwager den Kopf.

»Seit wie vielen Jahren schon, Hartmut?«

»Viertel nach acht.«

»Wie viele Jahre?«

»Halb neun, okay? Dann haben wir genug Zeit, um uns in aller Ruhe zu verspäten.« Den letzten Satz hat er auf Englisch gesagt, um nicht ins Stocken zu geraten.

»My man.« Sein Schwager klopft ihm auf die Schulter. Ein langer Gang führt in die hinteren Zimmer. Es ist ein großes Apartment, das João sich nur leisten konnte, weil seine Eltern die Restaurants verkauft und ihm seinen Erbteil ausbezahlt haben. Als Zahnarzt könnte er zwar auch von seiner Arbeit reich werden, aber er hat zu viele Patienten, denen er den halben Preis berechnet. Hartmut weiß das erst seit kurzem von Fernanda. João ist zu sehr auf die Wahrung seines Rufes bedacht, als dass er solche Mildtätigkeiten publik machen würde.

»Noch was«, sagt Hartmut und folgt seinem Schwager durch die Wohnungstür nach draußen. »Kann ich dir eine komische Frage stellen?«

»Nur wenn sie wirklich komisch ist.«

»Hast du irgendwann mal eine Kiste mit Filmen an Maria geschickt? DVDs. Sachen, die du magst und von denen du gedacht hast, sie könnten ihr auch gefallen?«

»Das *ist* eine komische Frage«, sagt João, ohne eine Miene zu verziehen.

»Hab ich mir gedacht.«

Einen Moment lang schauen sie einander an. Aus dem Aufzugschacht kommen undefinierbare Geräusche. Es ist ein eleganter, mit hellem Marmor ausgelegter Flur. Vier weiße, mit Großbuchstaben gekennzeichnete Türen, und ein schmaler Durchgang zur Feuertreppe. João hält seinen Helm in den Händen wie eine Bowlingkugel.

»Wie auch immer«, sagt er und wendet sich zum Gehen. »Genießt den Tag.«

»Wir sehen uns heute Abend.«

»Wehe, ihr verbummelten Deutschen lasst mich warten.«

Hartmut schließt die Tür und geht zurück ins Wohnzimmer. Philippa hat den Tisch zurück in die Raummitte geschoben und blickt ihm fragend entgegen. Hinter ihr rieselt es weißgrau über den Bildschirm.

»Habt ihr die Tür gefunden?«

Hartmut muss ein paar Mal schlucken, bevor er sicher sein kann, optimistisch und unternehmungslustig zu klingen.

»Ich dachte, wir gehen heute Nachmittag rauf zur Maurenmauer. Oder nehmen die Tram 28, wie früher. Oder worauf du sonst Lust hast.«

»Ich bleib hier«, sagt Philippa und rollt ein Kabel über die Finger. »Ich will mit Avó Lu telefonieren.«

»Du siehst sie morgen.«

»Sie ist alleine in Rapa, und sie macht sich Sorgen.«

»Okay.«

»Geh allein zu deiner Maurenmauer. Es wird dir guttun.«

Er bleibt im Zimmer stehen und nickt. In Philippas Gesicht erkennt er Marias sanfte Augen und seine eigene Entschlossenheit, sich nicht unterkriegen zu lassen. Gestern auf dem Parkplatz kam es ihm vor, als hätte ihn sein eigenes Spiegelbild angebrüllt.

»Als du gesagt hast, dass es dir egal ist, wenn ich das Haus in Bonn verkaufe – war das ernst gemeint oder hast du's nur so gesagt?«

»Wahrscheinlich ist es ungerecht, aber nicht mehr zu ändern. Bonn ist für mich der Ort, wo ich nicht ich selbst war. Wenn du das Haus verkaufen willst, verkauf es.«

»Verstehe. Hamburg also.«

»Oder Santiago. Die bauen dort was Neues auf. Ernährungswissenschaften, Biologie, Lebensmittelchemie, alles auf einem Campus. Meine Bewerbung läuft noch, aber es sieht gut aus.«

»Wir besprechen so was nicht mehr vorher, oder?«

Die Frage bringt sie dazu, ihre Aufräumarbeiten zu unterbrechen.

»Irgendwann zieht ihr sowieso nach Portugal, habt ihr immer gesagt. Dann leben wir eben alle auf der iberischen Halbinsel.«

»Nachbarn, quasi.« Wenn er noch fünf bis sechs Stunden so stehenbleibt, wird sie ihn irgendwann umarmen müssen. In der Zwischenzeit kann er sich damit abfinden, dass es keine Fahrräder mehr zu reparieren oder Spinnen hinterm Bett zu fangen gibt. Im Kleiderschrank wohnen keine Gespenster, und wenn doch, dann verscheucht Gabriela sie. Trotzdem unternimmt er einen letzten Versuch: »Den ganzen Nachmittag in der Wohnung? Bei dem Wetter?«

Philippa steht vor ihm und umarmt ihn zwar nicht, aber legt ihm eine Hand auf die Schulter. Nickt ihm aufmunternd zu, so wie er es früher getan hat, wenn ihr in der Schule eine Klausur bevorstand. Auch das ist eine Erfahrung, die zum Altern gehört, die allmähliche Umkehrung der Rollen. Im Übrigen unterzieht sie ihn keinem Test und will ihm auch nichts Bestimmtes zu verstehen geben. Es ist einfach so, wie es fortan sein wird. Normalität.

»Grüß mir die Mauren«, sagt sie. »Und creme dich ein, bevor du gehst.«

»Grüß du deine Avó Lu. Hast du vor, es ihr zu sagen?«

»Nein. Sie sind beide zu alt, sie würden es nicht verstehen. Aber das ist der einzige Kompromiss, den ich mache. Alle anderen werden es entweder akzeptieren, oder …« Statt den Satz zu beenden, sieht sie ihn an.

431

»Verstehe«, sagt er und dreht sich zur Tür. »Wir sehen uns heute Abend.«

Trotz allem, denkt er, Lissabon ist ein Traum. Als es für Philippa noch ein Erlebnis war, mit der Tram zu fahren, haben sie das oft zu zweit gemacht, während Maria Besorgungen erledigte oder alte Freunde besuchte. Jetzt kommen die vorbeizuckelnden Waggons Hartmut voller vor, als er sie je gesehen hat. Einzelne Hände und Kameras ragen heraus, drinnen sitzen und stehen die Fahrgäste dicht an dicht. Mit der U-Bahn ist er zum Rossio gefahren, hat sich in der Fußgängerzone einen neuen Aufsatz für seine Brille gekauft und anschließend den bekannten Weg eingeschlagen. Rechts unter ihm glänzt der Tejo weit und blau wie das Meer. Je höher er steigt, desto kühler weht der Wind, obwohl die Sonne brennt und sich am Himmel keine Wolke zeigt. Er läuft an vollen Cafés und schummrigen Tascas vorbei. Vor dem gelben Haus in der Rua das Pedras Negras bleibt er kurz stehen und schickt einen Blick die Fassade hinauf. Wie immer sind die hohen Fensterläden geschlossen und lassen ihn träumen, dass die Wohnung im dritten Stock leer stehe und auf seinen Einzug warte.

Im Lauf der Jahre hat er sich angewöhnt, auf Kleinigkeiten zu achten, die vielen rechteckigen Plaketten, die ein Wohnhaus als Besitz der Stadt ausweisen, oder den langsamen Fortschritt der Ausgrabungen am Teatro Romano. Von der Terrasse des gegenüberliegenden Museums aus hat er freien Blick auf den schneller werdenden Takt, in dem die Fähren nach Barreiro ablegen, und die finsteren Mauern von Aljube, wo unter Salazar die Oppositionellen einsaßen. Schweiß läuft ihm übers Gesicht. Die nächste gelbe Tram kämpft sich die Steigung hinauf, und Hartmut folgt ihr. Von Millionen Fußsohlen poliert, glänzen die gepflasterten Bürgersteige wie Bronze. Hinter der nächsten Biegung taucht sein Ziel auf.

Auf dem kleinen Platz vor der Maurenmauer stehen jedes Jahr mehr Tische. Aus einem grünen Kiosk werden Snacks und

Getränke verkauft. Hartmut holt sich ein großes Bier und balanciert den vollen Plastikbecher zu einem freien Stuhl. Bei jedem Besuch in der Stadt kommt er mindestens ein Mal hierher. Die Mauer selbst verläuft in seinem Rücken, eine dunkle Steinwand aus der Zeit, als Westgoten und Mauren um das Gebiet kämpften. Auf Portugiesisch heißt sie Cerca Moura. Jetzt bauen dort fünf schwarze Musiker ihre Instrumente auf.

Er stellt sein Getränk ab und sitzt wie auf einer Terrasse über der Stadt. Auf dem nächsten Hügel leuchtet die weiße Fassade von São Vicente, zum Fluss hinab tun es die roten Dächer von Alfama. Hartmut legt die Füße auf das gusseiserne Geländer und beobachtet eine auf dem Nachbartisch herumhüpfende Taube. Servietten und leere Becher liegen auf dem Boden, ringsum wird fotografiert und geflirtet, geraucht und geschwiegen, Leute trinken Kaffee oder blättern in ihren Reiseführern. Hier hat er einmal gesessen und wurde von einer jungen Frau gebeten, ein Foto zu machen. Sie war ohne Begleitung und wollte allein fotografiert werden. Dann noch mal. Und noch einmal aus der Nähe. Er war Anfang fünfzig und später mit Maria im Bairro Alto verabredet. Lächelte hilflos und tat wie geheißen, bis sie sagte ›Don't you ever get enough‹, ihm den Apparat aus der Hand nahm und verschwand. Vielleicht die schönste Frau, die er je gesehen hat.

Unten am Fluss spielen Möwen in der unsichtbaren Strömung der Luft. Vor dem Verlassen der Wohnung wollte er Maria anrufen und fragen, ob sie die morgige Nacht lieber in Porto verbringen oder sofort weiterfahren will nach Rapa, aber er konnte sich nicht überwinden. Je länger das Bild dieser Kiste im Keller in ihm arbeitet, desto beschämter fühlt er sich. So lange nicht gewusst zu haben, wie gelangweilt seine Frau war, während er das Geld verdient hat, um ihre Langeweile zu finanzieren. Am meisten schmerzt ihn, womit Maria sich für den Wunsch bestraft hat, der Leere zu entkommen. Mit Schund! Die letzten zwei Monate ihrer Schwangerschaft hatte sie damals liegend verbringen müssen und neben sich kleine Bücherstapel aufgebaut, Lessing, Peter Weiss, Heiner Müller. Dieselbe Maria am helllichten Nachmittag vor einer Folge von *Desperate Housewives* ist ein Bild, das er in seinem Kopf nicht dulden will. Gleichzeitig fühlt er sich hintergangen. Von ihr. Diese Sache mit den Lesezeichen ...

Musik setzt ein, karibisch und schwungvoll. Die Umstehenden beginnen, die Hüften zu bewegen, und Hartmut denkt daran, wie er früher manchmal ein unsichtbares Saxophon gespielt hat, mit beiden Händen in der Luft. Der einzige Mensch auf der Welt, der die kreischenden Töne seiner Virtuosität vernahm. Jetzt wippt er mit dem Fuß. Wind bringt die langen Haare der Frauen durcheinander, weht ihr Parfüm über den Platz und nimmt das Lachen mit. Hartmut trinkt einen Schluck Bier und zieht das Telefon aus der Tasche. Vorne am Ende der Mauer verkaufen illegale Einwanderer Sonnenbrillen, T-Shirts und billigen Schmuck. Ein junger Vater nimmt sein Kind auf die Schultern, damit es die Band sehen kann.

Wie meistens, wenn er in Bergenstadt anruft, klingelt es nur wenige Male, bevor seine Schwester abhebt.

»Brunner.«

»Ich bin's. Hallo.«

»Du bist's«, sagt Ruth erfreut. »Ich hab dir schon zwei Mal aufs Band gesprochen. Bist du so beschäftigt?« Er weiß nicht warum, aber seine Schwester ruft ihn ausschließlich übers Festnetz an. Normalerweise ein Mal in der Woche, das hat sich in fast dreißig Jahren nicht geändert. Am frühen Sonntagabend. Welcher Tag heute ist, fällt Hartmut nicht ein.

»Ich bin in Lissabon. Spontane Reise.«

»In Lissabon. Alleine?«

»Mit Philippa.« Er weiß nicht, wo er beginnen soll, also erwähnt er zuerst Arturs Herzprobleme. Ruths Stimme ist die größte Konstante in seinem Leben, und in manchen Momenten reicht das aus. Als er fertig ist mit seinem Bericht, erstaunt ihn ihre Erwiderung: »Irgendwie klingt es, als ob es diesmal ernst wäre.«

Arturs Herzbeschwerden sind seit Jahren ein Thema, und er dachte, er hätte darüber gesprochen wie immer.

»Kann sein. In seinem Alter, nach zwei Infarkten und mit Bypass muss man mit allem rechnen.«

»Und deine Frau?«

»Kommt morgen nach. Direkt aus Kopenhagen.«

Der alte Mann ist krank, Schwiegersohn und Enkelin eilen herbei, und die Tochter besteigt das nächste Flugzeug. Es klingt nach familiärem Zusammenhalt. Eine Pause entsteht, und Hartmut beobachtet den Sänger der Band, der seinen Platz verlassen hat und mit einem Stapel CDs von Tisch zu Tisch hastet. Mit einem Hut auf dem Kopf und hellen Augen, die er genauso sprunghaft bewegt wie seinen Körper. Irgendwie schafft er es, gleichzeitig mit den Frauen zu flirten und ihren Begleitern eine CD anzudrehen.

»Jetzt weiß ich nicht, was ich mit meiner erfreulichen Neuigkeit anfangen soll«, sagt Ruth bekümmert.

»Einfach raus damit.« Fasziniert sieht Hartmut dem Sänger zu. Wenn Leute etwas tun, was zwar nicht außergewöhnlich ist, was man selbst aber nie könnte, weil eine Art Naturgesetz der eigenen Person dem entgegensteht. Ruths erfreuliche Neuigkeit erwartet er seit einem Jahr. Florian hat schon bei der Hochzeit gesagt, dass sie nur warten wollen, bis seine Frau ihre Promotion abgeschlossen hat. In ihrer Arbeit analysiert sie zwei Texte aus dem Qumran-Korpus, Florian erforscht als Astrophysiker eine bestimmte Strahlung, die Lichtjahre entfernt hinter der Sonne auftritt – die Distanz zwischen ihren Arbeitsgebieten bereitet den beiden offenbar keine Probleme.

»Ich werde Oma«, sagt Ruth.

»Das ist toll, herzlichen Glückwunsch!«

»Ich sollte es dir eigentlich noch nicht sagen, es ist erst die zehnte Woche. Aber dann hab ich Florian in den Ohren gelegen, bis er's erlaubt hat.«

»Ich werd's für mich behalten.«

»Musst du nicht. Es ist Familie.«

»Deshalb hast du mir auf Band gesprochen?«

»Ja. Deshalb, und um zu hören, wie's dir geht. Ob du dich entschieden hast. Als du hier warst, schien dich die Sache ziemlich zu belasten.«

Der Sänger treibt seine Späße mit den Zuhörern, hat ein langes hölzernes Instrument hervorgeholt, mit dem er Männern auf die Schulter klopft und dabei wild die Augen rollt. Alle feuern ihn an.

»Ich weiß noch genau«, sagt Hartmut, »wie unsere Mutter mir damals nach Amerika geschrieben hat, als du schwanger warst. Eine segensreiche Nachricht, schrieb sie, die Formulierung hab ich nicht vergessen. Du hast an den Rand gekritzelt: Kaum zu glauben, oder? Die kleine dumme Ruth ... Ich hab den Brief gelesen und gedacht, dass es wirklich kaum zu glauben ist. Ich versuche, in Amerika erwachsen zu werden, und du springst eine Generation weiter, als ob es nichts wäre.« Hartmut dreht sich zur Seite, sieht in der Ferne ein weißes Segelboot über den Tejo gleiten und hört Ruths Lachen zu etwas anderem werden. Vielleicht ist es die Weite des Blicks, die ihn empfinden lässt, wie lange das zurückliegt. Er spürt ein Frösteln auf den Armen.

»Weinst du?«, fragt er.

»Nein. Es ist ...« Sie muss die Nase hochziehen, bevor sie weitersprechen kann. »Schlimm! Als ich letzte Woche mit Felix telefoniert habe, war es genau das Gleiche, obwohl er es natürlich vor mir gewusst und mich ausgelacht hat. Schon wieder okay. Ich alte Oma.« Sie lacht erneut.

»Aber du freust dich.«

»Natürlich.«

»Gut. Das ist gut.«

Keine zwei Wochen ist es her, seit sie zusammen auf dem Arnauer Friedhof waren, wo Ruth die Pflanzen auf dem Grab ausgewechselt und gesagt hat: Du wolltest immer Professor werden. Er hat daneben gestanden, den Grabstein betrachtet und zum ersten Mal gedacht, dass ihm der Spruch darauf doch gefällt. Die letzte Zeile jedenfalls. Denn es fähret schnell dahin, als flögen wir davon. Es war ein unscheinbar schöner Moment. Hinterher sind sie beim Haus vorbeigefahren, das sie vor drei Jahren verkauft haben, nach dem Tod der Mutter. Die letzten Jahre hatte sie bei Ruth und Heiner am Rehsteig verbracht, so still und klaglos wie ihr gesamtes Leben.

»Irgendwie ist es jetzt wieder so«, sagt Hartmut.

»Was?«

»Ist dir gar nicht mulmig bei dem Gedanken, Großmutter zu werden?«

»Ich werde Oma«, sagt sie bestimmt. Großmutter ist das Wort für die schwarze Witwe hinter dem Küchenfenster, den Schatten auf ihrer und seiner Kindheit.

»Und zwar eine sehr gute, da bin ich sicher. Ich meinte nur.«

»Ich weiß, was du meinst, aber ich hab kein Problem damit, älter zu werden. Freu dich einfach für mich.«

Als sie im Auto saßen und die schiefergraue Fassade betrachteten, hat er sich einen Moment lang eingebildet, den dunklen Schemen hinter der Küchengardine zu sehen. Den verbissen schweigenden Missmut eines verpassten Lebens. Sie muss damals so alt gewesen sein wie er jetzt, bloß verwitwet seit fünfunddreißig Jahren. Kinder waren ihr ein Gräuel, das wussten alle im Dorf, und die Kinder rächten sich, indem sie Spottverse rufend am Haus vorbeiliefen. Dann verschwand Ruth in ihrem Zimmer und drückte sich das Kopfkissen auf die Ohren. Die kleine dumme Ruth.

»Ich freu mich für dich«, sagt er. »Wirklich.«

»Jedenfalls bemühst du dich.«

Die größten Veränderungen hatten die neuen Bewohner im Gemüsegarten neben dem Hof vorgenommen. Ein zugezogener Dachdeckermeister mit Frau und zwei kleinen Kindern. Wo früher die Beete gewesen waren, standen eine Schaukel und ein hölzernes Klettergerüst. Die Johannisbeersträucher gab es noch, und sofort legte sich das seit Jahren nicht mehr geschmeckte Aroma auf Hartmuts Zunge. Das Gefühl eines dünnen Fellbelags am Gaumen. Säuerlich und süß zugleich. Ruth saß neben ihm und wollte, dass er zuerst was sagte.

»Kommst du oft hierher?«, fragte er.

»Nein.« Zu ihren Füßen stand ein kleiner Eimer mit Gartengeräten, aber die grünen Plastikhandschuhe hielt sie zwischen den Fingern.

»Nur mit mir?«

»Mit wem sonst?«

Es war ein früher Samstagabend, die Zeit der *Sportschau*. Gewaschen und poliert standen die Autos in den Hofeinfahrten. Als Hartmut sich umsah, fielen ihm die alten Hausnamen der Nachbarschaft ein, Schlessersch, Junkmanns, Linneborns, über Generationen hinweg unveränderte Genitive, die anzeigten, um wessen Haus es ging. Familiennamen benutzten damals nur die Lehrer und der Pfarrer.

»Werden die eigentlich immer noch mit unserem Hausnamen angesprochen?« Er zeigte mit dem Kinn auf das Grundstück. »Ich meine als Zugezogene.« Seine Hände lagen auf dem Lenkrad. Hundertfünfundzwanzigtausend Euro bekam man in Arnau für ein zweistöckiges Haus mit Scheune und Garten. Von seinem Anteil hatte er das Auto gekauft und den Rest auf eine Weise angelegt, an deren Klugheit jüngste Zeitungsmeldungen ihn zweifeln ließen.

»Keine Ahnung«, sagte Ruth.

Theofel lautete der Name, vom Arnauer Zungenschlag zu Dofels verschliffen und in dieser Form eingegangen in die Spottverse der Kinder. Hartmut blickte die schmale Straße hinauf, wo im nächsten Hof Schlessersch Alfred seine Schreinerei betrieben hatte. Von dort war der Duft von Holz, Leim und Lack in sein Zimmer geweht. Seit Maria nicht mehr in Bonn wohnte, glaubte er manchmal, das zu riechen, wenn er spätabends am Schreibtisch saß.

»Darf ich noch mal anfangen davon?« Ruths Stimme klang, als hätte sie über die Frage lange nachgedacht.

»Davon?« Am liebsten hätte er den Schlüssel umgedreht und

wäre losgefahren, aber auf ihre Weise war seine Schwester so hartnäckig wie er. Andernfalls hätten sie sich längst auf den Nachhauseweg gemacht statt in dieser Straße zu stehen, die ausgerechnet Obere Hainbachstraße hieß. Das entsprechende Gewässer war vor langer Zeit kanalisiert worden und floss nur noch oberhalb von Arnau offen durch die Landschaft. Am Waldrand entlang und an der Wiese vorbei, wo sie früher einen ihrer Äcker gehabt hatten. Sofort dachte er an die Kartoffelernte in den Herbstferien, an klamme Finger und Rückenschmerzen vom ständigen Bücken. Wenn sie so klein waren, dass man sie nur an die Schweine verfüttern konnte, hießen sie Saukartoffeln.

»Kürzlich hab ich davon geträumt, aber es war kein Traum. Glaub ich jedenfalls.« Ruth sah ihn von der Seite an, und er schaute aufs Haus. »Wir waren oben beim Grundstück. Du und ich, und wir sind nicht durch den Ort zurückgegangen, sondern durch den Wald. Obwohl du dein Fahrrad dabeihattest. Ich dachte, du willst lieber schieben, statt mich auf dem Gepäckträger mitzunehmen. Du hast es gehasst, mich mitzunehmen. Stimmt's?«

»Davon willst du anfangen?«

»Irgendwo da oben haben sie uns aufgelauert. Oder vielleicht waren sie zufällig da, das weiß ich nicht mehr. Drei oder vier, dieselben, die dich in der Schule terrorisiert haben. Manchmal weiß ich sogar noch ihre Namen, im Moment nicht.«

Ohne zu antworten, betrachtete er seine Hände auf dem Lenkrad, als wären es scheue Tiere, die von einem Moment auf den nächsten hinter den Armaturen verschwinden könnten. Würde er nachdenken, käme er selbst drauf. Zumindest auf die Hausnamen.

»Es war von der ersten Sekunde an klar«, sagte Ruth. »Ich hab mich mit aller Kraft darauf konzentriert, nicht vor Angst in die Hose zu machen. So sehr, dass ich kaum mitbekommen habe, was passiert ist. Sie haben dein Fahrrad genommen und die Böschung runtergeworfen. Mich haben sie in Ruhe gelassen. Dann waren sie weg.«

»Das war alles?«

»Du bist runtergeklettert, um dein Fahrrad zu holen. Ich wollte dir helfen, aber du hast mich angeschrien, dass du das alleine kannst. Ich wusste, dass du sauer auf mich warst, erstens, weil du immer sauer auf mich warst, und zweitens, weil du meinetwegen nicht durchs Dorf zurückgefahren bist. Das Rad hatte sich in den Sträuchern verfangen, es hat lange gedauert, es rauszuholen. Natürlich ist deine Hose schmutzig geworden, und ich wusste, dass unser Vater dich dafür schimpfen würde.« Ruth seufzte, sprach aber gleich weiter. »Dann waren wir zu Hause. Es kam, wie es kommen musste, und ich hab mich gefragt, warum du ihm nicht sagst, was passiert ist. Warum du ihm nicht gesagt hast, dass diese Jungs dein Fahrrad die Böschung runtergeworfen haben und deine Hose deshalb schmutzig ist.«

Er konnte Ruths Stimme anhören, dass ihr das Sprechen schwerfiel. Ihm nicht. »Ich hab zwar nicht davon geträumt kürzlich, aber ich glaube, sie war eingerissen und musste genäht werden.« Direkt unter dem Küchenfenster öffnete sich eine Tür, die früher in die Waschküche und von dort in die Werkstatt geführt hatte. Eine junge stämmige Frau kam heraus, trug eine Wäschewanne unter dem Arm und schien sofort zu bemerken, dass sie beobachtet wurde.

»Nicht mehr lange, und jemand ruft die Polizei«, sagte er.

»Ich frage mich das immer noch. Warum? Es hätte alles erklärt.«

»Weil er mich trotzdem geschlagen hätte und ich ihn dann dafür hätte hassen müssen.« Je länger er schaute, desto geringer erschienen ihm die Veränderungen an Gebäude und Garten. Unverkennbar dasselbe Haus, in dem Dofels Hartmut seine Kindheit verbracht hatte. Die Frau ging zu der vorm Scheunentor aufgespannten Leine und begann, Kindersachen aufzuhängen. Ruth nickte.

»Damals hatte ich das Gefühl, du willst, dass ich es sage.«

»Hast du aber nicht.«

»Es war genau wie in meinem Traum. Ich wollte und konnte nicht.«

»Offenbar ist das nicht nur in Träumen so.« Er wendete den Kopf und war überrascht. Ruth sah ihn an, als hätte er eine treffende und für seine Verhältnisse sogar humorvolle Bemerkung gemacht.

»Nein, ist es nicht«, sagte sie. »Obwohl, manchmal will man und kann nicht, und manchmal hat man längst und will es nicht zugeben. Es gibt beides, glaubst du nicht?« Dass sie sich über ihren gelungenen Konter noch mehr freute als über seine Bemerkung, erleichterte ihm den Verzicht auf eine scharfe Erwiderung.

»Du meinst, ich hab ihm längst verziehen?«

»Ich meine, es war überflüssig, noch mal davon anzufangen. Tut mir leid. Lass uns fahren.«

»Was macht dich so sicher?«

»Fahr zu, Hartmut! Ich kenne dich. Du bist der Erste, der sich beschwert, dass es mit dem Abendessen so lange dauert.«

»Die kleine dumme Ruth«, sagte er und ließ sich von seiner Schwester gegen den Oberarm boxen. Die junge Frau stand vor der Wäscheleine und tat nicht länger so, als wäre sie mit den Hosen und T-Shirts ihrer Kinder beschäftigt. Ruths fröhliches Winken erwiderte sie nicht.

Keine zwei Wochen ist das her.

Der Sänger hat wieder seinen Platz bei den anderen Musikern eingenommen. Die Band intoniert ein Stück aus *Buena Vista Social Club*. Hartmut trinkt einen Schluck Bier, spürt den ersten angenehmen Anflug von Trunkenheit und fragt: »Weiß man schon, ob Junge oder Mädchen?«

»In der zehnten Woche? Außerdem wollen sie sich überraschen lassen. Das Wichtigste ist, dass es Mi Sun gut geht und das Kind gesund zur Welt kommt.«

Mi Sun heißt sie. Aber ihr Land beginnt mit K.

»Grüß die beiden, Felix auch. Der wird wohl nicht so schnell Vater werden.«

»Jedenfalls nicht absichtlich«, sagt Ruth mit einem Seufzer, der weniger sorgenvoll klingt als beabsichtigt. Derselbe Ton, in dem sie seit Jahren von Felix und seinen mehr oder weniger dramatischen Eskapaden spricht. Auf dem Speicher am Rehsteig stehen immer noch Kartons voller Haustierzubehör, mit dessen Online-Verkauf er und seine Freunde vor Jahren schnell reich und noch schneller wieder arm geworden sind, als die Blase platzte. Anschließend musste Felix jobben, um die Schulden zu begleichen, und ist erst an die Uni zurückgekehrt, als es bereits Dozenten seines Jahrgangs gab. Wenn er klamm ist, packt er in Bergenstadt einige Restbestände in den Kofferraum und vertreibt sie über Ebay. Ansonsten verdient er sich die Sympathie seines Onkels, indem er die Erinnerung daran wach hält, dass früher viele Studenten so alt waren wie er und ebenso viele exotische Hobbys gepflegt haben.

»Vielleicht überlegt er sich's noch«, sagt Hartmut.

Sein Neffe kann Lenkdrachen basteln, Alphorn spielen und zwanzig Meter auf den Händen laufen. Auch wenn es hoffnungslos ist, wenigstens Einzelne müssen sich der Beschleunigung des Ganzen verweigern. Die Schulzeit wird kürzer, das Studium effizienter, immer mehr Freiräume fallen weg. Die Folgen sind vorerst nur zu erahnen. Mehren sich nicht die Hinweise, dass Bankvorstände ihre Pubertät am Arbeitsplatz nachholen?

»Irgendwann wird es dich auch treffen«, sagt Ruth vergnügt. »Opa Hartmut.«

»Kann sein. Wer weiß das schon.« Trotz des leisen Schmerzes kann er sich ein Lachen nicht verkneifen. »Meine Tochter ist eine eigenwillige und unangepasste junge Frau. Schwer zu durchschauen.« Seine Rache dafür, dass Philippa nicht mitkommen wollte zur Maurenmauer. Warum konnte sie ihm den kleinen Gefallen nicht tun? Nach allem, was sie in den letzten Tagen erlebt haben.

»Das ist in dem Alter normal. Außerdem gilt es für dich genauso. Was lachst du?«

»Keine Ahnung. Es erscheint mir alles so … Dir nicht? Was

wir sagen und tun und was damit gemeint und beabsichtigt ist. Wir denken, wir wüssten es, aber es ist nur eine Möglichkeit unter anderen. In Wirklichkeit haben wir keine Ahnung. Wir raten.«

»Philosoph«, sagt Ruth ohne Spott.

»Hab ich dir von meinem letzten Besuch in Minneapolis erzählt?«, fragt er. »Vor drei Jahren, als Stan Hurwitz beerdigt wurde.«

»Ich weiß, dass du dort warst.«

»Ich bin genauso kurz entschlossen aufgebrochen wie diesmal. Vielleicht fällt's mir deshalb ein.« Weil sie sich mit der Zeitverschiebung vertan hatte, erreichte ihn der Anruf von Stans ältester Tochter um fünf Uhr morgens. Im ersten Moment dachte Hartmut, es wäre Ruth mit schlechten Nachrichten über ihre Mutter. Sein Name habe auf einer Liste von Leuten gestanden, die ihr Vater umgehend verständigt haben wollte, sagte Claire. Der erste Schlaganfall einige Jahre zuvor hatte den alten Mann an den Rollstuhl gefesselt, der nächste brachte das Ende. Bis zur Trauerfeier blieben nur zwei Tage. Es war April, kurz nach Semesterbeginn, und trotzdem buchte Hartmut noch im Schlafanzug einen Flug. Fragte sich erst über dem Atlantik, ob er die Strapazen alleine Hurwitz' wegen auf sich nahm.

»Während der Trauerfeier war ich beinahe zu müde, um traurig zu sein«, sagt er. »Es waren viele Leute da, auch bekannte Gesichter, aber ich hatte keine Lust auf Gesellschaft. Hab nur ein bisschen mit der Tochter geredet über Stans Besuch damals in Deutschland. Offenbar hat er danach alle Nachforschungen zu Joeys Tod eingestellt. Hat gesagt ›Ich hatte ein gutes Leben‹ und nicht mehr von früher gesprochen. Claire wollte wissen, ob ich eine Erklärung dafür habe. Ich wusste nicht, was ich antworten sollte. Damals in der Eifel hat er gesagt, er habe sein Leben lang geglaubt, sich nicht verzeihen zu können, dass Joey an seiner Stelle in den Krieg ziehen musste. In Wirklichkeit sei es der Neid auf den jüngeren Bruder gewesen. Scheint ihm erst im Hürtgenwald klar geworden zu sein, dass er sich den nicht hatte verzeihen können. Vielleicht konnte er es danach doch, keine Ahnung. Der Tochter hab ich gesagt, ich wüsste es nicht. Ich dachte, ich habe kein Recht, für ihn zu sprechen. Stattdessen bin ich zur Uni gefahren und durch die Gegend gelaufen. Auf den alten Wegen.« Von der West Bank zum Campus und von dort zu Stans Haus. Das Frühjahr hatte gerade begonnen, und die Luft roch noch nach Schnee, obwohl schon die Krokusse blühten. Hartmut ging die University Avenue entlang, das Varsity Theater gab es immer noch, war aber kein Kino mehr, sondern ein Musikclub. Weiter nach Westen, über die große Brücke. Der Weg kam ihm länger vor als in der Erinnerung. »Das Haus beherbergt inzwischen ein Bed & Breakfast, aber äußerlich hatte sich wenig verändert. Immer noch taubenblaue Schindeln und die drei Stufen zur vorderen Veranda. Ich stand davor, und dann hab ich einfach geklingelt. Die Besitzerin war nett und fand es interessant, dass ich die Hurwitzens persönlich gekannt hatte. Sie hatte das Haus von einem Makler gekauft, mitsamt einem großen Teil der Einrichtung. Das Erdgeschoss war fast wie damals, das Klavier, die alten Möbel, die vielen kleinen Dinge, für die Marsha eine Schwäche hatte. Ein Kaffeeservice mit der Prägung ›Württemberg Germany‹. Es war komisch, das alles wieder vor Augen zu haben. Hab ich dir nie davon erzählt?«

»Wovon Hartmut? Du kommst ja nicht zum Punkt. Ist es nicht sehr teuer, so lange von Portugal zu telefonieren? Du rufst übers Handy an, oder?«

»Egal. Lass mich erzählen. Wir saßen an dem Esszimmertisch, an dem ich früher meine Muffins gegessen habe. Ich fand's schade, keine Fotos mitgebracht zu haben. Dass Stan am selben Tag beigesetzt worden war, wusste die Frau nicht. Er hatte schon seit Marshas Tod bei der jüngsten Tochter gewohnt.«

Der Sänger hat sich wieder unter die Zuhörer gemischt, um seine Späße zu treiben und CDs zu verkaufen. Hartmut hält sich das Telefon ans andere Ohr. Hier sitzt er, an der Maurenmauer von Lissabon, und denkt an das Haus in der University Avenue. Das übrigens nicht viktorianisch sei, wie seine Gesprächspartnerin ihn bei Gelegenheit korrigierte, sondern Queen Anne.

»Ich hatte ein Hotel gebucht«, sagt er, »für die zwei Nächte, die ich in der Stadt bleiben wollte. Aber nach einer halben Stunde hab ich spontan beschlossen, in dem Bed & Breakfast zu übernachten. Eins von den Zimmern im ersten Stock war frei.«

»Okay.« Es scheint Ruth Mühe zu kosten, ihre Ungeduld zu zügeln. »Warum?«

»Ich wollte es. Das war jahrelang mein zweites Zuhause gewesen, mehr noch als das Zimmer drüben bei Walter. Keine Ahnung warum, ich wollte es einfach.«

»Und dann?«

»Oben hatte sich vieles verändert. Die beiden Arbeitszimmer waren jetzt Gästezimmer. Davon gab es noch ein weiteres, ich weiß nicht mehr, wozu das früher gedient hatte. Die Einrichtung war anders, es standen keine Bücher in den Regalen, aber es hat gerochen wie damals. Für mich war's derselbe Ort. Ich hab die Tür geschlossen und mich aufs Bett gesetzt – in dem Raum, den er früher seine Zelle genannt hat. This is where I pay for it all, meinte er immer. Da saß ich und konnte plötzlich nicht mehr aufhören zu weinen. Es ging nicht. Nie vorher oder nachher in meinem Leben hab ich so geheult. Ich musste mir das Kissen ins Gesicht drücken, damit mich niemand hört. Ich wusste von früher, wie dünn die Wände sind.«

»Wo waren deine Sachen?« Eine Frage, wie sie in diesem Moment nur Ruth stellen kann.

»Noch im anderen Hotel. Ich hab sie später geholt.«

Wieder entsteht eine kurze Pause, in der Hartmut darauf wartet, dass ein Echo der damaligen Überwältigung ihn einholt. Das geschieht nicht. Er fühlt sich gut, so wie vor drei Jahren, nachdem das Schluchzen endlich abgeklungen war und er sich im Zimmer umsehen konnte. Das Bett stand vor dem Fenster, wo früher der Schreibtisch gestanden hatte. Eine andere Tapete, ein neuer Teppich und trotzdem, manche Orte bleiben auf ähnliche Weise sie selbst wie Menschen.

»Verstehe«, sagt Ruth.

»Ich dachte, es ist, weil ich auf der Trauerfeier wie betäubt war von Müdigkeit. Dass meine Gefühle mich erst später eingeholt haben. Im Nachhinein ist schwer zu entscheiden, ob …« Er schreckt auf, weil er einen Schlag auf die Schulter bekommt; nicht fest, aber so unerwartet, dass sein Knie gegen den Tisch stößt und Bier aus dem Becher schwappt. Als er sich umdreht, blickt er in das Gesicht des Sängers. Er hält Hartmut die CD vor die Nase und macht eine Geste, als wollte er sagen: Kauf das hier, mein Freund, und du bist alle Sorgen los.

»Was ist da los bei dir?«, fragt Ruth.

»Alles okay. Es ist nur Musik.« Er signalisiert dem Sänger, dass er beschäftigt sei, und der trommelt ihm noch ein paar Mal mit dem Holzinstrument auf die Schultern, bevor er zum nächsten Tisch springt. Die Aufmerksamkeit der anderen Gäste folgt ihm. »Ich muss bald zurück, Ruth. Wir gehen heute Abend mit João essen.«

»Jetzt hast du gar nicht erzählt, ob du eine Entscheidung getroffen hast.«

»Ich hab entschieden, dass ich es mit Maria besprechen muss.«

»Als du hier warst, hast du gesagt, du musst erst einmal für dich herausfinden, was du willst.«

»Das hat nicht geklappt. Ich hab's versucht, aber es hat zu nichts geführt.«

»Verstehe«, sagt sie noch einmal. »Ich muss auch los.«

»Ich melde mich, wenn es was Neues gibt.«

»Okay. Pass auf dich auf und grüß alle.« Seine Schwester klingt nachdenklich, als frage sie sich, was er ihr mit seiner Erzählung sagen wollte. Was er in diesem Moment selbst nicht weiß. Es ist genug, denkt er. Er hat sein Bier ausgetrunken, die Hitze lässt nach, und der Betrieb an der Maurenmauer nimmt zu. Eine Menschentraube umringt die fünf Musiker. Immer noch der schönste Platz in Lissabon. Solange die Sonne scheint und seine Füße ihn tragen, wird er hierherkommen. Das Stück endet, Applaus brandet auf, und ohne ein letztes Wort schaltet Hartmut das Telefon einfach aus.

14 Als er die südlichen Außenbezirke von Porto erreicht, ist die Sonne bereits untergegangen. Mehrspurig führt die Autobahn über den Douro. Bei seinem letzten Besuch wurde am neuen Estádio do Dragão noch gebaut, jetzt passiert Hartmut das fertige Bauwerk und folgt der Beschilderung zum Flughafen. Das Navigationsgerät hat er ausgeschaltet. Im großen Bogen fließt der Verkehr um die Stadt herum nach Matosinhos, und über den Dächern erscheint die erste tief fliegende Maschine. Beide Hände aufs Lenkrad gelegt, zieht Hartmut die Schultern zurück und bewegt den Kopf hin und her. Seine Verspannung steigert sich zu kribbelnder Taubheit und reicht die Arme hinunter bis zu den Ellbogen. Den Feierabendverkehr hat er zum Glück vermieden. Noch ein paar Kurven, der letzte Hinweis ›aeroporto‹, dann rollt er an Lagerhallen vorbei dem flachen Flughafengebäude entgegen. Dahinter ist das Land zu Ende, und der Horizont glüht rot und gelb. Die Uhr am Armaturenbrett zeigt kurz nach halb neun.

In der Tiefgarage zieht er ein Ticket und findet einen freien Parkplatz. Am Mittag hat er außer dem Kulturbeutel ein zweites Hemd auf die Rückbank gelegt, nun greift er nach den Sachen, nimmt sein Telefon vom Beifahrersitz und schaut aufs Display. Immer noch nichts von Philippa. Das Gesicht im Rückspiegel kommt ihm gerötet vor. Der Bartwuchs lässt es voller erscheinen und verleiht ihm Züge eines anderen Typs, eines Zigarillorauchers, der sich für moderne Kunst interessiert. Heute Morgen in Joãos Badezimmer hat er den Bart mit der Nagelschere gestutzt und gedacht, dass eine Brille mit dunklem Rahmen besser passen würde als das randlose Modell, das er schon zu lange trägt. Die Hoffnung, dass Maria sein neues Aussehen mögen werde, begleitet ihn seit der Abfahrt aus Lissabon. Als wäre das die Frage, an der sich die Zukunft entscheidet.

Francisco Sá Carneiro ist ein kleiner und gut überschaubarer Flughafen. Hartmut muss nur wenige Meter laufen und ein Mal mit der Rolltreppe fahren, schon steht er in der langgezogenen Ankunftshalle. In der Mitte, wo Passagiere von der Gepäckausgabe kommen, bildet sich eine Menschentraube, an den Seiten warten die üblichen Cafés und Autovermietungen auf Kundschaft. Auf der Anzeigentafel steht, dass Flug TP 937 aus Genf zwanzig Minuten früher als geplant erwartet wird. Mit dem frischen Hemd in der einen und seinem Kulturbeutel in der anderen Hand eilt Hartmut weiter zur Herrentoilette und ist froh, der einzige Benutzer zu sein. Neonlicht spiegelt sich in den Bodenkacheln. Hastig macht er den Oberkörper frei und wäscht sich die Achselhöhlen, tupft sie mit Papierhandtüchern trocken und streift das frische Hemd über. Hinter dicken Wänden glaubt er das Aufheulen von Turbinen zu hören, aber das muss Einbildung sein.

Philippa und João sind am späten Vormittag nach Rapa aufgebrochen. Ein Anruf in Guarda hatte ergeben, dass Arturs Blutwerte sich gebessert haben und er morgen entlassen werden soll. Entwarnung, meinte João und begeisterte seine Nichte für die Idee, gemeinsam mit dem Motorrad in die Serra da Estrela zu fahren. Dass Fernandas Lederkombi Philippas knabenhafte Figur umschlotterte wie ein Windsack, hielt die beiden so wenig ab wie Hartmuts stumme Missbilligung. Nachdem er dem Motorrad hinterhergewunken hatte, saß er alleine im Wohnzimmer und hörte durch offene Türen die Küchenuhr ticken. Er trank den restlichen Kaffee, schaltete seinen Laptop ein und begann im Internet nach Antworten auf die von Katharina Müller-Graf eingeklammerten Fragen zu suchen. Urlaub ohne Besoldung kann bewilligt werden, erfuhr er, wenn ein gewichtiger Grund vorliegt und dienstliche Gründe nicht entgegenstehen. Während Hartmut sich durch die trockene Prosa des Landesbeamtengesetzes arbeitete, spielte er im Hinterkopf den bevorstehenden Abend durch, in immer neuen Variationen. Zwischendurch wechselte er auf eine andere Seite, notierte Übernachtungsmöglichkeiten in der Nähe des Flughafens und kehrte zurück zum Text. Ein Urlaub für mehr als sechs Monate bedarf der Zustimmung der obersten Dienstbehörde. Bei Landesbediensteten bedarf ein Urlaub für mehr als zwei Jahre der Zustimmung des Innen- und des Finanzministeriums. Je länger er über die einzelnen Schritte nachdachte, desto mehr verwandelte sich das Vorhaben zurück in die Schnapsidee, die er zuerst darin hatte sehen wollen. Die Rettung einer Ehe galt kaum als gewichtiger Grund im Sinne von § 12 LBG, und dass Breugmann eine Reihe von dienstlichen Gründen anführen würde, die dem Ausscheiden des Kollegen Hainbach entgegenstanden, war seit dem Telefonat klar. Mit verschränkten Armen blickte Hartmut auf den Bildschirm. Hinter zugezogenen Gardinen brannte die Sonne auf Lissabon herab.

Mittags ging er ins Untergeschoss des benachbarten Einkaufszentrums, aß ein Sandwich, beobachtete Büroangestellte beim Lunch und verfolgte ohne Interesse die Übertragung eines Rugby-Matches aus Australien. Danach schien die leere Wohnung ihm zu sagen: Mach dich vom Acker! Er packte seine Sachen, holte den Wagen aus der Tiefgarage und fuhr los. Über acht Stunden blieben bis zu Marias Ankunft, für die Strecke nach Porto veranschlagte er dreieinhalb. Weder wusste er, wo er den Tag verbringen noch was er am Abend seiner Frau sagen sollte. Könnte er seinen Hausarzt hinzuziehen und medizinische Gründe vorschieben? Die finanziellen Konditionen mit Peter nachverhandeln? Das Vibrieren des Handys reißt ihn aus seinen Gedanken. Kein Anruf, nur eine Textnachricht. Philippa meldet, dass João und sie gut angekommen sind in Rapa. Ansonsten keine Neuigkeiten, viele Grüße und gute Fahrt. Von einer Sorge befreit, steckt Hartmut die Zahnbürste zurück in den Kulturbeutel, spült sich noch einmal den Mund aus und verlässt den Waschraum.

Die Anzeige springt gerade um, als er wieder vor der Tafel steht. Flug TP 937 ist gelandet. Mit schnellen Schritten geht er weiter, hastet die Rolltreppe nach unten, verstaut seine Sachen im Auto und kehrt zurück in den Ankunftsbereich. Er postiert sich unter den Uhren mit Ortszeiten aus aller Welt, seitlich des Durchgangs, den ein riesiges Werbeposter rahmt. Pinguine watscheln auf eine Flasche Roséwein zu. ›This Way for Refreshments‹ steht darüber.

Über dreitausend Kilometer ist er gefahren, jetzt hat er feuchte Hände, und sein Gesicht glüht. Er muss sich überwinden, nicht hinter einer von blassgrünen Topfpflanzen umstandenen Säule in Deckung zu gehen. Zwei weitere Flüge sind beinahe zeitgleich gelandet, die ersten Passagiere kommen durch die Türen. Schieben vollbeladene Gepäckwagen vor sich her und schauen sich suchend um. Die Wartenden stehen auf Zehenspitzen, telefonieren und stoßen Freudenschreie aus, wenn endlich die richtige Person erscheint. Ganz Ungeduldige umarmen einander über das hüfthohe Gitter hinweg, das die Menge zurückhalten soll. Mit verbissenem Gesicht und zwei Essstäbchen in den Händen trommelt ein kleiner Junge auf seiner Sitzbank herum. Als wollte er aller Welt klarmachen, dass ihm die Person egal ist, deren Auftauchen seine Mutter mit zitternden Lippen herbeisehnt.

Marias Blick begegnet ihm, als hätte sie gewusst, wo er steht. Lächelnd hebt sie die Hand und weicht einem Elternpaar aus, das blindlings auf seinen erwachsenen Sohn zustürzt. Die Handtasche hängt über ihrer Schulter, und sie zieht den kleinen roten Rollkoffer hinter sich her. Ein Geschenk von ihm. Déjà-vu, denkt er. Dutzendfach haben sie einander in den letzten zwei Jahren wiedergesehen auf Bahnhöfen und Flughäfen. Haben hallo gesagt und sich umarmt, für einen Moment die

Umwelt vergessen und umständlich mit Gepäckstücken und Gefühlen hantiert. Zaghaft erwidert er ihr Winken. Noch ein paar Schritte, dann tritt Maria auf ihn zu mitsamt dem Hauch von Tabak und frischer Creme. In den kleinen Fältchen um die Augen kann er lesen, wie müde sie ist. Sie trägt die lange blaue Strickjacke, mit der sie sich in Flugzeugen gegen die Klimaanlage schützt, und zieht fragend die Augenbrauen nach oben.

»Olá«, sagt er. »Bem-vinda.«

»Olá amor.« Als wollte sie wissen, bist du's wirklich? Eine überflüssige Frage, die sie umgehend weglächelt, um ihn zu umarmen.

Die merkwürdige Sensation des Altbekannten. Marias Duft und die vertraute Gestalt. Plötzlich ist alles da, was er in den letzten zwei Wochen vermisst hat. Er kann sie nur an sich drücken und staunen. Um sie herum tun fremde Menschen dasselbe wie Maria und er. Tauschen Küsse, Umarmungen, erste Worte. Der erwachsene Sohn wird von seinen Eltern zum Ausgang eskortiert wie eine lebende Trophäe. Dann verwischt das Bild, und er muss ein paar Mal blinzeln, bevor er seine Frau anschauen kann.

»Du weinst und hast einen Bart.« Maria versucht zu lachen, aber auch in ihren Augen schimmert es.

»Wie findest du's?«

»Was von beiden?«

»Den Bart, Maria. Gefällt er dir?«

Sie mustert ihn eingehend. Über zwanzig Jahre, denkt er, und jetzt diese hilflose Freude. Die Tränen, die über ihre Wangen rollen, beachtet sie nicht, sondern fährt mit der Hand über die schwarzen und weißen Stoppeln.

»Ja, gefällt mir«, sagt sie. »Du siehst ein bisschen aus wie Botho Strauß.«

»Damit kann ich leben.«

»Einen Sonnenbrand hast du auch.« Sie stellt sich auf die Zehenspitzen und küsst ihn, und er zieht sie noch einmal zu sich heran. Er dachte, sein Gesicht würde vor Aufregung glühen.

»Was Neues von meinem Vater?«, fragt sie dicht an seinem Ohr.

»Philippa und João haben eben gemeldet, dass sie gut in Rapa angekommen sind. Arturs Blutwerte sind schon wieder besser. Morgen soll er entlassen werden.«

Maria legt den Kopf zurück und presst die Lippen zusammen.

»Du wirst behaupten, ich würde das immer sagen, aber ich kann spüren, dass es diesmal ernst ist.«

»Die Ärzte scheinen das nicht zu glauben.« Es wäre ihm lieber, ihre Aufmerksamkeit würde noch für einen Moment alleine ihm gelten. Die Zeit der Trennung war kürzer als sonst, aber die Entfernung größer denn je. »Willst du gleich hinfahren? Heute Nacht noch?«

»Nein, aber ich hab's meiner Mutter versprochen. Was ist das für eine Wunde?« Wieder fährt ihre Hand über seine Wange, dorthin, wo ihn der Ehering des Bremer Campers getroffen hat. Bereits verkrustet und vom Bartwuchs halb verdeckt.

»Kleine Schramme. Wir könnten anrufen und sagen, dass es zu spät geworden ist. Was nicht gelogen wäre. Es ist gleich zehn, und wir brauchen drei Stunden.«

Noch einmal küsst Maria ihn, dann macht sie sich los aus seiner Umarmung und nimmt die Handtasche auf die andere Schulter. Ihr Nicken bedeutet nur, dass sie verstanden hat, was er sagen will. Es ist halb zehn, und natürlich brauchen sie um diese Zeit nicht drei Stunden, eher zwei. Ab Aveiro geht es auf leeren Straßen durch die Berge.

»Du bist wirklich mit unserem Wagen gekommen, die ganze Strecke?«

»Ja.« Er nimmt den Koffer und ihre feuchte Hand. Wortlos durchqueren sie die Halle. Hinter gläsernen Wänden blinkt ein Gewirr von stehenden und fahrenden Lichtern in der Nacht. Feuchte Hände sind ein schlechtes Zeichen, und Hartmut könnte nicht sagen, warum sie ihn in diesem Moment trotzdem beruhigen. In der Tiefgarage piept er das Auto auf und hebt

Marias Gepäck in den Kofferraum. Über das verstaubte Autodach hinweg sehen sie einander an.

»Sind die beiden mit dem Motorrad nach Rapa gefahren?«, fragt sie. »Doch hoffentlich nicht.«

»Philippa hat eine SMS geschrieben. Sie sind gut angekommen.«

»Mein Bruder weiß genau, dass ich das nicht will. Und du auch. Wieso hast du's nicht verboten?«

Darauf erwidert er nichts, hört lediglich sein Lachen und ist erstaunt, wie spontan und ungezwungen es klingt. Maria zögert einen Moment, bevor sie den Kopf schüttelt über sich selbst.

»Verrückt, oder?« Ratlos schaut sie über die Doppelreihen geparkter Wagen. »Waren wir schon immer so?«

»Vielleicht willst du die Frage noch mal in ihrem Beisein stellen«, sagt er immer noch lachend. »Die mit dem Verbieten. Das könnte interessant werden.«

Gemeinsam steigen sie ein. Direkt vor ihnen, in einem roten BMW Coupé, knutscht ein junges Pärchen.

»Weißt du noch«, sagt Maria, »wie du vor ein paar Tagen am Telefon gesagt hast, wir seien die Parodie unserer selbst. Das geht mir nicht aus dem Kopf. Warum Parodie? Wegen solcher Dinge wie gerade?«

»Es war nur eine Bemerkung. Ich weiß nicht mehr, was ich damit gemeint habe. Es ging um Philippa, und wahrscheinlich wollte ich sagen, wir wussten es die ganze Zeit und haben getan, als wüssten wir's nicht, weil wir dann so tun konnten, als würde es uns nichts ausmachen. Was wir schließlich von uns verlangen. Dass uns so was nichts ausmacht. Unseren Eltern ja, uns nicht. Richtig?«

»Hast du sie gefragt, ob sie's in Rapa erzählen will?«

»Sei beruhigt, das hat sie nicht vor. Aber es wird ihr einziges Zugeständnis bleiben, daran hat sie keinen Zweifel gelassen. Alle anderen müssen es entweder akzeptieren, oder sie können ihr gestohlen bleiben.«

»Wir haben uns also was vorgemacht.« Maria schnallt sich noch einmal ab, um die Strickjacke auszuziehen. Erst jetzt fällt ihm auf, wie stickig und verbraucht die Luft im Wagen ist. »Keine Ahnung, ob das stimmt. Seit ich es weiß, denke ich zurück an dies und das, und sicherlich gab es Anzeichen, wir hätten es wissen können, aber … Nein. Ich wäre nicht im Traum darauf gekommen.«

»Wahrscheinlich hab ich mich schlecht ausgedrückt. Ich meinte, wir finden es nicht schlimm, es zieht uns bloß den Boden unter den Füßen weg. Hätte ich sagen sollen, unser Leben ist die Parodie unserer Träume? Das wäre vielleicht treffender gewesen.« Statt über Philippa zu reden, würde er es lieber den beiden im BMW nachtun. Die Wagen stehen frontal zueinander, Stoßstange an Stoßstange, aber das Pärchen knutscht und fummelt so ungeniert, als wären sie zu Hause. Die Hand des Mannes ist unter der Bluse seiner Partnerin verschwunden. Es ist ein merkwürdiger Anblick aus ihrem unfreiwillig bezogenen Logenplatz. Um nicht an Katharina und ihn denken zu müssen, sucht Hartmut nach einer spöttischen Bemerkung, zuckt mit den Schultern und blickt zum Beifahrersitz. Entsetzt sieht Maria ihn an.

»Wie kannst du so was sagen? Unser Leben ist was?«

»Ich meinte …« Einen Moment lang weiß er nicht einmal, was er gesagt hat. Es war eine hingeworfene Bemerkung, mehr nicht. Die Grausamkeit seiner Worte wird ihm zu spät bewusst. »Ich meinte das nicht so.«

»Sondern?« Maria ringt um Fassung, er kann nur den Kopf schütteln.

»Weiß ich nicht. Ich meinte gar nichts. Lass uns fahren, bevor die beiden da richtig loslegen.«

Das Pärchen schreckt auf, als Hartmut die Scheinwerfer einschaltet und zurücksetzt. Raus aus der Tiefgarage, vorbei an leuchtenden Werbeschildern, hinein in die nächtliche Finsternis. Das Navigationsgerät schaltet sich ein, und der Monitor zeigt die langsame Veränderung ihrer Position. Instinktiv vermeidet Hartmut die Richtungen Porto und Lissabon, biegt ein paar Mal planlos ab und findet sich auf der nordwärts führenden N 13. Gegen die Stille im Auto stellt er Musik an, widersteht dem Zucken in seinem rechten Fuß und setzt alle weiteren Entscheidungen vorläufig aus. Wenn Maria nach Rapa will, muss sie es sagen. Es ist ihr Vater, nicht seiner. Nervös dreht sie an der Klimaanlage und sucht neutralen Boden, das erkennt er am Tonfall ihrer Frage: »Was ist das für Musik?«

»Eine Band von den Kapverden. Hab ich gestern an der Cerca Moura gesehen. Das Cover liegt im Handschuhfach.«

»An der Cerca Moura«, sagt sie leise und lehnt sich im Sitz zurück. »Nachdem du mir am Telefon gesagt hattest, dass du seit einer Woche unterwegs bist, hab ich versucht, mir das vorzustellen – wie du reist, was du machst, wie's dir geht. Dann war ich erschrocken, weil ich's nicht konnte.«

»Ist das eine Frage?«

»Nein. Warst du alleine dort? Gestern.«

»Philippa wollte nicht mit. Sie musste dringend telefonieren.«

Breite freie Straßen wären ihm lieber, aber einstweilen sind sie eng und führen durch kleine, nahtlos ineinanderübergehende Ortschaften. Apartmenthäuser, Bankfilialen, Restaurants. Vila do Conde wird angezeigt, wo sie vor Jahren in einem schönen Hotel gewohnt haben, das er heute Mittag im Internet nicht finden konnte. Linker Hand ist das Meer zu erahnen, aber nicht zu sehen. Eine sternklare Nacht wölbt sich über das Land, der Halbmond steht hoch und scheint sich in der eigenen Rundung zu wiegen. Leben im Diskontinuum, er weiß nicht, wie er sich fühlt. Gestern hat er an der Maurenmauer gesessen und ein Bier getrunken und dann noch eins, bis ihm innerlich kalt wurde. Am Abend waren sie gemeinsam im Bairro Alto und hatten viel zu lachen. Wenn João gut drauf ist, kann er ein ganzes Restaurant unterhalten.

»Bist du sauer auf mich, weil ich's dir nicht gesagt habe?«, fragt Maria.

»Es war ihre Entscheidung. Sie würde dir nicht verzeihen, wenn du's mir gesagt hättest. Unsere Tochter ist ziemlich tough geworden. Sie alleine bestimmt, wo's langgeht.«

»Habt ihr gestritten?«

»Nein. Doch, aber nur kurz. Wir haben uns gründlich ausgesprochen. Das war überfällig. Wahrscheinlich ist es mein Fehler, dass es sich wie ein Verlust anfühlt.« Hätte er vorhin nicht diese Bemerkung gemacht, würde Maria jetzt eine Hand auf sein Bein legen und sagen, dass sie versteht, was er meint. Dass es ihr ebenso gehe. Stattdessen nickt sie mit zusammengepressten Lippen, und er denkt: Unser Leben ist die Parodie unserer Träume. Er meinte das ganz genau so.

»Sie wird nach Santiago gehen«, sagt er. »Aber wahrscheinlich wusstest du das auch vor mir. Nächstes oder übernächstes Semester. Ihre Bewerbung läuft schon.«

»Nein, wusste ich nicht.«

»Wegen Gabriela natürlich. Ich finde, sie macht sich ein bisschen zu abhängig.« Heute Morgen beim Frühstück hat er sich informieren lassen über das, was dort an der Universität entstehen soll, ein neuer fächerübergreifender Forschungscampus, der natürlich auch in Santiago Exzellenzcluster heißen muss. Seine Warnung vor allen akademischen Einrichtungen, die mit Exzellenz beginnen, ist bei Philippa auf die erwartet tauben Ohren gestoßen.

»Sie meint, irgendwann leben wir sowieso alle auf der iberischen Halbinsel«, fügt er hinzu, weil Maria schweigt.

»Werden wir das?«

Am linken Rand des Navigationsgeräts taucht ein blauer Streifen auf und wird langsam breiter. Einmal sind sie mit dem Mietwagen hier entlanggeirrt und haben die Agentur gesucht, bei der sie das Auto zurückgeben mussten. Ganz in der Nähe des Flughafens, auf den abseits der Zubringer kein Schild hinweist.

»Das werden wir, wenn wir uns dafür entscheiden.«

»Wohin fahren wir jetzt?«

»Blindlings in die Nacht. Willst du in Rapa anrufen oder nicht?«

»Ich müsste, aber ich kann jetzt nicht mit meiner Mutter sprechen, Hartmut. Sie ist krank vor Angst, und ich will nicht hören, dass am Ende alles in Gottes Händen liegt. Dass wir nur hoffen und beten können. Ich fürchte, ich würde ihr sagen, dass sie eine verrückte alte Schachtel ist und endlich ein anderes Buch lesen soll.«

»War es sehr anstrengend in Kopenhagen?«

»Es war schrecklich.«

»Ruf Philippa an«, sagt er. »Übrigens ist es komisch, aber nach über zwanzig Jahren wüsste ich nicht, was ich antworten sollte, wenn jemand mich fragt, ob du religiös bist.«

Zu seiner Überraschung wendet Maria ihm nicht nur das Gesicht zu, sondern legt eine Hand auf seinen Oberschenkel. Fährt sachte darauf hin und her. Inzwischen ist es ihm gleichgültig, ob sie in einem Hotel übernachten oder in die Serra da Estrela fahren, aber bevor sie das eine oder andere tun, will er das Meer sehen. Ohne Grund. Er will einfach.

»Hättest du eine Antwort auf die Frage, ob du es bist?«, fragt sie. »Nach fast sechzig Jahren.«

»Nein.« Schilder weisen auf Strände und Campingplätze hin. Hier und da leuchtet Bierreklame über dem offenen Eingang einer Gastwirtschaft. »Trotzdem frage ich mich, wie es sein kann, dass wir seit zwei Jahrzehnten verheiratet sind und solche Dinge nicht voneinander wissen.«

»Du meinst, du fragst dich, was wir noch alles nicht voneinander wissen.«

Kurz berührt er ihre Hand, dann muss er wieder schalten. Er wartet auf eine Möglichkeit, nach links abzubiegen. Seit Maria ihn darauf hingewiesen hat, spürt er den Sonnenbrand in seinem Gesicht. Auf den Unterarmen auch.

»Heute Nachmittag war ich in Coimbra«, sagt er. »Erinnerst du dich?«

Sie nickt, antwortet aber nicht.

»Philippa und João sind am Vormittag aufgebrochen, und ich hatte keine Lust, in der Wohnung zu sitzen. Alleine mit meinen Gedanken. Also bin ich losgefahren. Als auf der Autobahn das Schild auftauchte, dachte ich, warum nicht einen Stopp einlegen. Es ist lange her. Ich hatte Zeit.«

»Hat sich viel verändert?«

»In der Altstadt kaum. Oben an der Uni wird renoviert. Ich wusste nicht mehr, ob wir damals die Bibliothek besucht haben; nur noch, wie ich mit Philippa vor dem Eingang saß und ihr von den Fledermäusen erzählt habe. Eigentlich mag ich keinen Barock, aber drinnen ist es wunderschön, beinahe unwirklich. Bücher, die kein Mensch mehr lesen wird. Ich glaube, wir waren in dem Sommer dort, nachdem meine Bewerbung in Berlin sich zerschlagen hatte.«

»Ich weiß«, sagt sie.

»Außerdem wusste ich nicht mehr, dass mittelalterliche Universitäten eigene Gefängnisse hatten. Die von Coimbra jedenfalls. Fensterlose Kerker, die man besichtigen kann.« Er lacht kurz auf. »Du kannst dir vorstellen, welche Gedanken mir durch den Kopf gegangen sind, als ich in einer der Zellen stand.«

Spürt er in ihrer ausbleibenden Antwort ein Unbehagen oder fühlt er sich selbst unbehaglich? Es war ein heißer Tag, und er hatte vergessen, sich mit Sonnencreme einzureiben, bevor er das Auto verließ. Am Ende der großen Brücke über den Rio Mondego. Auf der anderen Seite erhob sich dieselbe weiße Stadt wie damals, über steile Felsen gebaut und eine rätselhafte Melancholie ausstrahlend. Hartmut erkannte das Hotel Astória und dachte an den holzvertäfelten dämmrigen Speisesaal. Überall die Spuren eines allmählichen stolzen Verfalls und die Mattigkeit langer Sommertage.

»Vor zwei Wochen«, sagt er, »bin ich aufgebrochen, weil ich in Ruhe nachdenken wollte. Aber dann hat die Reise mich eher abgelenkt. Unterwegs sieht man neue Dinge und redet mit anderen Leuten als sonst. Ohne Alltag, der einem alles souffliert. Es war ein bisschen wie früher, als wir noch darüber nachgedacht haben, welches Leben wir leben wollen. Verstehst du?«

»Ich mag es nicht, wenn du so redest«, sagt sie, ohne dass es abweisend klingt. »Wenn du was wissen willst, dann frag mich.«

»Ich hab dich furchtbar vermisst. Ich bin weggefahren aus Bonn, weil ich nicht allein sein wollte, aber meistens war es unterwegs kaum besser. Einmal hab ich mich heftig betrunken und bin nachts mit fremden Leuten um ein Feuer getanzt. Irgendwo an einem spanischen Strand. Ich!« Lächelnd wendet er den Kopf, aber Maria blickt geradeaus. Es ist merkwürdig, wie sie beide auf unterschiedliche Weise dasselbe tun. Jeder für sich versuchen sie herauszufinden, was er eigentlich sagen will; er redend, sie schweigend. »Wenn du mit dem Flugzeug gekommen bist, hast du wahrscheinlich keinen Joint dabei, oder?«

»Ich hab João gesagt, er soll was mitbringen. Keine Ahnung, ob er's getan hat.«

»Wieso haben wir dieses eine Mal nie wiederholt?«

»Wie ich am Telefon gesagt habe, ich hatte nicht den Eindruck, dass du es willst.«

»Ich hab's mir oft vorgestellt. Ich würde gerne in Rapa auf dem Balkon sitzen und einen Joint mit dir rauchen. Beim ersten Mal hatte ich Angst, aber jetzt ...« Ohne ersichtlichen Grund bringt die Vorstellung ihn zum Lachen. In Wirklichkeit wird seine Angst immer größer. »Unsere Tochter wird sagen, wir seien unmöglich.«

»Dann werden wir ihr klarmachen, dass sie sich um ihren eigenen Scheiß kümmern soll«, erwidert Maria kühl.

Beim nächsten Kreisverkehr biegt Hartmut von der Hauptstraße ab. Passiert den leeren Parkplatz eines Einkaufszentrums und folgt der holpriger werdenden Straße entlang hoch bewachsener Maisfelder. Im nächsten Dorf sind die Gassen so eng, dass die Bewohner reflektierende Strahler an den Hauswänden befestigt haben. Keine Menschenseele zeigt sich, es ist wie durch einen verwaisten Irrgarten zu fahren, über Kopfsteinpflaster mit unbefestigten Rändern. Staub wirbelt auf und bekommt im Rückspiegel einen unwirklich roten Schimmer.

»Es ist nämlich ungerecht«, sagt Maria. »Wir dürfen nicht über ihr Leben urteilen, aber sie über unseres sehr wohl. In Zukunft wird sie jede Kritik mit dem Vorwurf kontern, wir könnten uns bloß nicht damit abfinden, dass sie ... Das ärgert mich.«

»Dass sie was?«, fragt er.

»Als Gabriela in Berlin war, durfte ich nicht rauchen in ihrer Gegenwart. So sieht das Ergebnis unserer Erziehung aus, eine spießige lesbische Politesse, die uns Verbote erteilt.«

Die langen Lichtkegel der Scheinwerfer springen auf und ab. Ihr gemeinsames Lachen klingt übermütig, beinahe hysterisch. Maria hält sich beide Hände vors Gesicht. Seine Schultern beben. Als ihnen ein Auto entgegenkommt, wäre Hartmut beinahe in den Straßengraben gefahren.

»Politesse ist gut«, sagt er und wischt sich über die Augen.

Das Dorf, in das sie kommen, besteht aus wenigen Häusern. Ein blaues Neonschild mit Wackelkontakt gehört zum einzigen, bereits geschlossenen Restaurant. Auf der Strandpromenade halten die Laternen Abstand zueinander. Gelbes Licht fällt über eine Mauer auf schmutzigen Sand, auf dunkle Streifen von Tang und zusammengerollte Fischernetze. Die Boote liegen weiter rechts in der Dunkelheit. Sobald Hartmut den Wagen geparkt und den Motor abgestellt hat, verschlingt Stille die letzten Reste ihres Lachens.

»Hier?«, fragt Maria.

»Hier.« Er lässt sein Fenster runter und atmet den Geruch von Salz und Moder. Auch Kuhmist glaubt er zu riechen, obwohl keine Weiden zu sehen sind. Das Meer ist schwarz und bewegt sich kaum. »Setzen wir uns auf eine Bank?«

»Ist vorher noch Zeit für einen Kuss?« Es klingt, als wollte sie ihn daran erinnern, dass sie wieder in Portugal sind, gemeinsam und im Urlaub. Hier ist es anders, scheint sie sagen zu wollen. Ihre Lippen zittern, und er fühlt sich beobachtet, während sie einander küssen.

Als sie aussteigen, ist es kühl geworden. Auf der Bank liegt ein feuchter Film. Hartmut wischt mit der Hand darüber, dann sitzen sie nebeneinander und starren auf die schäbige Kulisse des Strandes. Wie die hässliche Rückseite dessen, was Postkarten zeigen.

»Es ist merkwürdig«, sagt er, »wie man sich an Situationen erinnert und die Details vergisst. Heute in Coimbra bin ich in die Alte Kathedrale gegangen. Ich wusste noch, dass Philippa und ich damals alleine dort waren und sie an meiner Hand gezerrt hat, weil sie mich von irgendwas weg- oder zu irgendwas hinziehen wollte. Ich hatte vergessen, was es war, aber es muss eine der riesigen Muscheln gewesen sein, die da stehen. Eine beim Eingang, die zweite vorne neben dem Altar. Sie kommen aus dem Indischen Ozean und dienen als Weihwasserbecken.« Er hält inne, um mit ausgestreckten Händen den Durchmesser von fast einem Meter anzudeuten. »Das war es, was unsere Tochter fasziniert hat, Riesenmuscheln. Auf Portugiesisch heißen sie chamadas tridácmas, steht auf dem Schild daneben.«

»Du hättest mich vorwarnen sollen.« Maria hat die Strickjacke wieder angezogen und hält die Arme vor der Brust verschränkt. »Ich hab mich auf unser Wiedersehen gefreut. Die ganze Zeit über.«

»Ich auch. Quer durch Europa bin ich gefahren, um nachzudenken über unsere Zukunft, meine und deine. Ich wollte dich wiedersehen und dir sagen, dass ich meine Professur aufgeben und nach Berlin ziehen werde. Diese Stelle in Peters Verlag ist zwar nicht besonders attraktiv, aber – ich weiß nicht, was du dir vorstellst. Ich schaffe es nicht, das ist mir während des letzten Jahres klar geworden. Die Zeit bis zu meiner Emeritierung ist zwar überschaubar, aber trotzdem zu lang. Was wir in den letzten zwei Jahren geführt haben, war keine Ehe.«

Nahe am Strand sind Felsen auszumachen, deren Konturen sich kaum abheben vom dunklen Wasser. Hin und her geisternde Taschenlampen lassen die Umrisse erahnen. Dorfbewohner suchen nach Krebsen oder anderen Wassertieren. Maria sitzt neben ihm und rührt sich nicht.

»Aber während der Reise«, sagt er, »ist mir was anderes klar geworden. Dass ich nicht weiß, ob du überhaupt willst, dass ich nach Berlin komme. Oder ob sich die Dinge zwischen uns geändert und wir angefangen haben, unser eigenes Leben zu leben. Jeder für sich, schon vor deinem Umzug. Ich für die Arbeit und du ... sag selbst.«

»Ohne Arbeit«, erwidert sie leise. »Die wandelnde Parodie meiner Träume.«

»Vor ein paar Tagen im Gespräch mit Philippa ist mir der Satz rausgerutscht, dass ich den Schritt nur machen würde, wenn ich sicher wüsste, dass du es willst. Heute in Coimbra saß ich in der Kirche und hab nachgedacht. Wenn ich *das* nicht weiß, wenn ich *dessen* nicht sicher bin, ganz zu schweigen davon, dass ich nicht mitgekriegt habe, was mit unserer Tochter los ist – was ist mir noch entgangen? Hast du damals schon daran gedacht, alleine nach Berlin zu gehen? Ich meine nach meiner geplatzten Bewerbung.«

»Fragst du mich das? Jetzt, sechzehn oder siebzehn Jahre später.«

»Du hast gesagt, du konntest dir nicht vorstellen, wie es auf meiner Reise war. Ich will versuchen, es dir zu erklären.«

»Dann tu es auch.«

»Vor zwei Wochen hab ich Peter im Verlag getroffen, vor unserem Mittagessen am Hackeschen Markt. Er wollte mir die Räume zeigen, meinen künftigen Arbeitsplatz und mir ein paar Mitarbeiter vorstellen. Er war von der Idee überzeugt und ich – keine Ahnung, wie ich das Gefühl beschreiben soll. Ich saß ihm gegenüber und hab mich gefragt, wie bin ich hierhergeraten? Plötzlich schüttele ich Leuten die Hand, die meine Studenten sein könnten, aber tatsächlich bewerbe ich mich darum, ihr Kollege zu werden.«

»Ein unheimliches Gefühl, oder?«

»Ja.«

»Zum ersten Mal hast du erwogen zu tun, was ich zwanzig Jahre lang getan habe – beruflich zurückstecken.«

»Unheimlicher fand ich, nicht zu wissen, ob du es willst«, sagt er. »Nach zwanzig Jahren Ehe nicht sicher zu sein, ob meine Frau mit mir unter einem Dach leben will. Das war unheimlich, auch wenn ich erst unterwegs verstanden habe, dass meine Ungewissheit so tief geht.« Er hält inne und hebt die Hände. Wenn sie schweigen, ist nur das Meer zu hören, das Auslaufen der winzigen Wellen vorne am Strand. »Sag was, Maria. Ich ziehe gerade Bilanz, und sie fällt nicht besser aus als deine.«

»Ich wusste von dem Gespräch im Verlag.« Sie spricht mit nach vorne gerichtetem Blick und der sanften Stimme, die er so lange vermisst hat. »Ich wusste davon, bevor ihr es geführt habt, Peter und du.«

Die Leute mit den Taschenlampen haben die Felsen verlassen und gehen über den Strand. Das Glühen auf seiner Haut wird stärker.

»Du wusstest es?«

»Es war sogar meine Idee.« Jetzt sieht sie ihn an, mit einem Lächeln, das er nicht deuten kann. Stolz spricht daraus, Schuldbewusstsein und ein vergeblicher, stiller Triumph. »Zuerst war es ein spontaner Einfall. Peter hatte mir von seinen Plänen mit dem Verlag erzählt und wie schwierig es ist, die richtigen Leute zu finden. Dass der Job eine Fachkenntnis erfordert, die nur wenige haben, und dass er ungern mit Leuten arbeitet, die er nicht persönlich kennt. Du weißt, wie er ist, er braucht diese freundschaftliche Atmosphäre. Also hab ich dich ins Spiel gebracht. Du hast dich seit Jahren nur beklagt über deine Arbeit. Dass du dich nicht wohlfühlst alleine in Bonn, wusste ich sowieso. Auch wenn du mir gelegentlich vorgeworfen hast, dass mir das egal sei.« Mit einer Handbewegung wehrt sie seinen Einwand ab. »Du hast geglaubt, dass ich meine Interessen über unsere stelle. In gewisser Weise zu Recht. Ich wollte nach Berlin gehen, obwohl ich wusste, dass ich dir damit weh tue. Und es stimmt, dass ich schon Jahre vorher angefangen hatte, darüber nachzudenken. Als klar war, dass aus einem gemeinsamen Umzug nichts werden würde. Nachdem ich jahrelang unsere Interessen über meine gestellt hatte, dachte ich, warum nicht mal umgekehrt? Ich hab nie zu den Frauen gehört, die alleine für die Familie leben, und außerdem – welche Familie? Eine Tochter, die mich bestenfalls ignoriert hat, und ein Mann, der nie da war. So wie du im Verlag saß ich zu Hause und hab mich gefragt: Was mache ich hier? Ich brauche kein großes Haus, und ich muss nicht jede Nacht neben meinem Mann einschlafen, aber ich kann nicht ohne das Gefühl leben, meine Tage sinnvoll zu verbringen. Wenn du damals gesagt hättest, entweder ich bleibe in Bonn oder wir trennen uns, dann hätten wir uns getrennt. So weit war ich.« Maria holt tief Luft. Ihre schönen schlanken Hände sind in ständiger Bewegung. Die Entschlossenheit, sich nicht unterkriegen zu lassen, die er gestern in Philippas Gesicht erkennen und auf sich selbst zurückführen wollte, könnte seine Tochter ebenso gut von ihrer Mutter geerbt haben. Bloß ohne das schlechte Gewissen, das dicht darunterliegt. Das gehört zum Rapa-Erbe, davon wurde Philippa verschont.

»Wo wir gerade von unheimlichen Gefühlen gesprochen haben«, sagt er. »Ich glaube, meins reicht weit hinter das Gespräch im Verlag zurück. Es bestand darin, zu wissen, aber nicht wahrhaben zu wollen, dass das Leben, das ich dir ermöglichen kann, nicht das Leben ist, das du führen willst. Und darin, nicht zu wissen, von welchem Leben du stattdessen träumst. Angst zu haben, es könnte ein Leben ohne mich sein. Jahrelang hab ich versucht, davor die Augen zu verschließen.«

»Es war nie unser Deal, dass du mir ein Leben ermöglichst, Hartmut. Ich hab das weder verlangt noch erwartet.«

»Was war unser Deal?«

»Wir hatten keinen. Wir hatten plötzlich ein Kind.«

Die Laterne steht hinter ihnen und wirft sie beide als Schattenriss auf den Asphalt. Wo die Strandpromenade ins Dorf hinein führt, ertönen Stimmen, aber zu sehen ist niemand. Hartmut spürt eine Gänsehaut auf den Armen. Er ist nicht erschrocken, nur erstaunt über den ruhigen Klang ihrer Worte. Dabei spricht er selbst ebenso ruhig.

»Das klingt, als wolltest du sagen: Es war nicht Liebe, es waren die Umstände. Dazu würde ich gerne zu Protokoll geben, dass das auf mich nicht zutrifft.«

»Was uns nach Dortmund und später nach Bonn verschlagen hat, Hartmut, waren die Umstände, was denn sonst. Zu denen gehörte, dass du Geld verdient hast und ich nicht. Lass uns nicht über die Vergangenheit streiten. Ist dir überhaupt aufgefallen, dass ich die Frage beantwortet habe, über die du unterwegs angestrengt nachgedacht hast? Ich wollte, dass du nach Berlin kommst. Es war meine Idee.«

»Okay«, sagt er und hat Mühe, den Überblick zu behalten. Wo sie sich befinden, was sie einander sagen und was daraus folgt. Das Gespräch wird desto unklarer, je ehrlicher sie miteinander sind. »Du hast also die ganze Zeit gewusst, dass ich den Job wechseln wollte. Damals beim Mittagessen und später am Telefon.«

»Ob du es wolltest, wusste ich nicht. Für mich sah es nach einer Lösung aus, und Peter fand die Idee gut. Er konnte sich das vorstellen. Die Frage war, ob du bereit bist, das Risiko auf dich zu nehmen. Denn natürlich würde es ein Risiko bedeuten. Ich wollte dich nicht überreden, meinetwegen etwas zu tun, das getan zu haben du bereuen wirst, wenn es schiefgeht. Wenn dir der Job nicht gefällt oder es Probleme zwischen Peter und dir gibt. Deshalb hab ich nichts gesagt, sondern Peter hat dir das Angebot gemacht. Du wusstest seit dem Abendessen, dass ich von der Sache weiß. Du hättest es mit mir besprechen oder mit dir selbst abmachen können. So oder so wäre es deine freie Entscheidung gewesen. Darum ging es.« Sie sieht auf ihre Hände, sieht Hartmut an und schaut hinaus aufs dunkle Meer. »Es war eine spontane Idee, ja, aber es war auch ein guter Plan.«

»Ein guter Plan«, sagt er. »Solange man die Umstände außen vor lässt.«

»Du hast dich dagegen entschieden.« Sie nickt und rückt nä-

466

her zu ihm heran. »Das dachte ich mir. Du willst es nicht, du hängst zu sehr an deiner Arbeit.«

»Ich suche nach einem Ausweg, aber für eine Beurlaubung bis zum Ruhestand fehlt mir die Begründung. Eine, die meine oberste Dienstbehörde akzeptieren würde. Wenn ich stattdessen kündige, verliere ich alle Pensionsansprüche. Ich bin Beamter, Maria, ich kann nicht einfach gehen.«

»Du könntest. Du willst nicht.«

»Du behauptest zwar gerne, keinen Wert auf ein gesichertes Auskommen zu legen, aber vielleicht ist das ein bisschen blauäugig. Willst du in zwanzig Jahren vom Erbe deiner Eltern leben oder Philippa auf der Tasche liegen? Wollen wir nach Rapa ziehen und Oliven anbauen?«

»Ich will wissen, was die Gründe sind.« Der Ernst in ihrer Miene bekommt Risse, weil sie sich über seine Manöver amüsiert. »Nur mal angenommen, dass es keine großen finanziellen Einbußen mit sich bringen würde, wärst du dann bereit, auf deine Professur zu verzichten? Sag schon!«

»Du hast was in der Hinterhand.« Er schüttelt den Kopf und versucht zu lachen. »Wenn ich jetzt Ja sage, wirst du mich darauf festnageln. Was ist es? Hat Artur dir endlich verraten, wie viel Geld er gebunkert hat?«

»Nein.« Maria lässt von ihm ab und atmet tief durch. »Ich hab nichts in der Hinterhand, im Gegenteil. Nach eurem Gespräch im Verlag hat Peter einen Rückzieher gemacht. Er meint, es würde nicht funktionieren. Du bist Philosoph. Als solcher stellst du alles in Frage und analysierst es bis ins letzte Detail. Außerdem bist du nicht daran gewöhnt, Anweisungen entgegenzunehmen. Er hat fast geweint, als er mir von eurem Gespräch erzählt hat. Er wollte nicht Nein sagen, und er hätte es dir niemals ins Gesicht sagen können, aber er muss an seinen Verlag denken. Glaub mir, ich wollte sauer auf ihn sein, aber er saß vor mir wie ein Häufchen Elend. Er mag dich und hat Angst, dass du nie wieder mit ihm redest. Das war an dem Montag, bevor ich nach Kopenhagen geflogen bin.« Maria seufzt. »Er musste eine ganze Flasche Wein trinken, bevor er damit herauskam.«

»Verstehe«, sagt er und wundert sich, wie schmerzfrei Desillusionierung sein kann. Wie widerstandslos er Peters Einschätzung als zutreffend erkennt.

»Es tut mir leid, Hartmut. Ich wollte dich nicht austricksen. Allerdings meinte Peter schon, dass du im Gespräch nicht den Eindruck erweckt hast, als würdest du den Job haben wollen. Du hast ihm seitdem auch nicht geschrieben, oder?«

»Nein.«

»Weil du nicht wusstest, ob ich es will. Aber ob du es willst, wusstest du auch nicht.«

»Was habt ihr vereinbart, wie sollte ich von Peters Rückzieher erfahren?«

»Ich hab gesagt, es war meine Idee, also will ich es dir selbst sagen. Peter war es mehr als recht, dass er es nicht tun muss. Wenn du dich bei ihm gemeldet und zugesagt hättest, wäre ihm nichts anderes übrig geblieben. Wahrscheinlich hat er seine E-Mails zwei Wochen lang zitternd gelesen. Ich wollte es dir nicht am Telefon sagen. Zwei Mal war ich kurz davor, aber dann – ich wollte, dass wir uns in die Augen sehen dabei.« Was sie zu tun versucht, aber jetzt ist er es, der starr geradeaus blickt. Weit draußen auf dem Wasser blinken Lichter. Ist er erleichtert oder enttäuscht? Fühlt er sich bestätigt oder beschämt? Weder noch und alles zugleich.

»Philippa würde sagen, man kann alles am Telefon besprechen, bloß besser.«

»Lass Philippa aus dem Spiel und sag mir, dass du dich hintergangen fühlst. Du hast recht. Im Nachhinein weiß ich, dass es ein Fehler war.«

Hartmut zuckt mit den Schultern. Zu dem Wenigen, das er sicher weiß, gehört, dass er nicht wütend ist. Als gäbe es in ihm eine Schublade mit der Aufschrift ›Wut‹, deren Inhalt ihm gehört wie ein Stapel alter Bücher aus der Jugend. Kein Interesse, sie noch einmal aufzuschlagen.

»Ich glaube nicht, dass das Gespräch anders verlaufen wäre, wenn ich gewusst hätte, dass es deine Idee war. Peter hat recht, ich passe nicht in sein Team. Wenn ich es nicht beim Vorstellungsgespräch verbockt hätte, dann später.« Er streckt den Arm aus und zieht Maria zu sich heran. »Kannste machen nix, hat meine Mutter immer gesagt. Wenn schon scheitern, dann lieber so früh wie möglich.«

Sie legt den Kopf auf seine Schulter. Als wäre damit alles geklärt und sie könnten zu plaudern beginnen.

»Die letzten zwei Wochen waren furchtbar. Das Gastspiel in Kopenhagen. Zu wissen, dass du dich mit einer Entscheidung herumquälst, die dir gar nicht offensteht. Das Gefühl, dir reinen Wein einschenken zu müssen, aber nicht zu wissen, wann und wie. Als ich erfahren habe, dass du seit einer Woche unterwegs bist, wusste ich überhaupt nichts mehr. Ich dachte, jetzt fliegt alles auseinander. Und dass es meinetwegen so weit gekommen ist.«

»Für mich war es besser zu reisen, als in Bonn über meiner Entscheidung zu brüten oder mir den nächsten Aufsatz aus den Fingern zu saugen. Ich war in den Picos de Europa, erinnerst du dich? In der Nähe von Potes, bei dieser romanischen Kirche in den Bergen. Die Kirche war zu, also sind wir runter zum Fluss gegangen und haben uns ins Gras gelegt.«

»Wer ist ›wir‹?«

»Du und ich, damals.«

»Wir waren nicht in den Picos de Europa.«

»Doch, auf unserer ersten Portugalreise. Die Kirche hieß Santa Maria, wie sonst.«

»Wir sind über die Hochebene gefahren, Hartmut. Burgos, Salamanca. In Burgos hatten wir eine Autopanne. Kirchen, die Santa Maria hießen, haben wir alle zwei Tage besichtigt, aber nicht in den Picos de Europa.«

»Ich hab den Ort wiedererkannt.« Er nickt und ist sich seiner Sache sicher. Von dort aus sind sie nach Salamanca gefahren. In Burgos waren sie auf dem Rückweg, und Pannen hatten sie insgesamt drei. Sein alter Opel Kadett sprang häufig nicht an, und im Innenraum roch es ständig nach Motoröl.

Ein Hund läuft über die Mauer zwischen Promenade und Strand. Damals haben sie immer wieder angehalten, um zu schwimmen, an der Küste oder an einsamen Flussufern. Nur sie und er, manchmal nackt. Jetzt bekommt er trotz der Kühle Lust auf ein Bad im Meer. Während der gesamten Reise hat er nur ein einziges Mal gebadet. Sein Sonnenbrand fühlt sich an wie hohes Fieber.

»Du bist also nicht sauer auf mich?«, fragt sie. »Wirklich nicht?«

»Nein.«

»Was machen wir jetzt?«

»Wir suchen uns ein Hotel und ein gutes Restaurant. Ich hab heute nicht viel gegessen. Wir rufen in Rapa an, und morgen fahren wir hin. Das ist früh genug.«

»Ich meinte danach. Du hast gesagt, du kannst nicht länger so leben wie in den letzten zwei Jahren. Aber nach Berlin kommen wirst du auch nicht. Also?«

»Maria, ich habe zwei Wochen lang über eine Option nachgedacht, die nicht bestand. Jetzt ist mein Hut leer. Ich würde gerne, aber ich kann nicht sofort die nächste Idee hervorzaubern. Vielleicht wäre es auch gar nicht gut.«

»Du wartest darauf, dass ich zurückziehe nach Bonn.«

»Bestimmt nicht.« Um das zu unterstreichen, steht er auf und setzt sich Maria gegenüber auf die Mauer. Auf der anderen Seite geht es tiefer hinab, als er gedacht hat. Ein paar provisorische Umkleidekabinen stehen im Sand, außerdem zusammengeklappte Sonnenschirme und zwei Pfosten ohne Netz. Es sieht nicht einladend aus, aber er braucht dringend eine Abkühlung.

»Ich hab darüber nachgedacht«, sagt Maria.

»Du hast es in Bonn nicht mehr ausgehalten«, entgegnet er bestimmt. »Hast du selbst gesagt. Die Langeweile, die mangelnde Beschäftigung, die zu langen Tage in einem leeren Haus. Damals wollte ich es nicht verstehen, aber jetzt weiß ich, wie sich das anfühlt. Bei mir waren es zwar nur die Abende, aber das hat mir gereicht. Wie stellst du dir das vor? Was willst du in Bonn machen?«

»Ich hab nicht gesagt, dass es leicht wird. Aber erstens bin ich es leid, gegen mein schlechtes Gewissen anzukämpfen, und zweitens war Kopenhagen ein Desaster. Ich kann so nicht weitermachen.«

»Vielleicht willst du mir erst mal davon erzählen«, sagt er und beginnt, sein Hemd aufzuknöpfen.

»Es wird dir weniger gefallen, als du glaubst.« Ihr Gesicht liegt halb im Schatten. Hinter der Straße steht eine Häuserreihe ohne ein einziges erleuchtetes Fenster. »Was machst du?«

»Ich gehe schwimmen.«

»Sei nicht verrückt. Wir reden gerade. Du wolltest, dass ich erzähle.«

»Es ist nichts Verrücktes dabei, an einem Badestrand zu schwimmen. Ich hab mir einen Sonnenbrand geholt, es war wahnsinnig heiß in Coimbra.« Er zieht sein Hemd aus und will es auf die Bank werfen. Stattdessen landet es auf dem Boden. Vielleicht hat er sogar einen Sonnenstich. Fünf Meter weiter führt eine Treppe zum Strand hinunter.

»Wir können nicht zurück zu unserem Leben vor deinem Umzug.« Wer hätte gedacht, dass er einmal diesen Satz sagen würde.

»Und warum nicht?«

»Weil wir entweder zu viel wissen oder immer noch zu wenig. Tut mir leid, Maria, ich muss mich jetzt abkühlen. Ich weiß auch nicht, was wir stattdessen tun sollen, aber wir dürfen nicht schon wieder den nächstbesten Ausweg nehmen. Das tun wir seit Jahren, und es bringt uns kein Stück voran. Wie nach dem Streit. Wir müssen endlich … für Klarheit sorgen.«

»Willst du dich von mir trennen?«, fragt sie. »Ist es das, worauf du hinauswillst?«

»Vielleicht solltest du dich auch abkühlen.«

»Du kannst nicht weitermachen wie bisher. Du wirst nicht

nach Berlin kommen. Du willst nicht, dass ich zurückgehe nach Bonn. Welchen Schluss soll ich ziehen, Hartmut? Was um alles in der Welt willst du?«

»Schwimmen.« Entschlossen steht er auf.

Fassungslos lehnt sie sich auf der Bank zurück und sieht ihm zu. Er nimmt seine Uhr ab und drückt sie ihr in die Hand. Entweder hat Maria diese Kiste im Keller bereits vergessen, oder es ist in Kopenhagen etwas passiert, dessentwegen nicht mehr zählt, wie unglücklich sie in Bonn war. Seine Haut brennt, und gleichzeitig friert er in der nächtlichen Meeresluft. Fürs Erste ist seine Aufnahmebereitschaft erschöpft. Die Hose wird er anbehalten, bis er unten am Wasser ist.

»Du weißt, dass eine Trennung das Letzte ist, was ich will«, sagt er ruhig. »Ich kann mir nicht mal vorstellen, wie das wäre. Aber es gab Dinge, von denen ich nichts gewusst habe, und jetzt weiß ich davon, und dadurch ändert sich einiges. Ich hab mit Philippa gesprochen, und sie hat es mir erzählt. Was soll ich sagen? Ich kann's dir nicht verübeln, wahrscheinlich hab ich meinen Teil beigetragen. Durch Abwesenheit und mangelndes Verständnis. Trotzdem ändert es was.«

Maria sitzt nach vorne gebeugt auf der Bank, so dass er ihr Gesicht nicht erkennen kann. Er nickt ihr zu und schafft es sogar zu lächeln.

»Erst wollte ich es nicht glauben. Ich konnte es mir einfach nicht vorstellen, du und dieser ... « Das Wort Schund verkneift er sich. »Aber darin bestand eben meine Blindheit, dass ich nicht gesehen habe, wie schlimm die Situation für dich war. Das tut weh, aber es ist besser, als blind zu sein. Einfach wieder die Augen schließen geht nicht. Weißt du noch, wie du zu mir gesagt hast, wir sind stark genug, wir schaffen das. Ich weiß nicht, ob es damals stimmte. Jetzt müssen wir so stark sein.«

»Und wenn nicht?«

Einen Moment lang verharrt er so reglos wie sie, dann wendet er sich ab und geht zur Treppe. Unten zieht er Schuhe und Strümpfe aus und läuft über den grobkörnigen Sand zum Wasser. Hier und da liegen Algen, nass und grünlich glänzend.

Am anderen Ende des Strandes steht eine Reihe von Holzschuppen, vor denen nackte Glühbirnen leuchten. Leute sitzen dort, eine Ansammlung von Schatten und gedämpften Stimmen. Dann wird der Sand fester und der Meeresgeruch intensiver. Neben einem kleinen Felsbrocken bleibt Hartmut stehen und dreht sich um. Ein einziges Auto steht auf dem Parkplatz, daneben sitzt Maria auf der Bank. Er hebt die Hand und winkt. Nur kurz rein und wieder raus, sagt er sich, zieht seine Hose aus und legt die Brille darauf.

Im ersten Moment kommt das Wasser ihm eisig vor, aber sobald es seine Knie erreicht, nicht mehr. Nicht kälter als die Luft, eher wärmer. Die Felsen, die er vorher erkennen konnte, sind zu dunklen Schemen geschmolzen. Hartmut macht ein paar Schritte nach vorne, spürt das Wasser an den Oberschenkeln und lässt sich fallen. Es ist angenehmer als erwartet. Kleine Lichter tanzen auf dem Wasser, als wollten sie ihm den Weg weisen. Erleichtert macht er ein paar Armzüge und gleitet durch die Dunkelheit. Erschrickt kurz, weil seine Fußspitze eine harte Kante berührt, dann hat er den letzten Felsen passiert und sieht vor sich nichts als das offene Meer.

Wolken ziehen über den Mond. Eine in Porto gestartete Maschine dreht blinkend ab Richtung Ozean. Manchmal fahren seine Beine durch eine kalte Strömung, aber wenn er still hält und sich treiben lässt, liegt er wie in einem warmen Bad. Am Nachmittag in der Kathedrale hat er sich schließlich ein Herz gefasst und ist zum Beichtstuhl gegangen. Ein massiver hölzerner Kasten, der aussah wie ein alter Kleiderschrank. Als Hartmut hineinschaute, fiel sein Blick auf einen Eimer, in dem ein abgenutzter Feudel lag. Flaschen mit Reinigungsmitteln standen aufgereiht, wo früher die Gläubigen gekniet hatten. Was immer er zu erfahren gehofft oder befürchtet hatte, löste sich auf in der Banalität des Anblicks. Hartmut musste an sich halten, um nicht in Lachen auszubrechen. Jetzt fragt er sich, was ihn eigentlich getrieben hat. Nicht nur heute und auf dieser Reise, sondern immer schon. Wonach hat er gesucht? Wovor ist er weggelaufen? Worin besteht dieses nicht fassbare, sich ständig wandelnde Etwas, das die Gestalt von Liebe und Ehrgeiz, von Sehnsucht wie von Lust annehmen kann, und das beinahe alles zu können scheint außer einem: aufhören.

Das Wasser trägt ihn. Weit weg hört er eine Autotür zufallen. Die Küste wird breiter, Hartmut kann bereits die Lichter des nächsten Dorfes erkennen, und sein Staunen hält an. Nach einigen Zügen dreht er sich auf den Rücken, stellt alle Bewegungen ein und folgt der sanften Strömung des Meeres. Vielleicht musste er dreitausend Kilometer fahren nur für diesen Moment. Um einmal in einem anderen Element zu treiben, ohne Ziel und ohne Angst. Endlich, denkt er. Streckt Arme und Beine aus und betrachtet den Mond.

Die Fliehkräfte ruhen.

Er schwimmt.